Pigeon de Bresse en bécasse
Coq au vin de Juliénas

ROPOSE

Train de côtes du Charolais à la broche
Côte de boeuf du Charolais à la moelle
Tournedos poêlé à la bordelaise
Boeuf à la bourguignonne
La daube du Maître Philéas Gilbert
Quasi de veau bourgeoise · gratin de macaronis Raymond Oliver
Jarret de veau à la ménagère
Médaillon de veau à l'estragon

Carré d'agneau fines herbes à la broche
Gigot d'agneau à l'ail à la broche
Selle d'agneau au thym à la broche
auté d'agneau aux petits légumes nouveaux René Lasserre

Rognons de veau à la moutarde de Dijon
Ragoût de ris de veau aux écrevisses Gaston Lenotre

Aiguillette de canard aux navets
Canard à la Margaux Claude Jolly (plat créé pour l'Elysée)
Civet de cuisses de canard au Brouilly
Caneton rouennais à la presse

Lièvre à la royale de Paul Haeberlin
Râble de lièvre à la crème
Civet de lièvre grand-mère Bocuse

Perdreau aux choux
Bécasse cocotte sur canapé
Gigue de chevreuil aux trois purées
Civet de marcassin Grand Veneur

Soupe à la jambe de bois Henry Clos Jouve

Cardons à la moelle
Champignons des bois
Epinards en branches au beurre
Gratin dauphinois
Haricots verts à l'anglaise

Plateau de fromages de France
Les vingt et un desserts de Paul Bocuse

ECTIONNES

LA
CUISINE
DU MARCHÉ

PAUL BOCUSE

LA CUISINE DU MARCHÉ

en hommage à
Alfred Guérot

FLAMMARION

Tous les matins — c'est une tradition lyonnaise dont j'aurais bien du mal à me défaire — je me rends au marché et je flâne parmi les étalages. En achetant mes produits moi-même, je sais qu'un paysan a des cardons excellents, qu'un autre est le spécialiste des épinards et que celui-là est venu ce matin avec ses fromages de chèvre délicieux. Parfois, je ne sais même pas quels plats je ferai pour le repas de midi : c'est le marché qui décide. C'est cela qui fait, je crois, la bonne cuisine.

Je tiens également compte, dans l'élaboration de nos menus, de la saison. Quand c'est le moment du lièvre, nous faisons du lièvre, au printemps arrive l'agneau, puis les légumes nouveaux. Le calendrier, aussi, doit composer notre menu.

En présentant au public *La cuisine du marché* je me dois d'expliquer le titre de cet ouvrage : toutes les recettes, simples ou compliquées, que l'on y trouvera ne seront réussies que dans la mesure où la ménagère saura choisir, discerner sur le marché de sa ville ou de son village les produits de qualité·qui doivent entrer dans la composition des plats qu'elle entend préparer. J'ose donc affirmer que, si la préparation du plat le plus prestigieux n'aboutit pas du premier coup à une réussite totale, on n'essuiera pas non plus un échec complet dans la mesure où il y aura eu, à la base, d'excellents produits. Une vérité de La Palice — mais que tout le monde semble oublier. En somme, pour réussir un plat, la méthode et le savoir-faire comptent (bien sûr) — mais le choix des produits que l'on fera *au marché* me paraît tout aussi capital.

Mais au marché, aujourd'hui, la ménagère, elle trouve quoi? J'entends répéter de toutes parts qu'il n'y a plus de bons produits. En 1908, déjà, l'auteur d'un livre de cuisine se plaignait qu'il n'y eût plus de bons produits et, en 1860, les Goncourt trouvaient que la viande avait perdu son goût ! Je pourrais ainsi remonter facilement au XVIIIe siècle et dresser le catalogue complet des plaintes culinaires !

Pour moi, au risque de surprendre, je dirai qu'en 1976 nous pouvons trouver les meilleurs produits qui soient et n'importe où, grâce, entre autres, aux moyens de transport modernes. Il suffit de prendre son temps, d'examiner, de flâner en un mot. L'ennuyeux, c'est que mes contemporains semblent perdre peu à peu le sens du déroulement des saisons, le sens du rite, du cérémonial qu'apporte avec ses particularités propres chaque saison. On veut manger des asperges à la Noël, des fraises au Jour de l'An, du gibier à Pâques! Faut-il rappeler que les bonnes tomates se mangent en août, les meilleures cerises en juin... et que le calendrier intervient sans cesse dans la préparation des menus?

Il ne faut donc pas que la ménagère ouvre mon livre et décide de préparer tel ou tel plat. Je lui conseillerai plutôt d'aller faire son marché. Là, elle verra ce qui est disponible, elle cherchera dans le livre une recette pour l'accommoder. En revanche, si elle part de chez elle avec l'idée d'acheter, disons des soles, et qu'elle ne démord pas de cette idée même si elle voit aux étalages de beaux merlans bien brillants, l'œil vif, ou de belles dorades et qu'elle revienne à la maison avec des soles de qualité inférieure, alors tant pis ! et le succès de son repas risque fort d'être compromis.

LA NOUVELLE CUISINE FRANÇAISE

On me reproche parfois de n'y être pas tous les jours sur ce fameux marché, on me reproche d'être au Japon, aux États-Unis que sais-je... Je fais des voyages, certes, mais toujours très rapides : trois jours ici, quarante-huit heures ailleurs — rarement davantage. Je crois qu'il est capital d'aller ailleurs pour voir ce qui ne va pas chez soi. Plus on voyage, plus on se rend compte que les autres ne restent pas inactifs et qu'ils progressent : leur expérience doit profiter aux autres. C'est pourquoi il faut aller les voir. Après tout, le métier de cuisinier est un métier de compagnon. Il faut avoir fait son tour de France, plusieurs fois peut-être, et aujourd'hui celui qui veut progresser doit faire le tour du monde. Chaque fois que je vais dans un autre pays, je reviens avec beaucoup d'idées. A Hong-Kong, par exemple, je me suis aperçu qu'ils savent très bien faire cuire les légumes, c'est-à-dire peu longtemps. J'ai ramené de là-bas la façon de cuire les pois gourmands. Je faisais toujours cuire les pois gourmands à l'étuvée avec du lard et des oignons et je me suis aperçu qu'en faisant les pois gourmands cuits comme des haricots verts, à l'eau salée, on obtenait quelque chose de merveilleux, et si *La cuisine du marché* reflète le besoin qu'éprouvent mes compatriotes de retourner aux sources de notre tradition culinaire il ouvre en même temps des perspectives sur ce que nous pouvons faire en observant ce qui se fait chez nos voisins ou dans des pays plus lointains. Bref, *La cuisine du marché*, c'est l'ancien et le nouveau...

Des journalistes viennent me voir, des clients m'interrogent... Ils veulent tout savoir sur ce que l'on appelle « la Nouvelle Cuisine ». La « Nouvelle Cuisine », au fond, c'est la vraie cuisine. Mais comment la définir plus précisément? Avant tout — et je l'ai déjà dit — par le souci accordé à la qualité des produits. Dans ce domaine, il ne faut pas tricher mais rechercher toujours ce qu'il y a de mieux comme viande, légumes, etc. Qu'il s'agisse d'un petit restaurant routier ou d'une table exceptionnelle, qu'il s'agisse de choisir des merlans ou du saumon, il faut chercher les meilleurs merlans, les meilleurs saumons qui viennent de l'Adour ou de Bretagne et même d'Irlande. Cela vaut aussi pour la ménagère...

L'un des principes de la Nouvelle Cuisine est également qu'il faut laisser aux choses leur propre goût : il s'agit de mettre en valeur la saveur originelle des mets. Dans l'ancienne cuisine, les raisons étaient plus tape-à-l'œil que culinaires. Dans la nouvelle cuisine tout a une raison d'être. Prenons par exemple l'une des « spécialités Bocuse » : le loup en croûte farci d'une mousse de homard. Le loup est mis dans la pâte mais on n'est pas obligé de manger la pâte. Elle est là pour garder le fumet du loup. On n'est pas obligé de manger la farce que je mets au milieu non plus... car elle est là pour maintenir une certaine humidité sans laquelle le loup a tendance à sécher... Les tenants de la Nouvelle Cuisine se plient à d'autres règles que j'ai déjà plus ou moins évoquées : ne pas établir un menu à l'avance mais aller le matin au marché et, d'après ce que l'on y a trouvé, établir son menu. Cela entraîne automatiquement la nécessité de simplifier, d'alléger les menus. Il n'est plus besoin de ces fonds de sauces, de tous ces marinages ou autres faisandages... Fernand Point, qui reste mon maître, a supprimé dès avant la guerre toutes ces sauces, ces plats compliqués, trop riches, ces garnitures qui faisaient loi dans la cuisine du XIXe siècle. Cette simplification de la préparation des plats se répercute également sur le temps de cuisson. Les poissons — aussi curieux que cela paraisse — doivent être servis roses à l'arête. Les poissons sont toujours trop cuits ! Les haricots verts doivent craquer sous la dent et les pâtes rester fermes.

Je n'ai pas oublié une autre maxime de Fernand Point : on ne cuisine bien, disait-il, qu'avec amour, dans la mesure où il s'agit par-dessus tout d'instaurer autour d'une table l'amitié et la fraternité entre les hommes. Cela me paraît essentiel : la ménagère de même que le grand cuisinier doivent uniquement préparer les plats qu'ils aiment préparer. Quand une ménagère prépare un plat, quand elle fait un poulet rôti surtout si c'est un Bresse, il faut vraiment qu'elle soit persuadée qu'elle fait quelque chose de bon et avec amour. Je pense que la cuisine est plus facile et bien meilleure quand elle est faite pour des gens que l'on aime. Autre point sur lequel j'aimerais insister : il faut toujours laisser une petite part à l'improvisation, quand on cuisine. Un grand chef d'orchestre disait qu'au moment de l'exécution en public d'une œuvre longtemps travaillée et répétée il accordait une place à l'imagination, à l'improvisation. De même la ménagère devrait se persuader qu'il ne faut pas suivre une recette à la lettre et que l'on peut, à la dernière minute, pour des raisons de simple approvisionnement, remplacer un produit par un autre... Si notre ménagère a choisi de préparer un coq au vin, par exemple, mais qu'il lui manque les lardons et les petits oignons, qu'elle ne se fasse pas de souci. Si le poulet et le vin sont bons, si le tout est salé et poivré à point, elle peut remplacer les oignons par des échalotes ou des poireaux. Elle ne doit surtout pas se sentir esclave du livre, mais au contraire prendre des initiatives et, pourquoi pas? des risques. Même si elle prétend ne pas avoir de dons, le seul fait de tenter une recette, de faire un plat est le signe qu'elle en a envie. Il est ainsi permis de s'offrir une certaine marge de manœuvre, de fantaisie, à condition, bien sûr, de rester dans le ton et de suivre la mesure... Voilà, me semble-t-il, quelques-unes des caractéristiques de la Nouvelle Cuisine Française et nous sommes fiers d'être quelques-uns à faire connaître nos traditions culinaires rénovées aussi bien à bord de la compagnie aérienne Air France qu'au Japon, à Osaka, où j'ai eu l'honneur d'enseigner la cuisine de notre pays dans la plus grande école hôtelière de là-bas, Shizuotsuji, devant 1 500 élèves, depuis l'apprenti de 14 ans jusqu'au professionnel de 82 ans venu se recycler. Là aussi je crois avoir appris autant que je leur ai appris.

LES REPAS

Je trouve que les repas sont toujours trop abondants. A mon avis, on devrait quitter la table en ayant encore un peu faim. Un seul plat chaud dans un repas me paraît suffisant. Même pour un grand dîner.

Une ménagère qui fait un seul plat chaud, mais qui le fait bien, est sûre de satisfaire ses convives. Ces repas avec des hors-d'œuvre chauds, un poisson chaud, une viande chaude et un dessert chaud sont absolument mortels ! D'autant plus que cela demande un travail énorme et il n'y a rien de plus triste pour les invités que de voir la maîtresse de maison exténuée après une journée passée dans sa cuisine, n'ayant pas la possibilité de rester à table avec eux, obligée de surveiller ses plats... Il faut qu'elle sache se limiter, et ne pas rivaliser avec les cuisiniers. Si on veut aller au restaurant, on y va. La maîtresse de maison doit rechercher le plus simple — et ne pas arriver à table en sentant la friture... Il vaut mieux qu'elle serve ce soufflé au fromage qu'elle sait si bien faire, suivi d'un foie gras, par exemple. Mais, en règle générale, elle n'a qu'à choisir des plats qu'elle peut faire à l'avance pour être décontractée en passant dans la salle à manger. Je me permettrai de donner un autre conseil aux ménagères : c'est de continuer à faire le plat qu'elles savent faire. Qu'elles mettent deux ou trois plats au point et qu'elles conservent le tour de main. Elles font un soufflé au fromage admirable ou un gratin de pommes de terre inoubliable. Si, en plus, elles savent faire une volaille à la crème ou cuire un gigot, la partie est gagnée !

LES PROPORTIONS

Fernand Point, dans son livre de cuisine, ne donne aucune proportion, aucun poids. Je crois qu'il est allé un peu loin ! Dans mon livre, les quantités sont approximatives. Si j'écris

100 grammes d'oignons, ce n'est pas parce que la ménagère en mettra 80 ou 130 que son plat sera raté. De même pour la farine, pour le feuilletage... Écrire « 50 grammes de farine » n'a pas beaucoup de sens. A Collonges, nous avons le même meunier depuis 20 ans. Nous savons donc que 500 grammes de cette farine-là sont nécessaires à la préparation du feuilletage — mais si, pour une raison ou pour une autre, nous devons un jour nous adresser à un autre meunier, il nous faudra remettre au point toutes les recettes qui comportent de la farine. De toute façon chaque fois que l'on se met devant ses fourneaux, il faut repartir de zéro ! La ménagère ne devra donc pas prendre à la lettre ce qui est écrit ici : je lui donne les grands traits d'une certaine cuisine et elle, avec son goût, son imagination, son inspiration, fera sa cuisine.

J'utilise beaucoup les recettes de Guérot que je trouve merveilleuses. Alfred Guérot, faut-il le rappeler, est l'un des grands chefs les plus complets de la première moitié de ce siècle. Il a réalisé la synthèse de toutes les tendances de notre métier grâce à ses profondes connaissances et à son talent d'écrivain. Ses recettes sont les plus parfaites qui soient et, dans ce livre, je les reprends pour la plupart. En cuisine, on n'invente rien. Il y a toujours les mêmes produits de base : volailles ou viandes, légumes, etc. et d'autre part la tradition à laquelle il faut, bien sûr, ajouter cette marge d'innovation dont je parlais plus haut. Ainsi, j'adapte les recettes de Guérot, je les transforme... et la maîtresse de maison devra en faire autant avec les conseils de Bocuse.

LE TEMPS DE CUISSON

La seule chose que l'on puisse directement utiliser dans un livre de cuisine, c'est peut-être le temps de cuisson. Et encore ! Une ménagère peut avoir un four qui chauffe à 230°, mais s'il n'en fait que 180? Il y a un seul renseignement qui soit vraiment sûr, c'est quand on lit « mettez à ébullition pendant un quart d'heure ». Là, le doute est impossible ! Mais dans un four on n'est jamais sûr du degré de chaleur qui y règne. Si on met dans le four une seule volaille, elle ne cuira pas de la même manière que s'il y en a trois. Quand on enferme trois volailles, la température baisse. D'une façon générale, il faut s'assurer de la bonne chauffe de ses fourneaux. C'est essentiel.

LES VINS

Je conçois fort bien que l'on fasse tout un repas au champagne : c'est simple et délicieux. Mais trouver les vins qui vont avec chaque plat est beaucoup plus délicat. Là encore, je pense que la maîtresse de maison ne doit pas avoir peur d'innover. On peut très bien boire un vin rouge avec des huîtres, je n'y vois aucun inconvénient. On peut aussi servir avec un gibier un riesling qui est un vin d'Alsace assez fruité et très marqué, mais il faut beaucoup de prudence et, si l'on n'est pas sûr de soi, il vaut mieux suivre les règles traditionnelles. Ce qui est capital, c'est la qualité du vin et, pour cela, il faut savoir où et à qui l'acheter. Les meilleurs sont les vins de propriétaires. Du moment que le vin a le nom du propriétaire sur l'étiquette, c'est déjà un synonyme de qualité, cela n'empêche pas qu'il y a aussi de très bons négociants. Pour ma part, je sers les vins très frais. Les beaujolais en particulier. Les bourgogne sont servis entre 10 et 12 degrés, les vins blancs 8 et 10 degrés et les bordeaux 15 et 16 degrés. Bien des gens croient que « chambrer » un vin consiste à le mettre près de la cheminée ou du radiateur. Chambrer un vin c'est au contraire le mettre dans la pièce de la maison où il n'y a pas de chauffage ! Un vin a tout le temps de se réchauffer dans le verre où vous le verserez...

LA PRÉSENTATION

Je choque souvent mes interlocuteurs en leur disant que la présentation n'a pas beaucoup d'importance. Il est vrai que nous sommes loin, en 1976, de l'art culinaire du début du siècle où chaque plat exigeait de celui qui l'apprêtait non seulement des connaissances en cuisine mais aussi des talents de peintre, d'architecte. Poissons, viandes, légumes, entremets devaient être présentés sous forme de pyramides, pavillons chinois ou cathédrales !

Aujourd'hui, quand une ménagère présente un plat, il faut qu'elle le présente sans vouloir imiter le traiteur du coin qui a dressé une langouste pour sa vitrine. Il n'y a qu'à couper la langouste en deux et la présenter avec un court-bouillon et, pour peu que la langouste ait été cuite au dernier moment et coupée tiède, les invités mangeront quelque chose d'admirable. La grande cuisine, ça ne veut pas dire cuisine compliquée... la grande cuisine ce peut être une dinde bouillie, une langouste cuite au dernier moment, une salade cueillie dans le jardin et assaisonnée à la dernière minute.

J'espère avoir donné, dans ces quelques pages d'introduction, les règles essentielles de l'art de *La cuisine du marché*. On trouvera dans le livre tous les détails et précisions nécessaires pour réussir un repas simple... ou compliqué.

Je voudrais aussi ajouter que ce livre doit beaucoup à Louis Perrier : qu'il soit remercié pour l'aide efficace qu'il m'a apportée.

Je souhaite bonne chance à mes lectrices et lecteurs qui ne doivent pas se décourager s'ils ne parviennent d'emblée à créer un chef-d'œuvre culinaire. Savoir cuisiner est-il un don? Je ne sais trop. Il y a parfois une sorte de prédestination : ainsi, depuis sept générations on retrouve toujours des cuisiniers dans ma famille. En 1634, mes ancêtres étaient meuniers à Collonges et, en 1765, une partie du moulin fut aménagée en restaurant... Quant à moi, j'ai débuté en 1942, dans un petit restaurant de Lyon, tenu par Claude Maret. C'était la guerre, il n'y avait rien à manger et il fallait se débrouiller dans l'entrelacs du marché noir et des difficultés d'approvisionnement. Cette atmosphère du Système D m'a beaucoup aidé, si bien que je sais à peu près tout faire dans ce métier. Depuis, les temps ont changé, mais je continue à cuisiner. Un jour, que j'espère proche, j'achèterai une maison dans le pays. J'y ferai construire une cuisine selon mes idées. J'y mettrai mon fourneau, une très belle table de bois et, si j'ai encore la santé et le moral, je ferai tous les jours quatre ou cinq couverts et je servirai la cuisine de Bocuse. On pourra boire de l'eau (à la rigueur) mais il sera interdit de fumer ! C'est donc par plaisir et par amitié que je poursuivrai ma tâche... L'un de nos moralistes a dit que la table était un autel qui devait être dressé et paré pour célébrer le culte de l'amitié. La maîtresse de maison ne devrait jamais perdre de vue cette maxime : en cuisinant par plaisir et par amour elle est sûre de réussir l'un de ces plats savoureux dont elle trouvera ici la recette.

Paul Bocuse

LES RÈGLES CULINAIRES

Les préparations culinaires, simples ou complexes, reposent toutes sur des principes qui doivent être scrupuleusement observés si l'on veut réussir les différents travaux qui concourent à la réalisation parfaite d'un menu.

Ces règles sont particulières à toutes les préparations ou manipulations, les opérations préliminaires, les procédés de cuisson, le découpage et le dressage.

LES OPÉRATIONS PRÉLIMINAIRES

Les travaux préliminaires à la cuisson des aliments consistent à :
— désosser, *parer*, détailler, *piquer*, *larder*, les viandes ou pièces mises en traitement ;
— vider, nettoyer, brider, *barder*, farcir les volailles, les gibiers, etc. ;
— éplucher, laver, *blanchir* les légumes ;
— *marquer* les jus, les sauces, les *fonds* de cuisine ;
— préparer les poissons, *laver* les filets, etc.
Ce sont autant d'actions culinaires préalables à la mise en train du travail.

Parer, c'est donner une présentation correcte à une pièce de boucherie, la débarrasser soigneusement des nerfs superficiels et de la graisse surabondante.

Piquer, consiste à introduire, en les alternant, de petits lardons gras, dans une pièce de boucherie ou autre. Cette opération est effectuée à l'aide d'une aiguille dite à piquer, en surface de la pièce qui est traversée en séton, en rangs serrés aussi réguliers que possible. Elle a pour but de nourrir les chairs par la fonte du lard, au cours de la cuisson. C'est ainsi que l'on pique un filet de bœuf, des ris de veau, un fricandeau, des grenadins, un râble de lapin ou de lièvre, etc.

Larder, est une opération semblable au piquage, appliquée aux grosses pièces à braiser, avec cette différence que les lardons doivent avoir la grosseur d'une règle et la longueur de l'unité mise en traitement. Ces lardons sont, au préalable, assaisonnés et marinés deux heures, puis plongés, au moyen de la lardoire, dans l'épaisseur de la viande, traversée de part en part en suivant le sens des fibres.

Barder, c'est protéger les parties charnues (estomac) d'une volaille, d'un gibier, avec une feuille de lard gras et frais (barde) de 3 à 6 millimètres d'épaisseur. Le dessèchement provoqué par la chaleur est évité et la cuisson des blancs est retardée par rapport à celles des cuisses lesquelles sont moins sensibles et toujours un peu fermes.

Blanchir, expression culinaire sans aucune signification grammaticale, mais consacrée par l'usage professionnel et que l'on peut traduire par : ébouillanter. Le blanchissage provoque un commencement de cuisson, raffermit les parties externes des pièces, enlève l'âcreté, la saveur trop forte de certains légumes ou les attendrit. Très souvent, à la suite d'un blanchissage, les éléments traités sont rafraîchis à l'eau froide, puis égouttés.

On blanchit les éléments en traitement par immersion dans l'eau bouillante ou dans l'eau froide chauffée jusqu'à ébullition. Observer l'indication portée aux recettes de cuisine.

Marquer, action de préparer les aliments et les condiments qui les accompagnent avant leur mise en cuisson.

Lever les filets consiste à détacher les filets de l'arête d'un poisson, à l'aide d'un couteau à lame souple.

LES PROCÉDÉS DE CUISSON

Les procédés de cuisson des aliments sont au nombre de cinq :

Le *braisage*, le *pochage*, le *poêlage*, le *rôtissage*, la *grillade*, modes très différents, tant de traitement que de résultats, qui offrent à la cuisine française des ressources savoureuses infinies.

Le *braisage* s'applique de préférence aux pièces de boucherie volumineuses, presque toujours marinées 5 ou 6 heures et souvent lardées. Dans ce cas, la pièce est égouttée, épongée, mise au feu et rissolée dans du beurre ou un corps gras, mouillée mesurément avec la marinade et un appoint de jus de veau ou de bouillon ; le récipient est recouvert hermétiquement et la cuisson poursuivie très lentement (mijotée).

Le *pochage*, manière de cuire dans un mouillement plus ou moins abondant et à ébullition presque imperceptible.

Le *poêlage* — ou cuisson à la casserole — doit être conduit à tout petit feu, sans autre jus que le beurre utilisé pour la mise en train et celui produit par l'exsudation de la pièce en préparation. Après le rissolage, l'ustensile est maintenu bien clos. Il faut pratiquer de très nombreux arrosages. Au terme de la cuisson, le jus concentré constitue un véritable suc.

Le *rôtissage* se pratique de deux façons : au four et à la broche. Cette deuxième méthode est incontestablement supérieure à la première. Dans les deux cas, il y a concentration de chaleur, refoulement des sucs vers les parties centrales de la pièce en cuisson, création d'une croûte extérieure rissolée, laquelle retient emprisonnés les sucs qui, par un phénomène inverse, imprégneront tous les tissus quand le rôti ne sera plus soumis à l'action du foyer. Pendant le rôtissage, des arrosages fréquents avec la graisse et non le jus du rôti sont recommandés.

La *grillade* subit les lois culinaires des rôtis : saisissement et rissolage des chairs exposées au feu libre, refoulement et concentration des sucs nutritifs. L'art est de savoir coordonner l'intensité du foyer, la rapidité plus ou moins grande du saisissement, avec le volume, l'épaisseur de la pièce placée sur le gril. Une grillade ne se retourne qu'une seule fois et avec une palette, jamais avec une fourchette ou un instrument piquant qui provoque l'écoulement du jus.

Les ragoûts, les sautés, les fritures, sont des dérivés de ces procédés fondamentaux. Nos lecteurs en trouveront la théorie aux chapitres les concernant.

TEMPS MOYEN DE CUISSON DE QUELQUES ROTIS

Bœuf

Aloyau : 10 à 12 minutes par kilo.
Faux-filet et filet : 10 à 12 minutes par kilo.
Côtes de bœuf : 18 minutes par kilo (repos à l'étuve avant de servir 20 à 30 minutes).

Mouton

Baron : 15 à 18 minutes par kilo.
Carré : 18 à 25 minutes par kilo.
Épaule : 18 à 20 minutes par kilo.
Gigot : 20 à 25 minutes par kilo.
Selle : 15 à 18 minutes par kilo.

Veau

Carré : 30 minutes par kilo.
Longe et noix : 35 minutes par kilo.

Porc

Carré : 25 à 30 minutes par kilo.
Filet : 30 à 35 minutes par kilo.

Volailles

Caneton nantais : 35 à 40 minutes, pour une pièce de un kilo.
Caneton rouennais : 18 à 25 minutes, pour une pièce moyenne.
Dindonneau : 50 à 55 minutes, pour une pièce de 2 kilos.
Pigeon : 20 à 25 minutes.
Poularde : 40 à 50 minutes, pour une pièce moyenne.
Poulet : 30 à 35 minutes, pour une pièce moyenne.

LE DRESSAGE

Dresser un plat est la dernière action culinaire qui prélude à la dégustation.

Le dressage est la mise en œuvre avec goût de la présentation, laquelle doit être simple quoique élégante — surtout s'il s'agit de cuisine chaude — de façon à ne jamais nuire à la qualité et à la saveur des mets.

Règle absolue : ne pas sacrifier le fond à la forme.

Les pièces d'argenterie, d'orfèvrerie et les cristaux utilisés pour le dressage doivent être impeccables, assez grands, sans l'être trop ; par exemple, la bordure d'un plat ne sera jamais encombrée.

Un dressage parfait est celui qui répond aux nécessités du service. Il faut donc nettement écarter tout ce qui peut alourdir, gêner au point de rendre maladroite la personne qui découpe et sert.

Il est assez difficile de bien découper sans aucune connaissance en anatomie. Il faut y suppléer par l'observation et rechercher d'abord, s'il s'agit d'une pièce de boucherie notamment, le sens des fibres de la viande et toujours trancher perpendiculairement à celui-ci.

On remarquera alors qu'une tranche de viande tranchée ainsi correctement s'offre à la mastication parallèlement aux fibres ; par contre, si elle est mordue perpendiculairement, une viande tendre semblera dure.

ASSAISONNEMENT, AROMATES, CONDIMENTS

Assaisonner, action de saler à point ; action simple et cependant capitale pour la cuisine qui exige du sens, le « goût », une grande subtilité, doublée de beaucoup d'attention et de discernement.

Aromates. Les aromates utilisés en cuisine doivent, sauf de très rares exceptions, fondre leur arôme particulier dans la saveur générale des mets qu'ils rehaussent d'une tonalité plus ou moins prononcée.

Tous proviennent de plantes aromatiques dont voici les principales et les plus usitées :

L'aneth, le bétel, la cannelle, le clou de girofle, la coriandre, le laurier, le macis, la moutarde, la muscade, le poivre, le thym, l'anis, la badiane, le basilic, le cumin, le fenouil, le genièvre, le gingembre, le raifort, le romarin, la sauge, le paprika, le safran, le cary ;

Le cerfeuil, l'estragon, le persil, les zestes de citron, d'orange, de mandarine, la vanille, le thé, le chocolat, le café.

On remplace ces plantes par les épices composées, plus faciles à employer mais qui ont l'inconvénient de donner un arôme standard.

Voici l'une des meilleures formules culinaires : laurier sec, 10 grammes ; thym sec, 10 grammes ; macis, 10 grammes ; muscade, 20 grammes ; cannelle, 15 grammes ; clous de girofle, 20 grammes ; piment rouge sans graines, 10 grammes ; poivre blanc, 10 grammes ; romarin, 10 grammes ; basilic, 10 grammes.

Ces aromates sont d'abord soigneusement séchés, puis pilés au mortier, passés au tamis de crin afin d'obtenir une poudre très fine ; les fragments qui restent sur le tamis sont broyés à nouveau et tamisés jusqu'à l'épuisement complet. Se conservent indéfiniment en bocal hermétiquement clos, rangé dans un endroit sec.

Condiments. Les condiments se divisent en 6 catégories :

Les condiments acides : le vinaigre, le verjus, le jus de citron ;

Les condiments âcres : l'ail, l'échalote, la ciboule, l'oignon, la civette, le poireau, le raifort, le radis ;

Les condiments sucrés ou édulcorants : le sucre, le miel, la betterave rouge ;

Les condiments gras : l'huile, le beurre, la graisse ;

Les condiments composés : les moutardes et leurs dérivés, les piccadilly, les cornichons, les oignons, les minuscules melons, les câpres, les graines vertes de capucines, les petites tomates vertes, les choux-fleurs, etc., macérés et conservés dans du vinaigre.

Poissons et crustacés non vidés

Anguille	200 g	Langouste	400 g
Bar ou loup	350 g	Langoustines	400 g
Barbue	350 g	Lavaret	180 g
Bouillabaisse (poissons à)	500 g	Lotte (net)	250 g
Brochet	300 g	Maquereau	200 g
Cabillaud	200 g	Merlan	250 g
Carpe	200 g	Morue salée (net)	150 g
Colin ou merlu	200 g	Moules	500 g
Daurade	350 g	Omble chevalier	200 g
Éperlan	150 g	Raie	400 g
Esturgeon	300 g	Rouget	250 g
Gardons	200 g	Sardines	200 g
Goujons	200 g	Saumon et truite saumonée	200 g
Grenouilles (pièces)	10	Sole à frire	250 g
Haddock (net)	200 g	Sole à filets (pour 2 personnes)	500 g
Hareng	200 g	Thon	200 g
Homard	400 g	Truite de rivière	200 g
Lamproie	200 g	Turbot	400 g

Bœuf, veau, mouton, agneau et porc à griller ou à rôtir

Désossé et dénervé	200 g
A braiser, pour ragoût et pot-au-feu	400 g

Volailles

Poulet et canard (brut)	400 g
Dinde	400 g
Oie	400 g
Lapin	350 g
Derrière de lapin	pour 2 pers.

Gibier

Perdreau : 1 pour 2 personnes.
Faisan : 1 pour 4 personnes.
Caille et grive : 1 ou 2 par personne.
Bécasse : 1 pour 2 personnes.
Canard sauvage : 1 pour 2 personnes.
Mauviettes et ortolans : 2 par personne.

Lièvre : 1 lièvre de 3,500 kg pour 6 personnes.
Râble de lièvre : 1 pour 2 personnes.
Chevreuil, marcassin, etc. : 250 grammes par personne.

LES HORS-D'ŒUVRE

Les hors-d'œuvre composent l'ouverture gastronomique d'un menu de déjeuner. Ils sont servis, en quelque sorte, en marge des mets principaux.

Présentés en dehors, en supplément de l'œuvre, ils devront être différents de ce dernier, mais ne devront pas apaiser la faim; ils seront variés, délicats, légers.

Les hors-d'œuvre chauds sont réservés, de préférence, pour le dîner.

La nomenclature des hors-d'œuvre est illimitée. Les combinaisons culinaires permises, dans ce domaine, sont fonction de la fertilité de l'imagination des praticiens. Ce chapitre procède donc beaucoup plus par des exemples pratiques que par de nombreuses définitions classiques.

Hors-d'œuvre froids

Cette série est divisée en catégories :
Les charcuteries assorties;
Les salades composées ou simples;
Les mollusques, les crustacés;
Les poissons;
Les champignons, certains légumes;
Les œufs froids;
Les canapés, millefeuilles, etc.

Hors-d'œuvre chauds

Cette seconde série est inspirée, en grande partie, par les petites entrées. Elle peut, dans certains menus, en tenir lieu. Elle comprend :
Les mollusques;
Les champignons;
Les combinaisons à base de légumes;
Les soufflés;
Les toasts;
Les croquettes, fritots, beignets, etc.;
Les croustades, petites bouchées;
Les pâtés et rissoles;
Les ramequins, les paillettes;
Charcuteries chaudes et divers.

Cette nomenclature est terminée par plusieurs formules de beurre dit « composé », d'un très grand concours pour la préparation et la variété des hors-d'œuvre.

ASSAISONNEMENTS POUR SALADES COMPOSÉES OU SIMPLES

1re méthode :

Mettre dans un saladier sel, poivre, fines herbes ou autres condiments intentionnellement choisis. Diluer avec une cuillerée à potage de vinaigre, puis ajouter 3 cuillerées d'huile.

2e méthode :

Remplacer le vinaigre et l'huile par le jus d'un citron et 3 cuillerées à potage de crème.

3e méthode :

Fouler sur un tamis 2 jaunes d'œufs cuits durs, mais très juste cuits, sinon ils deviennent secs au lieu de rester crémeux ; les broyer dans un saladier avec sel, poivre, une cuillerée à café de moutarde ; ajouter par petites quantités, en malaxant vigoureusement à l'aide d'un fouet à sauce, une cuillerée à potage de vinaigre, puis 3 cuillerées à potage d'huile. La sauce doit être liée et légère. Pour finir, mettre les blancs d'œufs coupés en filets très minces.

4e méthode :

Détailler en gros dés du lard de poitrine salé et assez gras, les faire fondre et rissoler à la poêle, jeter le tout sur de la salade assaisonnée de poivre et très légèrement de sel ; ajouter ensuite le vinaigre rapidement chauffé dans la poêle encore brûlante. Cette formule ne comprend pas d'huile, le lard la remplace.

5e méthode :

Les éléments qui composent la salade sont légèrement assaisonnés de sel, poivre et fines herbes, puis liés avec de la sauce mayonnaise moutardée et légère.

Certaines salades composées entrent dans la série des hors-d'œuvre aussi bien que dans celles des salades d'accompagnement des plats froids. Par contre, quelques-unes constituent de véritables entrées froides.

Les salades composées comportent presque toujours une forme de dressage dans un saladier ou jatte de cristal. Les attributs du décor sont toujours choisis parmi les éléments de composition d'une salade déterminée. Le bon goût se manifeste par la simplicité.

HORS-D'ŒUVRE FROIDS

Salade de haricots verts

Éléments pour 6 personnes :

1 kilo de haricots verts fins ; 4 tomates mondées ; 50 grammes de truffes fraîches ; 250 grammes de champignons de Paris.
Pour la vinaigrette :
5 centilitres d'huile de noix ; 2 centilitres de vinaigre de vin de Beaujolais ; 2 échalotes finement ciselées ; sel, poivre du moulin.

Méthode :

1° Les haricots verts étant effilés, les cuire à grande eau bouillante. Les maintenir plutôt « croquants ».
Quand ils sont cuits les refroidir à l'eau fraîche et les égoutter aussitôt.

2° Pour servir, les mettre dans un saladier. Ranger dessus les tomates mondées coupées en quartiers, les truffes et les champignons taillés en julienne.

3° Assaisonner devant les convives avec la sauce vinaigrette dans laquelle on aura incorporé les échalotes finement ciselées.

Salade niçoise

3 parties égales de pommes de terre cuites à l'eau, épluchées et taillées en lames minces, de tomates bien mûres débarrassées du pédoncule et de la partie attenante insuffisamment à maturité, de la peau et des semences, puis coupées en quartiers, de haricots verts cuits à l'eau salée à point; le tout mélangé dans un saladier avec une quatrième partie de cœurs de laitues effeuillés. Assaisonner avec huile, vinaigre, sel et poivre, condimenter avec un oignon ciselé et une forte pincée de cerfeuil effeuillé au moment de l'employer.

Salade café de Paris

Préparer une salade de laitue bien blanche assaisonnée de sel, poivre, huile et vinaigre. Dresser en dôme dans un saladier; placer dessus, en éventail, des blancs de volaille coupés en aiguillettes (tranches minces) — les cuisses peuvent être aussi utilisées —, recouvrir le tout d'une légère couche de sauce mayonnaise peu consistante; décorer avec des filets d'anchois marinés divisés en deux en suivant le sens de la longueur, des olives vertes évidées de leur noyau, des quartiers d'œufs durs, disposés autour d'un petit cœur de laitue préalablement macéré quelques minutes dans une cuillerée à potage de sauce vinaigrette et placé au sommet du dôme.

Salade demi-deuil

Cuire à l'eau des pommes de terre, les éplucher et les couper en grosse jardinière, leur adjoindre en partie égale des truffes cuites ou crues taillées en grosse julienne. Assaisonner d'une sauce moutarde à la crème faite ainsi : une forte cuillerée à café de moutarde, une de vinaigrette, sel et poivre, et une forte cuillerée à potage de crème. Dresser en saladier.

Salade de homard ou de langouste

Préparer une salade de cœurs de laitue, assaisonner avec une sauce vinaigrette additionnée de jaunes d'œufs durs, faiblement cuits et broyés. Dresser en saladier ou jatte de verre et disposer dessus en couronne des escalopes de queue de homard ou de langouste; recouvrir les escalopes de sauce mayonnaise légère, puis décorer avec des filets d'anchois taillés en losanges, quelques câpres et des quartiers d'œufs durs.

Salade de betteraves

1re méthode :

Cuire des betteraves bien rouges, de préférence au four ou sous la cendre, à défaut, à l'eau. Écarter celles dont la saveur est forte (goût de terre). Les éplucher et les tailler en grosse julienne ou en rondelles fines. Les assaisonner avec sel, poivre, vinaigre, huile et cerfeuil ou persil haché.

2ᵉ méthode :

Même préparation que ci-dessus, mais adjoindre par betterave moyenne un oignon moyen, qui sera cuit à four doux, refroidi et coupé en rondelles.

3ᵉ méthode :

Cuire les betteraves au four, sous la cendre ou à l'eau, les éplucher, les tailler en grosse julienne, jardinière ou rondelles minces, les assaisonner avec sel, poivre, jus de citron, crème fraîche et moutarde forte.

Proportion de l'assaisonnement : 1/2 citron, 2 cuillerées à potage de crème, une cuillerée à café de moutarde.

Dresser en raviers ou saladiers et parsemer dessus, au moment de servir, une pincée de cerfeuil haché.

Salade de pommes de terre

Cuire à l'eau salée à point un kilo de pommes de terre à chair jaune et ferme (Hollande ou espèces similaires), les faire sécher sur le côté du fourneau pour évaporer l'humidité, les peler chaudes, les couper en rondelles aussitôt et les faire mariner, toujours chaudes, avec un décilitre (6 cuillerées à potage) de vin blanc sec ; les assaisonner ensuite avec sel, poivre, vinaigre, huile, persil et cerfeuil hachés. On peut y ajouter de l'oignon ou de l'échalote finement ciselés.

Salade de tomates

1ʳᵉ méthode :

Choisir des tomates bien mûres, retirer le pédoncule et la partie immédiatement attenante qui manque généralement de maturité, les plonger six secondes dans l'eau bouillante, égoutter, rafraîchir à l'eau froide et les peler. Couper les tomates en tranches d'un millimètre d'épaisseur, enlever l'eau de végétation et les graines, dresser en ravier, arroser avec une vinaigrette et parsemer dessus une pincée d'estragon haché. Laisser macérer quelques instants avant de servir.

2ᵉ méthode :

Procéder comme ci-dessus pour préparer les tomates, les presser légèrement pour dégager l'eau et les graines, les diviser en quartiers au lieu de les couper en tranches, les assaisonner dans un saladier avec une sauce vinaigrette, cerfeuil, estragon hachés et oignon ciselé, laisser macérer une heure ; dresser dans une jatte de cristal, décorer de quelques anneaux d'oignons finement coupés et disposés en couronne en se chevauchant, mettre au centre une pincée de cerfeuil haché. Présenter sur table et avant de servir, mélanger une dernière fois le tout afin que les différents éléments de la salade soient bien pénétrés de l'assaisonnement.

Salade de concombre

Peler et fendre en 2 parties, dans le sens de la longueur, un concombre ; retirer les graines, le couper en tranches très minces, les éparpiller sur un plat et les saupoudrer de sel fin ; bien mélanger et mettre dans un saladier, faire macérer une heure afin d'obtenir le dégorgement de l'eau de végétation. Égoutter soigneusement, assaisonner avec poivre, huile, vinaigre et cerfeuil haché. Dresser sur un ravier.

Salade de chou-fleur

Diviser un chou-fleur bien ferme et blanc en petits bouquets à tige courte ; éplucher la tige de chacun d'eux ; les laver à l'eau légèrement vinaigrée afin de chasser de l'intérieur les minuscules limaces qui peuvent s'y cacher. Les ébouillanter 5 minutes, les égoutter et les mettre en cuisson dans l'eau bouillante salée à point (10 grammes au litre). Faire bouillir très doucement pour éviter de briser les fleurs. Égoutter à nouveau, dresser en raviers ou petites jattes, arroser d'une vinaigrette additionnée de moutarde et de cerfeuil haché.

Après présentation, mélanger avec précaution et servir.

Salade de céleri ou rémoulade

Dégager le cœur bien blanc d'un pied de céleri, diviser chaque branche en tronçons de 8 à 10 centimètres, les couper en julienne sans détacher entièrement les filaments de l'une des extrémités ; mettre aussitôt dans l'eau fraîche quarante minutes, égoutter soigneusement.

Assaisonner avec une vinaigrette fortement moutardée ou avec sel, poivre, moutarde, jus de citron et crème fraîche, ou sauce rémoulade.

Salade de céleri-rave ou rémoulade

1re méthode :

Tailler un céleri-rave en julienne fine, la saupoudrer légèrement de sel fin, bien mélanger et mettre en terrine ; faire macérer une heure. Égoutter et éponger la julienne, puis l'assaisonner avec la préparation suivante : réunir dans un bol une cuillerée à café de moutarde, une pincée de sel, une prise de poivre frais moulu, une demi-cuillerée à potage de vinaigre ; fouetter vigoureusement et ajouter en versant, goutte à goutte, en fouettant toujours, 2 décilitres d'huile.

La julienne doit être parfaitement enrobée de sauce bien liée quand le mélange est achevé. Dresser en raviers ou saladiers.

2e méthode :

Ébouillanter la julienne 5 secondes, l'égoutter et la laisser refroidir. L'assaisonner ensuite comme il est indiqué ci-dessus.

3e méthode :

Faire macérer 30 minutes la julienne de céleri dans un jus de citron, l'assaisonner ensuite avec de la sauce mayonnaise fortement moutardée ou de la sauce rémoulade.

Salade de chou rouge ou chou de Milan

1re méthode :

Prendre une pomme de petit chou (le cœur), l'effeuiller, enlever les côtes et laver les feuilles, les égoutter, les réunir et les tailler en julienne fine.

Ébouillanter cette julienne 6 minutes, l'égoutter à fond. La disposer ensuite dans une terrine par couches successives saupoudrées d'un peu de sel fin ; entre chaque couche, mettre une gousse d'ail, un peu de poivre frais moulu et un fragment de feuille de laurier. Verser dessus du vinaigre bouilli et refroidi de façon que le chou soit entièrement couvert. Laisser mariner deux jours. Vérifier si le vinaigre couvre bien, fermer le récipient et conserver au frais en vue des différents emplois suivants :

a) servi tel ;

b) égoutté et assaisonné de 3 cuillerées à potage d'huile pour 150 grammes de chou ;

c) mélangé, après assaisonnement, à un poids égal de pommes acides coupées en tranches minces.

2° méthode :

Faire bouillir dans une casserole, 2 décilitres de vinaigre, y ajouter la julienne de chou, donner un bon bouillon et laisser refroidir. Égoutter légèrement et au moment de servir, assaisonner de sel, poivre et huile.

Ces procédés ont la propriété d'attendrir le chou et de le rendre plus digeste.

Salade de bœuf Parmentier

Mélange par moitié de dessertes de bœuf cuit (pot-au-feu) taillé en dés moyens et de pommes de terre cuites à l'eau ou à l'anglaise et émincées ; assaisonné à chaud de sel, poivre, huile, vinaigre, oignons ciselés et fines herbes suivant les goûts.

Petits rougets à l'orientale

Éléments :

12 petits rougets barbets de la Méditerranée, 4 cuillerées à potage d'huile d'olive, un décilitre de vin blanc sec, 4 tomates pelées, débarrassées des semences et coupées en quartiers, une brindille de thym, 1/2 feuille de laurier, une gousse d'ail écrasée, une pincée de safran, un citron.

Méthode :

Enlever les ouïes des rougets, ne pas les vider, les essuyer et les placer, côte à côte, dans un plat en terre allant au four et légèrement huilé. Les assaisonner de sel et poivre frais moulu. Mélanger l'huile, le vin blanc, la pulpe des tomates et les condiments, arroser de ce mélange les rougets, puis cuire au four chaud 8 à 10 minutes. Laisser refroidir tel.

Servir bien froid avec, sur chaque rouget, un rond de citron pelé à vif.

Maquereaux marinés

12 petits maquereaux vidés et nettoyés, rangés dans un plat en terre allant au four, assaisonnés de sel et poivre frais moulu. Les couvrir d'une marinade préalablement cuite 20 minutes, et composée de 2 parties de vin blanc sec, une partie de vinaigre, une carotte moyenne et un gros oignon coupés en rondelles minces, une brindille de thym, 1/2 feuille de laurier. Cuire au four 8 à 10 minutes. Laisser refroidir tel.

Servir bien froid avec, sur chaque maquereau, un rond de citron pelé à vif.

Harengs marinés

Se préparent comme les maquereaux.

Nota. — Il est recommandé de faire ces préparations deux jours avant de les servir et de les conserver en macération dans un endroit bien frais.

Moules au safran

Éléments :

2 kilos de moules soigneusement nettoyées, un gros oignon, une branche de persil,

2 décilitres de vin blanc sec, une brindille de thym, 1/2 feuille de laurier, une prise de poivre frais moulu et une de safran, 4 cuillerées à potage d'huile.

Méthode :

Réunir dans une casserole les moules, les condiments, le vin et l'oignon finement ciselé. Chauffer rapidement et faire sauter fréquemment les moules afin qu'elles s'ouvrent bien toutes. Les retirer du feu, égoutter la cuisson dans une autre casserole et la réduire des 2/3 ; pendant cette opération, ajouter l'huile en pleine ébullition afin de provoquer une très légère émulsion. Laisser refroidir, enlever une coquille à chaque moule, ranger ces dernières sur un plat ou un ravier et les arroser de la cuisson.
Servir bien froid.

Paillettes d'anchois

Faire une bande mince de 6 centimètres de largeur en parure de feuilletage. La piquer abondamment avec une fourchette et la cuire au four chaud.
Après refroidissement, étendre dessus une couche épaisse de beurre d'anchois et la diviser en bâtonnets. Les servir très friands.

Artichauts à la grecque

Éléments :

12 petits artichauts, 1/2 litre d'eau, 2 décilitres d'huile, 15 grammes de sel, 10 grains de poivre, 3 citrons, une brindille de thym, 1/2 feuille de laurier, une branche de céleri, une pincée ou une branche de fenouil, 15 grains de coriandre, 12 petits oignons blancs.

Méthode :

Enlever la tige des artichauts et raccourcir les feuilles de 2 centimètres, les couper en quartiers et les jeter avec les oignons dans une marinade en pleine ébullition préparée avec les éléments ci-dessus et de la manière suivante :
Mettre dans une casserole en plein feu l'eau, le sel, le jus des 3 citrons, et, dans un sachet, les condiments conseillés. Laisser bouillir 5 minutes, ajouter l'huile, les artichauts et les oignons. Cuire 20 minutes environ, s'assurer de la cuisson en détachant une feuille d'artichaut du fond, débarrasser en terrine et servir froid.

Chou-fleur à la grecque

Diviser en petits bouquets un chou-fleur ferme et bien blanc, éplucher la base de chaque bouquet, les laver et les mettre dans de l'eau bouillante salée à raison de 10 grammes de sel au litre ; laisser bouillir cinq minutes, égoutter, rafraîchir à l'eau et égoutter à nouveau. Opérer ensuite comme pour les artichauts en ajoutant à la préparation 3 tomates débarrassées des semences, pelées et coupées en quartiers.

Poireaux à la grecque

Blancs de poireaux tronçonnés de 8 à 10 centimètres de longueur, les cuire 10 minutes à l'eau bouillante salée à point. Égoutter, rafraîchir et les traiter comme les artichauts à la grecque.

Champignons à la grecque

Éléments :

250 grammes de très petits champignons fermes et blancs, 2 citrons, un morceau de sucre, 25 centilitres d'eau, 5 grammes de sel ; une pincée de fenouil ou une petite branche, une pincée de coriandre ou 10 grains, une brindille de thym, 1/2 feuille de laurier, 10 grains de poivre, une petite branche de céleri (ces condiments réunis dans un petit sachet) ; 3 cuillerées à potage d'huile et autant de vin blanc sec.

Méthode :

L'eau, le vin blanc, le jus des citrons, le sucre, le sel, les condiments sont réunis dans une casserole et mis en ébullition 5 minutes ; à ce moment, ajouter les champignons préalablement bien nettoyés du sable attaché à la jambe et rapidement lavés. Laisser bouillir à feu vif 5 minutes. Au moment de la pleine ébullition, ajouter l'huile. Une émulsion légère se forme naturellement.

Débarrasser en terrine et servir très froid.

Salade de champignons

Éléments :

300 grammes de champignons moyens, blancs, fermes et soigneusement nettoyés, lavés et épongés, sel, poivre, crème ou huile, 1 citron, sucre en poudre.

Méthode :

Couper en fines lames (émincer) les champignons, les mettre dans un saladier et les assaisonner de sel, poivre frais moulu, une pincée de sucre, le jus d'un citron, la crème (à défaut l'huile) ; aromatiser avec estragon ou cerfeuil, ou fenouil haché ou encore fleurs de thym, ail écrasé, épices, etc., question de goût ou d'opportunité.

Petits oignons à l'orientale

Choisir de très petits oignons de grosseur régulière. Après les avoir débarrassés de la pellicule, les ranger tous dans le fond d'un plat à sauter de grandeur juste suffisante. Pour un litre d'oignons, les mouiller à hauteur de vin blanc sec et d'huile par moitié, puis les recouvrir de trois belles tomates bien mûres, mondées, épépinées et concassées. Assaisonner d'une pincée de sel, de poivre frais moulu, d'une gousse d'ail râpé, de quelques graines de coriandre, et d'une pincée de safran, ce dernier devant dominer cet accommodement.

Couvrir, mettre en ébullition, et faire mijoter jusqu'à cuisson complète des oignons. Les débarrasser dans une jatte avec leur cuisson et réserver au froid. Servir tel.

Œufs farcis au paprika

Œufs durs cuits faiblement, débarrassés de la coquille, divisés en deux parties dans le sens de la longueur.

Recueillir les jaunes dans un bol, les broyer finement avec une fourchette et les malaxer avec une quantité égale de beurre frais, ou de crème épaisse, assaisonner cette pâte crémeuse avec une pincée de sel fin et du paprika (plus ou moins selon le goût). Regarnir les demi-blancs d'œufs avec cette crème, les bomber légèrement en les lissant.

Les présenter en ravier.

Fromage hongrois

Éléments (pour 6 personnes) :

18 petits fromages Gervais, 50 grammes de beurre, 6 beaux poivrons verts ou rouges, 30 grammes d'oignon doux haché, 20 grammes d'excellent paprika de Hongrie, 10 grammes de graines de cumin, 20 grammes de ciboulette, sel fin et poivre blanc pour l'assaisonnement.

Méthode :

Après les avoir essuyés, évider les poivrons.

D'autre part, malaxer intimement les fromages Gervais avec les oignons hachés étuvés au beurre et refroidis.

Incorporer également la ciboulette, le paprika, les graines de cumin et assaisonner judicieusement avec le sel et le poivre.

Farcir l'intérieur des poivrons avec cette riche préparation.

Servir les poivrons sur un plateau à fromage.

HORS-D'ŒUVRE CHAUDS

Huîtres à la florentine

Détacher de leur coquille des huîtres plates ; mettre les huîtres en réserve dans leur eau et nettoyer soigneusement les coquilles. Préparer, d'autre part, des épinards à raison d'une forte poignée pour 6 huîtres : enlever les tiges, les ébouillanter vivement 10 minutes (jeter dans l'eau bouillante salée à point), égoutter et rafraîchir à l'eau froide ; égoutter à nouveau et les presser fortement pour exprimer l'eau.

Dans une sauteuse, chauffer rapidement du beurre ; dès qu'il grésille, y ajouter les épinards, les assaisonner de sel, muscade (un soupçon), une prise de sucre en poudre, si les épinards sont d'arrière-saison et âcres ; les remuer à chaleur ardente 2 minutes. Hors du feu, incorporer, par poignée d'épinards, une noix de beurre frais.

Garnir d'épinards les coquilles préalablement chauffées légèrement, placer sur chaque coquille une huître bien égouttée et détacher la frange, saupoudrer amplement huîtres et épinards de parmesan ou gruyère râpé mélangé avec une pincée de mie de pain en chapelure, pour fixer le gratin. Arroser avec quelques gouttes de beurre fondu et exposer au four bien chaud, près du foyer, de 5 à 6 minutes, juste le temps de gratiner.

Servir sur une serviette.

Quiche lorraine

Éléments (pour 4 personnes) :

150 grammes de pâte à foncer, 50 grammes de lard de poitrine fumé et détaillé en fines tranches, 50 grammes de fromage de gruyère découpé de même, 4 décilitres de crème ou de lait, 3 œufs, la grosseur d'une noix de beurre, un petit oignon ciselé menu.

Méthode :

1º Abaisser la pâte et en foncer un cercle à tarte de 20 centimètres de diamètre.

2º Garnir le fond avec les tranches de lard préalablement dessalées en les faisant bouillir deux minutes dans un peu d'eau, puis légèrement fondues dans un peu de beurre très chaud. Alterner les tranches de lard avec les lames de gruyère.

3º Cuire l'oignon, sans le faire rissoler, dans le beurre de cuisson du lard ; battre les œufs avec la crème ou le lait et mélanger le tout avec l'oignon.

4º Emplir de cet appareil, qui aura été légèrement salé et poivré, le cercle foncé. Tenir compte que le lard et le gruyère sont généralement un peu salés.

5º Cuire 35 minutes au four bien chaud, surtout la sole (partie inférieure du four).

Nota. — Chaque fois qu'une quiche devra être cuite dans un four dont la sole chauffe insuffisamment (ce qui est fréquent dans les fourneaux à usage domestique), nous recommandons de cuire au préalable la croûte à blanc en la garnissant de papier très fin et de noyaux de cerises ou de légumes secs sacrifiés à cet emploi.

Risotto aux foies de volailles

Éléments (pour 4 personnes) :

60 grammes de beurre, un oignon moyen, 125 grammes de riz, 1/2 litre de bouillon non coloré, 6 foies de volailles, 6 beaux champignons, une échalote, une cuillerée à potage de jus de veau lié.

Méthode :

Faire blondir l'oignon ciselé finement dans le 1/3 du beurre, ajouter le riz et le chauffer dans le beurre, mettre ensuite le bouillon, couvrir et cuire doucement 18 minutes. A ce moment, changer le riz de casserole, lui incorporer avec précaution 1/3 du beurre, le goûter, puis le verser dans un plat creux.

D'autre part, couper les foies en deux, les assaisonner de sel et poivre, les sauter à feu vif dans le 3e tiers du beurre en les tenant juste cuits, de façon à ce qu'ils soient rosés, mettre les champignons coupés en quartiers, l'échalote hachée, chauffer rapidement et terminer, hors du feu, avec le jus de veau lié.

Nota. — Le riz, quoique bien cuit, c'est-à-dire à point, doit s'égrener et ne pas être pâteux.

Aubergines provençales

Couper en deux parties dans le sens de la longueur 4 petites aubergines, les frire 5 minutes, puis retirer la pulpe et la hacher grossièrement.

D'autre part, sauter dans une cuillerée à potage d'huile 4 tomates moyennes débarrassées des semences et de la peau, puis concassées, ajouter une gousse d'ail écrasé et la pulpe des aubergines. Assaisonner de sel et poivre et goûter.

Placer les aubergines sur un plat beurré et allant au four, les garnir de la pulpe tomatée, parsemer de mie de pain ou chapelure, arroser de beurre fondu, faire gratiner au four.

Servir en entourant les aubergines d'un cordon de sauce tomate, ou jeter dessus deux cuillerées à potage de beurre mousseux fondu à la poêle au dernier moment.

Soufflés au parmesan

Éléments (pour 4 personnes) :

4 décilitres de lait, 75 grammes de farine, 60 grammes de parmesan ou gruyère, 30 grammes de beurre, 4 œufs, sel, poivre, muscade.

Saucisson chaud à la lyonnaise (p. 33)

Méthode :

Faire bouillir le lait ; quand il est un peu refroidi, le verser par très petites quantités sur la farine que l'on remue de façon à obtenir un mélange homogène parfaitement lisse et sans grumeaux. Saler à point, mettre une pincée de poivre et une prise de muscade. Faire bouillir en remuant constamment. Retirer du feu dès l'ébullition et incorporer aussitôt à la sauce crémeuse ainsi obtenue, le fromage, le beurre et les 4 jaunes d'œufs préalablement dilués avec deux cuillerées à café de lait.

D'autre part, battre en neige bien ferme les 4 blancs d'œufs et mélanger à l'appareil en prenant soin de ne faire retomber les blancs que le moins possible.

Garnir de ce mélange des petites cassolettes en porcelaine et cuire au four doux 10 minutes.

Servir aussitôt.

Soufflés au jambon

Éléments (pour 6 personnes) :

250 grammes de maigre de jambon cuit, 30 grammes de beurre, 1/2 litre de sauce béchamel, 3 œufs, une pincée de paprika.

Méthode :

Piler finement le jambon avec le beurre, passer au tamis fin, mettre la purée obtenue et le paprika dans la béchamel bien chaude, ajouter les 3 jaunes d'œufs, puis les blancs battus en neige bien ferme en prenant grand soin de ne pas les faire affaisser.

Dresser dans une timbale à soufflé beurrée ou dans des petites cassolettes en porcelaine. Cuire à four de chaleur moyenne. L'appareil doublera son volume hors de la timbale. Il doit être servi immédiatement.

Laitance de carpe sur toast sauce moutarde

Placer dans un plat à sauter la laitance d'une carpe (ou 12 laitances de harengs), verser dessus un petit court-bouillon composé de vin blanc et d'eau par parties égales et de quelques gouttes de jus de citron ou de vinaigre à défaut. Faire pocher légèrement sans bouillir. Aussitôt cuites, égoutter les laitances, les dresser sur des tranches minces de pain grillé et les recouvrir d'une sauce moutarde faite avec la cuisson réduite des laitances.

Les laitances doivent être préalablement dégorgées à l'eau fraîche, nettoyées des parties sanguinolentes, lavées et épongées.

Beignets de laitances et beignets d'anchois

Cuire doucement, sans faire bouillir, 12 laitances, dans un court-bouillon composé d'une partie vin blanc sec et une partie eau, sel et poivre ; les laisser refroidir dans le court-bouillon, les égoutter et éponger ; les faire mariner une heure dans un filet d'huile additionnée du jus d'un demi-citron.

Au moment de servir, les tremper, une à une, dans une pâte à frire et les plonger immédiatement dans une bassine de friture fumante.

Présenter sur serviette, garnir d'un bouquet de persil frit.

Les filets d'anchois, après macération dans l'huile, sont épongés, trempés dans une pâte à frire, et traités comme les laitances.

Welsh rarebit ou rôties galloises

Tailler dans un pain de mie des petites tranches, les griller et les beurrer. Placer ces petites rôties sur un plat en porcelaine allant au four.

D'autre part, réduire légèrement par ébullition 1/4 de litre de bière mélangée à une pincée de moutarde anglaise — à défaut, une 1/2 cuillerée à café de moutarde ordinaire —, mettre à dissoudre dans la bière 100 grammes de fromage de Gloucester ou de Chester coupé menu et une pointe de poivre rouge de Cayenne, puis, quand le fromage est bien liquéfié, ajouter, hors du feu, 20 grammes de beurre. Enfin, verser le mélange sur les rôties chaudes afin de les recouvrir entièrement.

Présenter rapidement au four très chaud pour obtenir un joli glaçage, c'est-à-dire une belle couleur dorée. Servir aussitôt.

Fritots

Les fritots permettent, eux aussi, d'utiliser des dessertes de poissons, coquillages, volaille, viande de boucherie, abats, légumes qui peuvent être divisés en petits tronçons ou morceaux que l'on trempe dans de la pâte à frire, puis, un à un, dans une bassine de friture fumante.

On les sert avec, à part, une saucière de sauce ou de beurre composé.

Croquettes de coquillages

Faire ouvrir un litre de moules (ou autres mollusques) préalablement bien lavées et vérifiées afin d'écarter celles contenant de la vase ; les sortir de leurs coquilles, enlever la frange, et les couper en gros dés.

Nettoyer 200 grammes de champignons, les laver rapidement, les égoutter, les éponger et les couper également en dés. Les jeter dans un plat à sauter dans lequel grésille le beurre (50 g), les cuire rapidement en plein feu, ajouter les moules et un décilitre de sauce béchamel très réduite ; lier, hors du feu, avec deux jaunes d'œufs comme il est expliqué pour les croquettes de volaille ; terminer de même manière.

Croquettes de volaille

Éléments :

250 grammes de volaille cuite, 100 grammes de champignons, 100 grammes de maigre de jambon cuit ou de langue écarlate, 50 grammes de truffes crues (de préférence pendant la saison), 4 décilitres de velouté de volaille, 4 œufs, 50 grammes de farine, 50 grammes de mie de pain bien rassis, 50 grammes de beurre.

Méthode :

Couper en petits dés la volaille, le jambon ou la langue, les truffes et les champignons. Choisir un plat à sauter de dimensions convenables, y mettre le beurre, chauffer vivement, ajouter les champignons, puis, quelques secondes après, les truffes et enfin le velouté. Le réduire rapidement de moitié et mettre la volaille ; faire bouillir à nouveau et immédiatement, hors du feu, ajouter 3 jaunes d'œufs crus. Bien mélanger et ne plus faire bouillir. Verser l'appareil ainsi obtenu sur un plat beurré, l'étendre, le tamponner avec un morceau de beurre, et laisser refroidir.

Pendant le refroidissement, préparer la mie de pain ; la broyer avec une pincée de farine dans un linge puis la passer au tamis moyen ou à la passoire. L'on obtient ainsi une chapelure fraîche.

D'autre part, battre un œuf dans un bol.

L'appareil étant refroidi, le diviser en parties de 50 grammes, donner à chacune la forme d'un bouchon en les roulant très légèrement dans la farine, puis dans l'œuf battu et enfin dans la mie de pain (on peut utiliser à défaut de la chapelure séchée quoique cette dernière soit moins recommandée).

Faire frire à friture bien chaude au moment de servir. Les croquettes doivent être croustillantes à l'extérieur et crémeuses à l'intérieur et doivent prendre une belle couleur dorée.

Dresser sur une serviette et servir à part de la sauce tomate.

Beignets de cervelle

Choisir une cervelle de veau ou trois d'agneau, les faire tremper à l'eau froide afin d'obtenir le dégorgement du sang, enlever la membrane qui les enveloppe et les cuire dans un court-bouillon composé d'eau (1/4 de litre), une demi-cuillerée à potage de vinaigre, une forte pincée de sel. Mettre la cervelle dans le court-bouillon froid, faire bouillir doucement, retirer sur le côté du feu et maintenir 10 minutes sans bouillir.

Égoutter la cervelle, la couper en gros cubes de 3 centimètres de côté, les mettre 20 minutes dans une marinade d'huile d'olive acidulée avec le jus d'un quartier de citron et une pincée de cerfeuil concassé, sel et poivre.

D'autre part, préparer une pâte à frire, les tremper dans cette pâte, cube par cube, et les plonger au fur et à mesure dans la friture très chaude.

Les servir bien dorés sur une serviette, garnir d'un bouquet de persil frit.

Croustade bressane

Utiliser 250 grammes de pâte à foncer, l'abaisser en lui donnant 3 millimètres d'épaisseur. Détailler à l'aide d'un emporte-pièce rond ou ovale et de dimension appropriée au moule choisi (moule à petite brioche, à tartelette, à bateau, etc.), foncer ces moules, piquer la pâte avec une fourchette, tapisser d'un papier pelure de la meilleure qualité possible pour éviter une mauvaise odeur, remplir de légumes secs, telles des lentilles, ou des noyaux de cerises tenus spécialement en réserve, faire cuire au four de chaleur moyenne ; puis enlever légumes et papier, tenir au chaud.

Garnir les croustades au moment de servir de la préparation suivante : 1/3 de blanc de volaille, 1/3 de truffes, 1/3 de champignons coupés en gros dés. Cuire d'abord les champignons rapidement au beurre bien chaud, y ajouter les truffes, puis, suivant la quantité, une ou plusieurs cuillerées à potage de madère ou de porto, la volaille et enfin quelques cuillerées à potage de crème, ou sauce béchamel à défaut.

Réduire rapidement de moitié et lier, hors du feu, avec 50 grammes de beurre frais, s'assurer de l'assaisonnement, puis garnir et servir. Le mélange doit être très crémeux.

Toutes les garnitures prévues pour les bouchées peuvent être employées pour les croustades.

Petits pâtés à la bourgeoise

Abaisser 250 grammes de pâte à feuilletage de l'épaisseur de 5 millimètres. Diviser l'abaisse à l'aide d'un coupe-pâte de 6 centimètres de diamètre ou en petits carrés de 5 centimètres de côté. Placer la moitié des petites abaisses sur une plaque à pâtisserie, mouiller légèrement le bord à l'aide d'un pinceau, d'une plume ou d'un linge trempé dans un peu d'eau.

Mettre au centre de chaque abaisse une boule de chair à saucisse fine de la grosseur d'une petite noix. Recouvrir avec la seconde moitié des abaisses.

Faire une légère pression sur ces abaisses pour les souder au moyen de la partie supérieure d'un coupe-pâte de 5 centimètres ou avec le pouce.

Dorer avec un peu d'œuf battu, rayer avec la pointe d'un couteau et cuire à four chaud 15 minutes.

Ramequins au fromage

Préparer une pâte à choux composée de 125 grammes de farine, 60 grammes de beurre, 4 œufs, 1/4 de litre d'eau, une pincée de sel, une pointe de muscade râpée ou écrasée. Ne pas mettre de sucre.

Diviser cette pâte en petits choux de la grosseur d'un demi-œuf à l'aide d'une cuiller à potage et d'un couteau dont la lame est trempée fréquemment dans l'eau tiède pour éviter que la pâte n'adhère à la lame.

La cuiller est copieusement remplie de pâte que l'on pousse sur une plaque à pâtisserie avec le couteau et en laissant un espace de 8 centimètres entre chaque chou.

Dorer ensuite les choux avec une faible partie d'œuf prélevée sur les 4 utilisés ; puis les saupoudrer de gruyère râpé que l'on colle aux choux par une légère pression faite avec le couteau.

Cuire enfin à four chaud 15 minutes environ.

Paillettes au parmesan

Utiliser 250 grammes de pâte à feuilletage et 200 grammes de parmesan ou gruyère râpé. En donnant les deux derniers tours au feuilletage, lui faire absorber le fromage râpé. Abaisser le feuilletage et diviser les abaisses en bandes de 10 centimètres de largeur et de 3 millimètres d'épaisseur, puis détailler en bâtonnets de 5 millimètres de largeur. Ranger sur une plaque à pâtisserie et cuire à four bien chaud.

Les paillettes peuvent être servies comme accompagnement de certains potages clairs. On peut les condimenter avec une pincée de paprika ou une pointe de poivre rouge de Cayenne.

Paillettes aux anchois

Préparer des abaisses de pâte à feuilletage comme il est expliqué ci-dessus, sans addition de fromage. Les diviser en bandes de 10 centimètres de largeur et de 5 millimètres d'épaisseur ; humecter la surface au moyen d'un pinceau ou d'une plume ou d'un linge trempé dans un œuf battu.

Ranger dessus des filets d'anchois dessalés et épongés, détailler en petits rectangles de 2 centimètres de largeur.

Disposer sur une plaque à pâtisserie et cuire à four chaud 12 minutes.

Pommes de terre Nantua

Cuire au four des pommes de terre de Hollande ou espèces similaires choisies de la grosseur d'un petit œuf. Les ouvrir comme une tabatière, les vider de leur pulpe. Remplacer cette dernière par un ragoût de queues d'écrevisses liées avec de la sauce Nantua.

Servir sur serviette.

Saucisses au vin blanc

Choisir des petites saucisses dites « chipolatas », les cuire au beurre dans un petit sautoir, les dresser sur petits croûtons rectangulaires rissolés dans le beurre de cuisson des saucisses et ranger sur un plat de service chaud. Mettre dans le récipient utilisé une cuillerée à potage de vin blanc sec pour 6 saucisses, le faire réduire des 2/3 et lui additionner une cuillerée à potage de jus de veau, une cuillerée à café de sauce tomate ou 1/2 cuillerée à potage de pulpe de tomates fraîches ; dans ce cas laisser cuire quelques minutes. Dans ce jus court et très chaud, ajouter deux noix de beurre en remuant vigoureusement hors du feu afin d'obtenir une liaison parfaite.

Verser sur les saucisses qui ont été maintenues bien au chaud.

Saucisson chaud à la lyonnaise   (photo page 28)

Éléments (pour 4 personnes) :

Un saucisson pur porc de 800 grammes, celui-ci doit être de grande qualité ; un kilo de pommes de terre dites « Belle-de-Fontenay ».

Méthode :

Dans une casserole ou marmite mettre le saucisson, le couvrir de 2 à 3 litres d'eau froide.

Chauffer sur le feu jusqu'à frémissement du liquide. Maintenir une chaleur constante sans laisser bouillir durant 25 à 30 minutes.

Le temps de cuisson étant écoulé, retirer le récipient sur le coin du feu pour terminer le pochage pendant un quart d'heure.

On sert le saucisson chaud accompagné de pommes de terre ; celles-ci doivent être d'une grosseur régulière, épluchées, parées correctement et cuites à la vapeur ou à l'anglaise.

Ce plat très simple, bien lyonnais, se déguste au début du repas avec du beurre frais.

Saucisson en brioche

Éléments (pour 5 ou 6 personnes) :

1 saucisson à cuire pur porc de un kilo et d'une longueur de 30 centimètres environ, 500 grammes de pâte à brioche commune, 1/4 de litre de beaujolais.

Méthode :

1º Mettre le saucisson à l'eau froide, le cuire durant 30 minutes. La cuisson doit être maintenue régulière, sans ébullition, sur le coin du feu. Lorsqu'il est cuit, laisser le saucisson tiédir dans sa cuisson hors du feu. Ensuite, le retirer et lui enlever la peau. Le faire rôtir quelques minutes à four très chaud pour le dégraisser. Égoutter le gras, puis déglacer avec 1/4 de litre de beaujolais, et réduire le vin à sec.

2º D'autre part, étendre la pâte à brioche en une abaisse légèrement plus longue que le saucisson et d'une largeur de 15 centimètres.

Badigeonner le saucisson avec de la dorure au jaune d'œuf et l'enduire de farine. L'enrober avec l'abaisse de pâte à brioche en ayant soin de bien la faire adhérer : pour cela, l'humecter légèrement.

Dorer la pâte sur toute sa surface. Décorer avec quelques motifs de pâte réservée ou simplement avec la pointe d'un couteau.

Le saucisson en brioche étant placé sur une plaque à pâtisserie, laisser légèrement lever la pâte. Cuire à feu chaud (220 degrés) une demi-heure environ.

On sert le saucisson en brioche coupé en tranches. Parfois, on l'accompagne d'une excellente sauce Périgueux.

Beurres composés

Les beurres composés sont préparés en malaxant avec du beurre frais des substances alimentaires, viandes cuites, poissons, crustacés, légumes ou condiments broyés au mortier puis foulés au tamis fin ou à l'étamine.

Ces beurres sont utilisés dans certaines préparations de hors-d'œuvre ou pour achever la mise au point des sauces.

Dans plusieurs cas, ils sont traités à chaud, cuits ou simplement fondus avec les éléments de complément.

On prépare ainsi des beurres colorants de crevettes, d'écrevisses, de homard, etc.

Beurre d'anchois

Piler au mortier 15 filets d'anchois, préalablement dessalés, avec 200 grammes de beurre frais ; passer au tamis fin.

Beurre d'ail

Même préparation avec 8 gousses d'ail, 5 grammes de sel et 300 grammes de beurre frais.

Beurre vert pré ou de cresson

Jeter dans l'eau bouillante par parties égales, cerfeuil, estragon, pimprenelle, persil et ciboulette ; faire bouillir une minute, égoutter, rafraîchir et bien presser. Peser le tout, et piler au mortier avec du beurre frais à poids égal. Assaisonner et passer au tamis fin. Ajouter à la composition une forte poignée de cresson dont la saveur doit dominer.

Beurre de foie gras

Première méthode :

Broyer au mortier 150 grammes de foie gras cuit et 150 grammes de beurre frais, assaisonner et passer au tamis. Relever avec une pointe de poivre rouge de Cayenne.

Deuxième méthode :

Passer au tamis fin 100 grammes de foie gras cuit rosé. Chauffer en pommade 100 grammes de beurre, le fouetter dans le récipient utilisé et tiède en lui incorporant la purée de foie gras et une cuillerée à potage de porto.

Assaisonner avec une prise de sel et une pointe de poivre rouge de Cayenne.

Beurre de Roquefort

Malaxer 200 grammes de fromage de Roquefort avec 200 grammes de beurre frais.

Beurre d'escargots

Éléments :

1 kilo de beurre fin, 20 grammes de gros sel, 1 gramme de poivre moulu, une râpure de noix de muscade, 50 grammes d'ail écrasé, 40 grammes d'échalote hachée, 50 grammes d'amandes douces, 100 grammes de persil finement haché.

Méthode :

Réunir dans un mortier sel, poivre, muscade, ail, échalote et amandes. Piler le tout pour obtenir une pâte lisse. Ceci étant fait, ajouter le persil et le beurre légèrement ramolli. A nouveau avec le pilon, malaxer l'ensemble de façon à obtenir un mélange parfait.

Avant son utilisation, conserver au frais, dans une terrine en grès, le beurre d'escargots ainsi obtenu.

Beurre d'amandes

Jeter dans l'eau bouillante 100 grammes d'amandes douces, les égoutter aussitôt et les émonder, c'est-à-dire enlever la peau d'un mouvement de pression entre le pouce et l'index ; les piler au mortier en ajoutant quelques gouttes d'eau froide à mesure que les amandes sont transformées en pâte et pour éviter qu'elles ne deviennent huileuses. Terminer avec 125 grammes de beurre frais.

Beurre Bercy

Réduire de moitié un décilitre (1/2 verre à boire ordinaire) de vin blanc sec additionné d'une 1/2 cuillerée à potage d'échalote hachée très menue, laisser tiédir la réduction et lui incorporer 100 grammes de beurre en malaxant avec un fouet à sauce ou une spatule ; ajouter 250 grammes de moelle de bœuf coupée en dés, pochée à l'eau salée et égouttée, une cuillerée à café de persil haché, le jus d'un demi-citron, une faible pincée de sel fin et de poivre frais moulu.

Se sert tiède avec viandes ou poissons grillés.

Beurre de crevettes

Piler au mortier à poids égal des crevettes grises cuites et du beurre. Fouler au tamis très fin ensuite. L'affinement de cette composition est assuré par le passage à l'étamine en même temps que la sauce ou le potage pour lequel elle est destinée.

Beurre d'écrevisses

Procéder comme pour le beurre de crevettes en pilant du beurre frais et des carapaces d'écrevisses (à poids égal) cuites sautées au beurre et additionnées, pour 12 écrevisses, d'une cuillerée à café de mirepoix (mélange, à poids égal, de rouge de carottes puis d'oignons taillés en dés minuscules et bien fondu doucement au beurre condimenté) ; laisser adhérer aux carapaces les parties crémeuses des écrevisses.

Beurre de homard ou de langouste

Mêmes proportions et même procédé que ci-dessus.

Beurre de moutarde

100 grammes de beurre frais malaxé avec une cuillerée à café de moutarde de Dijon.

Beurre de noix

Observer les quantités et la méthode indiquées pour le beurre d'amandes.

Beurre de paprika

Malaxer 100 grammes de beurre frais avec une prise de paprika.

Beurre de raifort

Piler au mortier 50 grammes de raifort râpé, ajouter 125 grammes de beurre frais. Passer au tamis fin.

LES PATÉS, TERRINES
TIMBALES ET TOURTES

Farce pour pâtés et terrines

Éléments :

400 grammes de noix de veau; 400 grammes de filet de porc; 500 grammes de lard gras et frais; 3 œufs; 30 grammes de sel épicé; un décilitre de cognac.

Quand la farce est destinée à un pâté ou à une terrine de gibier, remplacer le veau par la chair de l'oiseau ou de l'animal utilisé.

Méthode :

Dénerver soigneusement les viandes employées et enlever la couenne, les détailler en dés, les hacher ou les piler finement. Quand la masse est bien homogène, lui incorporer le sel puis un à un, les œufs et enfin le cognac.

Vérifier l'assaisonnement en procédant au pochage, dans un peu d'eau bouillante, d'une noisette de cette farce.

Terrine de veau

Éléments :

D'une part, la farce indiquée pour pâtés et terrines.

D'autre part : 400 grammes de noix de veau; 400 grammes de filet de porc; 500 grammes de lard gras et frais; 300 grammes de jambon maigre et cuit; des bardes de lard en nombre suffisant pour chemiser la terrine et recouvrir le pâté; un verre à liqueur de cognac.

Méthode :

Dénerver soigneusement toutes ces chairs et les diviser en dés de 3 centimètres de côté ou en lardons de la grosseur du doigt. Les assaisonner de sel, poivre frais moulu, épices et les mélanger avec un verre à liqueur de cognac. Les réunir dans un saladier et laisser mariner deux heures.

Incorporer ensuite la farce à ces viandes marinées.

Chemiser la terrine avec les bardes et la garnir avec le mélange, ou, après avoir bardé la terrine, y étendre une couche de farce, puis une couche de lardons, veau, porc, lard, jambon alternés, ensuite une autre couche de farce, etc., jusqu'à épuisement des éléments.

Recouvrir d'une barde de lard, la percer d'un trou au centre, placer à droite et à gauche de ce dernier une brindille de thym et une feuille de laurier; mettre le couvercle, puis placer la terrine au bain-marie (plat à rôtir garni d'eau chaude). Cuire à four chaud une heure et demie au moins.

Étant donné que ce temps est variable suivant la forme de la terrine, la nature des éléments employés, l'à point de cuisson se remarque surtout quand le jus qui, provenant de la terrine, mijote sur le bord de cette dernière, s'est totalement clarifié. À ce moment, les sucs contenus dans ce jus se sont transformés en glace de viande, puis attachés à la terrine.

Retirer du four, enlever le couvercle, et poser sur le pâté une planchette sciée de mesure et sur celle-ci un objet pesant 250 grammes environ.

Cette mise sous presse a pour but d'assurer à la masse, pendant son refroidissement, une homogénéité qu'elle n'aurait pas sans cette précaution. Le découpage en tranches serait rendu difficile en raison de l'émiettement des morceaux.

Par contre, un poids trop lourd exprimerait la partie grasse et le pâté ne serait plus savoureux.

Pour servir, laver soigneusement la terrine et la présenter sur un plat garni d'une serviette pliée.

Terrine du cordon bleu

Cette terrine peut comprendre des viandes de veau, volaille, gibier à poil ou à plume.
Proportionner les éléments de composition comme pour la terrine de veau.
Seul, le procédé de préparation diffère.
Dénerver soigneusement les viandes et les détailler en gros lardons de la grosseur et de la longueur de l'index.

Les assaisonner de sel et poivre frais moulu, une pincée de thym et de laurier réduits en poudre, une pointe de muscade, triturer le tout pour obtenir un mélange parfait, mettre dans un saladier, arroser avec un verre à liqueur de cognac et laisser mariner trois heures.

Après ce temps, égoutter à fond les viandes.
Chauffer 30 grammes de beurre dans un plat à sauter ; quand il grésille, y jeter les viandes à feu vif, remuer avec une spatule jusqu'à ce qu'elles soient juste raidies.

Les égoutter ensuite à l'écumoire et les remettre dans le saladier préalablement vidé de la marinade recueillie dans un bol.

Verser cette marinade dans le plat à sauter, ajouter un deuxième verre de cognac, faire bouillir une minute, le temps nécessaire à la dissolution (déglaçage) des sucs des viandes, puis en arroser ces dernières dans le saladier. Laisser refroidir.

Barder une terrine comme il est expliqué pour la terrine de veau. La garnir avec les viandes en les alternant, arroser avec la marinade qui peut demeurer au fond du saladier, mettre le couvercle et cuire comme la terrine de veau, au bain-marie et à four chaud pendant une heure et demie si les mêmes quantités ont été employées.

Après la cuisson, laisser refroidir sans enlever le couvercle. Quand la terrine est presque froide, encore légèrement tiède, couler dessus un verre (2 décilitres) de bonne gelée faite avec les éléments de base : parures et os de veau ou de gibier à poil, ou carcasse de volaille ou de gibier à plume, couennes et pieds de veau qui contiennent les principes gélatineux

La gelée s'insinue dans la masse et le tout se solidifie. Découper comme une terrine ordinaire.

Terrine de volaille Paul Mercier

Éléments :

Une poularde tendre de 1,800 kg ; 1/2 foie gras cru, macéré au madère et assaisonné ; 2 belles truffes ; 6 bardes de lard ; 1 décilitre de cognac ; 1 kilo de farce composée de : 250 grammes de porc maigre ; 250 grammes de veau ; 500 grammes de lard frais et gras ; 4 foies de volaille ; un œuf ; un décilitre de madère ; un décilitre de cognac ; 20 grains de sel ; 4 grains de poivre frais moulu ; 2 grammes d'épices.

Méthode :

La farce. Faire raidir au beurre dans une petite sauteuse les foies de volailles, hors du feu verser dessus la moitié du madère, laisser tiédir. Mettre la préparation dans une terrine. Couper le veau, le porc et le lard en gros dés ; les joindre aux foies, mélanger le tout. Passer l'ensemble à la machine à hacher, ou piler finement au mortier. Puis fouler au tamis fin placé au-dessus d'un récipient. Remettre la purée obtenue dans la terrine, y ajouter le sel, le poivre, les épices, le madère, le cognac et l'œuf. Travailler le tout à la spatule pour assurer un mélange parfaitement unifié, vérifier l'assaisonnement de cette farce en faisant pocher une parcelle dans un peu d'eau.

La volaille. Désosser la volaille en pratiquant une incision sur la peau du dos, allant du croupion jusqu'au cou. Dégager la carcasse en découpant les chairs et en désarticulant les cuisses et les ailes. Étaler ensuite la volaille sur la table, enlever les derniers os. Assaisonner de sel, poivre, épices et étendre dessus une couche de farce de 2 centimètres d'épaisseur. Placer le foie gras au milieu et l'encadrer avec les truffes divisées chacune en 4. Recouvrir d'une nouvelle couche de farce et refermer la poularde sur le noyau central constitué par le foie gras.

La terrine. Tapisser une terrine ovale de minces bardes de lard gras. Chemiser les bardes avec une couche de farce d'un centimètre d'épaisseur. Insérer la poularde dans la terrine, arroser avec un décilitre de cognac, recouvrir avec une couche de farce, une barde de lard, une feuille de laurier et une brindille de thym, puis bien étendre sur l'ensemble la carcasse de la volaille hachée, assez menue. Mettre le couvercle.

La cuisson. Placer la terrine au bain-marie dans un plat à rôtir, avec 2/3 d'eau chaude, cuire au four chaud deux heures et demie. La cuisson étant constatée à point, retirer du four, enlever les débris de carcasse, le thym, le laurier. Placer sur la terrine une planchette et sur cette dernière un objet pesant 250 grammes environ, qui, pendant le refroidissement, assurera à la masse une parfaite homogénéité. Une pression trop forte chasserait les parties grasses et nuirait à l'onctuosité de la terrine.

Quand le refroidissement est complet, retirer l'objet pesant et la planchette. Recouvrir le dessus avec une couche de saindoux d'un centimètre d'épaisseur et conserver au frais. Mise au froid, cette terrine peut se conserver ainsi de 2 à 3 mois.

Mousse de volaille froide

Choisir un beau poulet de grain d'1,300 kg environ. Le faire rôtir avec soin selon les indications données au chapitre de la volaille rôtie et le laisser refroidir dans un endroit frais. Éviter un séjour dans le réfrigérateur.

Quand il est froid, enlever entièrement la peau, détacher les chairs de l'estomac et les noix des cuisses pour réunir 350 grammes de chair environ.

Piler au mortier finement cette chair de volaille, passer cette purée au tamis fin et terminer selon la méthode de la mousse de foie gras.

Terrine de grives

Éléments (pour 12 personnes) :

12 belles grives grassouillettes ; 300 grammes de foie d'oie frais coupé en tranches minces ; 150 grammes de lard gras taillé en petits dés ; 300 grammes de filet mignon de veau haché très fin ; 1 petit verre de cognac ; sel fin, poivre moulu ; épices fines ; graisse d'oie.

Méthode :

1º Plumer minutieusement les grives. Les vider et les flamber. Réserver les foies.

2º Dans une poêle à fond épais, faire fondre le lard. Dès que celui-ci est fondu et chaud, ajouter les tranches de foie pour les saisir. Après deux ou trois tours de poêle, ajouter également les foies de grives, trois minutes de cuisson suffisent.

Assaisonner l'ensemble avec sel, poivre et un soupçon d'épices. Débarrasser le tout dans un mortier et laisser refroidir. Ensuite piler cette préparation de façon à obtenir un mélange bien homogène. A cette farce, incorporer le veau haché, le petit verre de cognac et, pour la rendre plus fine, la passer au tamis.

3º Désosser les grives. Garnir chacune d'elles avec une noix de farce.

Les grives étant farcies et reformées, les ranger dans une casserole basse (sauteuse) dans laquelle on aura mis deux cuillerées de graisse d'oie.

Après les avoir assaisonnées, les raidir au feu sans pousser trop loin la cuisson (c'est-à-dire 10 minutes environ).

Retirer les grives hors du feu, les laisser refroidir.

4º Dans une terrine à gibier de grandeur appropriée, mettre dans le fond une couche de farce, et six grives posées dessus. Les couvrir de farce. Rajouter à nouveau les six dernières grives et les couvrir également avec le restant de la farce. Bien lisser la surface. Mettre le couvercle de la terrine.

Cuisson :

1º Placer la terrine au bain-marie dans un four à chaleur modérée. Le temps de cuisson est de 50 minutes environ. La cuisson terminée, retirer la terrine du four, la laisser refroidir.

Pour souder tous les éléments, après avoir enlevé le couvercle, placer dessus une planchette sur laquelle on aura posé un poids de 250 grammes maximum.

2º Le lendemain, retirer la planchette. Couler sur la terrine une mince couche de saindoux fondu et dès que celui-ci est figé, mettre dessus un papier d'aluminium coupé à la mesure de la terrine. Remettre le couvercle.

Préparée ainsi, la terrine de grives peut se déguster aussitôt, mais on peut aussi la conserver dans un lieu frais ou au réfrigérateur plusieurs semaines.

Nota. — Si le mortier n'est pas assez grand, piler la préparation destinée à la farce en plusieurs fois.

Pâté d'anguilles

Éléments :

1,400 kg d'anguilles de rivière ; 4 œufs cuits durs ; 2 décilitres de vin blanc sec ; 100 grammes de beurre ; une abaisse de demi-feuilletage de 4 millimètres d'épaisseur et de la grandeur d'une assiette ordinaire ; 2 décilitres de demi-glace à l'essence de poisson ; 3 échalotes hachées ; un peu de cognac.

Méthode :

Les anguilles étant dépouillées, lavées et vidées, les diviser en deux parties, dans le sens de la longueur, en incisant à droite et à gauche de l'arête qui, finalement, est totalement retirée.

Débiter, en les coupant en biseau, en escalopes de 8 centimètres environ, les filets d'anguilles obtenus ; les plonger dans l'eau bouillante salée à point. Quand l'ébullition, un moment arrêtée, reprend, les retirer aussitôt, les rafraîchir, puis les égoutter à nouveau ; les éponger et les assaisonner avec 12 grammes de sel, 5 grammes de poivre, une pointe de muscade, un filet d'huile, un décilitre de vin blanc, deux cuillerées à potage de cognac. Laisser mariner deux heures.

Chauffer dans un plat à sauter assez grand 50 grammes de beurre et y faire étuver l'échalote, puis, dix minutes, les escalopes bien égouttées ; les saupoudrer avec une cuillerée à café de persil haché.

Mettre ces escalopes par couches dans un plat rond et profond, en terre ou porcelaine allant au four ; entre chaque couche, intercaler des tranches d'œufs durs assaisonnés comme les escalopes.

Mouiller avec le vin blanc et la marinade de façon à presque recouvrir anguilles et œufs durs. Diviser le beurre en parcelles et le répartir dessus. Recouvrir le tout avec l'abaisse de feuilletage étendue à la dimension exacte du plat utilisé.

Dorer l'abaisse avec de l'œuf battu en omelette, la rayer au moyen d'une très légère incision formant un dessin, rosace ou feuillage, pratiquer au centre une ouverture avec la pointe d'un couteau pour l'échappement de la vapeur, et cuire à four de chaleur moyenne pendant une heure et demie.

Au moment de servir, introduire dans le pâté, par l'ouverture centrale, la sauce demi-glace beurrée légèrement hors du feu et aromatisée avec une noix de glace de poisson ou une cuillerée à potage de fumet de poisson réduit.

Pâté chaud ou froid de caneton Gaston Richard

Éléments :

Un beau caneton nantais ; 1 kilo de farce ; 500 grammes de pâte à foncer ; 125 grammes de champignons fermes et blancs ; 2 décilitres de sauce madère ; truffes à volonté.

Méthode :

Faire rôtir le caneton 15 minutes : il doit être très saignant ; lever les deux ailes avec l'estomac, en enlever la peau, et les diviser en aiguillettes.

D'autre part, beurrer un moule à charlotte et le foncer avec une abaisse de pâte en pratiquant selon la technique exposée pour le fonçage. Recouvrir la pâte d'une chemise de farce de un centimètre d'épaisseur.

Sur la couche du fond, disposer un lit d'aiguillettes de caneton, puis un de champignons coupés en lames minces et cuits rapidement dans le plat utilisé pour rôtir le caneton, où ils s'imprégneront de l'assaisonnement et du fond de cuisson. On peut ajouter des lames de truffes crues. Étendre une nouvelle couche de farce et ainsi de suite jusqu'à épuisement des éléments en terminant par une couche de farce.

Parsemer sur cette dernière une prise de fleurs de thym et le laurier pulvérisés. Terminer avec une abaisse de pâte à foncer parfaitement soudée en humectant d'eau le bord du fonçage. Dorer l'abaisse à l'œuf battu, pratiquer quelques légères incisions, puis, au centre, une ouverture pour permettre à la vapeur de s'échapper.

Cuire à four de chaleur moyenne pendant une heure.

Pour servir, démouler le pâté sur un plat rond.

Découper avec soin le fond du pâté à un centimètre du bord pour conserver une certaine résistance et le détacher avec soin. Diviser le fond en morceaux triangulaires à raison d'un par convive et les ranger autour du pâté.

Verser sur la farce mise à nu une cuillerée à potage de sauce madère et servir le reste dans une saucière.

Il est possible de décorer le faîte du pâté au moment de servir en plaçant au centre une belle tête de champignon décoré en rosace ou cannelé et cuit au beurre. Autour, en couronne, des lames de truffes, le tout nappé de sauce madère.

Peut être servi froid sans addition de sauce.

La farce

Éléments :

250 grammes de noix de veau ; 250 grammes de lard de poitrine très grasse et fraîche ; 250 grammes de foie de veau ou de porc ; les cuisses et le foie du caneton ; 150 grammes de beurre ; 40 grammes de champignons ; 150 grammes de truffes crues ; 6 jaunes d'œufs ; 4 échalotes ; thym et laurier pulvérisés, une pincée ; 20 grammes de sel ; une forte prise de poivre frais moulu ; une pointe d'épices ; 1 décilitre de sauce demi-glace ; un peu de madère.

Méthode :

Enlever la couenne du lard, le couper en dés et le faire rissoler avec 50 grammes de beurre dans un plat à sauter.

Égoutter le lard avec une écumoire et le réserver sur une assiette. Dans le même beurre, faire revenir le veau débité en gros dés. L'égoutter à son tour et le réunir au lard. Toujours dans le même plat à sauter, faire raidir rapidement le foie coupé en gros dés auquel celui du caneton est ajouté ; ajouter les échalotes hachées, les champignons, les truffes, le laurier et le thym, le sel et le poivre, enfin le lard et le veau. Mélanger le tout pendant deux minutes, puis retirer du feu et arroser avec le madère. Après ce déglaçage, renverser le tout dans un mortier, ajouter les cuisses du caneton et réduire en pâte fine en pilant vigoureusement. Terminer par l'addition du reste du beurre (100 grammes) et des jaunes d'œufs un à un.

Passer alors au tamis fin, recueillir dans une terrine, lisser à la spatule et contrôler l'assaisonnement en goûtant une noisette de farce pochée à l'eau salée à point.

Mise au point, s'il y a lieu, la farce est prête à être employée.

Pâté chaud de grives ou de mauviettes

Le traitement étant sensiblement le même, nous indiquons une formule qui peut s'appliquer à l'un ou à l'autre de ces oiseaux.

Plumer, flamber et désosser en commençant par une incision pratiquée dans la peau du dos, allant du croupion au cou. Les garnir de la farce indiquée pour les pâtés et terrines, les reformer, les maintenir avec un tour de ficelle, les ranger dans un sautoir beurré et les cuire à four chaud (les grives 12 minutes, les mauviettes 8 minutes).

Pratiquer ensuite comme pour le pâté de caneton ; cuire au four pendant 45 minutes pour un pâté de 8 grives ou de 24 mauviettes.

Avec les carcasses des gibiers, nous conseillons de faire une courte sauce salmis pour remplacer la sauce madère.

Nota. — Les truffes crues sont à recommander dans la confection de ces pâtés mais on peut à la rigueur s'en dispenser.

Les timbales

A l'époque du célèbre et talentueux maître cuisinier pâtissier Antoine Carême, une timbale était un mets compliqué, composé d'éléments cuits en partie seulement ou pas, dressés dans un moule à charlotte, pochés et servis démoulés.

La timbale est individuelle ou pour 6 à 12 couverts. La plus typique et classique à la fois est la timbale à la milanaise.

Timbale à la milanaise

1º Foncer en fine pâte de 5 à 6 millimètres d'épaisseur un moule à charlotte, selon la méthode de fonçage.

2º Pocher, pour 6 personnes, 250 grammes de macaroni ou de spaghetti d'excellente qualité.

Ce pochage s'effectue de la manière suivante : plonger le macaroni entier dans une casserole d'eau bouillante (1 litre) salée avec 10 grammes de sel. Laisser reprendre franchement l'ébullition, remuer les pâtes avec une spatule pour éviter qu'elles ne s'agglutinent, retirer la casserole sur un coin de fourneau pour poursuivre la cuisson à couvert et sans bouillir (maintenir l'eau à 90º environ) pendant 20 à 25 minutes suivant la qualité, l'origine de la semoule des macaroni. Les pâtes doivent rester légèrement fermes.

Égoutter bien à fond, remettre dans la casserole, chauffer quelques minutes pour provoquer l'évaporation de l'humidité contenue dans les macaroni ; les saupoudrer avec 150 grammes de fromage râpé, moitié gruyère et moitié parmesan si possible, parsemer dessus 100 grammes de beurre frais divisé en parcelles, ajouter 5 cuillerées à potage de purée de tomates réduite et 100 grammes de jambon cuit et maigre taillé en julienne.

Moudre sur l'ensemble trois ou quatre tours du moulin à poivre blanc et lier en vannant c'est-à-dire en imprimant à la casserole un mouvement répété et identique à celui qui a pour but de faire sauter une crêpe. Cette manière ne brise pas les macaroni qui se lient parfaitement au fur et à mesure que le fromage fond.

3º Pendant la cuisson des pâtes, préparer une garniture financière saucée court avec une sauce demi-glace réduite et fortement tomatée.

4º Pour terminer deux manières sont à conseiller :

a) Dans le moule à charlotte foncé et piqué à la fourchette, disposer, par couches alternées, macaroni et financière. Quand le moule est presque plein, mettre un couvercle en pâte à foncer, le souder soigneusement en humectant le bord de la timbale, le décorer, le dorer à l'œuf battu en omelette et cuire à four bien chaud 40 minutes environ.

Démouler avec précaution et servir.

b) Le moule à charlotte étant foncé et piqué, le chemiser de papier blanc et souple, garnir entièrement avec des noyaux de fruits ou des légumes secs et cuire à four chaud.

Retirer du four, vider la timbale de son contenu, la démouler et la dorer intérieurement et extérieurement ; la remettre au four quelques secondes pour la sécher et lui donner une jolie couleur dorée.

Pour servir, dans la croûte ainsi obtenue, dresser en alternant macaroni et financière.

Poser dessus un couvercle, réalisé en pâte à foncer sur un tampon de papier ayant la forme d'une calotte et le diamètre de la timbale. Ce couvercle est décoré de feuilles en pâte.

Servir sur une serviette pliée.

Nota. — Ce deuxième procédé est plus pratique dans une cuisine familiale.

Timbales de morilles Antonin Carême

Éléments (pour 6 à 8 personnes) :

400 grammes de godiveau ; 50 grammes de truffes ; 1 kg de morilles tout récemment récoltées ; 100 grammes de beurre ; 6 décilitres de sauce béchamel ; 5 jaunes d'œufs ; 1 décilitre 1/2 de crème fraîche ; 1/4 de citron.

Méthode :

1º Préparer la sauce béchamel.

2º Préparer le godiveau, lui mélanger les truffes finement hachées.

3º Éplucher l'extrémité terreuse des pédicules des morilles, puis laver très soigneusement ces dernières à plusieurs eaux en visitant avec attention les alvéoles où le sable se loge.

En procédant à ce travail préliminaire, choisir une douzaine des plus belles morilles, et les réserver avec environ 100 grammes de pédicules prélevés sur la totalité.

4º Cuire le reste des morilles en les réunissant dans une casserole avec 60 grammes de beurre, une prise de sel, une de poivre, le jus du quart de citron et 2 cuillerées à potage d'eau. Mettre en plein feu à couvert et maintenir en ébullition 7 minutes.

Si les morilles sont grosses, les diviser en deux ou quatre parties. Égoutter les morilles, les mettre sur une assiette et verser leur cuisson dans un bol.

5º Mettre au point la sauce béchamel en lui ajoutant la cuisson des morilles et la crème ; faire réduire jusqu'à la quantité de 4 décilitres.

A ce moment, la lier hors du feu, avec les 5 jaunes d'œufs dilués préalablement avec une cuillerée à potage de crème et deux de cuisson des morilles.

Cette liaison s'opère en versant un peu de sauce béchamel dans les jaunes d'œufs, tout en les mélangeant avec un fouet, afin de les chauffer ; puis inversement, verser ce mélange, en filet, dans la sauce fouettée vivement à son tour. Remettre au feu, sans cesser de remuer au fouet, et retirer dès que l'ébullition est sur le point de se manifester. La sauce doit être très épaisse et ne doit pas bouillir.

Ajouter alors les morilles cuites, mélanger et laisser refroidir dans un saladier ou une terrine.

6º Chemiser un moule à génoise grassement beurré avec les 3/4 du godiveau. La couche doit être d'une épaisseur égale de 2 centimètres.

Garnir ce moule ensuite jusqu'à 2 centimètres du bord avec la composition des morilles à la béchamel, puis recouvrir avec une couche faite avec le reste du godiveau. Lisser cette surface et la protéger avec un papier rond de mesure et beurré.

Mettre le moule dans un plat à sauter contenant de l'eau très chaude jusqu'à 3 centimètres du bord et faire pocher dans ce bain-marie et au four pendant 55 minutes.

Tourte des gastronomes

Pour 6 personnes, préparer deux abaisses rondes en pâte mi-feuilletée de 35 centimètres de diamètre et de 8 millimètres d'épaisseur.

Placer l'une d'elles sur une tourtière, la piquer avec la pointe du couteau 7 ou 8 fois et disposer dessus, en réservant le tour (5 centimètres environ), six demi-noix de ris de veau poêlées à blanc ; parsemer le tout de 125 grammes de champignons bien blancs, coupés en lames minces, légèrement sautés et rissolés au beurre et assaisonnés d'une pincée de sel et d'une prise de poivre. Arroser avec une cuillerée à potage de beurre fondu.

Humecter le bord de l'abaisse avec un linge imbibé d'eau.

Recouvrir avec la deuxième abaisse, souder par une pression du pouce, humecter à nouveau le bord et rouler en un mouvement de torsade l'abaisse du dessous sur celle qui la recouvre.

Dorer avec un œuf battu en omelette et décorer soit avec des incisions faites dans la pâte à l'aide d'un couteau soit avec des motifs découpés à l'emporte-pièce dans une abaisse mince de même pâte. Pratiquer au centre une ouverture avec la pointe du couteau pour favoriser l'évaporation.

Cuire 25 à 30 minutes à four chaud.

Présenter très chaud en sortant du four, avec, à part, le fond de poêlage très court des ris de veau aromatisé avec un peu de madère et que l'on sert à raison d'une demi-cuillerée sur chaque assiette à côté du quartier de tourte.

LES ŒUFS

Dans un menu, les œufs, seuls ou garnis, prennent place parmi les petites entrées. Ils sont généralement servis à raison de deux par convive. Pour des nécessités d'hygiène alimentaire et de saveur, les œufs doivent être consommés très frais.

La fraîcheur d'un œuf se constate par le mirage ou le poids. L'œuf du jour de grosseur moyenne pèse 60 grammes environ, la chambre à air située dans la partie arrondie de la coquille est imperceptible ; elle s'accroît en volume un peu plus chaque jour. Secoué près de l'oreille, l'œuf très frais ne fait aucun bruit ; s'il ne l'est plus, l'ouïe perçoit des petits chocs assourdis. Plongé dans l'eau, l'œuf du jour va au fond, l'œuf de 10 jours flotte.

Que les œufs soient cuits sur le plat, mollets, moulés, à la coque, en cocotte, poêlés, frits, durs ou pochés, c'est de ce dernier mode de cuisson que les précédents dérivent.

Par contre, les œufs brouillés et en omelette constituent deux procédés nettement différents.

Œufs sur le plat

Apparemment simple, cette manière de cuire les œufs comporte une petite difficulté qu'il faut surmonter pour que l'opération soit réussie.

Le juste à point de cuisson se constate au moment où le blanc prend une teinte laiteuse et où le jaune, devenu mollet, est recouvert d'un léger voile brillant, appelé techniquement miroir ; enfin, on doit prendre soin que les œufs n'attachent pas au fond du plat.

Méthode :

Pour 2 œufs, il faut 15 grammes de beurre (le volume d'une petite noix). Mettre la moitié dans le plat, chauffer. Quand le beurre commence à grésiller, casser les œufs un à un sur une assiette, s'assurer de leur fraîcheur par l'odorat, les verser dans le beurre, les arroser du reste du beurre fondu en pommade et saler le blanc d'une prise de sel fin. Cuire au four bien chaud.

Veiller à la coagulation laiteuse du blanc et au miroitement des jaunes pour obtenir les résultats parfaits exposés ci-dessus.

A défaut de four, on peut à la rigueur y suppléer, en arrosant sans arrêt les œufs pendant la cuisson avec le beurre qui frit dans le plat ; le prendre sur le côté de ce dernier avec une cuiller à café.

Présentation : si les œufs sur le plat sont servis avec une garniture, celle-ci est mise avant la cuisson dans le fond du plat, ou ajoutée après sur les œufs.

Œufs au bacon ou au lard maigre

Couper 2 tranches de 2 millimètres d'épaisseur de bacon ou de lard maigre de poitrine sans la couenne. Les ébouillanter 3 minutes, les égoutter, puis les faire rissoler légèrement dans un plat à œufs avec gros comme une demi-noix de beurre ; casser les œufs dessus, cuire selon la méthode.

Œufs sur le plat au jambon

Mettre dans 1/2 litre d'eau froide, une tranche de jambon cru de un millimètre d'épaisseur, chauffer doucement jusqu'à un degré voisin de l'ébullition. L'égoutter, puis la chauffer dans le plat à œufs avec 1/2 noix de beurre, la retourner et 2 secondes après casser les œufs. Cuire comme à l'ordinaire.

Œufs sur le plat à la florentine

Pour 6 personnes, cuire à grande eau bouillante et salée à point 400 grammes d'épinards débarrassés de la tige. Les égoutter, les rafraîchir et les presser fortement pour en exprimer l'eau. Les passer au tamis. Mettre cette purée dans une sauteuse avec 30 grammes de beurre bien chaud. Assaisonner de sel, poivre et un soupçon de muscade râpée ; les chauffer rapidement et y mélanger, hors du feu, 25 grammes de beurre frais et 50 grammes de jambon maigre cuit et coupé en dés minuscules.

Beurrer 6 petits plats à œufs, mettre au fond une fine tranche de jambon, une couche de purée d'épinards, chauffer sur le fourneau, puis casser les œufs dans chaque plat, les arroser de quelques gouttes de beurre fondu, mettre une prise de sel et cuire selon la méthode.

Œufs sur le plat aux tomates

Deux procédés : *ou bien* étendre dans le fond du plat beurré de la tomate concassée, assaisonnée, sel et prise de sucre, fondue au beurre sans peau ni semences et casser les œufs dessus pour les cuire au miroir, *ou bien* les cuire normalement et les garnir après cuisson de deux bouquets de tomate concassée et traitée comme il est indiqué dans la recette des œufs sur le plat à la florentine.

Œufs sur le plat au beurre noir

Œufs cuits sur le plat et arrosés d'un filet de vinaigre et de beurre cuit jusqu'à couleur brune.

Le beurre cuit ainsi est agréable au goût mais indigeste. Ne pas en abuser.

Œufs pochés

Les œufs doivent être rigoureusement frais. Dans ce cas, le blanc coagule immédiatement au contact de l'eau bouillante, enveloppe le jaune et prend une forme oblongue régulière. S'ils ne sont pas frais, le blanc s'étale en se coagulant et le jaune reste découvert, la forme est aplatie et irrégulière.

Méthode :

Utiliser une casserole dite sautoir. La garnir aux 2/3 d'eau additionnée d'une cuillerée potage de vinaigre pour un litre. Faire bouillir, casser la coquille d'un œuf, le sentir, l'ouvrir juste au niveau de l'eau à l'endroit où se produit l'ébullition, de façon que le jaune reste intact ; poursuivre cette opération en cassant, un à un, huit œufs au plus pour obtenir une cuisson parfaite.

Maintenir le sautoir sur le côté du feu pour que l'ébullition soit conduite à un simple frémissement.

La cuisson, appelée ici pochage, dure trois minutes et demie.

Soulever les œufs, un à un, avec précaution à l'aide d'une écumoire, vérifier le pochage par une légère pression de l'index. Ils doivent être très mollets — les égoutter et les plonger aussitôt dans un récipient d'eau froide pour arrêter la cuisson ; les prendre ensuite à la main pour couper les bavures et les remettre dans l'eau légèrement salée et tiède s'ils sont servis chauds, froide s'ils sont servis froids.

Les œufs pochés peuvent être dressés sur du riz préparé de diverses manières et saucés avec une sauce au cary, ou tomate, etc.

On les sert aussi sur des purées de champignons, de volaille, d'asperges, etc., ou sur des salpicons ou hachis de poisson, crustacés, viande de boucherie, volaille ou gibier. Ils sont dressés sur ces différentes préparations entourés d'un cordon de pommes de terre duchesse et saucés de sauce suprême, Mornay, béchamel, à la crème, hollandaise, etc.

Les applications culinaires relatives aux œufs pochés sont très variées.

Un œuf poché accompagne admirablement un excellent consommé (bouillon bien dégraissé et corsé).

Froids, ils sont servis dans de la gelée parfumée au porto ou au madère. Ils garnissent aussi des toasts grillés et tartines de beurre composé (voir formule des beurres composés).

Ces préparations comportent un léger décor de feuilles d'estragon ébouillantées et rafraîchies, de jambon, de langue écarlate, de truffes, de piments doux taillés en fine et courte julienne. Le tout lustré de quelques cuillerées de gelée.

On les présente aussi avec des salades simples ou composées : pointes d'asperges, salade russe, etc. ; dans ce cas, ils sont saucés avec de la sauce mayonnaise un peu légère et additionnée ou non de crème.

Enfin des légumes, comme la purée d'oseille, des épinards au beurre, à la crème ou au velouté, sont aussi des accompagnements très indiqués.

D'une façon générale toutes les garnitures qui s'appliquent aux œufs pochés conviennent aux œufs mollets et vice versa.

Œufs pochés à la bordelaise

Préparer, d'une part, des petites bouchées (2 par personne) en feuilletage et autant de rondelles de moelle d'un millimètre d'épaisseur.

D'autre part, des œufs pochés selon la méthode décrite et les égoutter soigneusement.

Dans chaque bouchée chaude mettre :

1° une 1/2 cuillerée à potage de la sauce indiquée ci-après ;

2° un œuf poché chaud ;

3° une rondelle de moelle pochée dans un bol d'eau bouillante et salée à point ; recouvrir d'une cuillerée à potage de la même sauce.

Sauce bordelaise

Dans une casserole faire dissoudre et cuire au caramel blond deux morceaux de sucre, ajouter 3 verres à boire ordinaires de vin de Bordeaux rouge, une cuillerée à café d'échalote finement hachée, un minuscule bouquet garni (persil, brindille de thym, fragment de feuille de laurier), une forte pincée de sel, une prise de poivre frais moulu ; cuire jusqu'à réduction d'un tiers et lier avec 3 cuillerées à café de beurre manié composé de beurre frais (grosseur d'une belle noix) et d'une cuillerée à café de farine, bien malaxés avec une fourchette au fond d'un bol. Mettre le beurre manié par petites parcelles dans le vin en ébullition ; la liaison est presque immédiate, fouetter légèrement avec un fouet à sauce et retirer du feu, enlever le bouquet garni. Terminer cette sauce bouillante avec une demi-gousse d'ail râpé avec la lame d'un couteau et une cuillerée à café de persil haché ; chauffer jusqu'à ébullition et passer la sauce dans un chinois fin ou dans une mousseline ; lui incorporer du beurre frais, le volume d'un petit œuf, et vérifier l'assaisonnement.

Cette sauce gagne en saveur si elle est corsée avec un appoint de jus de veau ou de bœuf ou un petit morceau de glace de viande. Dans ce cas, attention : ces fonds étant salés, ne pas saler avant la réduction.

Servir cette sauce qui doit être très onctueuse en même temps que les œufs.

Œufs pochés à la florentine

Enlever les tiges de 500 grammes d'épinards, bien les laver et les cuire à grande eau bouillante, salée à point, 10 grammes de sel au litre. La cuisson doit être rapide pour que les épinards soient verts. Les égoutter et rafraîchir à l'eau froide, égoutter à nouveau, puis les presser fortement pour en exprimer l'eau.

Chauffer dans une sauteuse un morceau de beurre de la grosseur d'un petit œuf. Y ajouter les épinards assaisonnés de sel et de poivre, une pointe de muscade râpée, une pincée de sucre en poudre si les épinards sont d'arrière-saison et âcres. Les beurrer hors du feu.

Étaler les épinards dans un plat en porcelaine allant au feu, disposer dessus 8 œufs pochés chauds et bien égouttés, saucer légèrement d'une sauce Mornay ; parsemer sur chaque œuf un mélange par moitié de mie de pain réduite en chapelure fraîche et de fromage de gruyère ou de parmesan râpé ; arroser de quelques gouttes de beurre fondu et faire gratiner à four très chaud.

Les œufs peuvent être ainsi dressés dans des petits plats à œufs à raison de 2 œufs par personne ou dans des petites cocottes ou cassolettes.

Œufs pochés Henri IV

Effeuiller 8 fonds d'artichauts, les ébouillanter fortement, enlever le foin, puis les cuire dans un blanc.

Chauffer dans un sautoir 30 grammes de beurre, y ranger les fonds d'artichauts, le côté intérieur en dessous, assaisonner de sel fin et de poivre. Faire étuver doucement à couvert 15 minutes ; les retourner une fois. Après cette deuxième opération, déposer dans chaque fond une noisette de beurre.

Mettre ensuite les fonds sur un plat chaud et, sur chacun, un œuf poché chaud et bien égoutté ; saucer les œufs d'une cuillerée à potage de sauce béarnaise, puis, dessus, un petit morceau de tomate cuite (étuvée) au beurre.

Faire bouillir dans le sautoir qui a été utilisé pour étuver les fonds d'artichauts 3 cuillerées à potage de jus de veau peu salé, réduire de moitié et, hors du feu, incorporer une belle noix de beurre. Verser ce jus sur le plat autour des fonds d'artichauts.

Pour rendre ce mets plus riche, on peut garnir les fonds d'artichauts d'une purée de champignons ou d'une purée de tomates très réduite et beurrée, additionnée d'une pincée d'estragon haché.

Œufs pochés à l'oseille

Œufs pochés, servis sur une purée d'oseille et arrosés d'une demi-cuillerée de bon jus de veau court et grassouillet.

Œufs moulés

Méthode :

Beurrer grassement des moules, deux par personne, dits à darioles ou à babas (moules ayant la forme d'un petit gobelet). Casser soigneusement dans chacun un œuf bien frais. Ajouter une prise de sel et un soupçon de poivre blanc. Ranger les moules dans un sautoir de dimension appropriée, le remplir d'eau bouillante de façon que les moules baignent jusqu'aux 2/3 de leur hauteur, recouvrir d'un couvercle et pocher 10 minutes environ.

Le pochage s'effectue alors suivant le procédé dit au bain-marie. L'eau ne doit pas bouillir ; pour cela, il suffit d'ajouter deux ou trois cuillerées à potage d'eau froide dans le bain-marie quand on constate que l'ébullition est sur le point de se manifester.

Lorsque les œufs sont pochés à point, le blanc est coagulé et, sous la pression du doigt, la résistance est comparable à celle de l'œuf mollet.

Œufs moulés Antonin Carême

Œufs cuits moulés, dressés sur un médaillon de foie gras rapidement raidi au beurre ; recouvrir d'huîtres pochées, effrangées et liées avec un peu de sauce crème.

Œufs à la coque

Pour être exquis, l'œuf à la coque doit être rigoureusement frais, c'est-à-dire du jour. Cette condition est essentielle.

S'assurer que la coquille est sans fêlure et déposer les œufs avec précaution dans une passoire ; la plonger dans de l'eau en ébullition, les œufs doivent être immergés en totalité.

Dès l'instant de la reprise de l'ébullition, compter 3 minutes, montre en main, puis les égoutter. Les remettre aussitôt dans une timbale d'eau très chaude et les servir immédiatement.

L'œuf à la coque cuit impeccablement doit avoir le blanc laiteux. S'il n'est pas assez cuit, l'intérieur est froid et le blanc est gluant ; s'il est trop cuit, le blanc trop coagulé est coriace et le jaune en partie dur.

Œufs en cocotte

Ce procédé dérive de l'œuf à la coque. Les résultats en sont excellents. Beurrer légèrement l'intérieur des cocottes (minuscules cassolettes en porcelaine avec ou sans queue), les chauffer légèrement, mettre dans chacune quelques grains de sel fin, y casser un œuf très frais et les placer dans un sautoir garni d'eau chaude jusqu'aux 2/3 des cocottes. Cuire au four 8 minutes.

Retirer les cocottes du sautoir, bien les essuyer, parsemer dessus un soupçon de sel fin et dresser sur une serviette pour servir.

Œufs en cocotte à la crème

Faire bouillir un décilitre de crème, la saler légèrement d'une prise de sel fin. Chauffer 6 cocottes, verser dans chacune une demi-cuillerée à potage de crème, casser un œuf et ajouter dessus 2 parcelles de beurre.

Ranger les cocottes dans un sautoir, y verser de l'eau bouillante pour qu'elle arrive aux 2/3 des cocottes, couvrir et cuire au four 8 à 10 minutes.

A la sortie du four, puis du bain-marie, essuyer les cocottes et les placer sur un plat garni d'une serviette pliée.

Œufs en cocotte aux tomates

Choisir deux tomates à maturité, enlever le pédoncule et la partie attenante insuffisamment mûre, les plonger une seconde dans de l'eau bouillante, les peler aussitôt, les ouvrir en deux parties et presser l'eau de végétation et les semences.

Les couper en dés et les cuire dans une sauteuse avec le volume d'une noix de beurre ; assaisonner de sel et poivre. Pousser la cuisson jusqu'à réduction d'une confiture.

Beurrer des cocottes, les tapisser de cette purée de tomates, casser les œufs et cuire au bain-marie. A la sortie du four, mettre sur chacun, en petit bouquet, une demi-cuillerée à café de tomates et un point de persil haché.

On peut ajouter aux tomates une cuillerée à café d'oignon finement ciselé qui doit être fondu, cuit dans le beurre sans colorer avant d'y mettre les tomates.

Œufs en cocotte aux champignons

Préparer une purée de champignons avec 100 grammes de champignons blancs et fermes, bien nettoyés et rapidement lavés, coupés en fines lames, jetés dans une sauteuse où grésille du beurre (30 g), sautés 3 minutes, foulés au tamis fin, relevés dans un bol et additionnés d'une cuillerée à potage de crème. Assaisonner d'une pointe de sel.

Beurrer des cocottes, les tapisser de cette purée, y casser dans chacune un œuf, cuire au bain-marie et, à la sortie du four, verser sur chaque œuf une cuillerée à café de crème.

Œufs durs

Faire bouillir de l'eau dans une casserole de dimensions appropriées à la quantité d'œufs mis en cuisson ; mettre les œufs dans une passoire à gros trous, la plonger dans l'eau bouillante et, dès l'instant où l'eau reprend l'ébullition, compter 9 minutes de cuisson pour des œufs de grosseur moyenne, 10 minutes pour de gros œufs.

Retirer la passoire garnie d'œufs et la plonger aussitôt dans l'eau froide : l'écalage sera ainsi facilité.

Veiller à ne pas dépasser le temps de cuisson indiqué, car le blanc d'œuf deviendrait coriace et le jaune sec.

Œufs durs aux oignons dits à la tripe

Couper finement en julienne 3 oignons moyens ; s'ils ne sont pas nouveaux, les ébouillanter 5 minutes, les égoutter et les éponger ; les mettre dans une petite casserole où chauffe du beurre (30 g) et les cuire à demi très doucement à couvert sans laisser colorer.

Y mélanger ensuite une cuillerée à potage bien pleine de farine, une pincée de sel, une pincée de poivre blanc frais moulu et une pointe de muscade râpée. Cuire doucement ce roux blanc 10 minutes, retirer du feu et laisser refroidir. Aussitôt froid, ajouter par petites quantités, et en mélangeant vivement avec un fouet, 1/2 litre de lait bouillant. Faire bouillir en remuant pour éviter les grumeaux et cuire à petit feu 20 minutes. Ajouter hors du feu 30 grammes de beurre ou une cuillerée à potage de crème.

D'autre part, cuire 6 œufs durs et enlever les coquilles. Mettre dans la sauce, au moment de servir, les œufs durs bien chauds coupés en quartiers ou en rondelles épaisses.

La sauce peut être passée au chinois : dans ce cas, il faut bien fouler les oignons pour les réduire en purée afin de les incorporer à la sauce qui devient un coulis soubise.

Nota. — Si l'on dispose de sauce béchamel, supprimer la farine, c'est-à-dire le roux et le lait et remplacer par une quantité égale de sauce.

Œufs durs à la crème d'oseille

Tailler en fine julienne une forte poignée de jeune oseille dont les tiges ont été soigneusement enlevées.

Mettre cette oseille dans une casserole avec 40 grammes de beurre, la chauffer doucement et la cuire jusqu'à évaporation complète de l'humidité. Y mélanger une cuillerée à potage bien pleine de farine, cuire à petit feu 5 minutes, laisser refroidir. Ajouter petit à petit, en remuant avec une spatule, 4 décilitres de lait (2 verres à boire ordinaires) bouillant, assaisonner de sel et poivre, faire bouillir puis mijoter 15 minutes.

Passer la sauce au chinois fin en foulant à fond avec la spatule. Remettre la sauce en ébullition, goûter l'assaisonnement et, dès le premier bouillon, lui incorporer hors du feu 60 grammes de beurre ou 2 cuillerées à potage de crème. Dresser dans un plat creux les œufs cuits durs et tenus au chaud et les recouvrir de sauce.

Œufs durs sur purées diverses

Les œufs durs comme les œufs pochés se servent avec la plupart des purées de légumes ; les plus indiquées sont celles d'asperges, de cresson, de chicorée, de céleri, de champignons, de carottes, de laitue, d'épinards et de marrons.

Œufs mollets

Les œufs mollets se préparent comme les œufs durs. Placés dans une passoire à gros trous, ils sont plongés dans de l'eau bouillante ; dès l'instant où celle-ci entre à nouveau en ébullition, compter 6 minutes de cuisson pour des œufs de grosseur moyenne. Retirer la passoire et la plonger dans de l'eau froide ; les écaler avec précaution et les conserver dans de l'eau chaude salée s'ils sont servis chauds.

Toutes les préparations applicables aux œufs pochés ou durs, sauf si ces derniers sont farcis, conviennent aux œufs mollets et inversement.

Voici quelques formules qui augmentent celles conseillées pour les œufs pochés et les œufs durs :

Œufs mollets soubise

Éléments :

8 belles têtes de champignons ; 8 œufs mollets tenus au chaud dans un peu d'eau salée à point ; 3 décilitres de purée d'oignons à la crème.

Méthode :

Couper en dés 4 gros oignons, les ébouillanter 5 minutes puis les égoutter ; mettre l'oignon dans une petite casserole avec 30 grammes de beurre, une prise de sel et cuire à feu très doux et à couvert. L'oignon doit demeurer blanc. Après cuisson, passer l'oignon au tamis fin. Recueillir la purée dans une sauteuse, adjoindre 8 cuillerées à potage de sauce béchamel très réduite ; faire bouillir et retirer du feu aussitôt ; incorporer deux cuillerées de crème ou deux belles noix de beurre ; goûter. Faire griller les champignons ou les étuver au beurre avec une larme de jus de citron. Dans ce cas, et après cuisson, le beurre est soigneusement versé dans la purée soubise.

Dressage :

Ranger les champignons sur un plat rond chaud, mettre sur chacun un œuf mollet et recouvrir de la purée d'oignons à la crème qui doit être onctueuse.

Œufs mollets béarnaise

Éléments :

8 fonds d'artichauts cuits dans un blanc ; 8 œufs mollets ; 4 décilitres de sauce béarnaise ; 30 grammes de beurre.

Méthode :

Faire fondre le beurre dans un plat à sauter, y placer les fonds d'artichauts, les assaisonner d'une prise de sel fin et d'un tour de moulin à poivre, les étuver 15 minutes à feu doux en les retournant une fois. Les ranger sur un plat chaud, verser sur le fond du plat le beurre utilisé, mettre un œuf mollet chaud sur chaque fond et le recouvrir de sauce béarnaise. Servir en saucière le supplément de sauce.

Œufs poêlés

Les œufs poêlés sont une variante des œufs sur le plat.
Chauffer du beurre - une noix pour deux œufs - dans une poêle jusqu'à couleur noisette. Cette cuisson un peu poussée du beurre donne une saveur particulière et agréable aux œufs.
Poursuivre cette préparation comme pour les œufs sur le plat.
Les œufs poêlés sont accompagnés de jambon, bacon, lard ou différents légumes.

Œufs poêlés aux tomates

Peler une belle tomate bien mûre, la diviser en deux parties, presser l'eau de végétation et les graines ; cuire à feu vif dans une poêle où fume une cuillerée d'huile d'olive ; les assaisonner de sel et poivre, les retourner avec précaution à l'aide d'une spatule, casser un œuf sur chaque demi-tomate, saler d'une prise de sel sur le blanc, cuire au miroir rapidement au four et glisser le tout sur une assiette chaude. Arroser les œufs d'une noix de beurre brûlant cuit dans la poêle jusqu'à couleur brune (beurre noir).

Œufs frits

Méthode :

Chauffer dans une poêle 2 décilitres d'huile, soit un verre à boire ordinaire ; dès qu'elle est fumante, pencher légèrement la poêle de façon à rendre le bain d'huile plus profond, y verser un œuf frais cassé dans un bol. Aussitôt, le blanc se coagule en de grosses cloques ; ramener celles-ci rapidement sur le jaune à l'aide d'une cuiller en bois trempée dans l'huile et en roulant l'œuf dans cette dernière. Le jaune doit être entièrement enveloppé et demeurer mollet. Cuire l'œuf une minute, il doit être bien doré. Égoutter sur un linge, assaisonner d'une prise de sel.
Cuire ainsi juste au moment de servir.
Les œufs frits sont fréquemment servis sur une tranche de jambon cru chauffé dans la poêle avec une noix de beurre fondu ou sur des tranches de lard maigre, du bacon grillé ou rissolé au beurre.
On peut les présenter accompagnés d'une garniture de champignons sautés au beurre avec fines herbes : champignons de Paris ou de prairie, morilles, girolles ou mousserons, ou bien des épinards en feuilles préparés au beurre. Ils peuvent servir d'accompagnement de rognons grillés, de petites saucisses dites « chipolatas », de côtes d'agneau grillées ou sautées. Les œufs frits font partie de la garniture classique du poulet à la Marengo et de la tête de veau

à la tortue. On sert aussi une saucière de sauce tomate ou Périgueux ou italienne, etc., en même temps que les œufs frits.

Œufs frits à la milanaise

Faire bouillir un litre d'eau salée à point (10 grammes de sel) ; y jeter 150 grammes de spaghetti ou de macaroni ; laisser cuire sans ébullition et à couvert 20 minutes environ et égoutter complètement. Les remettre dans la casserole, assaisonner de sel et poivre, ajouter 2 cuillerées de sauce tomate ou 2 tomates pelées pressées de l'eau de végétation et des semences, assaisonnées de sel et poivre et fondues au beurre dans une petite sauteuse ; 30 grammes de parmesan ou de gruyère râpé et 50 grammes de beurre.

Bien mélanger sans briser les pâtes.

Dresser dans un moule à timbale bien beurré en le tapotant légèrement sur un torchon pour provoquer un léger tassement. Faire pocher au bain-marie et au four 18 à 20 minutes. Laisser reposer 5 minutes et démouler sur un plat rond et chaud.

Disposer autour de la timbale 6 œufs frits et 6 demi-tomates grillées en les alternant. Mettre sur chaque tomate une feuille de persil frit.

Servir en même temps une saucière de sauce tomate.

Œufs frits à l'américaine

Œufs frits dressés sur une tranche de jambon cuit et entourés de tomates grillées.

Omelettes

L'omelette peut être roulée ou plate, selon le goût et la garniture. Pour bien faire une omelette, la pratique vaut mieux que les conseils. Le tour de main ne s'acquiert qu'avec l'expérience.

Si l'omelette contient une garniture, on peut limiter les œufs à 3 pour 2 personnes ; sinon, il faut 2 œufs par personne.

Si le nombre des œufs est supérieur à 8, il est préférable de faire plusieurs omelettes.

Battre les œufs de quelques coups de fourchette de façon à juste mélanger les blancs aux jaunes tout en conservant aux premiers leur propriété visqueuse.

Le battage prolongé liquéfie l'œuf qui, jeté dans le beurre chaud, ne gonfle pas ; alors l'omelette est lourde et d'un goût moins agréable.

Méthode :

Casser les œufs, les saler et les battre modérément à la dernière minute. Quand cette opération est faite d'avance, les œufs brunissent. Les verser dans une poêle présentée à un feu très vif et dans laquelle du beurre (10 grammes, une noix pour 2 œufs) grésille puis devient couleur noisette.

Au contact du beurre brûlant, les œufs se coagulent d'abord vers le bord de la poêle ; rapidement à l'aide d'une fourchette, cette partie est ramenée au centre et ainsi l'on assure à la masse une cuisson régulière. Quand la consistance voulue est atteinte (bien cuite - à point - baveuse), laisser la poêle au repos deux secondes, exposée à l'action du foyer ; puis, de la main gauche, la pencher vers le foyer et, de la main droite, tenant la fourchette, rouler l'omelette vers le bord opposé ; donner de la main droite sur la main gauche un léger choc qui se répercute sur la poêle ; l'omelette ressaute et se trouve correctement roulée ; vite une noisette de beurre dans la poêle, c'est la dorure de l'omelette, puis on la renverse sur un plat long et chaud ; corriger si besoin est la forme et glisser dessus un morceau de beurre piqué à la pointe d'un couteau ; c'est le vernissage.

L'omelette nette et sans pli est aussitôt servie aux convives qui doivent l'attendre; alors devant eux elle apparaît dorée, appétissante et parfumée.

Les omelettes sont généralement garnies, fourrées ou assaisonnées de condiments.

Omelettes garnies et fourrées

Elles sont garnies ou fourrées suivant la préparation des éléments utilisés. Les formules d'omelettes se comptent par centaines : en voici quelques-unes parmi les plus courantes et faciles à faire pour une maîtresse de maison. Les garnitures sont données pour 6 œufs en omelette.

Omelette aux champignons

60 grammes de têtes de champignons lavées *rapidement*, coupées en fines lames (émincées), sautées au beurre dans la poêle à omelette et très légèrement rissolées ; verser les œufs et cuire l'omelette comme il est recommandé (p. 57).

Omelette au jambon

40 grammes de jambon maigre, cuit et coupé en petits dés, puis mélangé aux œufs battus.

Omelette au fromage

40 grammes de gruyère râpé mélangé aux œufs battus.

Omelette au lard

60 grammes de lard de poitrine bien maigre, débarrassé de la couenne, coupé en lardons de 7 à 8 millimètres de côté, ébouillanté 6 minutes, égoutté, épongé dans un linge, et rissolé à la poêle avec 30 grammes de beurre.

Verser les œufs battus et opérer suivant nos conseils (p. 57).

Omelette à l'oseille

Une douzaine de feuilles de jeune oseille bien lavées, épongées, coupées en grosse julienne, puis fondues avec 25 grammes de beurre dans la poêle à omelette. Ajouter aux œufs battus une demi-cuillerée à café de feuilles de cerfeuil et les verser dans la poêle.

Omelette aux fines herbes

Ajouter aux œufs battus une cuillerée à café de persil frais haché et une civette ou ciboulette coupée finement.

Omelette lyonnaise

Tailler finement en julienne un oignon moyen, le cuire avec 25 grammes de beurre dans la poêle à omelette ; quand l'oignon est cuit et légèrement doré, verser les œufs battus.

Omelette à la crème

Battre 3 cuillerées à potage de crème; dès que la crème est légère et consistante (faire attention de ne pas la transformer en beurre par un battage trop prolongé), y mélanger les œufs battus et verser le tout dans la poêle.

Omelette aux morilles

Choisir 60 grammes de petites morilles lavées avec grand soin en raison du sable qu'elles dissimulent. Les couper en quartiers et les sauter en opérant comme pour l'omelette aux champignons.

Omelette aux truffes

Deux truffes crues moyennes coupées en lames pas trop minces ou en dés. Les chauffer rapidement au beurre dans la poêle à omelette et verser dessus les œufs battus.

Omelette aux tomates

Une belle tomate bien mûre, débarrassée du pédicule et de la partie avoisinante de la peau, de l'eau de végétation et des semences, puis coupée en gros dés. Assaisonner de sel, poivre et prise de sucre et cuire dans une sauteuse avec une demi-cuillerée à potage d'huile ou avec 25 grammes de beurre. Quand la tomate est réduite, la verser dans les œufs battus, additionnés d'une pincée de persil haché et les cuire en omelette.

Omelette aux foies de volaille

Couper en dés moyens deux foies de volaille; assaisonner légèrement de sel fin et poivre frais moulu; les cuire au beurre très chaud rapidement dans une petite sauteuse, juste pour les raidir et pour qu'ils soient rosés. Les enlever de la sauteuse et les réserver au chaud sur une assiette; mettre à leur place une cuillerée à potage de madère ou de porto; faire réduire de moitié; ajouter deux cuillerées à potage de bon jus de veau; réduire à nouveau de moitié et, hors du feu, incorporer le volume d'une belle noix de beurre, y adjoindre les foies et les rouler dans cette courte sauce.

Faire l'omelette suivant la méthode (p. 57); avant de la rouler, garnir le centre avec les 2/3 de ce ragoût sans mettre la sauce; retourner l'omelette sur un plat long et chaud; faire une petite incision dans le sens de la longueur sur le dessus, écarter légèrement les bords de l'incision et couler, à l'intérieur, une demi-cuillerée de sauce; achever en disposant sur l'incision le tiers du ragoût restant, puis autour de l'omelette, en cordon, le reste de la sauce.

Omelette chasseur

Préparer les éléments de la recette de l'omelette aux foies de volaille en y ajoutant une petite échalote hachée et 4 champignons moyens coupés en dés et cuits à feu vif dans le beurre destiné à sauter les foies.

Terminer comme l'omelette aux foies de volaille.

Omelette aux rognons

Se prépare exactement comme l'omelette chasseur ou celle aux foies de volaille. Choisir de préférence des rognons de mouton à raison de un par personne. Enlever la pellicule extérieure et les nervures intérieures avant de le couper en gros dés.

Omelette aux pointes d'asperges

Cuire à l'eau salée à point les pointes d'une petite botte d'asperges vertes coupées de la grosseur de petits pois ; les égoutter et les mettre très chaudes dans une sauteuse avec le volume de deux noix de beurre, lier hors du feu. Réserver un tiers des pointes pour garnir le dessus de l'omelette et mettre les 2 autres tiers à l'intérieur au moment où elle est roulée.

Omelettes plates

Ces omelettes sont généralement garnies, elles ne sont pas roulées, elles conservent la forme de la poêle et sont retournées à la manière des crêpes.

Omelette aux noix

8 œufs et une vingtaine de noix. Si ces dernières sont fraîches, il est indispensable d'enlever la pellicule qui enveloppe les cerneaux. Les hacher grossièrement et les jeter dans la poêle au moment où le beurre en chauffant devient mousseux ; presque aussitôt, y verser les œufs battus et assaisonnés.

Dès que l'omelette est à consistance voulue, la laisser dorer une seconde, la retourner comme une crêpe, renouveler pour la deuxième face l'opération de rissolage léger et la glisser sur un plat rond et chaud.

Nota. — Utiliser une poêle de dimensions appropriées pour que l'omelette, qui aura exactement le même diamètre que le fond de cet ustensile, ait de 3 à 4 centimètres d'épaisseur.

Omelette à la savoyarde

Faire rissoler au beurre dans la poêle à omelette deux pommes de terre moyennes, cuites à l'eau et coupées en fines rondelles régulières. Lorsqu'elles sont bien dorées, verser les 8 œufs battus, assaisonnés de sel et poivre et additionnés de 40 grammes de gruyère ou de parmesan râpé ou coupé en minces copeaux et d'une cuillerée à café de feuilles de cerfeuil.

Quand l'omelette est dorée en dessous, la retourner comme une grosse crêpe, la dorer à nouveau et la glisser sur un plat rond et bien chaud.

Omelette Parmentier

Éplucher deux pommes de terre moyennes, les couper en fines rondelles d'épaisseur régulière, les laver à l'eau froide, les égoutter et les éponger.

Faire chauffer dans une poêle à omelette le volume de deux noix de beurre. Quand ce dernier mousse, y ajouter les pommes de terre en prenant soin de bien décoller les rondelles les unes des autres ; les cuire ainsi en les sautant fréquemment de façon qu'elles soient toutes

Soupe de courge (p. 73)

bien dorées sans être sèches. Lorsqu'elles sont cuites, verser les œufs battus et assaisonnés de sel, poivre et d'une cuillerée à café de persil frais haché ; pratiquer comme il est dit ci-dessus.

Omelette aux courgettes

Détailler en lames minces une courgette moyenne préalablement épluchée ; l'assaisonner de sel et poivre. La sauter au beurre dans la poêle à omelette. Lorsqu'elle est cuite, et à demi rissolée, y verser les 8 œufs battus, assaisonnés et additionnés d'une cuillerée à café de persil haché.

Opérer comme pour l'omelette savoyarde.

Omelette André Theuriet

Omelette fourrée de morilles à la crème. Renverser sur un plat chaud, garnir les deux extrémités de pointes d'asperges étuvées au beurre, une belle lame de truffe chauffée au beurre au centre.

Omelette au foie gras

Chauffer au beurre dans une poêle à omelette des dés de foie gras, y verser les œufs battus et faire l'omelette comme à l'ordinaire.

Œufs brouillés

Méthode :

La difficulté de cette préparation est d'obtenir un mélange des blancs et des jaunes parfaitement homogène, crémeux et sans grumeaux. On y parviendra en observant les recommandations suivantes :

Casser les œufs dans un récipient, les assaisonner de sel et poivre et les battre modérément comme pour une omelette.

Faire fondre dans une casserole pas trop grande, appropriée à la quantité d'œufs en préparation, 10 grammes de beurre par œuf, y ajouter les œufs et les chauffer doucement en les remuant sans arrêt avec une cuiller en bois. Cette cuisson peut être effectuée avec plus de sûreté au bain-marie. Quand les œufs sont cuits à point, c'est-à-dire quand ils ont la consistance de la crème, retirer du feu et ajouter, en remuant toujours, la grosseur d'une noix de beurre pour 2 œufs.

Les œufs brouillés se servent en timbale, dans de petites croustades, ou petites cocottes, ou simplement dans un légumier généralement avec l'adjonction d'une garniture.

La plupart des garnitures indiquées pour les omelettes s'appliquent aux œufs brouillés et vice versa.

Œufs brouillés au bacon

Couper en petits dés 100 grammes de bacon dont la couenne a été préalablement enlevée ; ébouillanter 5 minutes puis égoutter ; les faire rissoler légèrement avec une noix de beurre dans la sauteuse qui sera utilisée pour la cuisson des œufs brouillés et les mettre en réserve au chaud sur une assiette. Cuire les œufs brouillés selon la méthode ci-dessus et ajouter le bacon ; mélanger et servir.

Œufs brouillés à la purée de champignons

Choisir 125 grammes de champignons de Paris fermes et très blancs, les nettoyer et les laver rapidement, les éponger et les couper en lames minces ; les jeter aussitôt dans une sauteuse dans laquelle grésille du beurre (deux noix), les sauter 3 minutes à feu vif ; assaisonner d'une pincée de sel et quelques gouttes de citron ; renverser les champignons sur un tamis fin placé au-dessus d'une assiette et les fouler avec un pilon.

Dans la sauteuse utilisée, cuire les œufs et, en terminant, ajouter la purée de champignons.

Œufs brouillés aux pointes d'asperges

Mélanger avec précaution à des œufs brouillés des pointes d'asperges vertes cuites à l'anglaise et étuvées au beurre. Placer sur le sommet, après dressage, un bouquet de pointes.

LES POTAGES ET LES SOUPES

J'ai divisé les potages et les soupes en deux groupes principaux : les potages clairs, les potages liés.

Chacun d'eux réunit plusieurs variétés.

Dans le premier groupe se trouvent le bouillon et le consommé garni ou non.

Dans le second groupe entrent les potages dont la liaison est obtenue par la dissolution ou l'écrasement de l'élément de base, les purées par exemple ; ou l'addition d'un ou de plusieurs éléments de liaison : roux, riz cuit, pain mitonné, jaunes d'œufs, crème, etc.

Les potages et les soupes doivent être servis brûlants dans des assiettes très chaudes (condition essentielle pour être appréciés).

LE POT-AU-FEU

Le pot-au-feu, duquel l'on tire le bouillon gras, est l'une des bases fondamentales de la cuisine. Outre les nombreux potages dont il est l'élément liquide principal, il fournit une réserve de bouillon utilisé dans bien des cas comme fond de mouillement de sauces ou de certaines préparations culinaires improvisées.

Le bouillon mis en réserve devra toujours être passé à la passoire ou au chinois fin (les légumes, les carottes surtout, provoquant une fermentation rapide), puis bouilli. On le laissera refroidir sans le couvrir dans une torrine vernissée, un récipient en faïence ou en métal émaillé, posé sur un objet qui permette la circulation de l'air afin d'écourter la période de refroidissement.

Un pot-au-feu pour 12 personnes doit être préparé avec une quantité de viande suffisante pour assurer 2 repas au moins. On réunira les éléments suivants :

Éléments pour 12 personnes :

1,500 kg de jarret de bœuf, 500 grammes de jarret de veau, 500 grammes de mouche de grumeau, 500 grammes de plat de côtes, 500 grammes de paleron, 500 grammes de collier de mouton, 500 grammes de queue de bœuf, 500 grammes d'aiguillette saignante, une volaille de Bresse d'1,500 kg environ, 200 grammes d'os d'entrecôte, 5 os à moelle coupés à 3 centimètres de longueur, 300 grammes de poireaux, 300 grammes de carottes, 3 belles tomates, 2 céleris boules, 300 grammes de navets ronds, une demi-livre d'oignons, clous de girofle, 1 fenouil entier, 1 panais, 1 tête d'ail entière, 1 bouquet garni, quelques lames de truffes.

Méthode :

Mettre les os d'entrecôte au fond du faitout, la viande ne touchera pas le fond et n'attachera pas. Poser sur les os le jarret de bœuf, le plat de côtes, la mouche de grumeau, le paleron et la queue de bœuf. Ajouter en dernier le jarret de veau et le collier de mouton. Remplir la marmite d'eau froide de telle sorte que les viandes baignent complètement. Ne pas saler maintenant mais seulement après écumage. Cuire à feu vif sans couvrir sinon le bouillon deviendrait trouble.

Pendant la cuisson éplucher les légumes. Poireaux et céleris seront lavés à l'eau bouillante afin de bien les débarrasser de leur sable. Préparer le bouquet garni en attachant ensemble une demi-feuille de laurier frais entourée de persil, de cerfeuil, d'un peu de thym et le tout entouré de feuilles de poireaux vertes. Ficeler des rondelles de carotte de chaque côté des tronçons d'os à moelle pour les boucher.

Écumer après vingt minutes de cuisson environ : avec une louche (et non pas une écumoire) ramasser doucement l'eau de viande et le gras. Écumer sur le coin du feu pour que l'écume vienne sur un côté de la marmite. Réduire le feu et laisser cuire doucement vingt autres minutes. Écumer une seconde fois puis saler au gros sel (environ 10 grammes par litre) et ajouter quelques grains de poivre noir enveloppés dans une mousseline. Mettre la volaille après avoir glissé des lames de truffes sous sa peau et l'avoir bridée. Ajouter le bouquet garni, les oignons piqués de 4 clous de girofle (après en avoir fait bien colorer un, coupé en deux sur la plaque du four à feu vif : il colorera le bouillon), l'ail et tous les légumes (sauf les tomates) ; lier les poireaux ensemble. Écumer à nouveau puis laisser bouillir doucement pendant 40 minutes en écumant de temps en temps (enlever le panais après 15 minutes).

Retirer les légumes au fur et à mesure de leur cuisson (les piquer avec une aiguille qui les transperce s'ils sont cuits) délicatement avec une écumoire et les tenir au chaud sur le coin du feu dans une cocotte couverte en les mouillant de deux louches de bouillon. Retirer la volaille et la tenir au chaud dans une deuxième cocotte de la même façon que les légumes.

Laisser cuire les viandes encore trente minutes en écumant de temps en temps, puis enlever le jarret de veau et le collier de mouton. Laisser cuire encore les autres viandes à petit feu pendant encore une heure et ajouter alors l'aiguillette attachée par une ficelle à l'anse du faitout. Plonger les os à moelle dans le bouillon, ajouter les tomates. Écumer à nouveau. Laisser cuire 12 à 15 minutes suivant l'épaisseur du morceau d'aiguillette. Retirer les viandes et les os à moelle (les débarrasser des carottes, la moelle est intacte à l'intérieur) et remettre la volaille et les légumes un moment à réchauffer dans le bouillon.

Dresser le jarret de bœuf au centre du plat, les autres viandes et la volaille autour, puis les légumes, le tout arrosé de bouillon qui sera également servi à part dans une soupière. On peut faire trois services dans des assiettes creuses : 1º Service du bouillon avec pain grillé, fromage râpé, moulin à poivre, gros sel, vin rouge (facultatif) ; 2º Service de la volaille, découpée, entourée de jarret de veau, de queue de bœuf, accompagnée de bouillon ou d'une sauce faite avec 1 cuillerée à potage de vinaigre de vin, 4 cuillerées à potage d'huile de noix, sel, poivre, 20 grammes de cerfeuil effeuillé ; 3º Service du jarret de bœuf avec un peu de mouche de grumeau, un peu de paleron, les légumes et du bouillon.

Nota. — Si les convives sont très nombreux, on peut enrichir ce plat avec une dinde, des faisans, des perdreaux, du jarret ou de l'échine de porc (frais ou salé) et un gigot (cuit comme l'aiguillette), du chou et du chou-fleur (cuits à part dans de l'eau salée).

Petite marmite (pour 6 personnes)

Couper en gros cubes 1 kilo de jarret de bœuf, les ébouillanter et les égoutter.

Les placer dans une marmite en terre de 8 litres de contenance, y ajouter une petite poule préalablement dorée au four 1/4 d'heure.

Mouiller avec 2 litres de bouillon et 1/2 litre d'eau froide. Faire bouillir lentement et enlever l'écume au fur et à mesure qu'elle monte à la surface.

Garnir avec 200 grammes de carottes (ne pas utiliser le cœur) et 200 grammes de navets coupés en petits tronçons et arrondis en forme de grosses olives ; 150 grammes de blancs de poireaux tronçonnés de 5 centimètres de longueur ; 50 grammes de céleri. Cuire régulièrement et à ébullition très lente, 4 heures 1/2.

Servir ainsi, avec de petits os à moelle pochés dans un peu de bouillon, de menus tranches de pain grillé et de gruyère râpé.

Nota. — Si l'ébullition a été conduite avec attention et très doucement, la réduction du liquide ne doit pas excéder un demi-litre. Le bouillon sera donc salé juste à point sans aucune addition de sel, ni d'eau autre que le demi-litre indiqué.

Soupe à la jambe de bois

Voilà la recette de la soupe à « la jambe de bouâ » comme Henry Clos-Jouve m'a dit de vous la préparer et comme on la fait à Lyon depuis toujours : « Prenez une coquelle de terre ou de cuivre entamé. Bien propre. Mettez-y un beau jarret de boeuffe, que vous trempez dans l'eau froide aveque du sel, des ognons, des clous de girafles, et toutes sortes de marchandises que donnent de goût. Faites-y mijoter tout doucettement à feu clair. Vous écumez bien le bouillon. Une fouâ le bouillon bien propre, ajoutez des poreaux, des navets, des céleris. Ajoutez-y deux, trois jarrets de veau, une épaule de cochon, de la dinde, de perdrix, un gigot saignant, une aiguillette de boeuf saignante. Une demi-heure avant de servir, ajoutez des poulets de Bresse et un moment après quelques cervelas truffés et pistachés. Quand c'est cuit, dressez le jarret bien droit au-dessus de la coquelle pour qu'on reconnaisse la soupe à la jambe de bouâ. Y faut donner de Beaujolais par cempote et pas y être regardant. Bon appétit ! »

LES CONSOMMÉS

Le consommé est constitué par du bouillon faiblement salé, dont on accroît la sapidité par une importante adjonction de sucs de viandes et de condiments.

Éléments (pour 2 litres de consommé) :

2 litres 1/2 de bouillon, 650 grammes de viande de bœuf maigre totalement dégraissée (choisir du gîte à la noix) ; un abattis de volaille ; 1/2 carotte ; 3 blancs de poireaux ; 1 blanc d'œuf.

Méthode :

Hacher très fin la viande et les abattis ; couper la carotte et les poireaux en dés menus ; réunir dans une casserole la viande hachée, les légumes et le blanc d'œuf ; bien mélanger ; ajouter le bouillon froid ou tiède en remuant avec une cuiller en bois.

Faire bouillir assez lentement en remuant sans discontinuer. Dès que l'ébullition commence à se manifester, retirer la casserole sur le côté du fourneau et maintenir l'ébullition à un simple frémissement pendant 1 heure 1/4.

Au bout de ce temps, le bouillon s'est enrichi des sucs de la viande et de la note aromatique des légumes ; il s'est corsé de ces substances complémentaires et est devenu consommé.

Le passer à travers un linge, préalablement trempé dans l'eau tiède et bien essoré.

Le consommé après cette dernière opération doit être, d'une limpidité absolue. La clarification est obtenue par l'albumine de la viande et du blanc d'œuf.

Consommé de volaille

Se distingue par la saveur nette et caractérisée de volaille qui s'obtient en ajoutant aux éléments du consommé ordinaire une poulette de 800 grammes environ, deux abattis et une carcasse de volaille crue hachée finement.

Opérer absolument comme pour le consommé.

La poulette sera utilisée pour faire des mets exquis chauds ou froids : croquettes de volaille, mayonnaise de volaille, etc.

Consommé printanier

Garniture de carottes et navets prélevés sur les légumes du pot-au-feu coupés en petits bâtonnets de 2 centimètres de long et 4 millimètres de côté, ou levés à la cuiller en petites perles ou minuscules olives cannelées, additionnés par parties égales de petits pois et de haricots verts coupés en petits losanges et cuits dans un peu de bouillon. Compléter avec une pincée de feuilles de cerfeuil.

Consommé Colbert

Consommé printanier auquel on ajoute un petit œuf poché par convive.

Consommé Célestine

Lier très légèrement du consommé avec du tapioca et ajouter une garniture de crêpe sans sucre taillée en julienne très fine.

Consommé à la royale

Consommé lié très légèrement avec du tapioca, et garni d'une crème renversée non sucrée et détaillée en petits motifs (voir royale ci-après) : losanges, dés ou autres, découpés avec des emporte-pièces.

Royale pour potages :

1/4 de litre de lait, 1/4 de litre de bouillon dégraissé à fond, 4 œufs, une pincée de sel, une pointe de muscade râpée.

Battre les œufs, les passer à la passoire fine pour enlever les germes. Y ajouter le lait et le bouillon chauds mais non bouillants ; verser dans un moule à génoise ou biscuit plat et cuire au bain-marie comme une crème renversée en prenant soin de ne pas laisser bouillir l'eau du bain-marie ce qui provoquerait de menus trous dans la crème.

Laisser refroidir, démouler pour détailler en bandes régulières et, celles-ci, en petits motifs. Les mettre dans le consommé très chaud avec précaution pour ne pas briser les motifs.

Consommé aux profiteroles

Garnir de petites profiteroles (choux minuscules de la grosseur d'une noisette) faites en pâte à choux additionnée de gruyère ou de parmesan et cuites à four bien chaud.

Consommé brunoise

Couper en dés minuscules 200 grammes de carottes (ne pas utiliser le cœur); 200 grammes de navets ; 2 blancs de poireaux ; une petite branche de céleri. Mélanger le tout, ébouillanter puis égoutter.

Cuire à feu très doux dans une petite sauteuse avec 2 cuillerées à potage de bouillon.

Garnir de 2 cuillerées à café de brunoise chaque tasse de consommé. On peut ajouter quelques feuilles de cerfeuil.

Croûte-au-pot

Garnir le consommé de carottes, navets et poireaux provenant du pot-au-feu, coupés en petits tronçons parés en forme d'olive et mitonnés dans un peu de bouillon non dégraissé. Servir à part dans une timbale ou sur un ravier du gruyère râpé et dans une autre timbale ou sur un plat recouvert d'une serviette pliée des morceaux de flûte sans la mie, grillés au four.

On peut ajouter un tout petit quartier de chou cuit dans quelques cuillerées de bouillon gras.

Consommé froid

Le consommé froid est généralement servi en tasse, très froid, ce qui ne signifie pas glacé. En cet état il doit être comme une gelée très fluide, c'est-à-dire à demi prise ou sirupeuse.

Pour obtenir cet à point, le consommé sera nécessairement très riche en sucs de viande ou, par mesure d'économie, additionné d'un élément liant, tapioca ou fécule.

Toutefois je déconseille la fécule qui atténue au moins d'un tiers les différents sucs concentrés dans le consommé. Je conseillerais plutôt l'emploi, à dose légère, du tapioca, lequel n'a pas cet inconvénient. On peut encore suppléer à l'insuffisance de concentration des sucs par un appoint discret de gélatine, toutefois le tapioca me semble plus naturel, plus savoureux, donc préférable.

L'addition des tomates crues dans un consommé provoque un appoint de 90 % d'eau de végétation. Pour éviter cet allongement inattendu du consommé, qui perd immédiatement une grande partie de sa sapidité, je recommande l'emploi de tomates préalablement cuites et réduites en purée consistante.

Consommé de volaille

Dans un litre de consommé de volaille bouillant, traité selon la formule du consommé, verser, en pluie, 4 cuillerées à potage de tapioca, remuer et laisser cuire très doucement 15 minutes.

Passer au chinois fin, laisser refroidir et servir en tasse.

Consommé au fumet de céleri

Procéder comme pour le consommé de volaille et, quand le tapioca est assimilé au consommé, ajouter la moitié du cœur d'un pied de céleri. Faire cuire doucement 25 minutes.

Consommé au fumet d'estragon

Même procédé que pour le consommé au fumet de céleri en remplaçant ce dernier par une branche d'estragon. Ne laisser cuire que 15 minutes.

Consommé madrilène

1re méthode :

Choisir 6 belles tomates bien mûres, les couper en deux parties, presser l'eau de végétation et les passer au tamis fin. Mettre cette purée dans un litre de consommé, ajouter une petite branche d'estragon, une gousse d'ail ; lier avec 4 cuillerées à potage de tapioca ; cuire doucement 40 minutes. Passer dans une serviette et laisser refroidir.

2° méthode :

Procéder comme il est conseillé pour le consommé de volaille et ajouter, par litre de consommé, 6 belles tomates bien mûres préalablement cuites et réduites en purée. Lier avec 4 cuillerées à potage de tapioca et cuire 25 minutes. Passer dans une serviette et laisser refroidir.

Qu'il s'agisse de la première ou de la deuxième formule, le consommé doit être d'une limpidité absolue.

Nota. — L'addition d'une liaison au tapioca n'est pas nécessaire si la richesse du consommé en sucs et en éléments gélatineux naturels est suffisante.

Consommé aux œufs pochés

Servir dans du consommé ordinaire ou de volaille un œuf poché par convive.

Consommé julienne

Rouge de carotte, navet, blanc de poireau, un peu de cœur de céleri, taillés en filaments et cuits dans du bouillon ; vers la fin de la cuisson ajouter une cuillerée de pois frais.

Pour servir, ajouter une cuillerée à entremets de ces légumes par convive dans du bon consommé.

Consommé aux quenelles de volaille

Pocher dans du consommé de volaille de toutes petites quenelles de la grosseur d'une olive de Provence et faites avec une composition à quenelles à base de volaille et de crème.

Consommé aux truffes

Cuire deux minutes dans du consommé de volaille de petites perles ou de petits dés de truffes crues. Parfumer au porto au moment de servir.

LES SOUPES

Les soupes ont pour bases un ou plusieurs légumes écrasés en purée ou taillés en julienne, ou émincés, c'est-à-dire divisés en quartiers puis coupés en fines lames d'un millimètre d'épaisseur.

Chaque fois que la carotte figure parmi les éléments de base ou sera le seul, je recommande d'éplucher finement ce légume ou de le gratter, de l'ouvrir en deux parties dans le sens de la longueur et d'enlever le cœur, dur et de saveur forte. Émincer les parties réservées, les ébouillanter et rafraîchir. Ces opérations ne sont pas nécessaires lorsqu'il s'agit de légumes nouveaux.

Par contre, l'épluchure des navets devra être levée assez épaisse ; cette épaisseur se distingue parfaitement en observant la coupe de ce légume. D'une façon générale, il faut 600 grammes de légumes pour un litre et demi de liquide.

Quand le ou les légumes sont prêts à être traités, il est indispensable de procéder de la manière suivante pour la mise en cuisson :

Choisir une casserole d'une contenance juste suffisante pour la quantité de soupe désirée. La mettre au feu avec le beurre et, quand ce dernier est bien chaud, y ajouter les légumes ;

faire étuver doucement sur un coin du fourneau ou sur le gaz bien réglé à faible débit pour provoquer l'exsudation de l'eau de végétation et permettre au beurre de s'imprégner de l'arôme des légumes.

Ajouter ensuite l'eau et le sel ou le bouillon, faire bouillir et cuire, toujours à ébullition lente, le temps strictement nécessaire.

Une cuisson prolongée au-delà de ce temps est une faute nuisible à la saveur d'un potage.

Veiller, en conséquence, à mettre en marche, c'est-à-dire en cuisson, opportunément pour l'heure du dîner.

Oxtail clair

Faire rissoler au four 1,500 kg de queue de bœuf coupée en tronçons, 3 oignons et 3 carottes moyennes taillées en quartiers avec 100 grammes de beurre.

Cette première opération accomplie, mettre le tout dans une marmite, ajouter un bouquet garni (persil, demi-feuille de laurier, une brindille de thym), une branche de céleri, un décilitre de madère et de cognac par moitié ; faire réduire doucement sur le côté du feu et à couvert, puis mouiller avec 3 litres de consommé et un 1/2 litre d'eau. Cuire 4 heures très doucement ; l'ébullition doit être conduite à un simple frémissement.

Passer dans un linge, choisir les plus beaux morceaux de queue de bœuf à raison de un par convive et ajouter, pour servir, une garniture à raison d'une cuillerée à potage par personne de carottes et navets, taillés et parés comme de petites olives, le cœur de céleri étant cuit à part dans un peu de consommé.

Servir très chaud.

Soupe à l'ail

Réunir dans une casserole 2 litres d'eau, 2 clous de girofle, une petite branche de sauge, 25 grammes de sel, une pincée de poivre, 20 gousses d'ail.

Faire bouillir et cuire lentement 15 minutes.

Couper 20 petites rondelles de flûte, les mettre bien à plat sur un plat à rôtir ou une plaque à pâtisserie, recouvrir chacune d'une forte pincée de gruyère ou de parmesan râpé, les arroser de quelques gouttes d'huile d'olive et les faire gratiner à four bien chaud.

Placer le pain dans une soupière, goûter le bouillon d'ail et compléter l'assaisonnement si besoin est, puis le passer bouillant à la passoire fine sur le pain.

Servir aussitôt.

Soupe aux truffes Élysée

(photo page 76)

Éléments (pour une personne) :

50 grammes de truffes fraîches crues ; 20 grammes de foie gras ; 60 grammes de feuilletage (pâte feuilletée) ; 1/4 de litre de consommé double de volaille ; 2 cuillerées à potage de matignon composée de rouge de carottes, oignons, céleri, champignons en parties égales, taillés en très fins petits dés et étuvés au beurre.

Méthode :

1° Mettre dans une petite soupière individuelle dite soupière à « gratinée lyonnaise », 2 cuillerées à soupe de matignon, 50 grammes de truffes coupées en lamelles irrégulières, 20 grammes de foie gras coupé également en morceaux irréguliers, 1/4 de litre de consommé double de volaille.

71

2º Couvrir la soupière d'une mince abaisse de feuilletage. L'abaisse aura été au préalable badigeonnée au jaune d'œuf pour être ensuite fixée sur la soupière de façon que celle-ci soit hermétiquement fermée.

3º Mettre la soupière au four à 220º. La cuisson s'effectue assez rapidement. Le feuilletage doit se développer sous l'effet de la chaleur et avoir une belle couleur dorée (signe de cuisson).

Se déguste après avoir brisé, avec une cuiller, la pâte feuilletée qui doit tomber en miettes à l'intérieur de la soupière.

C'est ainsi que M. et Mme Valéry Giscard d'Estaing dégustèrent la soupe aux truffes créée à leur intention, lors du succulent déjeuner qui réunissait les meilleurs ouvriers cuisiniers de France présents à cette grandiose réception, le jour où le Président de la République m'a remis la croix de la Légion d'honneur au titre d'ambassadeur de la cuisine française, le mardi 25 février 1975.

Soupe ardennaise

Éléments :

6 endives ; 2 pommes de terre moyennes ; 2 blancs de poireaux ; 150 grammes de beurre ; 1 litre d'eau ; 1/2 litre de lait ; 1/2 flûte à potage ou une quantité équivalente de pain ; 10 grammes de sel.

Méthode :

Après avoir épluché et nettoyé les légumes, tailler en julienne les endives et les blancs de poireaux et en lames minces les pommes de terre, faire chauffer dans une casserole 50 grammes de beurre, y ajouter les légumes et étuver à couvert, doucement, 15 minutes. Les légumes doivent être fondus, et non rissolés. Ajouter de l'eau, et saler à point (8 grammes de sel). Cuire à ébullition lente 45 minutes. Ajouter le lait à la fin de la cuisson.

Couper la flûte ou le pain en fines tranches, les faire griller légèrement au four, les placer dans la soupière avec le beurre (100 grammes) restant.

Vérifier l'assaisonnement de la soupe et la verser bouillante sur le pain au moment de servir.

Soupe fermière

Éléments :

2 carottes ; 2 navets moyens ; 4 blancs de poireaux ; 2 pommes de terre moyennes ; 150 grammes de beurre ; 1 quartier de chou ; 2 litres de bouillon ou 2 litres d'eau, dans ce cas, 15 grammes de sel ; 1/2 flûte à potage ou l'équivalent de pain bis.

Méthode :

Éplucher, laver et enlever le cœur des carottes afin d'utiliser exclusivement la partie rouge.

Tailler les poireaux et le chou en julienne et les autres légumes en fines lames après les avoir épluchés.

Faire chauffer 50 grammes de beurre dans une casserole, y ajouter les légumes, les pommes de terre exceptées, et étuver doucement 15 minutes.

Quand les légumes sont bien fondus, ajouter le bouillon ou l'eau. Cuire à très faible ébullition 25 minutes, adjoindre les pommes de terre et poursuivre la cuisson pendant 20 minutes.

Couper le pain en tranches très minces, le griller au four, le placer dans une soupière avec le beurre restant ; au moment de servir, vérifier l'assaisonnement de la soupe et la verser sur le pain. Mettre le couvercle pour que le pain trempe.

Soupe auvergnate

Éléments :

1 kilo de tête de porc salée ; 3 carottes ; 2 navets moyens ; un petit chou pommé ; 4 poireaux ; 100 grammes de lentilles ; 4 litres d'eau.

Méthode :

Éplucher et laver les légumes, enlever le cœur des carottes, faire tremper les lentilles 2 heures à l'eau froide puis les égoutter.

Réunir l'eau, le porc et les légumes dans une petite marmite, cuire à petit feu 3 heures.

Pour servir, verser le bouillon dans une soupière dans laquelle des tranches de pain bis ont été mises. Dresser à part, sur un plat, le porc et les légumes.

Soupe de courge   (photo page 60)

Éléments (pour 6 à 8 personnes) :

Une courge dite muscade de 3 à 4 kilos ; 3 litres de crème fleurette ; 100 grammes de gruyère râpé ; 250 grammes de croûtons grillés ; sel, poivre.

Méthode :

Couper le sommet de la courge de façon à obtenir une soupière. Réserver le couvercle.

Éliminer les graines de courge ; à la place, mettre les croûtons grillés par couches successives avec le gruyère râpé.

Saler, poivrer et remplir l'intérieur de crème fleurette. Refermer la « soupière » avec son « couvercle » le plus hermétiquement possible.

Mettre la courge ainsi préparée dans un four chaud. Le temps de cuisson est d'environ 2 heures.

Pour servir, présenter la soupière devant les convives. Enlever le couvercle. A l'aide d'une cuiller, détacher la chair de courge. En mitonnant avec une louche, faire le mélange pour rendre la préparation très onctueuse. S'il le faut, rectifier l'assaisonnement.

Gratinée lyonnaise

Éléments (pour 4 à 6 personnes) :

600 grammes d'oignons paille ; 1 petit bouquet garni ; 250 grammes de gruyère râpé ; 150 grammes de beurre ; 4 jaunes d'œufs ; 200 grammes de pain (flûte) ; 2 cuillerées de farine ; 1 petit verre de vieux madère ; sel, poivre du moulin.

Méthode :

1° Émincer finement les oignons. Les faire sauter au beurre dans une grande poêle de façon à les faire roussir, c'est-à-dire bien les colorer sans les brûler.

Ensuite, les saupoudrer de farine et donner encore quelques tours de poêle pour que la farine cuise comme un roux. Cela étant fait, mettre les oignons dans une marmite contenant 2 litres 1/2 d'eau.

Saler, poivrer et ajouter le petit bouquet garni. Cuire à petit feu 30 minutes environ.

2º Éliminer le bouquet garni. Passer les oignons et le bouillon au tamis ou au passe-légumes.

Dans une soupière allant au feu, mettre le pain coupé en fines lamelles et légèrement séché à l'étuve (intercaler entre chaque couche de pain la moitié du gruyère râpé).

Après rectification de l'assaisonnement, verser le bouillon dessus. Masquer copieusement la surface avec le restant du gruyère râpé.

3º Introduire la soupière dans un four chaud. Sous l'effet de la chaleur, le gruyère doit fondre et la surface de la « gratinée » doit prendre une belle couleur dorée.

4º Pour servir, présenter la soupière devant les convives.

Mettre les 4 jaunes d'œufs dans un bol, les diluer avec le madère.

Verser cette préparation dans la soupière en remuant aussitôt avec une louche de manière à faire la liaison et obtenir un mélange parfait. Cela s'appelle « touiller » la gratinée.

P. S. — A Lyon, cette soupe dite « gratinée » est très appréciée ; elle se déguste principalement le soir en famille ou entre amis, à la sortie des spectacles.

Soupe savoyarde

Éléments :

4 poireaux ; un oignon ; une branche de céleri ; 2 pommes de terre moyennes ; 50 grammes de lard gras ; 1/2 litre de lait ; un litre d'eau ; 100 grammes de pain.

Méthode :

Couper le lard, débarrassé de la couenne, en dés menus et le faire fondre dans une casserole ; ajouter les poireaux, l'oignon et le céleri taillés en julienne, les pommes de terre en minces lames. Étuver 15 minutes en remuant de temps à autre ; mouiller avec l'eau, saler légèrement et cuire 35 minutes ; mettre le lait et faire bouillir une seconde.

Diviser le pain en petites tranches, les placer sur une plaque à pâtisserie ou sur un plat à rôtir, les saupoudrer de gruyère ou de parmesan râpé et faire gratiner à four chaud.

Mettre le pain dans une soupière et, au moment de servir, verser dessus la soupe bouillante.

Soupe nîmoise

Éléments :

3 blancs de poireaux ; 300 grammes de chou ; un cœur de céleri ; 2 litres d'eau ; 100 grammes d'orge perlé ou de riz ; 50 grammes de beurre ; une pincée de basilic écrasé ; 15 grammes de sel ; gruyère râpé.

Méthode :

Chauffer dans une casserole 50 grammes de beurre, ajouter les légumes taillés en julienne et faire fondre en étuvant doucement ; remuer de temps en temps ; mettre l'orge, le basilic et le sel ; mouiller avec l'eau et cuire 45 minutes.

Si l'orge est remplacée par le riz, cuire la soupe 15 minutes, mettre le riz et continuer la cuisson 30 minutes.

Servir en même temps un ravier de gruyère râpé.

Soupe ménagère

Éléments :

3 carottes ; 2 navets ; 4 poireaux moyens ; 3 pommes de terre ; 200 grammes de chou ; 150 grammes de céleri ; 2 litres 1/2 d'eau ; 200 grammes de lard de poitrine salé, 150 grammes de pain.

Méthode :

Éplucher, laver les légumes, enlever le cœur des carottes, les couper grossièrement et les mettre dans une marmite avec l'eau et le lard. Cuire pendant une heure et demie.

Retirer le lard, le couper en menus morceaux, le mettre dans une soupière avec 150 grammes de pain coupé en petites tranches, puis verser sur le tout la soupe dont on aura vérifié l'assaisonnement.

Soupe à la normande

Rouge de carottes, pommes de terre et blancs de poireaux par tiers. Tailler les premiers légumes en fines rondelles, les poireaux en julienne. Étuver carottes et poireaux, mouiller avec du bouillon blanc ou de l'eau, saler en conséquence. Cuire une heure, ajouter les pommes de terre et quelques cuillerées de riz. Poursuivre la cuisson 30 minutes. Crémer fortement hors du feu et verser dans la soupière sur des tranches de pain grillées. Servir avec du beurre frais.

Soupe paysanne

Blancs de poireaux taillés en julienne et traités au beurre comme de l'oignon destiné à la soupe. Quand le poireau est légèrement rissolé, lui adjoindre le cœur dur d'un chou, coupé en grosse julienne et blanchi. Faire étuver. Mouiller avec bouillon blanc ou eau ; saler convenablement. Cuire une heure. Ajouter après ce temps deux grosses pommes de terre farineuses. Poursuivre la cuisson 30 minutes. Écraser grossièrement les pommes de terre et verser dans une soupière garnie de tranches de pain grillées. Servir avec du beurre frais.

Soupe à l'oseille

Procéder comme pour le potage poireaux et pommes de terre en remplaçant le poireau par de l'oseille. Le temps de cuisson de l'oseille n'est que de quelques minutes.

Potée bourguignonne

Petite marmite (voir page 67) comprenant en surplus de la garniture indiquée un bon morceau de porc mi-salé, un saucisson cru à l'ail, la pomme d'un chou et quelques pommes de terre coupées en quartiers. Ces dernières sont ajoutées une demi-heure avant de servir.

Verser le bouillon sur du pain bis et servir à part, mais en même temps, viandes et légumes.

Soupe minestra

Fondre dans une casserole 50 grammes de lard frais de poitrine coupé en dés menus, y joindre un oignon moyen ciselé et deux blancs de poireaux taillés en brunoise (très petits dés). Faire blondir. Ajouter le rouge d'une belle carotte, un navet moyen, une branche de céleri, le cœur d'un petit chou, le tout coupé en brunoise, assaisonner, sel, poivre, une pincée de sucre, mélanger, couvrir et faire étuver 15 minutes. Mouiller avec 1 litre 1/2 de bouillon blanc faiblement salé ou d'eau, saler alors à raison de 10 grammes au litre.

Faire bouillir et cuire doucement 30 minutes.

Après ce temps, adjoindre deux belles tomates avec l'eau de végétation mais sans la peau ni les semences et coupées en dés, deux décilitres de pois frais, une bonne poignée de haricots verts tronçonnés de 2 centimètres, une grosse pomme de terre farineuse coupée en dés et 100 grammes de spaghetti en fragments (ou nouilles).

Laisser mitonner une heure.

Au moment de servir, jeter dans la soupe en ébullition 50 grammes de lard gras râpé et broyé avec une petite gousse d'ail (5 grammes), une prise de basilic et une pincée de cerfeuil ciselé. Servir tel.

LES GARBURES

Cette soupe délicieuse et essentiellement béarnaise comprend plusieurs variétés, présentées sous des appellations différentes, mais qui ne sont que des variations composées sur le même thème gastronomique régional; pour la clarté nous indiquons la présente recette.

Garbure béarnaise

Choisir une marmite en terre ou potée. La garnir avec tous les légumes frais de saison navets, carottes, un petit chou, haricots verts, haricots blancs soissons, un morceau de lard de poitrine, un morceau de confit d'oie. Mouiller d'eau largement à hauteur. Faire bouillir et mitonner pendant 3 heures.

A mi-cuisson, goûter et mettre au point, si besoin est, par addition de sel.

Disposer dans une terrine plate allant au four et en alternant légumes, lard et confit coupés en morceaux; puis disposer sur la surface des tranches de pain grillées, saupoudrer de fromage de gruyère râpé et broyer quelques grains de poivre, arroser avec quelques cuillerées du bouillon gras de la soupe et remettre à mitonner au four un bon quart d'heure. Servir bien gratiné en même temps que la soupe versée dans une soupière ou présentée dans la marmite de cuisson.

Nota. — Les garbures Crécy (carottes), limousine (marrons), fermière (paysanne épaisse) fréneuse (navets), dauphinoise (pommes de terre et courges), etc., qui dérivent de la recette ci-dessus sont généralement servies avec des rondelles de pain frites au beurre, recouvertes d'une couche épaisse de purée de légumes provenant de la potée, saupoudrées de fromage et gratinées. Ces rondelles sont placées dans la soupière de service avant d'y verser le bouillon.

Garbure à l'oignon

Soupe à l'oignon liée avec une grosse pomme de terre farineuse et écrasée, versée sur des tranches de pain séchées et grillées, abondamment saupoudrées de fromage

Soupe aux truffes Élysée (p. 7

râpé et de parcelles de beurre, puis mitonnée au four jusqu'à la formation d'un beau gratin doré.

Soupe cultivateur

Tous les légumes de la saison taillés en gros dés, étuvés au lard de poitrine sans couenne coupé en petits cubes, mouillés au bouillon blanc ou à l'eau ; saler à point, cuire une heure.

A mi-cuisson ajouter des pommes de terre, des pois frais, des haricots verts tronçonnés.

Après cuisson verser dans une soupière sur tranches de pain et parcelles de beurre.

Bortsch à la russe

Tailler en courte jardinière 200 grammes de betterave, 1 blanc de poireau moyen, 1 oignon, 200 grammes de cœur de chou, une branche de céleri.

Mélanger le tout, l'assaisonner d'une prise de sel et faire étuver au beurre dans une marmite en terre spécialement choisie pour la cuisson.

Mouiller avec 1 litre 1/2 de bouillon blanc ou d'eau, saler à point dans ce cas. Mettre en ébullition et ajouter 700 grammes de plat de côtes échaudé à l'eau bouillante. Écumer et cuire très doucement pendant 2 heures 1/2. Après ce temps ajouter un petit canard rissolé au beurre ou, par mesure d'économie, les abattis de deux canards. Poursuivre la cuisson 40 minutes avec une branche de fenouil.

Égoutter le bœuf et le canard ou les abattis.

Couper le bœuf en gros dés et enlever les os et les membranes, escaloper les filets (estomac) du canard, remettre le tout dans le potage brûlant. Y verser, hors du feu, en mélangeant, un décilitre de jus de betterave cru et un décilitre de crème légèrement aigrie. Servir tel.

Panade

Les panades sont faites avec du pain taillé en gros dés et préalablement frit ou non au beurre et mouillé avec du lait coupé ou non d'eau.

Elles sont mises au point avec une liaison de jaunes et crème, ou du lait. Elles peuvent être additionnées de chiffonnade d'oseille, de laitue, d'épinards ou de cresson.

La consistance est celle d'un potage crème ou velouté.

On y utilise généralement du pain rassis ou durci.

Panade au céleri

Variante de la panade condimentée au céleri ordinaire ou rave.

LES SOUPES DE POISSONS

Pour 8 personnes réunir 1,500 kg de poisson blanc de préférence, à défaut, de carpe, vive, grondin, saint-pierre ; 4 oignons moyens émincés, 3 gousses d'ail écrasées, 2 clous de girofle, une feuille de laurier, 15 grains de fenouil ou une petite branche ; 2 tomates bien mûres, pelées et pressées pour exprimer l'eau et les graines, et concassées ; 25 grammes de sel, une prise de poivre, 1/2 verre de vin blanc sec ; 1/4 de litre d'huile et 3 litres d'eau ; tranches de pain.

Méthode :

Couper le poisson en tronçons et le déposer dans une casserole s'encastrant bien sur le plein feu, ajouter les condiments indiqués ci-dessus, le vin blanc et l'eau ; faire bouillir violemment ; à ce moment, adjoindre l'huile, cuire à gros bouillons 15 minutes.

Pendant la cuisson tailler quelques tranches de pain, les placer sur un plat à rôtir, les arroser légèrement d'huile et les griller au four. Selon le goût, les frotter avec une gousse d'ail, les déposer dans une soupière puis, au moment de servir, verser dessus la soupe de poissons passée ou non. Finir avec une cuillerée à potage de persil frais haché ou de cerfeuil.

Les tronçons de poissons sont servis à part en même temps que la soupe.

Soupe de moules

Éléments (pour 10 personnes) :

4 litres de moules de bouchot ; 4 kilos de poisson de la Méditerranée ; 1/4 de litre d'huile d'olive ; 3 litres d'eau ; 1 bouteille de Pouilly-Fuissé ; 100 grammes de beurre ; 300 grammes d'oignons émincés ; 300 grammes de poireaux coupés en julienne ; 1,500 kg de tomates mondées et coupées en morceaux ; 50 grammes de fenouil (frais) ; 2 gousses d'ail haché ; 50 grammes de persil ; 3 échalotes ; 1/2 feuille de laurier ; 1 branche de thym ; safran en pistil ; sel, poivre ; pain grillé ; fromage râpé.

Méthode :

Faire ouvrir les moules avec 1/4 de vin blanc, échalotes, persil, 100 grammes de beurre. Faire chauffer l'huile d'olive dans une casserole de 8 à 10 litres. Ajouter les oignons, les poireaux et cuire à feu doux pendant 5 minutes. Ensuite, verser l'eau, le vin, la cuisson des moules, le poisson, les tomates, les herbes, l'assaisonnement et faire cuire pendant 40 minutes.

Ensuite passer le bouillon avec un chinois très fin en pressant fortement les ingrédients afin d'en extraire le jus et la chair de poisson. Verser le bouillon dans une marmite et porter à ébullition. Ajouter au dernier moment les moules, 1/4 de litre de crème. Laisser cuire pendant 2 minutes.

Servir en soupière, en présentant à part des croûtons de pain grillé et du fromage râpé.

Soupe d'écrevisses

Éléments :

20 écrevisses pesant 40 grammes chacune environ ; 150 grammes de riz ; 1 litre de bouillon blanc ; 150 grammes de beurre ; 40 grammes de rouge de carotte et autant d'oignon ; une racine de persil ; une brindille de thym et un fragment de feuille de laurier ; vin blanc ; cognac poivre rouge.

Méthode :

Laver soigneusement le riz et le cuire fortement avec les deux tiers du bouillon. Pendant ce temps, tailler carottes et oignons en dés minuscules et cuire doucement sans colorer avec une noix de beurre dans un plat à sauter. Ajouter le thym, le laurier, mettre en plein feu ajouter les écrevisses, sel et poivre (sautées rapidement, les écrevisses rougissent immédiatement) ; les arroser avec le cognac, flamber et éteindre presque aussitôt en y versant le vin blanc, cuire 8 minutes. Renverser le tout dans un mortier en ayant soin de rincer le plat à sauter avec quelques cuillerées de bouillon réservé.

Prélever la moitié des queues, en extraire la chair, la conserver dans un peu de bouillon et remettre les carapaces dans le mortier. Piler celles-ci en pâte fine. Mélanger le riz brûlant. Piler encore en travaillant fortement la composition avec le pilon pour la rendre crémeuse.

Passer ensuite à l'étamine en foulant jusqu'à dessèchement complet des carapaces broyées.

Remettre dans une casserole, faire bouillir franchement en allongeant cette crème d'écrevisses avec du bouillon blanc ou de la crème fraîche jusqu'à la consistance normale. Puis, hors du feu, incorporer 150 grammes de beurre frais. Tenir légèrement relevé au poivre rouge.

Servir la soupe avec les queues d'écrevisses réservées et coupées en tronçons. La couleur de ce potage doit être rouge rosé comme les écrevisses après cuisson.

LES POTAGES LIÉS

Sous cette appellation générale, je distinguerai, selon les facteurs de liaison, les purées, les veloutés, les crèmes et les liaisons spéciales.

Les purées se composent presque toujours d'un seul légume ou de plusieurs combinaisons.

Certains légumes comme les navets, carottes, choux-fleurs, potirons, etc., exigent un élément supplémentaire farineux, haricots, lentilles, etc., ou féculent, pommes de terre, riz, beurre manié, etc.

Les purées de volaille sont liées avec un appoint de riz, celles de gibier avec des lentilles, celles de crustacés avec du riz ou des croûtons frits. Les croûtons grillés ou frits au beurre puis mitonnés constituent un agent de liaison incomparablement moelleux.

Un excellent potage se distingue par la sensation de velouté ressentie par le palais. Il est souvent nécessaire pour tenir en suspension certains farineux ou féculents dans le liquide d'y adjoindre une faible quantité d'un élément de liaison tel que du beurre manié, mélangé par parties égales de beurre frais et de farine — ou une mitonnade — on évite ainsi, lorsqu'un potage fait avec une purée de lentilles, pois secs ou frais, de haricots, etc., par exemple, est servi, qu'une dissociation entre la purée et le liquide ne se forme dans l'assiette.

Les légumes frais mis en traitement doivent être émincés (coupés en lames minces) puis étuvés avec 100 grammes de beurre pour 700 grammes de légumes. Exception faite à cette règle pour les légumes secs qui sont simplement trempés avant cuisson deux heures au plus.

Certains légumes sont ébouillantés et rafraîchis.

Chaque recette porte ces indications techniques.

Le mouillement est effectué avec du bouillon, du lait ou de l'eau.

Les proportions sont 1/3 de purée, 2/3 de liquide.

Recommandation capitale. *Moins un potage attend après sa cuisson et sa mise au point, plus sa saveur est franche et meilleur il est.*

En conséquence, il convient de calculer le temps de cuisson et de le mettre en marche au moment utile, compte tenu de l'heure où il sera servi.

Un potage se termine à la dernière minute avec du beurre frais et très fin ou de la crème à raison de 80 grammes par litre. Cette opération doit être faite hors du feu; le potage est alors brûlant mais ne bout pas. Principe absolu : un potage beurré ne doit plus bouillir; sinon la saveur du beurre est altérée et ses vertus nutritives disparaissent.

LES VELOUTÉS

Le beurre, la farine et un élément de mouillement forment la composition des veloutés. L'adjonction d'une purée de volaille, de gibier, de poisson, de crustacés ou de légumes et d'une liaison de jaunes d'œufs et de crème en sont le complément et la mise au point.

La méthode de préparation est invariable.

Mettre le beurre à fondre dans une casserole, ajouter de la farine à poids égal, mélanger et cuire doucement 15 minutes en remuant fréquemment avec une cuiller en bois. Prendre soin de ne pas laisser colorer ce mélange improprement appelé roux et qui doit demeurer blond. Le laisser refroidir pour éviter les grumeaux, puis y verser, par petites quantités et en fouettant vigoureusement, l'élément de mouillement approprié et bouillant (bouillon blanc de viande de boucherie ou de volaille, de gibier, de poisson ou lait). Mettre en ébullition sans cesser de fouetter, et placer sur le côté du feu de façon à maintenir un léger frémissement pendant 35 minutes.

Pendant la cuisson, une peau se forme à la surface du velouté, elle doit être enlevée de temps à autre avec les impuretés de la farine et le beurre cuit qui s'y trouvent rejetés. Après ce temps de cuisson, passer le velouté à l'étamine et le remettre à bouillir. La purée répondant à l'appellation du potage est alors ajoutée, puis, hors du feu, la liaison, jaunes d'œufs et crème, lesquels doivent être d'abord dilués avec une petite quantité de velouté pour éviter le durcissement brutal des jaunes d'œufs ; le potage doit être constamment fouetté et poussé à nouveau au feu quelques secondes jusqu'à 85° environ ; ne pas laisser bouillir.

Ce potage doit être crémeux et présenter l'aspect d'une sauce extrêmement légère.

Nota. — *Pour lier un potage, procéder de la manière suivante : le velouté a été placé hors du feu et ne bout plus. Séparer les blancs des jaunes d'œufs utilisés et les placer à raison de 3 jaunes d'œufs pour un litre de potage dans un bol avec un décilitre de crème fraîche. Avoir soin d'enlever les germes. Bien mélanger le tout en remuant toujours avec un petit fouet, et ajouter, peu à peu, 1/4 de litre de potage. Fouetter le potage et y verser la liaison, pousser au feu pour donner aux jaunes un commencement de cuisson, puis enlever définitivement du feu avant l'ébullition. Terminer en incorporant par litre 100 grammes de beurre divisé en menus morceaux. Goûter, mettre au point l'assaisonnement si nécessaire et servir.*

LES CRÈMES

La préparation des crèmes est semblable à celle des veloutés ; seul, l'élément de mouillement diffère, car il sera toujours du lait légèrement salé additionné ou non de bouillon blanc. La liaison est également modifiée ; on emploiera pour la mise au point des crèmes uniquement de la crème épaisse très fraîche (pas de jaunes d'œufs) associée à la purée de volaille, de gibier ou de crustacés suivant les appellations.

Crème d'Argenteuil ou d'asperges

Éplucher, tronçonner et ébouillanter, pendant 8 minutes, 650 grammes de grosses asperges blanches. Les égoutter et les ajouter à un litre de potage crème en cours de cuisson.

Quand les asperges sont bien cuites, passer la crème à l'étamine en foulant à fond les tronçons d'asperges qui doivent s'incorporer en purée au potage.

Remettre au feu jusqu'à ébullition et réserver au chaud au bain-marie, jusqu'au moment de servir. A cet instant, ajouter 2 décilitres de crème très fraîche. Régler la consistance avec du lait bouillant. Vérifier l'assaisonnement et verser dans une soupière brûlante.

Crème de céleri

Délayer 200 grammes de farine de riz avec 1/2 litre de lait froid. Fouetter vigoureusement un litre 1/2 de bouillon blanc prêt à bouillir et y verser le mélange. Cuire lentement pendant 2 heures avec le cœur d'un céleri fortement ébouillanté. Passer à l'étamine et fouler à fond le céleri. Achever avec un décilitre de crème fraîche.

Crème Germiny

Ce potage est certainement l'un des plus délicats de la série des crèmes. Son exécution est simple, mais nécessite l'attention qui permet de réussir une crème anglaise dont il dérive.

Pour un litre 1/4 de potage, ciseler 200 grammes d'oseille bien lavée et sans tige. La fondre au beurre dans la casserole utilisée et la mouiller avec un litre d'excellent consommé blanc.

Faire bouillir franchement.

Pendant ce temps, réunir dans un saladier 10 jaunes d'œufs et deux décilitres de crème fraîche; diluer le tout, puis en remuant avec une spatule, y verser le bouillon d'oseille très doucement. Remettre à feu doux (ou au bain-marie pour les personnes peu expérimentées) et cuire comme une crème en vannant constamment la composition qui devient, peu à peu, crémeuse sans bouillir.

Retirer immédiatement du feu, incorporer 50 grammes de beurre frais, une pincée de cerfeuil ciselé ou en pluches (feuilles) et verser aussitôt dans la soupière où peuvent attendre de menus croûtons en dés, frits au beurre.

Cette liaison s'effectue en temps utile pour servir sans attendre. Vérifier l'assaisonnement, relever avec une pointe de poivre rouge de Cayenne dans certains cas.

Bisque d'écrevisses

Éléments :

20 écrevisses pesant 40 grammes chacune environ; 40 grammes de rouge de carotte et autant d'oignon; une racine de persil; une brindille de thym et un fragment de feuille de laurier; un décilitre de cognac et deux de vin blanc sec; 150 grammes de beurre; 150 grammes de riz et 1 litre de bouillon blanc.

Méthode :

Laver soigneusement le riz et le cuire fortement avec les deux tiers du bouillon.

Pendant ce temps, tailler carotte et oignon en dés minuscules (mirepoix) et cuire doucement sans colorer avec une noix de beurre dans un plat à sauter.

Ajouter le thym, le laurier, pousser en plein feu, mettre les écrevisses avec la mirepoix, sel et poivre; sautées rapidement, les écrevisses rougissent immédiatement; les arroser avec le cognac, l'allumer, l'éteindre presque aussitôt en y versant le vin blanc et cuire 8 minutes.

Renverser le tout dans un mortier en ayant soin de rincer le plat à sauter avec quelques cuillerées de bouillon réservé.

Prélever la moitié des queues, en extraire la chair, la conserver dans un peu de bouillon et remettre les carapaces dans le mortier. Piler les écrevisses en pâte fine, y mélanger le riz brûlant, piler encore en travaillant fortement la composition avec le pilon pour la rendre crémeuse. La passer ensuite à l'étamine en foulant jusqu'à dessèchement complet des carapaces broyées.

Remettre dans une casserole, faire bouillir franchement en allongeant cette crème d'écrevisses avec du bouillon blanc ou de la crème fraîche jusqu'à sa consistance normale, puis hors du feu incorporer 150 grammes de beurre frais. Tenir légèrement relevé au poivre rouge.

Servir en garnissant avec les queues d'écrevisses réservées et coupées en tronçons.

La couleur de ce potage doit être rouge comme le test des écrevisses après cuisson.

Crème de cresson et d'oseille

Pratiquer comme pour un potage velouté, mais en ajoutant le cresson, 1/2 botte pour 1 litre, dans la crème bouillante; cuire 5 minutes et passer à l'étamine. L'oseille est incorporée au moment de servir à raison d'une cuillerée à café par convive et à l'état de chiffonnade, ciselée et fondue au beurre. Terminer avec une pincée de cerfeuil et des petits croûtons frits au beurre.

Crème de homard

Préparer à l'américaine un homard de 600 à 700 grammes, le broyer ensuite au mortier et le passer au tamis fin, puis à l'étamine.

Ajouter ce coulis à trois quarts de litre de potage de crème. Mettre au point de consistance avec de la crème fraîche.

Velouté princesse

Préparer 2 litres de potage velouté en utilisant le bouillon fait avec une poule tendre. Lier avec la liaison suivante :

Prélever les parties charnues de la poule, dites blancs de volaille, enlever la peau et les piler au mortier avec un décilitre de crème et 100 grammes de beurre frais. Passer au tamis très fin la purée obtenue et la réserver dans un bol.

D'autre part, mettre dans un bol 6 jaunes d'œufs, puis procéder à la liaison.

Nota. — Au moment de servir, vérifier l'assaisonnement et beurrer le potage avec la purée de volaille et la crème en réserve. Garnir avec des pointes d'asperges vertes cuites à l'eau salée.

LES PURÉES

Purée de pois

Laver, en renouvelant l'eau jusqu'à ce qu'elle demeure absolument claire, 350 grammes de pois cassés, triés et trempés pendant deux à trois heures à l'eau froide.

D'un lavage soigné dépend la saveur franche des pois auxquels l'odeur des sacs et de la poussière reste tenace.

Mettre au feu dans une casserole avec 1 litre 1/2 d'eau et 10 grammes de sel, autant de sucre. Faire bouillir et écumer soigneusement. Ajouter une mirepoix composée de 50 grammes de lard maigre coupé en petits dés, ébouillantés et rissolés avec 2 cuillerées à potage de carottes et une d'oignons taillés en dés menus. Mettre un bouquet formé de quelques branches de persil, d'un petit poireau, d'une brindille de thym et d'une 1/2 feuille de laurier. Cuire deux heures et passer à l'étamine. Remettre dans la casserole, lui donner la consistance voulue avec du bouillon blanc ou du lait, faire bouillir et distribuer dans le potage une noix de beurre manié pour tenir la purée en suspension dans la partie liquide du potage ; terminer, après une ébullition, avec du beurre frais incorporé hors du feu.

Servir avec de petits croûtons taillés en dés et frits au beurre et une pincée de pluches (feuilles) de cerfeuil.

Nota. — La liaison au beurre manié empêche la purée de pois de se dissocier de l'eau de cuisson, bouillon ou lait et de déposer dans le fond des assiettes après que le potage est servi. On peut obtenir le même résultat avec quelques croûtons de pain, frits au beurre et mis à mitonner avec les pois.

Potage Parmentier

Laver et couper en rouelles 2 blancs de poireaux, les faire étuver doucement dans 2 grammes de beurre. Ajouter ensuite 500 grammes de pommes de terre, aussi farineuse que possible, coupées en quartiers. Mouiller avec un litre de bouillon blanc ou d'eau à défaut dans ce cas, saler à point. Cuire 25 minutes. Passer à l'étamine en ayant soin de fouler les poireaux à fond. Remettre dans la casserole, mettre à consistance voulue avec du lait. Faire bouillir avec une noix de beurre manié mise en parcelles. Terminer, hors du feu, avec deux cuillerées à potage de crème fraîche et 60 grammes de beurre.

Servir avec des petits croûtons taillés en dés et frits au beurre et une pincée de feuilles de cerfeuil.

Potage cressonnière

1re Méthode :

Pratiquer comme pour un potage Parmentier en remplaçant les poireaux par une poignée de cresson. Servir avec une pincée de feuilles de cresson ébouillantées.

2° Méthode :

Laver soigneusement une botte de cresson, le couper grossièrement et le faire étuver au beurre quelques minutes. Dès qu'il est fondu, lui ajouter 300 grammes de pommes de terre très farineuses coupées en rondelles, mouiller avec 1/2 litre de bouillon blanc, d'eau à défaut : dans ce cas saler normalement.

Cuire 20 minutes, passer à l'étamine ou passoire très fine, recueillir dans une casserole, faire bouillir, mettre au point de consistance avec du lait bouilli.

Beurrer ou crémer hors du feu.

Potage Dubarry ou crème de chou-fleur

Éplucher et ébouillanter 600 grammes de chou-fleur ; rafraîchir puis égoutter. Mettre dans une casserole avec 100 grammes de beurre fondu. Étuver 20 minutes. Ajouter 350 grammes de pommes de terre coupées en quartiers, un litre de lait, 1/4 de litre de bouillon blanc ou d'eau à défaut et 15 grammes de sel. Cuire doucement 20 minutes.

Passer à l'étamine en foulant à fond les légumes ; recueillir la purée dans une casserole, faire bouillir et, hors du feu, donner la consistance normale avec une addition de lait bouillant ou de la crème fraîche.

Beurrer le potage au moment de servir. Adjoindre une pincée de feuilles de cerfeuil et des petits croûtons taillés en dés et frits au beurre.

Potage poireaux et pommes de terre

5 ou 6 blancs de poireaux moyens, lavés et taillés en julienne. Les étuver au beurre. Mouiller avec un litre de bouillon blanc ou d'eau. Saler convenablement en conséquence. Cuire doucement une heure, ajouter 500 grammes de pommes de terre farineuses coupées en lames minces et régulières. Poursuivre la cuisson 20 minutes.

Verser dans une soupière où quelques tranches de pain séchées au four et 60 grammes de beurre frais ont été préparés.

LES SAUCES

La diversité raffinée des sauces est l'apanage fondamental de la cuisine française.

L'importance de ce chapitre clé n'échappera pas à mes lecteurs. Je le limiterai, cependant, au répertoire usuel pour maîtresse de maison, évitant ainsi les formules trop compliquées dont l'exécution exige une longue expérience du métier et des préparations de base généralement incompatibles avec les moyens domestiques.

Les sauces sont classées en deux grandes catégories : les sauces blanches et les sauces brunes.

Elles sont constituées d'une part par des roux bruns, blonds ou blancs, mouillés avec du lait ou avec des jus ou fonds spécialement préparés ; d'autre part, par une association de jaunes d'œufs et de beurre, de crème ou d'huile émulsionnées et enfin par des coulis gras ou maigres.

La sauce blanche béchamel et veloutée, la sauce brune dite espagnole sont essentiellement des sauces mères qui ont donné naissance, chacune dans leur groupe respectif, à une foule de sauces dérivées dont l'énumération est en partie décrite dans les pages suivantes.

Ces sauces se préparent, la première avec du roux blanc et du lait, la deuxième avec du roux blond et du jus ou fond blanc, la troisième avec du roux brun et du jus ou fond coloré.

Dans la cuisine familiale, ces jus ou fonds peuvent être remplacés par du bouillon ; mais cette substitution sera toujours faite au détriment de la sapidité de la sauce obtenue.

LES JUS OU FONDS DE CUISINE

J'indique, au chapitre des potages, la formule du pot-au-feu classique duquel on obtient le bouillon blanc ou coloré.

Jus ou fond brun

Pour cette préparation, employer des os et de la viande de veau : jarret, quasi, cou, épaule ou tendrons, dits « bas morceaux ».

Éléments (pour deux litres) :

1 kilo de veau et 250 grammes d'os ; 100 grammes de couennes fraîches ; 1 carotte moyenne ; 2 oignons moyens.

Un bouquet composé de quelques branches de persil, une brindille de thym, un fragment de feuille de laurier ; 2 litres 1/2 d'eau ; une forte pincée de sel, soit 3 grammes environ.

Méthode :

Éparpiller dans un plat à rôtir beurré ou graissé la viande coupée en cubes et les os brisés menu. Mettre à rissoler au four de bonne chaleur. Remuer assez souvent jusqu'à ce que l'ensemble ait une jolie couleur de rôti.

Pendant ce temps, foncer une casserole de dimensions juste suffisantes, c'est-à-dire disposer dans le fond de cette casserole les légumes débités en rondelles de 4 millimètres d'épaisseur, les couennes puis, par-dessus, la viande et les os rissolés.

Laisser une dizaine de minutes sur le côté du fourneau à chaleur douce pour provoquer l'exsudation de l'humidité des légumes. Faire bouillir un verre d'eau dans le plat à rôtir utilisé pour dissoudre (déglacer) les sucs des substances qui s'y sont cristallisés. L'exsudation terminée, verser cette dissolution dans la casserole et faire réduire presque en totalité. Renouveler deux fois cette dernière opération en remplaçant le verre d'eau et en prenant soin d'arrêter la réduction au moment où les dernières gouttes du liquide qui s'épaissit représentent, en penchant la casserole, une cuillerée à potage environ. Ce procédé se dit « faire tomber à glace ».

Terminer la préparation par l'addition des 2 litres 1/2 d'eau et le sel ; faire prendre l'ébullition lentement, écumer, placer la casserole sur un coin du fourneau et cuire tout doucement pendant 5 heures au moins.

Le moment est venu de décanter le jus ou fond en le passant au chinois fin dans une terrine ; laisser reposer 15 minutes, enlever soigneusement la graisse qui sera utilisée pour différents travaux culinaires. Lorsque le jus sera froid, le transvaser dans un autre récipient en le passant dans un linge. Éviter de verser le léger dépôt formé au fond de la terrine.

Le jus obtenu sera clair, succulent, d'une belle tonalité d'ambre brun.

Dans l'ancienne cuisine, il est dénommé — expression savoureuse — « blond de veau ».

Jus ou fond blanc

Le fond blanc se prépare exactement comme le fond brun, excepté le rissolage pratiqué pour le fond brun dans le but d'obtenir la coloration.

La limpidité, qui est la caractéristique du fond blanc, s'obtient par une ébullition lente et méthodique surveillée avec beaucoup d'attention.

Fond de volaille brun ou blanc

Ajouter aux deux préparations ci-dessus soit une poule, soit 4 abattis de volaille. Ce fond sera blanc si les éléments qui le composent n'ont pas été rissolés.

Fond de gibier

Utiliser des bas morceaux de gros gibier, chevreuil par exemple, à défaut du lièvre ou du lapin de garenne, soit 2 kilos, plus une perdrix, un vieux faisan ou plusieurs carcasses.

Ajouter une carotte moyenne, un oignon moyen, un brin de sauge, quelques baies de genièvre et un bouquet garni : persil, thym, laurier. Pratiquer le fonçage et l'exsudation conseillés pour les fonds bruns.

Faire rissoler le gibier au four comme il est recommandé pour le fond brun puis mouiller avec un verre à boire ordinaire de vin blanc sec et 2 litres 1/2 d'eau. Cuire très lentement 4 heures.

Fond de poisson dit « fumet de poisson »

Il convient d'employer des poissons à chair blanche généralement abondants sur les marchés, tels que colins, merlans, barbues, etc. Toutefois, aucun de ces poissons n'égale les arêtes de soles, seules dignes d'un vrai « fumet de poisson ».

Le procédé est des plus simples.

Mettre dans une casserole haute un kilo de poisson ou d'arêtes de soles par litre d'eau froide, 2 gros oignons coupés en rondelles minces, quelques branches ou racines de persil, deux cuillerées à potage de pelures de champignons ou de jambes, le jus d'un quart de citron, une pincée de sel (3 grammes au plus). Les condiments sont ajoutés après la mise en ébullition. Ne jamais oublier que le « fumet de poisson » est presque toujours destiné à être réduit pour la mise au point des sauces ou servir de support au beurre ou à la crème, quand ces deux éléments ne reçoivent pas le soutien d'un roux ou de jaunes d'œufs. Cette particularité explique pourquoi un « fumet de poisson » ne se sale pratiquement pas ou très peu.

Faire bouillir, écumer, ajouter les condiments et cuire à tout petits bouillons 30 minutes. Passer au linge dans une terrine vernissée et conserver au frais.

LES COURTS-BOUILLONS DIVERS

Blanc pour cuissons diverses

Expression culinaire au moyen de laquelle on précise la nature d'un court-bouillon composé, pour un litre d'eau, de 8 grammes de sel, d'une cuillerée à potage bien pleine de farine et de deux cuillerées de vinaigre ou, dans certains cas, du jus d'un demi-citron.

Le mélange de la farine avec l'eau se fait à froid, puis la composition est mise en ébullition.

On ajoute alors une garniture de légumes : un oignon piqué d'un clou de girofle, une carotte moyenne divisée en quatre parties, un bouquet de persil garni d'une menue brindille de thym et un fragment de feuille de laurier.

Quand ce court-bouillon est destiné à cuire des abats, il est recommandé d'y ajouter deux cuillerées à potage de graisse de rognon de veau ou de bœuf hachée, laquelle, en fondant pendant la cuisson, formera un écran isolant entre les éléments en traitement et le contact de l'air qui provoque le noircissement.

Cuire ce blanc pendant 30 minutes, le passer au chinois et laisser refroidir. L'utiliser, ensuite, suivant les indications particulières à chaque recette.

Le blanc est utilisé pour la cuisson des abats de boucherie, mais aussi pour celle des arêtes et des rognons de coq, de certains légumes tels que fonds d'artichauts, cardons, salsifis, etc. La graisse est alors supprimée.

Cuisson ou blanc pour champignons

Mettre en ébullition un demi-verre d'eau, une forte pincée de sel, le jus d'un demi-citron et la grosseur d'un petit œuf de beurre. Le placer en plein feu et y jeter 250 à 300 grammes de champignons bien nettoyés et lavés rapidement. Laisser bouillir très vivement 5 minutes, débarrasser dans une terrine vernissée et recouvrir d'un papier beurré pour empêcher le contact de l'air.

Le roux est le facteur de liaison d'une sauce, exception faite des sauces émulsionnées telles que les sauces hollandaise, béarnaise, etc., où le roux est remplacé par des jaunes d'œufs. La cuisson des roux doit être conduite avec soin et attention.

Dans les trois cas, les proportions sont identiques : 500 grammes de beurre et 600 grammes de farine, ce qui donne un kilo de roux cuit.

Méthode :

Fondre le beurre et le cuire jusqu'à son point de clarification, c'est-à-dire lorsque les parties humides qu'il contient sont évaporées. Ajouter la farine et l'incorporer au beurre à l'aide d'une spatule ou d'une cuiller en bois.

Avoir soin de chauffer progressivement le mélange et le cuire très lentement pour permettre aux principes actifs de la farine, à l'amidon qu'elle contient, d'amorcer un commencement de fermentation, puis de se transformer en dextrine, substance soluble qui a la propriété d'épaissir le liquide auquel elle se trouve associée.

Remuer très fréquemment et maintenir en cuisson jusqu'au moment où le roux est d'une belle coloration havane légèrement foncé s'il s'agit d'un roux brun. La cuisson est moins poussée pour un roux blond utilisé pour les sauces, et encore moins pour un roux blanc, employé pour les potages.

Toutefois le temps de cuisson ne doit pas être inférieur à 15 minutes.

Les roux peuvent être préparés à l'avance et conservés au frais en terrine.

On les emploie toujours froids pour les mélanger à un liquide presque bouillant. Afin d'éviter la formation de grumeaux, on opérera toujours de la manière suivante :

Mettre le roux dans la casserole dans laquelle la sauce ou le potage en préparation sera cuit. Y verser une faible partie de liquide bouillant (jus, fond, bouillon ou lait) ; diluer à l'aide d'un fouet à sauce. Le mélange donne l'aspect d'une pâte ; lorsqu'elle est bien lisse, recommencer l'opération en chauffant progressivement jusqu'à l'ébullition et en faisant absorber la totalité prévue du liquide.

Nota. — Nous recommandons pour obtenir des sauces brunes, d'employer le procédé dit « par torréfaction » de la farine à sec. Ce procédé qui est plus hygiénique est des plus simples : étendre de la farine sur une plaque à pâtisserie et la faire roussir au four de chaleur moyenne. La conserver en boîte close, prête pour tous usages. La diluer à froid avec le fond de mouillement et mettre en ébullition.

LES GRANDES SAUCES OU SAUCES MÈRES

Lorsqu'un roux a été mouillé au point que nous venons d'indiquer, il engendre, s'il est brun et si l'élément de mouillement est coloré, une sauce dite « espagnole » ; s'il est blond et si l'élément de mouillement est un fond blanc, une sauce dite « velouté » ; si l'élément de mouillement est du lait, une sauce dite « béchamel ».

Sauce espagnole

Éléments (pour un litre de sauce) :

Une carotte moyenne ; un oignon moyen ; 50 grammes de lard de poitrine fraîche, le tout coupé en dés menus ; une brindille de thym, un fragment de feuille de laurier ; 1/2 verre à boire ordinaire de vin blanc sec ; 150 grammes de roux brun cuit ; 2 litres de jus ou fond de veau, à défaut du bouillon coloré, faiblement salé.

Méthode :

Fondre le lard dans la casserole destinée à cuire la sauce espagnole, y ajouter les aromates, chauffer doucement jusqu'à un léger rissolage. Le mélange de légumes taillés en dés se nomme une mirepoix.

Égoutter la graisse fondue du lard, mettre le roux, le jus ou fond de mouillement selon le procédé développé à la théorie des roux, puis le vin blanc.

Cuire à toute petite ébullition pendant 2 heures en enlevant fréquemment les impuretés et la graisse rejetées sur le côté opposé à l'ébullition (opération dite dépouiller).

Si le roux n'a pas été préparé à l'avance, celui-ci sera cuit directement dans la casserole de cuisson et la mirepoix, rissolée dans un petit plat à sauter, ajoutée. Le plat à sauter devra alors être déglacé avec le vin blanc.

A ce point de cuisson, la sauce espagnole sera passée à l'étamine ou à la passoire très fine, puis remise au feu additionnée avec la contenance d'un verre à boire ordinaire de purée de tomate réduite.

Cuire très lentement encore une heure et dépouiller fréquemment des impuretés.

Si la sauce espagnole est réservée pour un emploi ultérieur, la passer à l'étamine dans une terrine vernissée et la remuer très souvent (vanner) avec une cuiller en bois, jusqu'à complet refroidissement ; ainsi on évitera la formation d'une peau épaisse et par conséquent de grumeaux.

Demi-glace

La sauce demi-glace est un dérivé perfectionné de la sauce espagnole traitée par réduction aux 2/3 de son volume, puis remise à consistance voulue au moyen d'une addition de fond de veau riche en éléments sapides, c'est-à-dire très corsé. On comprendra pourquoi les sauces mères, et les fonds avec lesquels elles sont faites, doivent être toujours faiblement salés.

Il convient de terminer, hors du feu, la sauce demi-glace par une addition de vin de Madère.

Sauce velouté ou sauce blanche

Cette sauce s'obtient par le mélange de roux blond avec du fond blanc ou bouillon blanc à raison de 125 grammes de roux pour un litre de fond.

Procéder selon la théorie sur les roux, cuire lentement 1 heure 1/2 et dépouiller comme il est conseillé pour la sauce espagnole.

La consistance et la sapidité de cette sauce doivent répondre au nom velouté qui lui a été justement donné en raison de son caractère particulier.

Sauce allemande appelée aussi sauce parisienne

Comme la sauce demi-glace est le dérivé de la sauce espagnole, la sauce allemande qui n'a d'ailleurs aucune origine allemande tout comme la sauce espagnole ne doit rien à l'Espagne) est celui de la sauce velouté qu'il serait rationnel d'écrire au féminin, mais le langage culinaire dit : un velouté.

La sauce allemande est donc de la sauce velouté à laquelle on ajoute une liaison de jaunes d'œufs. Pour lier correctement une sauce allemande, il convient de pratiquer de la manière suivante :

Méthode :

Mettre en ébullition un litre de sauce velouté, la réduire jusqu'à consistance d'une crème un peu légère, en la remuant sans arrêt avec une spatule. La sauce devient brillante et doit napper parfaitement la spatule, c'est-à-dire l'enduire d'une nappe consistante. Préparer, d'autre part, dans un bol ou petit saladier, 5 jaunes d'œufs, une pincée de poivre en grains broyés dits « mignonnette », une râpure de muscade, 4 cuillerées à potage de cuisson de champignons, 1/2 cuillerée à café de jus de citron, quelques noisettes de beurre frais.

Broyer avec un fouet à sauce les jaunes d'œufs et les éléments qui leur sont ajoutés, verser dans le mélange, par cuillerées, de la sauce velouté puis, maintenant la masse de sauce velouté hors d'ébullition, y verser la liaison lentement de la main gauche alors que la main droite fouette vigoureusement le velouté. Chauffer doucement jusqu'au moment où l'ébullition va se manifester, et cela sans cesser un seul instant de fouetter.

Retirer du feu immédiatement et passer la sauce à l'étamine dans une terrine et la remuer jusqu'à complet refroidissement.

Au moment de l'employer, vérifier l'assaisonnement et lui incorporer, hors du feu, 100 grammes de beurre frais pour un litre de velouté au départ du traitement. Après avoir été liée, cette sauce ne doit plus bouillir, sauf nécessité de conservation.

Sauce suprême

Second dérivé de haute perfection de la sauce velouté enrichie d'une quantité égale de fond de volaille réduit des 3/4 et de 1/4 de crème par rapport à la totalité.

Par exemple : mettre un litre de velouté et un litre de fond de volaille réduit à 1/4, dans un plat à sauter, puis porter à ébullition en plein feu en remuant constamment avec une spatule. Incorporer par petites parties, au fur et à mesure de la réduction, 2 décilitres de crème fraîche. La réduction doit être poursuivie jusqu'à ce que la masse de velouté, de fond et de crème ne fasse plus que 1/3 de son volume total. A ce moment, passer la sauce à l'étamine, vérifier son assaisonnement et la terminer en la vannant et en lui incorporant un décilitre de crème fraîche et 100 grammes de beurre frais.

La caractéristique de cette sauce est d'être légère, brillante et succulente.

Sauce béchamel

Préparer un roux blond et le mouiller à raison de un litre de lait pour 125 grammes de roux. Faire bouillir en ayant soin de remuer constamment pour obtenir une sauce parfaitement lisse et la verser sur 60 grammes de veau bien blanc et maigre taillé en dés et étuvé au beurre avec un oignon moyen ciselé, une brindille de thym, une prise de poivre en grains broyés une râpure de muscade et une pincée de sel.

Cuire doucement une heure, renverser la sauce sur une étamine sans détacher les parties adhérentes à la casserole qui, généralement, se teintent légèrement pendant la cuisson et la passer dans une terrine vernissée.

Tamponner la surface avec un morceau de beurre pour éviter qu'il ne se forme une peau et par suite des grumeaux.

Cette sauce se prépare également maigre, le veau est remplacé par du poisson à chair blanche.

Enfin, par raison d'économie ou de temps, le veau peut être supprimé. Évidemment la sapidité de la sauce est moins grande.

Sauce au beurre

Faire un roux blond avec 60 grammes de beurre et 50 grammes de farine. Le cuire 15 minutes, le laisser refroidir et lui incorporer 3 décilitres d'eau très chaude en fouettant vigoureusement le mélange pour obtenir une pâte lisse. Ajouter une pincée de sel et, suivant l'utilisation de cette sauce, quelques gouttes de jus de citron. Faire bouillir et retirer du feu au premier bouillon. Lui incorporer, hors du feu, 60 grammes ou plus de beurre frais. Cette sauce doit être crémeuse, et peut être achevée avec du jus de citron. Enfin, elle peut être liée avec deux jaunes d'œufs comme il est procédé pour la sauce allemande, mais sans poursuivre jusqu'à l'ébullition.

Nota. — Il est possible de procéder sans cuire le mélange de beurre et de farine. Diluer cette dernière dans le beurre à peine fondu, le mouiller à l'eau presque bouillante, pousser jusqu'au premier bouillon et retirer du feu pour beurrer. Le résultat est également excellent.

Sauce tomate

Pour un litre de sauce :

Choisir 1,500 kg de tomates bien mûres, préparer une mirepoix combinée de 50 grammes de lard de poitrine, une carotte moyenne, un oignon moyen, coupés en dés menus, une brindille de thym, un fragment de feuille de laurier, une noix de beurre, le tout, fondu, étuvé, puis rissolé très légèrement dans la casserole de traitement de la sauce. Quand la mirepoix est rissolée à point, la saupoudrer d'une cuillerée à potage de farine ; mélanger et cuire doucement comme un roux blond. Ajouter les tomates privées de leur eau de végétation et des semences, 4 gousses d'ail, une pincée de sel, une prise de poivre, 1/4 de litre de fond blanc et enfin, 2 morceaux de sucre fondus, cuits au caramel blond et déglacés avec une petite cuillerée à potage de vinaigre de vin.

Faire bouillir en remuant, cuire à couvert doucement au four si possible une heure et demie au moins.

Passer à l'étamine, faire bouillir à nouveau pour détruire les ferments qui résultent du brassage dans l'étamine, puis débarrasser dans une terrine vernissée en attente de l'emploi. Avoir toujours soin de tamponner la surface avec une noix de beurre frais pour éviter la formation d'une croûte.

LES PETITES SAUCES BRUNES

Jus lié

Mettre en ébullition un litre de jus de veau coloré, le réduire des 3/4 puis le lier avec la contenance d'une cuillerée à café de fécule diluée dans un peu de jus de veau froid. Aussitôt l'addition de la fécule effectuée, faire bouillir 2 à 3 minutes et réserver au chaud.

Ce jus doit être clair, limpide et donner l'impression, au point de vue consistance, du jus que l'on recueille après la cuisson d'un morceau de veau traité à la casserole et par sudation, c'est-à-dire sans mouillement.

Signalons que l'emploi de la fécule ou de l'arrow-root (fécule de plus grande classe) comme agent de liaison est une tricherie culinaire à laquelle on demande une impression gustative mais qui nuit à la sapidité d'un jus appauvri par cette addition. La fécule est d'ailleurs avantageusement remplacée par une quantité égale de tapioca. Il faut le cuire, alors, au moins 15 minutes à très faible bouillon pour que la limpidité du jus ne soit pas troublée.

Sauce bordelaise

Éléments :

Un verre à boire ordinaire, soit 2 décilitres, de bon vin de Bordeaux rouge ; une cuillerée à café bien pleine d'échalote hachée ; une pincée de poivre broyé, un fragment de feuille de laurier et une brindille de thym ou de serpolet ; 2 décilitres de sauce demi-glace ou, à défaut, de sauce espagnole ; 30 grammes de beurre et 60 grammes de moelle de bœuf bien fraîche.

Méthode :

Chauffer dans une casserole une noix de beurre. Quand il grésille, ajouter l'échalote, la faire blondir doucement, mettre les aromates et le vin. Porter à ébullition et réduire rapidement à la valeur de deux cuillerées à potage. Adjoindre la sauce demi-glace et faire bouillir lentement 15 minutes. Passer au chinois fin, faire bouillir à nouveau, vérifier l'assaisonnement et mettre en attente de servir. A ce moment et hors du feu, incorporer le reste du beurre dans la sauce en la vannant, puis la moelle coupée en dés et pochée à l'eau bien chaude et légèrement salée.

Sauce genevoise

Étuver une tête de saumon avec 150 grammes de brunoise de légumes. Égoutter le beurre et l'huile et mouiller avec 5 décilitres de bon vin rouge. Réduire à 1 décilitre, ajouter 3 décilitres de sauce bordelaise sans moelle et 50 grammes de jambes de champignons. Cuire doucement 15 minutes. Dépouiller des impuretés. Passer à l'étamine. Mettre à ébullition, puis hors du feu, incorporer de 50 à 100 grammes de beurre frais. Raffinement : une belle noix de beurre d'anchois ou une cuillerée à café d'essence d'anchois.

Sauce madère et champignons

Éléments :

250 grammes de champignons choisis petits et bien blancs ; 1/2 litre de sauce demi-glace ou, ce qui est moins bien, de sauce espagnole ; 1/2 verre à boire ordinaire de bon madère ; 60 grammes de beurre.

Méthode :

Les champignons ont été nettoyés, c'est-à-dire les pédicules ont été débarrassés du sable adhérent puis lavés rapidement en les laissant séjourner le moins possible dans l'eau le trempage prolongé a la propriété de les faire noircir.

Les champignons étant très blancs et fermes, il n'y a pas lieu de les éplucher.

Faire chauffer un tiers du beurre dans un plat à sauter ; quand il est très chaud, couleur noisette, y jeter les champignons bien égouttés, les sauter rapidement à feu vif, puis y verser la sauce demi-glace. Réduire légèrement de la quantité du madère et, hors du feu, ajouter ce dernier qui ne doit pas bouillir puis en vannant la sauce, y incorporer le reste du beurre.

Vérifier l'assaisonnement avant de servir.

Sauce madère

C'est la même sauce que ci-dessus mais faite avec des parures de champignons ou les pédicules, puis passée à l'étamine avant de procéder à la mise au point, c'est-à-dire avant l'addition du madère et du beurre.

Sauce charcutière

Ciseler finement un oignon moyen, l'ajouter à une noix de beurre bien chaud dans une petite sauteuse. Faire blondir doucement l'oignon, le mouiller avec la contenance d'un verre à boire ordinaire de vin blanc sec (2 décilitres); le réduire à environ la valeur de deux cuillerées à potage; ajouter 3 décilitres de sauce demi-glace ou de sauce espagnole. Cuire doucement 15 minutes et, hors du feu, au moment de servir, incorporer en vannant la sauce 50 grammes de beurre et 60 grammes de cornichons hachés ou coupés en fines rondelles.

Sauce piquante

Ciseler finement un oignon moyen et 2 belles échalotes. Faire chauffer une noix de beurre dans une sauteuse, y ajouter oignons et échalotes et laisser fondre doucement de façon que ces condiments subissent un commencement de cuisson. Quand le tout est parfaitement blond, c'est-à-dire très légèrement rissolé, adjoindre :

1° 3 cuillerées à potage de vinaigre de vin; réduire à la valeur de 2 cuillerées à café.

2° 3 décilitres de sauce demi-glace ou de sauce espagnole. Cuire 15 minutes doucement, puis hors du feu, beurrer avec 60 grammes de beurre et terminer par une addition de 2 cornichons moyens hachés et quelques tours de moulin à poivre.

Sauce Robert

C'est une sauce piquante additionnée au moment de la beurrer de deux cuillerées à café de moutarde et d'une prise de sucre en poudre.

Ne jamais faire bouillir la moutarde.

Sauce à l'estragon

Faire réduire de moitié la contenance d'un verre à boire de vin blanc sec, y faire infuser pendant 10 minutes une branche d'estragon, ajouter 3 décilitres de sauce demi-glace ou de sauce espagnole ou encore de jus lié. Réduire d'un tiers, passer à l'étamine ou au chinois fin, et, hors du feu, beurrer avec 60 grammes de beurre frais.

Condimenter avec une cuillerée à café de feuilles d'estragon hachées.

Sauce gratin

Éléments :

200 grammes de champignons nettoyés et lavés très rapidement, puis égouttés aussitôt; échalotes hachées; la contenance d'un verre à boire ordinaire de vin blanc sec; 1/2 litre de sauce demi-glace ou de sauce espagnole; 60 grammes de beurre; quelques branches de persil; un quartier de citron.

Méthode :

Chauffer jusqu'à couleur noisette une noix de beurre dans un plat à sauter, y jeter les échalotes, les chauffer doucement, puis les champignons, finement hachés à la dernière minute pour éviter qu'ils noircissent. Cette opération s'accomplit à feu très vif. A ce moment, sécher les champignons en les remuant constamment et ajouter :

1º Le vin blanc, le réduire presque complètement.

2º La sauce demi-glace.

Faire bouillir doucement 10 minutes, achever, hors du feu, en incorporant à la sauce le reste du beurre, une cuillerée à café de persil haché à la dernière minute et le jus d'un quart de petit citron.

Cette sauce doit être assez consistante.

Sauce chasseur

Éléments :

60 grammes de beurre ; 3 cuillerées à potage d'huile ; 100 grammes de champignons bien blancs et fermes ; une cuillerée à café d'échalote hachée ; 1/2 verre de vin blanc sec ; 2 décilitres de sauce demi-glace ou de sauce espagnole ; 3 belles tomates bien mûres ou 3 cuillerées à potage de purée de tomates ; une bonne pincée de cerfeuil et d'estragon hachés.

Méthode :

Chauffer fortement le beurre et l'huile dans un plat à sauter ; y jeter les champignons coupés finement en lamelles (émincés) ; les faire légèrement rissoler à feu vif. A cet instant, ajouter :

1º L'échalote, chauffer quelques secondes.

2º Le vin blanc, réduire d'une bonne moitié.

3º La sauce demi-glace et la purée de tomates.

Si des tomates fraîches ont été employées (ce qui est préférable), les débarrasser du pédoncule et de la partie attenante, de la peau, des pépins et de l'eau de végétation, les hacher grossièrement et les ajouter à la composition après l'échalote.

Dans les deux cas, laisser mijoter 10 minutes.

Compléter, hors du feu, au moment de servir, avec le reste du beurre, le cerfeuil et l'estragon.

Sauce diable

Procéder comme pour la sauce charcutière, mais en supprimant les cornichons et en remplaçant l'oignon par 3 échalotes. Passer la sauce à l'étamine et la condimenter fortement avec du poivre frais moulu, ou une pointe de poivre rouge de Cayenne que nous conseillons beaucoup moins. C'est, en vérité, non pas un arôme, mais du feu qui enflamme désagréablement le palais.

Sauce italienne

Éléments :

La contenance d'un demi-verre à boire ordinaire de vin blanc sec ; une cuillerée à café d'échalote hachée ; 2 décilitres de sauce demi-glace ou de sauce espagnole ; une cuillerée à potage de purée de tomates réduite ; 40 grammes de maigre de jambon taillé en dés très menus ; 100 grammes de champignons bien blancs ; quelques branches de persil ; un quartier de citron ; 60 grammes de beurre.

Méthode :

Chauffer fortement une noix de beurre dans un plat à sauter, y jeter les champignons finement hachés, les rissoler légèrement puis ajouter l'échalote et le vin blanc ; réduire à 2 cuillerées à potage. Mettre la purée de tomates ou 3 tomates bien mûres sans peau ni pépins, ni eau de végétation et hachées. Réduire à nouveau et compléter avec la sauce demi-glace et le jambon.

Faire bouillir doucement 10 minutes ; hors du feu, beurrer et exprimer dans la sauce le jus du quartier de citron, vérifier l'assaisonnement et terminer avec une pincée de persil haché.

Suivant les goûts ou le but recherché, cette sauce s'accommode très bien d'une pincée d'estragon haché.

Sauce Périgueux

Préparer une sauce madère, la terminer en ajoutant, pour 1/2 litre de sauce, 100 grammes de truffes hachées. S'il s'agit de truffes de conserves, mettre dans la sauce le jus contenu dans la boîte ; s'il s'agit de truffes fraîches, il convient de les hacher crues, de les passer au beurre chaud quelques secondes dans une sauteuse et de verser, dans celle-ci, la sauce madère préalablement préparée.

Sauce périgourdine

Cette sauce se différencie de la précédente du fait que les truffes sont coupées en lames d'un millimètre d'épaisseur au lieu d'être hachées.

Sauce au vin de Porto

Procéder comme il est expliqué pour la sauce madère en remplaçant le madère par du vin de Porto. Cette sauce est terminée par l'addition du jus d'une orange bien mûre et douce et de celui d'un demi-citron.

Sauce au vin rouge

Couper en dés très menus un gros oignon et la partie rouge d'une carotte moyenne ; c'est-à-dire, faire une mirepoix, l'étuver au beurre 20 minutes en la remuant souvent ; veiller à ne pas laisser rissoler. Quand la mirepoix est bien fondue, ajouter 2 gousses d'ail broyées, chauffer une seconde et verser, sur le tout, 1/2 litre de bon vin rouge ; assaisonner d'une pincée de sel et d'une prise de sucre ; faire réduire des 2/3. Puis y adjoindre 1/2 litre de sauce demi-glace ou de sauce espagnole ; cuire doucement 20 minutes, passer à l'étamine en foulant bien les légumes ; donner une nouvelle ébullition et terminer, hors du feu, en beurrant avec au moins 50 grammes de beurre frais.

Sauce rouennaise

Préparer 1/2 litre de sauce bordelaise sans moelle. Lorsqu'elle est bien chaude mais non bouillante, ajouter, en remuant, une liaison composée de 3 foies crus de canard mis en purée en les foulant au tamis fin et dilués dans un bol avec un peu de sauce bordelaise ; chauffer sans cesser de vanner la sauce jusqu'au moment où l'ébullition est sur le point de se manifester.

Retirer du feu et passer ensuite à l'étamine, à fond ; les foies doivent être incorporés en totalité dans la sauce à laquelle ils donnent un aspect crémeux. Terminer par l'addition d'un verre à liqueur de cognac ou de fine champagne et de 50 grammes de beurre frais ou 50 grammes de foie gras en purée.

Vérifier l'assaisonnement avant l'emploi. Le rehausser de quelques tours de moulin à poivre.

Sauce poivrade

Couper en dés très fins la partie rouge d'une carotte moyenne, 2 oignons moyens et un fragment de céleri. Fondre doucement le tout dans une noix de beurre en poussant jusqu'à un très léger rissolage.

Mouiller avec 1/2 litre de marinade prélevée d'une marinade dans laquelle macèrent des pièces de gibier. Faire réduire des 2/3 et ajouter 3/4 de litre de sauce demi-glace ou de sauce espagnole et quelques carcasses ou parures de gibier.

Cuire à tout petit feu et à couvert pendant 3 heures.

Passer ensuite à l'étamine en foulant à fond la garniture et les parures de gibier.

Terminer cette sauce, hors du feu, avec le déglaçage (les sucs dissous) et le jus du gibier rôti qu'elle accompagne ; une cuillerée à café de gelée de groseilles (quand ce mélange plaît) et une cuillerée à café de moutarde de Dijon. Cette dernière addition ne s'impose pas davantage que la gelée de groseilles. Ne plus faire bouillir.

Relever cette sauce de poivre frais moulu.

Sauce portugaise

Ciseler un gros oignon, le faire blondir très doucement dans deux cuillerées d'huile, ajouter 800 grammes de belles tomates bien mûres, pelées, épépinées, pressées et hachées grossièrement, puis 3 gousses d'ail écrasées, une pincée de sel, une prise de poivre et une de sucre, un bouquet de persil garni d'une brindille de thym et d'un fragment de feuille de laurier.

Cuire doucement 1/2 heure.

Vérifier l'assaisonnement et beurrer, hors du feu, avant de l'employer si elle n'est pas utilisée comme agent de déglaçage du mets qu'elle accompagne.

Sauce Duxelles

Faire blondir, à feu très doux, avec une noix de beurre dans une sauteuse, une cuillerée à café d'échalote hachée. Ajouter 100 grammes de champignons bien blancs et fermes nettoyés et lavés très vivement, puis hachés fin.

Les sécher à feu vif et les mouiller avec 1/2 verre de vin blanc sec, faire réduire presque totalement. Adjoindre 3 décilitres (1 verre 1/2) de sauce demi-glace ou espagnole ou de bon jus de veau ; dans ce dernier cas, compléter avec 2 cuillerées à potage de sauce tomate liée et très concentrée.

Cuire quelques minutes en réduisant d'un tiers.

Hors du feu, beurrer aussi largement que possible avec du beurre frais, ajouter une cuillerée à café de persil haché et vérifier l'assaisonnement.

Nota. — Pour certaines préparations, la duxelles est utilisée sans aucun élément de mouillement. Suivre l'indication donnée aux recettes.

Sauce à la moelle

(Spéciale pour légumes)

Cette sauce se prépare comme la sauce bordelaise mais en remplaçant le vin rouge par du vin blanc. Augmenter du double la quantité de moelle indiquée dont une partie, coupée en dés, est ajoutée dans la sauce, tandis que l'autre partie, coupée en rondelles, est disposée sur les légumes.

Cette formule peut être utilisée pour les œufs pochés ou mollets (l'œuf poché idéal) ou des poissons grillés.

LES PETITES SAUCES BLANCHES

Sauce Mornay

Faire bouillir 1/2 litre de sauce béchamel, y incorporer 50 grammes de gruyère râpé, laisser bouillir en remuant constamment jusqu'à ce que le fromage soit complètement fondu. Lier la sauce hors du feu (elle ne doit plus bouillir) avec 2 jaunes d'œufs broyés dans un bol avec une cuillerée à potage de crème ou, à défaut, de lait. La chauffer doucement en la remuant vivement avec un fouet à sauce, jusqu'au moment où l'ébullition est sur le point de se manifester. '

Terminer, hors du feu, avec 2 ou 3 cuillerées à potage de crème et la grosseur d'un œuf de beurre frais.

Cette sauce doit être suffisamment consistante pour enrober totalement les aliments avec lesquels elle est servie. Quoique d'apparence épaisse, elle doit être crémeuse et savoureuse au goûter.

Quand elle accompagne un poisson, il convient de l'additionner du fond réduit de la pièce traitée à la mornay.

Sauce Nantua

Préparer 1/2 litre de sauce béchamel, y incorporer un verre à boire ordinaire de crème fraîche ; faire réduire rapidement en remuant à la spatule jusqu'à consistance normale, c'est-à-dire un peu soutenue. Hors du feu, la terminer avec 50 grammes de beurre d'écrevisses. Bien fouetter l'ensemble et vérifier l'assaisonnement.

Sauce cardinal

La préparation précédente mise au point avec un beurre de homard pour remplacer le beurre d'écrevisses. Cette sauce gagne à être plus corsée que la sauce Nantua en lui ajoutant un verre à boire ordinaire de fumet de poisson réduit à la valeur d'une cuillerée à potage. On peut également y additionner une cuillerée de jus de truffes quand celles-ci sont utilisées dans la garniture.

Sauce aux câpres commune

Mélanger à de la sauce au beurre des câpres fines à raison de 3 cuillerées à potage pour 1/2 litre. Ne plus faire bouillir après cette addition.

Sauce crème

Mélanger, dans un plat à sauter, un litre de sauce béchamel et la contenance d'un verre à boire ordinaire (2 décilitres) de crème fraîche ; faire bouillir puis réduire en plein feu en remuant sans arrêt avec la spatule, jusqu'à 3/4 de litre environ.

Passer à l'étamine fine (une mousseline) ; donner à nouveau un bouillon, puis incorporer, hors du feu, 1/2 verre de crème, 50 grammes de beurre et quelques gouttes de citron. Tenir au chaud au bain-marie. Cette sauce ne doit plus bouillir.

Sauce au vin blanc

(pour poisson)

Préparer 1/2 litre de velouté au fumet de poisson, lui mélanger 1/2 verre à boire ordinaire (1 décilitre) de fumet de poisson et 1/2 verre de vin blanc sec, réduits à la contenance d'une cuillerée à potage ; lier avec 2 jaunes d'œufs broyés avec 2 cuillerées à potage de crème fraîche et 2 cuillerées de cuisson de champignons ; passer la sauce à l'étamine, la remettre dans une sauteuse et sans cesser de la vanner, la chauffer jusqu'à un degré voisin de l'ébullition ; ajouter, hors du feu, 100 grammes de beurre frais.

Sauce crevette

Utiliser de la sauce au vin blanc (1/2 litre) et lui incorporer 100 grammes de beurre de crevettes. Cette sauce doit être de la couleur rose pâle légèrement saumonée qui s'obtient avec une très faible addition de beurre colorant soit d'écrevisses, soit de homard ou de langouste, soit de purée de tomate très réduite.

Sauce Joinville

Préparer de la sauce au vin blanc et la beurrer aussi richement que possible avec moitié beurre de crevettes et beurre d'écrevisses. Terminer cette sauce avec une cuillerée à potage de truffes taillées en fine julienne pour un verre ordinaire à boire de sauce.

Sauce Chantilly ou sauce mousseline commune

Préparer 1/2 litre de sauce au beurre et lui incorporer pour la terminer 4 cuillerées à potage de crème fraîche fouettée bien ferme avec une cuillerée de lait. Prendre garde en fouettant la crème de ne pas trop prolonger cette opération qui provoque la transformation de la crème en beurre.

Sauce hollandaise commune

Employer soit 1/2 litre de sauce au beurre, liée avec 3 jaunes d'œufs, 2 cuillerées à potage de cuisson de champignons, ou une cuillerée à potage d'eau additionnée de quelques gouttes de citron, soit 1/2 litre de sauce béchamel, liée de la même manière, et lui incorporer hors du feu, du beurre frais. Plus cette sauce est beurrée, plus fine elle est. Elle doit être assez consistante, mais crémeuse.

Sauce normande

Employer 1/2 litre de velouté au fumet de poisson, l'additionner d'un verre à boire ordinaire de cuisson de champignons, d'un demi-verre de cuisson d'huîtres (eau d'huîtres qui a été utilisée pour en pocher). Réduire d'un tiers puis lier avec 4 jaunes d'œufs broyés avec 3 cuillerées de crème fraîche. Passer à la mousseline (fine étamine) et remettre au feu, remuer sans arrêt jusqu'à l'instant où l'ébullition va se manifester ; hors du feu, lui incorporer aussitôt en fouettant vivement, 125 grammes de beurre frais.

Sauce soubise

Émincer 200 grammes d'oignons, les ébouillanter et les rafraîchir, les égoutter soigneusement puis les étuver 20 minutes dans un plat à sauter avec 30 grammes de beurre. Les oignons ne doivent pas rissoler. Veiller à ce qu'ils restent bien blancs. Ajouter 1/2 litre de sauce béchamel. Cuire lentement 20 minutes à couvert, passer à l'étamine en foulant totalement la purée d'oignons. Donner à nouveau un bouillon, et terminer avec 2 cuillerées à potage de crème fraîche et 50 grammes de beurre incorporés hors du feu.

Sauce soubise tomatée

Préparer de la sauce soubise et lui mélanger de la purée de tomates réduite à raison de deux parties de sauce et d'une partie de purée de tomates.

Sauce aux herbes

Utiliser 1/2 litre de sauce au beurre, l'aromatiser au moment de servir de 2 cuillerées à potage de persil, de cerfeuil et d'estragon hachés par tiers, puis ébouillantés, rafraîchis et pressés.

Sauce Smitane

Ciseler un bel oignon, l'ébouillanter, le rafraîchir, l'égoutter et le faire étuver lentement 20 minutes dans un plat à sauter avec une noix de beurre. Le remuer fréquemment et veiller à le maintenir juste blond. Il ne doit pas rissoler. Mouiller avec un verre à boire ordinaire de vin blanc sec. Réduire à la contenance d'une demi-cuillerée à potage ; ajouter 1/2 litre de crème fraîche et une prise de sel. Faire bouillir et réduire rapidement d'un tiers. Passer la sauce à l'étamine fine (mousseline). Faire marquer un nouveau bouillon, puis, hors du feu, ajouter 30 grammes de beurre divisé en menus morceaux ; bien vanner la sauce et la condimenter de jus de citron de façon que cette sauce ait un goût légèrement aigrelet.

Sauce Bercy

(pour poisson)

Faire étuver pendant 15 minutes au beurre et à blanc 2 cuillerées à café d'échalotes hachées très finement ; mouiller avec la contenance d'un verre à boire ordinaire de vin blanc sec et autant de fumet de poisson. Réduire d'un tiers et ajouter 3/4 de litre de velouté au fumet de poisson.

Faire bouillir 10 minutes, puis terminer, hors du feu, en beurrant avec 100 grammes de beurre frais. Relever de poivre frais moulu. Au moment de servir, adjoindre une forte pincée de persil haché.

Sauce au cary

Ciseler menu un oignon moyen et le faire étuver, blondir au beurre très lentement et à couvert. Ajouter une brindille de thym, un fragment de feuille de laurier, une pincée de macis ; saupoudrer avec 50 grammes de farine et 20 grammes de poudre de cary, cuire 10 minutes en remuant fréquemment.

Mouiller avec 3/4 de litre de fond blanc ou bouillon blanc à défaut ou de fumet de poisson si la sauce accompagne un poisson. Faire mijoter 30 minutes, passer la sauce à l'étamine en pressant fortement et après un nouveau bouillon, l'achever avec 4 cuillerées à potage de crème fraîche ou mieux, si l'on peut en posséder, de lait de coco.

Nota. — La sauce au cary s'obtient excellemment moyennant un procédé plus simple et plus local : préparer un fond de volaille très riche et corsé avec du bon jus de veau, le condimenter très fortement aux oignons et au cary d'origine. Après cuisson, passer à l'étamine et lier à l'arrow-root.

LES SAUCES RICHES ÉMULSIONNÉES

Sauce hollandaise

Éléments :

Une cuillerée à potage de vinaigre de vin blanc, une d'eau ; une pincée de poivre fraîchement concassé ; 3 jaunes d'œufs ; 250 grammes de beurre d'excellente qualité.

Méthode :

Mettre dans une petite sauteuse, le vinaigre, l'eau, le poivre. Réduire ce mélange dénommé « gastrique » à la contenance d'une cuillerée à café.

Laisser refroidir puis ajouter les jaunes d'œufs et 2 cuillerées à potage d'eau froide ; broyer les jaunes à l'aide d'un fouet à sauce et chauffer le tout très doucement ; fouetter sans discontinuer l'appareil en ayant soin de manœuvrer le fouet de façon à le faire porter sur toute la surface du fond de la sauteuse afin qu'aucune parcelle des jaunes d'œufs ne puisse y adhérer.

Si le praticien n'est pas suffisamment expérimenté, nous conseillons de placer la sauteuse dans un bain-marie d'eau très chaude, mais non en ébullition. Le commencement de cuisson qui doit être donné aux jaunes d'œufs sera plus lent et la réussite plus certaine. Il s'agit, en effet, de créer pour le beurre utilisé une liaison — un support extrêmement onctueux — et un excès de chaleur, ou une cuisson trop poussée des jaunes les solidifierait en particules graineuses et leur ferait perdre leurs propriétés liantes, leur onctuosité.

En conséquence, cette première opération, la plus difficile, consiste à émulsionner les jaunes en les soumettant à une chaleur progressive qui détermine l'épaississement très lisse et crémeux de la masse.

Quand l'émulsion atteint la consistance de la crème fraîche reposée, le moment est venu d'incorporer goutte à goutte, en fouettant toujours vigoureusement, le beurre fondu en pommade ou divisé en noisettes et une pincée de sel.

Si l'on constate que la sauce épaissit trop, qu'elle devient compacte, adjoindre de temps à autre pendant le travail (qu'on appelle « monter une sauce ») quelques gouttes d'eau tiède. Ce procédé est préférable à l'addition brutale d'un liquide déterminé pour provoquer l'éclaircissement quand la sauce est terminée.

C'est ainsi qu'une sauce hollandaise est savoureuse, un peu consistante et cependant légère. Vérifier l'assaisonnement et tenir au chaud au bain-marie à chaleur très modérée.

Tout excès de chaleur provoque la dissociation des jaunes et du beurre. On dit alors improprement que « la sauce tourne ».

Quand parfois cet accident survient, recommencer de monter la sauce en versant dans une sauteuse une cuillerée à potage d'eau chaude puis en mélangeant à cette dernière, au fouet, et par petites quantités, la sauce dissociée.

Suivant l'usage et le goût, la gastrique peut être supprimée.

Dans ce cas, la sauce est relevée — acidulée — avec quelques gouttes de jus de citron.

L'application de cette technique et l'utilisation d'un beurre de première qualité sont les sûrs garants du succès recherché : une sauce vraiment délicieuse.

Par mesure d'économie, on peut additionner à cette sauce une partie plus ou moins importante de sauce au beurre. Cette pratique n'est pas recommandable : elle permet cependant d'abaisser le prix de revient et de rendre la sauce moins sensible à la chaleur trop élevée.

Sauce mousseline

Sauce hollandaise comme ci-dessus, additionnée de crème fouettée pour un tiers de son volume.

Sauce béarnaise

Éléments (pour 6 personnes) :

3 cuillerées à potage de vinaigre de vin blanc ; 3 échalotes moyennes ; une branche d'estragon ; une pincée de cerfeuil ; 4 jaunes d'œufs ; 250 grammes de beurre fin ; une prise de sel ; une pincée de poivre frais concassé.

Méthode :

Mettre une noix de beurre dans une petite sauteuse, puis l'échalote finement hachée, faire étuver doucement 10 minutes, ajouter le vinaigre, l'estragon et le cerfeuil hachés puis le poivre. Faire réduire à la contenance de 2 cuillerées à café. Procéder ensuite exactement comme il est conseillé pour la sauce hollandaise en chauffant les jaunes pour qu'ils atteignent à un peu plus de consistance.

Passer la sauce terminée à l'étamine, adjoindre une pincée d'estragon et de cerfeuil finement hachés et tenir au bain-marie à chaleur douce. Cette sauce doit être beaucoup plus consistante que la sauce hollandaise, d'où la teneur en jaune d'œuf légèrement plus élevée. Sa consistance est celle de la moutarde.

Comme la sauce hollandaise, elle peut être abâtardie par l'addition de sauce au beurre. Mais elle perd une grande partie de sa finesse.

Sauce Choron

Préparer de la sauce béarnaise et lui incorporer le quart de son volume de purée de tomates très concentrée.

Sauce maltaise

Sauce hollandaise additionnée de jus d'orange sanguine et de quelques gouttes de curaçao.

Sauce mayonnaise

Sauce mère par excellence de nombreuses combinaisons de sauces froides, la sauce mayonnaise mérite une minutieuse explication technique.

De conception simple et fort ancienne, les bibliophiles culinaires en retrouvent les origines certaines dans les travaux d'Apicius, ce qui ne signifie pas qu'elle n'a pas des sources plus lointaines ; elle est d'exécution facile sous certaines conditions.

Originaire des régions ensoleillées, elle craint le froid ; composée d'un élément principal fluide au possible et inerte, elle réclame un brassage énergique pour être savoureuse et légère ; de par sa nature elle serait indigeste sans l'adjonction d'un acide : vinaigre ou citron.

Le praticien aura donc soin de tempérer le récipient et l'huile employés et d'observer le mode d'exécution ci-après.

Éléments :

6 jaunes d'œufs ; un litre d'huile tempérée ; 10 grammes de sel fin ; une forte prise de poivre blanc frais moulu ; une cuillerée et demie à potage environ de vinaigre de vin ou le jus d'un petit citron.

Méthode :

Placer les jaunes d'œufs (germe enlevé), le sel, le poivre, le vinaigre ou le jus de citron dans une terrine ; mélanger le tout à l'aide d'un fouet à sauce de manière à donner un peu de consistance (de corps) aux jaunes, puis ajouter l'huile, goutte à goutte, pour commencer en fouettant l'ensemble vigoureusement. Si la masse prend trop de consistance, la détendre avec une cuillerée à café de vinaigre ou d'eau quand la sauce est suffisamment acidulée. Poursuivre l'opération à un rythme un peu plus rapide au fur et à mesure que la sauce augmente de volume.

Ce qu'il importe d'obtenir d'une manière continue pendant que l'exécution est en cours, c'est une sauce d'épaisseur crémeuse égale, afin qu'elle absorbe de l'oxygène, qu'elle atteigne au maximum un degré de légèreté et d'onctuosité.

Comme dans la sauce hollandaise, l'huile, corps gras et fluide, se fixe aux jaunes d'œufs qui servent de liaison et de support, mais à la condition que cette association s'effectue lentement sous l'action d'un brassage vigoureux qui développe la température de la masse et l'aère.

Je n'hésite pas à recommander de substituer une cuiller en bois — spatule ou mouvette — au fouet pour l'usage domestique quand il s'agit de monter une sauce mayonnaise. Alors l'opération, pour être réussie, devra être beaucoup plus lente, mais le succès — saveur et rendement — sera bien plus grand.

Enfin, quand une sauce mayonnaise est terminée, on peut la rendre plus résistante à la désagrégation en lui incorporant une petite cuillerée à potage de vinaigre de vin bouillant.

Ajoutons qu'une sauce mayonnaise qui se désagrège se reprend aisément en réparant les erreurs commises : froid ou trop de précipitation pour la monter, ou l'un et l'autre.

Mettre une cuillerée à potage d'eau tiède dans une terrine, la fouetter vigoureusement en lui mélangeant petit à petit la sauce dite, improprement, tournée.

Sauce ravigote

Réunir dans un saladier 5 grammes de sel fin, une pincée de poivre frais moulu, 2 cuillerées à potage de câpres légèrement écrasées, une cuillerée à café de persil haché, une de cerfeuil, une d'estragon, une de moutarde, un oignon moyen finement ciselé ; verser sur le tout en brassant vivement à l'aide d'un fouet et, peu à peu, 2 cuillerées à potage de vinaigre et 5 d'huile.

Quand cette sauce sert d'accompagnement à la tête de veau ou aux pieds de veau, l'additionner de 3 cuillerées à potage de cuisson chaude de tête de veau ou de pieds.

Sauce aïoli

Éléments :

8 gousses d'ail ; 2 jaunes d'œufs ; 3 décilitres d'huile ; une pincée de sel ; 1/2 citron.

Méthode :

Broyer l'ail dans un mortier, mélanger les jaunes à la pâte obtenue et le sel, puis incorporer l'huile goutte à goutte en faisant tournoyer le pilon. Maintenir à consistance crémeuse en ajoutant de temps à autre quelques gouttes de jus de citron (ce dernier formant l'élément acide) et d'eau tiède.

Sauce andalouse

Additionner à de la sauce mayonnaise le volume de son cinquième de purée de tomates bien réduite et deux poivrons doux taillés en fine julienne.

Sauce verte

Préparer de la sauce mayonnaise et la verdir de la manière suivante.

Piler au mortier ou hacher une forte poignée d'épinards épluchés et lavés, mélangés à une branche d'estragon et une forte pincée de cerfeuil. Presser fortement dans un torchon les herbes pilées et recueillir le jus dans un petit récipient, mettre ce dernier au chaud dans un bain-marie.

Sous l'action de la chaleur, le jus d'herbes se décomposera, une partie se coagulera alors que l'autre se clarifiera.

Quand les molécules vertes seront suffisamment solidifiées, passer le tout dans une étamine fine. La partie verte sera alors utilisée pour verdir la sauce mayonnaise qui sera terminée avec une pincée de cerfeuil, de persil, de ciboulette et d'estragon très finement hachés.

Sauce remoulade

A un litre de sauce mayonnaise mélanger 2 cuillerées à potage de câpres et 6 cornichons moyens hachés, des fines herbes : persil, cerfeuil, estragon, ciboulette et, suivant les goûts, une cuillerée à café de purée d'anchois.

Sauce tartare

Même composition que la sauce rémoulade en remplaçant la purée d'anchois par 2 cuillerées de moutarde de Dijon.

Sauce Vincent

Additionner à 1/2 litre de sauce verte une dizaine de feuilles de jeune oseille finement hachée et 3 jaunes d'œufs cuits durs et passés au tamis moyen. Terminer avec une cuillerée à café de cerfeuil et d'estragon hachés.

Sauce gribiche

Éléments :

5 œufs cuits durs, mais faiblement ; sel ; poivre ; 4 décilitres d'huile ; 2 cuillerées à potage de vinaigre ; une cuillerée à café de moutarde ; une de cerfeuil ; une d'estragon haché ; une de câpres ; 3 cornichons moyens hachés ; fines herbes.

Méthode :

Mettre les jaunes d'œufs dans une terrine avec le sel, le poivre ; les broyer finement ; ajouter à cette pâte le vinaigre puis l'huile, goutte à goutte, exactement comme s'il s'agissait d'une sauce mayonnaise. Maintenir cette sauce constamment crémeuse par l'addition de vinaigre et d'eau tiède si besoin est. Terminer en ajoutant les fines herbes, câpres, cornichons et les blancs d'œufs coupés en dés très menus. Vérifier l'assaisonnement.

Cette sauce est une mayonnaise dont les jaunes sont cuits au lieu d'être crus.

Sauce mayonnaise à la crème

Mélanger à de la sauce mayonnaise, dans laquelle le jus de citron remplace le vinaigre, le quart de son volume de crème fouettée.

Vérifier l'assaisonnement.

Sauce raifort

Éléments :

Une cuillerée à café de moutarde ; 2 cuillerées à potage de vinaigre ; 50 grammes de raifort râpé fin ; 50 grammes de sucre en poudre ; une pincée de sel fin ; 5 décilitres de crème fraîche ; 500 grammes de mie de pain trempée au lait et bien pressée.

Méthode :

Délayer dans une terrine la moutarde avec le vinaigre, ajouter le raifort, le sel, le sucre et le pain. Diluer cette pâte avec la crème.

Sauce portugaise

(froide)

Ciseler finement un gros oignon et deux échalotes, les faire blondir doucement dans un plat à sauter avec trois cuillerées à potage d'huile d'olive ; quand oignons et échalotes sont bien fondus les mouiller avec un verre ordinaire de vin blanc sec et réduire presque à fond.

Ajouter le contenu de deux verres à boire ordinaires de tomates pelées, privées de semences et concassées ; éviter d'exprimer l'eau de végétation ; assaisonner de sel et poivre frais moulu ; cuire et réduire jusqu'à consistance d'une purée pas trop soutenue. Hors du feu monter cette sauce avec 1/2 verre d'huile d'olive ; relever la saveur avec le jus d'un demi citron. Vérifier l'assaisonnement.

Sauce rouennaise

(froide)

Préparer 4 décilitres (2 verres ordinaires à boire) de sauce bordelaise.

D'autre part, fouler au tamis un foie de caneton rouennais ou deux foies de volaille, assaisonner d'une prise de sel, d'un peu de poivre frais moulu, et diluer la purée de foie avec une cuillerée à potage de fine champagne ou de bon cognac.

Mélanger à la sauce bordelaise 1 décilitre de bon jus de veau très gélatineux et réduire le tout en plein feu à 3 décilitres environ ; vérifier l'assaisonnement ; puis, hors du feu, lier avec la purée de foie en mélangeant à cette dernière quelques cuillerées de sauce réduite et en versant la liaison obtenue dans la totalité de la sauce ; bien remuer au fouet pendant cette dernière opération. Passer ensuite à l'étamine en foulant fortement.

Quand la sauce est à demi froide, la parfumer avec deux cuillerées à potage de xérès.

Sauce chaud-froid blanche

Éléments (pour 1/2 litre) :

75 grammes de roux blond ; 3/4 de litre de bouillon de volaille non coloré et corsé ; 25 grammes de pelures ou de jambes de champignons ; 3 décilitres de gelée blanche ; 3 décilitres de crème fraîche.

Méthode :

Préparer le roux avec du beurre et farine en parties égales, le délayer avec le bouillon de volaille, mettre en ébullition, ajouter les champignons et cuire doucement une heure. Dépouiller avec soin, de temps en temps.

Une quantité égale de bon velouté peut remplacer avantageusement la préparation ci-dessus.

Réunir dans un plat à sauter 2 décilitres de crème et la sauce cuite à point.

Réduire en plein feu en additionnant de la gelée et en remuant constamment avec une spatule.

Lorsque la sauce est à nouveau à la contenance d'un demi-litre par suite de la réduction, la retirer du feu, l'additionner d'un décilitre de crème épaisse et la passer à l'étamine dans un récipient en terre vernissée. Laisser tiédir en vannant fréquemment pour empêcher la formation d'une peau et, par suite, de grumeaux. Avant qu'elle ne soit prise en gelée, l'utiliser pour enrober ou napper les pièces auxquelles cette sauce est destinée.

Sauce chaud-froid brune

Réduire, comme il est indiqué ci-dessus, 4 décilitres de sauce demi-glace parfumée au madère ; additionner, par petites quantités à la fois, d'autant de bonne gelée peu salée.

Quand le mélange est réduit de moitié, le passer à l'étamine dans une terrine et le laisser tiédir dans les mêmes conditions que pour la sauce chaud-froid blanche. L'utiliser avant coagulation.

Cette sauce peut être parfumée au porto, xérès, marsala, etc.

LES MARINADES

L'utilité des marinades est d'assurer la conservation des viandes qui s'y trouvent plongées, d'attendrir la fibre des chairs et de les pénétrer des substances aromatiques dont elles sont composées.

Marinade crue

(pour viande de boucherie ou venaison)

Éléments :

Une carotte moyenne ; 2 oignons ; 4 échalotes ; une branche de céleri ; 2 gousses d'ail ; quelques branches de persil ; une brindille de thym ; 1/2 feuille de laurier ; une pincée de poivre en grains écrasés ; 2 clous de girofle ; un litre de vin blanc ; 2 verres à boire ordinaires de vinaigre ; un verre d'huile.

Méthode :

Couper en lames minces (émincer) carotte, oignons et échalotes ; disposer la moitié de ces légumes dans le fond d'un récipient de dimensions juste suffisantes pour contenir la ou les pièces en traitement et la marinade de façon que cette dernière les recouvre entièrement à la manière d'un bain. Mettre la pièce, puis le reste des légumes et condiments, ajouter le vin blanc, le vinaigre et l'huile qui, en restant à la surface, intercepte tout contact entre les aliments en marinade et l'air et empêche la décomposition.

Tenir dans un endroit frais, retourner fréquemment la pièce dans la marinade. La durée de macération est subordonnée au volume de la pièce et à la température ambiante. L'opération est plus rapide l'été que l'hiver. Pour de grosses pièces, la durée peut être de 5 à 6 jours l'hiver et de 24 à 48 heures l'été.

Marinade cuite

La composition est sensiblement la même que celle de la marinade crue.

Méthode :

Faire chauffer l'huile dans une casserole et y faire rissoler très légèrement les légumes. Ajouter le vin blanc, le vinaigre et les aromates et cuire doucement 1/2 heure.

Laisser refroidir complètement cette marinade avant de la verser sur la pièce à mariner.

Conservation des marinades :

Afin d'éviter l'altération des marinades, surtout l'été, il convient d'y ajouter 1 gramme d'acide borique par litre de marinade.

Il est également prudent de faire bouillir les marinades tous les 3 ou 4 jours. Dans ce cas il faut les aciduler à nouveau par l'adjonction d'un verre de vin ou d'un demi-verre de vinaigre, l'ébullition ayant diminué le degré d'alcool et d'acide de la composition.

Nota. — Le vin rouge peut parfaitement remplacer le vin blanc pour certaines préparations.

LES SAUMURES

Solution aromatisée de sel marin, de sucre, de salpêtre et d'eau destinée à assurer la conservation des aliments par salaison.

Saumure au sel

Frotter les pièces à saler avec 40 grammes de salpêtre pulvérisé (proportion pour 1 kg de sel marin) et les mettre avec le sel dans un récipient en bois ou en grès (saloir). Veiller à ne pas laisser de cavités. Mettre une brindille de thym et une feuille de laurier par kilo de sel. Couvrir hermétiquement le saloir.

Les viandes mises au sel doivent être rigoureusement fraîches et sans aucune altération. La période favorable aux salaisons domestiques s'étend sur les mois de décembre, janvier et février. Utiliser les animaux ou parties pour salaison, 24 heures après l'abattage, c'est-à-dire quand les chairs refroidies deviennent fermes.

Saumure liquide

Éléments :

5 litres d'eau ; 2,250 kg de sel marin ; 150 grammes de salpêtre ; 300 grammes de sucre ; 12 grains de poivre ; 12 baies de genévrier ; une branche de thym ; une feuille de laurier.

Méthode :

Réunir tous ces éléments dans une casserole et faire bouillir. A ce moment, vérifier la densité de salaison au moyen d'une pomme de terre pelée et plongée dans la saumure. Si elle surnage, ajouter un peu d'eau jusqu'au moment où elle commence à s'enfoncer. Si elle tombe immédiatement au fond, ajouter un peu de sel ou réduire le liquide afin que la densité maintienne le tubercule presque en surface.

Laisser refroidir, puis verser dans le récipient destiné à recevoir les pièces à saler.

Quand ces dernières sont plongées dans la saumure, elles doivent être complètement immergées.

LES GELÉES DIVERSES

La gelée est obtenue par la dissolution des substances gélatineuses contenues dans certaines viandes : jarret de veau, pied de veau, de porc, de bœuf ou couennes de porc.

Elle peut être aussi la conséquence de l'adjonction à un fond de cuisine (jus de veau, de volaille, bouillon, etc.) de feuilles de gélatine. Cette deuxième pratique n'est pas recommandable ; elle peut être tout au plus utilisée quand, l'été, la température rend difficile l'exécution de certains mets froids et moulés en pleine gelée.

Éléments (pour 1 litre de gelée) :

250 grammes de jarret de veau ; 250 grammes d'os de veau cassés en petits morceaux ; 50 grammes de rondin de gîte de bœuf ; un pied de veau désossé et ébouillanté ; 50 grammes de couennes de lard fraîches ; volaille ou carcasses de volailles (pour les gelées de volaille).

Aromates : 50 grammes de carottes ; 50 grammes d'oignon ; un blanc de poireau ; une branche de céleri ; une brindille de thym ; un fragment de feuille de laurier ; un litre 1/4 d'eau ; 10 grammes de sel. Temps de cuisson : 6 heures.

Méthode :

Procéder exactement comme pour le fond de veau en faisant légèrement rissoler les éléments de composition s'il s'agit d'une gelée blonde, en évitant le rissolage si la gelée doit être blanche.

Toute addition de volaille ou de carcasses de volailles s'impose pour les gelées de volaille. Dans tous les cas, cette addition enrichit supérieurement le fond de gelée.

Il est prudent de vérifier la consistance de la gelée avant de la clarifier. Verser 1/2 cuillerée à potage de fond de gelée dans un récipient et placer celui-ci dans un endroit froid.

Après quelques minutes de refroidissement, la consistance se vérifie aisément. C'est alors que l'on constate s'il est indispensable d'ajouter un soutien de gélatine.

Clarification des gelées :

Dans une casserole à fond bien plat, mettre 125 grammes de maigre de bœuf, une pincée d'estragon et de cerfeuil, le tout grossièrement haché.

Ajouter un blanc d'œuf, mélanger au fouet et verser, peu à peu, le fond de gelée à peine tiède et complètement dégraissé. Cette dernière précaution est essentielle à la limpidité de la gelée.

Faire bouillir lentement en remuant sans discontinuer.

Dès le premier bouillon, placer la casserole sur un coin du fourneau de manière à régler l'ébullition qui doit être à peine perceptible. Cuire ainsi 35 minutes, puis passer à la serviette préalablement mouillée et tordue.

Les gelées sont généralement parfumées avec des vins ou des liqueurs : frontignan, porto, madère, xérès, marsala, etc., que l'on ajoute à la gelée lorsqu'elle est tiède et à raison d'un décilitre par litre de gelée ou 2 décilitres pour les vins de Champagne, d'Alsace, de Sauternes ou autres.

L'adjonction de ces vins diminuant, en fonction de leur quantité, les propriétés gélatineuses de la gelée, celles-ci doivent être renforcées en prévision.

LES POISSONS

Le poisson offre une chair qui renferme sensiblement les mêmes propriétés alimentaires que les animaux terrestres, sa digestibilité est très grande, surtout celle des poissons maigres (soles, merlans, etc.); riche en matières phosphorées, elle constitue un aliment de choix.

Mais les poissons doivent remplir une condition principale : être d'une fraîcheur irréprochable.

En effet, la chair des poissons étant extrêmement corruptible peut provoquer, faute de fraîcheur, des troubles digestifs par suite d'intoxication.

Par conséquent, il faut s'initier aux marques évidentes qui permettent de déceler les premiers signes de corruption des poissons.

La chair du poisson frais est ferme, son odeur est franche. L'œil n'est pas enfoncé dans l'orbite et est vif. Les écailles sont éclatantes, brillantes. La coloration des ouïes est écarlate. Si le poisson vient d'être pêché et que sa mort soit toute récente, son corps contracté présente l'aspect d'un demi-cercle, la tête se rapprochant de la queue.

Cuite, la chair du poisson très frais est savoureuse et résiste légèrement sous la dent. Autrement, elle est fade et molle, l'odeur est douteuse.

Préparation préliminaire des poissons

Avant de procéder à leur traitement culinaire, les poissons sont vidés, écaillés et débarassés des nageoires dorsales, ventrales et caudales. Éviter de se piquer pendant ces menus travaux, car la piqûre de certains poissons est douloureuse et quelquefois dangereuse.

Quand l'écaillage est difficile, c'est le cas pour la tanche, tremper quelques secondes le poisson dans l'eau bouillante et la difficulté est surmontée.

Voici comment il faut procéder pour mener à bonne fin cette préparation préliminaire :

Enlever d'abord les ouïes, puis écailler le poisson avec un couteau à lame forte en grattant dans le sens opposé aux écailles. Retirer ensuite les intestins par une courte incision pratiquée sur le ventre. Dégager le filet de sang coagulé le long de l'arête dorsale. Enfin, couper les nageoires et rogner la queue à l'aide de ciseaux assez forts. Laver intérieurement et extérieurement le poisson à l'eau fraîche, l'éponger avec un linge et le réserver dans un endroit bien frais.

Différents modes de traitement des poissons

1º Au court-bouillon aromatisé ou non.

2º Braisé (cuit très doucement avec un peu de liquide sur un fond d'aromates et de condiments).

3º Poché (cuit à court mouillement avec du vin blanc ou rouge, cuisson de champignons, fumet de poisson, etc.).

4º Au bleu (jeté vivant dans un court-bouillon d'eau acidulée avec vinaigre ou vin).

5º Grillé.

6º Frit.

7º A la meunière.

8º Au gratin.

Les poissons sont servis chauds ou froids, entiers ou en tranches.

Expression culinaire : une tranche s'appelle darne.

Un important tronçon de poisson comprenant la tête se nomme hure.

Cuisson au court-bouillon

Après avoir été vidés, parés et bien lavés intérieurement et extérieurement, le ou les poissons sont placés dans un ustensile de forme appropriée. S'il s'agit d'une pièce importante et entière la coucher sur la grille de la poissonnière ou turbotière et couvrir de quatre à cinq centimètres au-dessus de la hauteur du poisson avec un des courts-bouillons froid.

Faire bouillir assez rapidement ; dès le premier bouillon, retirer sur le côté du feu. La cuisson doit être poursuivie par pochage. L'ébullition brutale prolongée provoquerait une déformation du poisson dont les chairs se rompraient par endroits.

Quand le poisson est coupé en tranches, qui ne doivent jamais avoir moins de 3 à 4 centimètres d'épaisseur, je conseille de les plonger dans le court-bouillon en ébullition afin de concentrer, dans le poisson, les meilleures substances qui s'en échapperaient.

Poissons braisés

Ce mode de cuisson s'applique généralement à de grosses pièces entières que très souvent l'on pique sur l'un des côtés avec de menus morceaux de lard, de truffes, de cornichons, de carottes, etc., taillés en petits bâtonnets de 4 à 5 millimètres de côté.

Le fond de l'ustensile employé, qui doit être toujours de dimension juste pour le poisson traité, est grassement beurré et garni des condiments de fonçage ordinaires : carottes, oignons, échalotes, champignons coupés en rondelles minces (émincés). Le poisson est assaisonné en tous sens puis posé sur le fonçage ; il est mouillé aux 3/4 de sa hauteur avec moitié vin blanc ou vin rouge, moitié fumet de poisson.

Mis en ébullition en plein feu, la cuisson se poursuit au four bien chaud à couvert en maintenant le couvercle de l'ustensile légèrement soulevé afin d'assurer, par une lente évaporation, la réduction partielle du fond de mouillement. Pratiquer de fréquents arrosages.

La cuisson en réduisant se corse et, par suite des arrosages, finit par provoquer sur le poisson une sorte d'enduit brillant qui prend une jolie couleur marron à reflets dorés et une saveur particulièrement agréable. On dit que le poisson est glacé.

Le poisson étant cuit, il est égoutté soigneusement, dressé sur le plat de service, recouvert d'une cloche ou autre ustensile et conservé au chaud.

Le fond de braisage est passé à l'étamine, dégraissé, puis réduit au besoin et terminé comme il est indiqué à la recette adoptée.

Poissons pochés à court mouillement

Ce procédé est l'un des plus simples et des plus recommandables. Beurrer grassement le plat de cuisson dont la dimension correspondra juste à la taille du poisson mis en traitement.

Suivant la formule, parsemer sur le fond les condiments ou éléments indiqués, assaisonner légèrement puis disposer le poisson; mouiller juste à la hauteur de ce dernier avec vin ou fumet de poisson dans les limites prescrites; diviser un morceau de beurre en parcelles de la grosseur de noisettes qui seront parsemées sur le poisson; mettre en ébullition et cuire au four en arrosant très souvent.

Quand le poisson est cuit, il est généralement égoutté et le fond de cuisson est utilisé comme facteur principal de la sauce d'accompagnement. Se reporter à la recette choisie pour la terminaison et mise au point.

Poissons grillés

Les poissons à griller sont ou petits ou moyens. Griller une grosse pièce présente des difficultés techniques qu'un praticien expérimenté peut seul surmonter.

Si le poisson est de taille moyenne, il est nécessaire de pratiquer sur les deux côtés de légères incisions verticales par rapport à la longueur pour aider la pénétration de la chaleur et faciliter la cuisson.

L'incandescence du foyer (braise, gaz, électricité) doit être en rapport avec la grosseur du poisson mis sur le gril.

Un poisson trop vivement saisi, atteint brutalement par une température excessive, ne cuit plus. Une enveloppe protectrice se forme sous l'action de l'ardeur du foyer; cette enveloppe brûle mais s'oppose comme un écran à la pénétration de la chaleur.

Un poisson entier, allant en s'amincissant vers la queue, sera exposé au feu de telle sorte que la cuisson soit partout régulière. Là est l'art de bien cuire.

Poissons frits

L'élément de friture idéale est l'huile dont le pouvoir calorifique atteint près de 300 degrés sans brûler.

La friture doit être en quantité assez abondante pour que le poisson mis en traitement puisse être plongé comme dans un bain. L'immersion doit être totale.

La température de l'huile chauffée se constate par la fumée qui s'en dégage.

Cette température sera toujours fonction de la grosseur du poisson à frire.

Un poisson frit doit être saisi: il le sera d'autant plus qu'il est petit. Un poisson moyen trop saisi ne cuit plus.

Comme sur le gril, une enveloppe protectrice se forme et fait obstacle à la pénétration calorique.

D'autre part, le fait de plonger un poisson dans l'huile fumante provoque un abaissement de la température de celle-ci; veiller, au moment de cette opération, à rétablir la température en poussant la friture, si nécessaire, en plein feu, afin que la friture ne dégénère pas en bouillonnements.

Après chaque opération, avoir soin de passer dans un linge l'huile employée pour la décanter du dépôt provoqué par la farine, mie de pain, etc., dont les poissons sont souvent enrobés avant d'y être plongés.

Poissons à la meunière ou au gratin

(Voir recettes truite meunière, raie gratinée, sole meunière.)

Le court-bouillon est la cuisson dans laquelle un poisson sera cuit entièrement immergé. Les courts-bouillons sont de plusieurs compositions.

Court-bouillon blanc pour turbot ou grosses barbues

Éléments :

3 litres d'eau ; un verre à boire ordinaire de lait ; 45 grammes de sel ; 4 rondelles de citron sans écorce ni pépins. Se verse froid sur la pièce en traitement, laquelle doit juste baigner.

Court-bouillon au vinaigre

Éléments :

3 litres d'eau ; un verre à boire ordinaire de vinaigre ; 40 grammes de sel ; 2 carottes moyennes et 2 gros oignons coupés en fines rondelles ; quelques branches de persil ; une brindille de thym ; 1/2 feuille de laurier ; une pincée de poivre en grains jetée 10 minutes avant le terme de la cuisson du court-bouillon.

Faire bouillir doucement 40 minutes et passer au chinois. Se verse froid sur le poisson à traiter.

Court-bouillon au vin blanc

Mêmes proportions que pour le court-bouillon au vinaigre en supprimant ce dernier et en remplaçant un litre et demi d'eau par autant de vin blanc sec. Cuire de même.

Court-bouillon au vin rouge

Éléments :

3 litres de bon vin rouge ajoutés aux aromates indiqués pour le court-bouillon au vinaigre. Temps de cuisson : 40 minutes à petit feu.

LES POISSONS D'EAU DOUCE

Anguille

Culinairement, pour être bonne, l'anguille est soumise à un traitement barbare. Elle doit être écorchée vivante. Pour atténuer la souffrance de la bête, la saisir par la queue à l'aide d'un torchon et, tel l'on ferait avec une corde, frapper violemment la tête sur une table ou tout autre objet dur afin de provoquer l'étourdissement. Puis pratiquer, sur la peau, deux ou trois incisions autour de la tête dans le sens de cette dernière, dégager la peau incisée avec un crochet à boucherie, la rabattre sur le corps de l'anguille et la main toujours enveloppée du torchon qui évite le glissement sur la peau gluante, tirer celle-ci d'un coup brusque. Vider l'anguille en faisant une ouverture sur le ventre, avoir soin d'enlever le sang coagulé fixé à l'arête dorsale. Supprimer les nageoires, laver à l'eau fraîche.

Matelote d'anguille à la bourguignonne dite « meurette »

Choisir une anguille de grosseur moyenne de 700 à 800 grammes, la dépouiller et la vider, la laver et la couper en tronçons de 7 à 9 centimètres de longueur.

Beurrer grassement un plat à sauter et le tapisser d'une couche d'oignons et de carottes coupés en rondelles fines (50 grammes de chaque légume). Chauffer doucement à couvert et étuver 15 à 20 minutes.

Ajouter une gousse d'ail écrasée, un bouquet de persil garni d'une brindille de thym et d'une demi-feuille de laurier. Assaisonner de sel et poivre frais moulu ; ranger sur la garniture les tronçons d'anguille et mouiller à hauteur du poisson avec du bon vin rouge.

Faire bouillir rapidement et cuire à couvert et à ébullition lente 20 minutes.

Enlever les tronçons d'anguille, les mettre dans une terrine et verser dessus la cuisson passée à la passoire fine.

L'anguille ainsi cuite peut être conservée au frais dans sa cuisson qui prendra en gelée en refroidissant ou être utilisée ultérieurement sous différentes préparations.

Servie en matelote, l'anguille sera accommodée, en outre, de la manière suivante :

Éplucher une vingtaine de petits oignons, les ébouillanter, les égoutter et les cuire au beurre, à couvert, dans un plat à sauter. Les assaisonner d'une pincée de sel et d'une prise de sucre en poudre.

Les oignons doivent blondir doucement au fur et à mesure de la cuisson. Quand celle-ci est terminée, les oignons doivent être parfaitement dorés ; on dit alors : « les oignons sont glacés », parce qu'ils sont enrobés des sucs d'oignons qui, avec le sucre ajouté, se sont légèrement caramélisés, puis dissous.

Quand les oignons sont ainsi cuits, y mélanger une vingtaine de petits champignons bien fermes et blancs. Sauter le tout quelques secondes puis verser dans la sauteuse la cuisson de l'anguille juste à la hauteur des tronçons. Faire bouillir, ajouter les tronçons d'anguille, donner trois ou quatre minutes d'ébullition et lier avec du beurre manié à raison de 12 grammes par décilitre de cuisson.

Le beurre manié est une composition de 60 grammes de beurre frais mélangé à la fourchette sur une assiette à 40 grammes de farine (pour 100 grammes).

La liaison s'effectue en divisant, avec une cuiller à café, le beurre manié en petites parcelles et en les jetant dans la cuisson bouillante de l'anguille. On imprime au plat à sauter un léger mouvement de rotation pendant que le beurre se dissout et que la sauce épaissit et enveloppe d'une sauce lisse les tronçons et leur garniture.

La matelote est alors prête à servir.

Vérifier l'assaisonnement et la terminer en ajoutant, hors du feu, 100 grammes de beurre frais.

On peut adjoindre en même temps, une demi-cuillerée à potage de beurre d'anchois, composé d'anchois dessalés, pilés avec autant de beurre et passés au tamis très fin.

Dresser sur un plat creux bien chaud, garnir d'écrevisses cuites à la nage et de croûtons taillés en forme de losange d'un demi-centimètre d'épaisseur et frits au beurre.

Anguille en pochouse

Se prépare comme la matelote à la bourguignonne, à cette différence que la garniture de petits oignons et de champignons est complétée, pour une anguille de 700 à 800 grammes, de 125 grammes de lard de poitrine frais ou ébouillanté et rafraîchi s'il est salé ; le couper en lardons, les fondre dans le plat à sauter où les petits oignons cuiront à la suite.

Anguille à la crème

Dépouiller, vider, laver et tronçonner une anguille moyenne ; saupoudrer les tronçons de sel fin et laisser macérer un grand quart d'heure ; les cuire ensuite comme une matelote au vin blanc.

Laver et châtrer douze écrevisses vivantes, les sauter au beurre dans un plat à sauter à feu vif, ajouter deux douzaines de petits champignons blancs et fermes, assaisonner de sel et poivre frais moulu, puis, après deux ou trois minutes, une cuillerée à potage de cognac ou de fine champagne et deux cuillerées de vin blanc sec. Faire bouillir cinq minutes et enlever les écrevisses et les champignons séparément.

Décortiquer les queues des écrevisses et les joindre aux champignons, broyer les têtes et les carapaces au mortier et mettre ce coulis dans le plat à sauter dans lequel se trouve la cuisson des écrevisses. Y ajouter celle de l'anguille. Faire bouillir et réduire d'un tiers, ajouter 2 décilitres de crème fraîche, donner une ébullition et la passer à l'étamine sur les tronçons d'anguille qui ont été réunis dans le plat à sauter aux queues d'écrevisses et aux champignons.

Porter à ébullition et lier avec du beurre manié à raison de 15 grammes par décilitre de sauce (voir la façon de procéder indiquée pour la matelote à la bourguignonne). La liaison doit être légèrement plus consistante que pour cette dernière.

Vérifier l'assaisonnement et terminer, hors du feu, avec un décilitre de crème fraîche qui détendra la trop forte consistance de la liaison.

Dresser dans un plat creux bien chaud, garnir de croûtons taillés en cœur de 5 millimètres d'épaisseur, et frits au beurre.

Ce mets peut être présenté dans une croûte à vol-au-vent.

Anguille à la flamande dite « au vert »

Détailler en tronçons de 6 centimètres une anguille moyenne. Les faire revenir au beurre dans un plat à sauter en y mélangeant, à la fin de cette première opération, deux oignons moyens et le blanc d'une branche de céleri taillés en minuscules petits dés.

Ces condiments doivent subir un très léger rissolage ; ajouter aussitôt du vin blanc sec à hauteur des tronçons. Assaisonner de sel et poivre frais moulu et condimenter avec 125 grammes de feuilles d'oseille coupées en julienne, 125 grammes de cresson de fontaine, 50 grammes d'ortie blanche, une cuillerée à café de persil haché, une de cerfeuil, une pincée de sauge, une de sarriette et une de menthe fraîche, mises dans un sachet pour infusion.

Faire bouillir rapidement 15 minutes.

Préparer dans un bol 4 jaunes d'œufs et 2 cuillerées à potage de crème fraîche. Enlever les tronçons d'anguille en prenant soin de ne pas les briser et les maintenir au chaud entre deux assiettes creuses.

Lier ensuite la cuisson avec jaunes d'œufs et crème comme il est expliqué pour la liaison des sauces et des potages.

Remettre les tronçons dans la sauce, bien les enrober en donnant un mouvement de rotation au plat à sauter. Vérifier l'assaisonnement et servir chaud ou froid.

Brochet à la nantaise

(dit « au beurre blanc »)

Cuire un brochet de 3 à 4 livres au court-bouillon au vinaigre. Dès que l'ébullition se manifeste, écumer et mettre la poissonnière sur le côté du feu pour que la cuisson se poursuive par un simple pochage durant 20 à 25 minutes.

Pendant le pochage faire blondir, dans une sauteuse, très doucement au beurre, trois échalotes hachées finement ; ajouter une cuillerée à potage d'eau, 2 de vinaigre ou 1 décilitre de muscadet, une pincée de sel, une prise de poivre frais moulu. Laisser réduire des 2/3

Tenir cette réduction à chaleur douce et lui incorporer, sans faire bouillir, 200 grammes de beurre divisé en petites parcelles mises une à une. Fouetter vivement sans discontinuer le mélange avec un fouet à sauce. Le beurre restera en pommade légère, deviendra très mousseux et nettement blanc. D'où son nom de beurre blanc.

Égoutter le brochet, le dresser sur serviette et servir à part le beurre blanc dès qu'il est prêt. Cette préparation ne doit pas attendre.

Nota. — Différents procédés régionaux permettent de faire un excellent beurre blanc. L'un de ces procédés est recommandable par sa simplicité. Ajouter à la réduction ci-dessus indiquée un verre de court-bouillon du brochet, le réduire des 2/3 en plein feu ; à ce moment, alors qu'il est en pleine ébullition, lui adjoindre le beurre divisé en noix. En fondant le beurre se mélange à la réduction suffisamment corsée et sous la violence de l'ébullition, une émulsion se prépare toute seule. Fouetter pendant cette transformation et retirer du feu quand la liaison est obtenue.

Brochet braisé aux champignons

Vider et nettoyer un brochet de 2 kilos, le laver avec grand soin ; l'assaisonner de sel et poivre de toutes parts et le placer dans une poissonnière de dimension juste appropriée sur un lit de tout petits champignons de couche bien blancs.

Mouiller d'un verre à boire ordinaire de xérès et d'une quantité égale de fond de veau blanc, parsemer dessus 150 grammes de beurre divisé en parcelles.

Cuire à four chaud 30 minutes, ne pas couvrir la poissonnière et pratiquer de fréquents arrosages. Au terme de la cuisson, le brochet doit être parfaitement doré.

Relever le poisson sur un plat de service, l'entourer des champignons bien égouttés et le tenir au chaud ; verser le fond de braisage dans un plat à sauter, le réduire de moitié, ajouter deux décilitres de crème fraîche, réduire à nouveau légèrement, puis hors du feu, incorporer 150 grammes de beurre et un verre à liqueur de fine champagne. Vérifier l'assaisonnement et arroser le brochet avec la sauce qui doit être légèrement teintée ivoire.

Nota. — Pour des raisons de convenance, le fond de veau peut être remplacé par une quantité égale de fumet de sole un peu corsé.

Le brochet cuit au court-bouillon peut être accompagné de sauces diverses : hollandaise, au beurre, ravigote, etc.

Brochetons « Tatan Nano »

Éléments (pour 4 personnes) :

4 brochetons de 150 à 180 grammes ; 24 belles cuisses de grenouilles ; 100 grammes de champignons ; 200 grammes de feuilles d'épinards ; 1 décilitre de crème ; 200 grammes de beurre ; 1 décilitre de vin blanc ; 20 grammes d'échalotes ; 1 blanc et 2 jaunes d'œufs ; sel et poivre.

Méthode :

Écailler, ébarber et retirer les ouïes des brochetons. Les inciser sur le dos pour enlever l'arête (en s'aidant du dos d'une cuiller, on arrive, en repoussant les chairs, à extirper les fines aiguilles si désagréables dans ce poisson). Les vider par l'orifice obtenu.

Désosser convenablement les cuisses de grenouilles (il est nécessaire d'avoir des grenouilles n'ayant pas été à la glace, car celle-ci gonfle les chairs d'eau).

Avec les arêtes des brochetons et l'ossature des grenouilles, faire un fumet (pour cela, avant de mouiller, faites étuver les aromates).

Piler les chairs de grenouilles avec le blanc d'œuf. Passer au tamis fin pour éliminer complètement les nerfs. Comme une farce fine à quenelle, monter sur glace à la crème en assaisonnant de haut goût. Faire l'essai habituel.

Avec cette farce, garnir chaque brocheton. La fermeture doit se faire en joignant les chairs, celles-ci étant suffisamment gélatineuses pour établir la soudure.

Les brochetons étant farcis, les ranger dans un plat beurré, sur un lit d'échalotes hachées et de champignons émincés. Mouiller avec vin blanc et fumet. Assaisonner, couvrir d'un papier beurré et, par braisage, cuire à feu doux 15 minutes environ. Égoutter les brochetons sur un linge. Enlever la peau. Ébarber à nouveau. Remplacer l'épiderme en enveloppant les brochetons (sans recouvrir la tête) avec les feuilles d'épinards blanchies et assaisonnées.

Faire, avec la cuisson, un velouté monté au beurre et lié au jaune pour obtenir une sauce vin blanc onctueuse et pouvant glacer (à ce sujet, utiliser le sabayon, c'est-à-dire l'émulsion de jaunes d'œufs et de crème). Ranger ensuite les brochetons sur un plat de service. Aligner sur chacun les champignons émincés. Napper avec la sauce préalablement passée à l'étamine. Glacer à four chaud ou à la salamandre avant le service.

Quenelles de brochet à la lyonnaise

Éléments (pour 80 pièces de quenelles de 100 grammes environ) :

1,800 kg net de chair de brochet ; 1,800 kg de beurre fin ; 50 œufs ; 12 blancs d'œufs ; 2 litres de lait ; 2,400 kg de farine ; 100 grammes de sel ; 5 grammes de poivre moulu ; 1 gramme de noix de muscade râpée.

Pour la fabrication des quenelles trois phases primordiales sont nécessaires : la préparation de la panade, la farce et le pochage.

Préparation de la panade :

Dans un rondeau bas, à fond épais, mettre à bouillir le lait, ajouter 400 grammes de beurre, incorporer au fouet rapidement la farine préalablement tamisée. Dès que le mélange est fait et qu'il s'épaissit, retirer le récipient sur le coin du feu et en remuant continuellement à l'aide d'une spatule en bois, dessécher la panade. Ceci étant fait (20 minutes environ), la mettre à refroidir dans un lieu frais.

Préparation de la farce :

Piler finement au mortier, à l'aide du pilon, la chair de brochet avec le sel, poivre et noix de muscade. La chair étant réduite en pommade, la passer au tamis fin, la remettre dans le mortier, incorporer les blancs d'œufs et ensuite la panade refroidie.

Le mélange étant bien fait, ajouter les œufs. Le tout étant également très homogène, terminer en incorporant le beurre travaillé en pommade.

Avant le pochage, débarrasser l'appareil à quenelles au froid pour le rendre plus ferme.

Pochage des quenelles :

Mettre à bouillir 20 litres d'eau, saler normalement. A l'aide d'une cuiller spéciale, mouler les quenelles de 100 grammes. Par une vingtaine à la fois, les faire pocher dans le liquide très chaud mais non en ébullition.

Au bout de 15 minutes environ, les quenelles étant pochées, si elles ne sont pas utili sées aussitôt, les plonger dans un récipient d'eau fraîche jusqu'à leur refroidissement complet. Les égoutter et les mettre en réserve en chambre froide. Elles peuvent être préparées ensuite au fur et à mesure des besoins, à la crème, à la Nantua, au gratin.

Quenelles de brochet

(méthode ancienne)

Éléments :

250 grammes de chair de brochet, poids net, arêtes et peaux enlevées ; 250 grammes de graisse de rognon de bœuf très sèche et dénervée ou 125 grammes de graisse et 125 grammes de moelle de bœuf bien dégorgée ; 250 grammes de panade (pâte faite à la manière d'une frangipane très consistante avec 125 grammes de farine tamisée, 4 jaunes d'œufs, 50 grammes de beurre fondu, diluer et mouiller peu à peu avec 2 décilitres de lait chaud, assaisonner d'une prise de sel fin et d'une prise de muscade et, en remuant avec une cuiller en bois sans arrêt, donner un bouillon), 6 œufs entiers, 10 grammes de sel, une pincée de poivre, une prise de muscade, gruyère râpé, chapelure.

Méthode :

Diviser la graisse en parcelles en la débarrassant des filaments, peaux et nerfs, et la hacher finement. Piler la chair de brochet au mortier pour la transformer en pâte lisse. Mélanger la graisse et l'assaisonnement. Broyer encore jusqu'à unification totale des deux éléments. Ajouter les œufs un à un (plus ou moins suivant la consistance obtenue). Incorporer la panade refroidie et passer la masse au tamis. Étendre le mélange sur 2 cm d'épaisseur dans un plat. Mettre au réfrigérateur jusqu'au lendemain.

Façonner les quenelles à la main en roulant du bout des doigts une noix de mélange sur une table saupoudrée de farine ou en allongeant la composition en un boudin de la grosseur du doigt et en le divisant ensuite en bâtonnets de 8 cm de longueur.

Après pochage à l'eau bouillante et salée, maintenue en ébullition faible, durant 7 à 8 minutes (la cuisson s'observe par la légère résistance au toucher), les égoutter bien à fond et les dresser sans les serrer, dans un plat en terre allant au four et nappé de sauce Mornay légère, les recouvrir de même sauce et les saupoudrer de gruyère râpé mélangé avec une pincée de mie de pain en chapelure. Arroser d'un peu de beurre fondu et mettre au four chaud 8 à 10 minutes.

Servir aussitôt et brûlant ce mets exquis dont les restaurants et traiteurs lyonnais ont fait leur grande spécialité.

Nota. — La graisse de bœuf peut être remplacée partiellement ou en totalité par du beurre frais, ce qui est préférable.

Carpe à la juive

Vider, nettoyer avec soin une carpe de 2 kilos. Si elle contient une laitance, réserver cette dernière.

Couper la carpe en tronçons de 2 centimètres d'épaisseur.

D'autre part, ciseler 2 gros oignons et 3 échalotes, les faire blondir dans 2 décilitres d'huile chauffée doucement dans un plat à sauter assez grand pour tenir à plat tous les tronçons de carpe. Disposer les tronçons sur l'oignon, les passer quelques minutes dans l'huile chaude en les retournant, les saupoudrer avec 2 cuillerées à potage bien pleines de farine, mélanger avec précaution, cuire ainsi 5 minutes en veillant à ne pas laisser colorer ; ajouter gousses d'ail écrasées, un bouquet de persil garni d'une brindille de thym et d'un fragment de feuille de laurier ; mouiller à hauteur du poisson avec moitié vin blanc, moitié fumet de poisson ou fond de veau blanc, eau à défaut ; compléter par 4 cuillerées à potage d'huile, assaisonner de sel et poivre frais moulu et cuire doucement à couvert 20 minutes.

Égoutter les tronçons, les dresser bout à bout sur un plat long en reformant le poisson et faire réduire le fond de cuisson des 2/3 ; enlever le bouquet garni et incorporer à la réduction hors du feu, comme l'on procède pour une sauce mayonnaise, 4 décilitres d'huile. Vérifier l'assaisonnement, verser la sauce émulsionnée sur la carpe et laisser refroidir. La sauce prend alors en gelée.

Se sert avec une persillade parsemée dessus au dernier moment.

Laitance de carpe

La laitance de carpe est fort délicate et se prépare de différentes façons, pochée ou meunière ou comme garniture d'œufs, de poissons, etc.

Pour l'usage familial, nous conseillons le mode dit « à la meunière », indiqué pour la plupart des poissons d'eau douce ou de mer.

Féra

La féra appartient au groupe des saumons ; on la pêche presque exclusivement dans les lacs suisses. La plus réputée est celle du lac Léman. Sa chair est grasse, blanche et fort délicate.

La préparation culinaire la plus simple est, pour la féra, la meilleure. La voici :

Écailler, vider, laver et éponger la féra, l'assaisonner sel et poivre de toutes parts avec une goutte d'huile ; rouler le poisson dans la farine et le secouer pour le débarrasser de l'excédent de farine.

Chauffer un plat en terre allant au four dans lequel un bon morceau de beurre a été placé. Quand le beurre chante, y placer la ou les féras et cuire au four bien chaud.

Retourner une fois les poissons qui, quand ils sont cuits, doivent être recouverts d'une légère enveloppe dorée produite par l'amalgame de l'huile et de la farine. Les arroser fréquemment pendant la cuisson.

Au moment de servir, dans le plat utilisé pour la cuisson, presser sur les poissons quelques gouttes de jus de citron, parsemer dessus une cuillerée à café de persil haché, ébouillanté et encore humide, les arroser de quelques cuillerées de beurre cuit presque noisette et présenter aussitôt le plat recouvert de beurre maintenu mousseux par l'humidité contenue par le persil.

Goujon

Le goujon est l'un de nos meilleurs petits poissons de rivière, surtout s'il provient d'eaux vives et de fonds pierreux.

La seule préparation qui lui convient vraiment est le traitement par la friture.

Goujons frits

Les choisir petits, les vider avec la pointe du couteau, les laver, les éponger et les tremper dans un peu de lait ; les égoutter, les fariner un à un en les roulant sur la main puis, lorsqu'ils sont tous ainsi préparés et réunis dans le panier à friture, les plonger dans un bain d'huile fumante.

Cuits en quelque 3 ou 4 minutes, les égoutter sur un linge, les saupoudrer de sel fin et les servir immédiatement très chauds et croustillants.

Les dresser en buisson accompagnés d'un bouquet de persil frit et de quartiers de citron.

Lavaret

Le lavaret, de la famille des salmonidés, vit surtout dans les eaux très profondes des lacs du Bourget et d'Annecy.

On peut lui appliquer toutes les préparations propres à la truite de rivière.

Omble chevalier

Salmonidé cousin germain du lavaret et de la féra, il est encore plus rare que ces derniers. Ses domaines sont les eaux très profondes des lacs savoyards et suisses. Il se prépare comme la truite saumonée. Sa chair est rose pâle et parfumée.

Perche

Les petites perches ou perchettes font une excellente friture traitée comme celle de goujons.

Quand elle pèse 1 à 2 kilos, elle est accommodée comme la truite de rivière dont elle rappelle sensiblement la saveur.

Mousse chaude de truite de rivière au coulis d'écrevisses

Éléments (pour la mousse) :

600 grammes net de chair de truite de rivière; 20 grammes de sel; 15 tours de moulin à poivre; 4 blancs d'œufs; 1 litre de crème double.

Méthode :

1º Piler au mortier la chair de truite avec le sel et les épices. Ajouter les blancs d'œufs. Quand le tout est bien homogène et tamisé, incorporer sur glace la crème double.

2º Beurrer un grand moule à savarin. Le remplir avec la mousse ainsi préparée.

Mettre le moule au bain-marie; il faut compter 3/4 d'heure de cuisson à four moyennement chaud.

Éléments (pour le coulis d'écrevisses) :

1 kilo de belles écrevisses à pattes rouges; 10 centilitres de cognac; 1 litre de fumet de poisson fait avec les arêtes des truites; 1 décilitre de crème; 100 grammes de beurre; 1 cuillerée de farine.

Méthode :

Échauder rapidement à l'eau bouillante les écrevisses. Séparer et décortiquer les queues, les mettre en réserve. Ceci étant fait, piler les carapaces au mortier et, pour développer la couleur carminée, les faire revenir au beurre dans une sauteuse.

Ajouter le cognac. Laisser réduire celui-ci de moitié et mouiller avec le fumet de truite qui doit être très aromatisé. Cuire quelques minutes sur le coin du feu. Lier légèrement au beurre manié et après rectification de l'assaisonnement. Après avoir crémé, fouler au chinois le coulis obtenu.

Présentation :

Démouler la mousse chaude de truite sur un grand plat rond en argent ou en porcelaine. Mettre au centre les queues d'écrevisses, lesquelles auront été étuvées au beurre, assaisonées et liées avec un peu de coulis très chaud.

Une saucière de coulis sera servie à part ainsi qu'un bol de riz pilaf.

Variante :

On peut utiliser des moules à savarin individuels. On peut aussi, pour enrichir ce mets, parsemer quelques lames de truffes et mettre en bordure du plat de beaux fleurons en pâte feuilletée.

Truites au bleu

Cette préparation est simple et parmi les meilleures ; mais elle exige des truites vivantes.

Quelques minutes avant de servir les truites, les pêcher dans le vivier, les assommer en leur frappant la tête sur quelque chose de dur, enlever les ouïes et l'intestin avec la pointe d'un couteau et, sans les laver ni les essuyer, pour ne pas enlever le limon qui les recouvre, les plonger aussitôt dans un court-bouillon fortement acidulé de vinaigre en pleine ébullition.

Cuire 7 à 8 minutes pour des poissons de 150 grammes environ.

Égoutter les truites qui ont pris une teinte bleutée. Les dresser sur serviette et les servir avec, comme accompagnement, des pommes de terre cuites à l'anglaise, une saucière de beurre fondu en pommade et condimenté de quelques gouttes de jus de citron.

Les truites au bleu peuvent être servies froides accompagnées d'une sauce ravigote à l'huile ou avec de la sauce mayonnaise très légère.

Truites de rivière « à la meunière »

Enlever les ouïes, l'intestin des truites, les laver, les éponger, les enduire de sel, poivre mélangés à une cuillerée à café d'huile et les rouler dans la farine. Bien les secouer et les ranger dans une poêle dans laquelle chante, grésille un bon morceau de beurre additionné d'un tout petit peu d'huile.

Au contact du beurre bien chaud, le poisson sera saisi. Il faut veiller à ce phénomène qui doit être assez vif (pour empêcher l'adhérence du poisson à la poêle) sans excès toute fois, car la croûte formée par l'enduit d'huile et de farine deviendrait un écran solide qui s'opposerait à la pénétration de la chaleur et à la cuisson normale de la truite.

Cette cuisson doit être conduite assez vivement, le poisson doit donner l'impression de frire doucement et non de bouillir.

Quand la truite est cuite d'un côté la retourner à l'aide d'une spatule et poursuivre la cuisson dans les mêmes conditions.

Bien dorée, un peu croustillante, la truite est alors dressée sur un plat brûlant, avec quelques gouttes de citron exprimées directement dessus, recouverte d'une bonne pincée de persil grossièrement haché, ébouillanté et égoutté — opération effectuée en une seconde à la dernière minute — et arrosée du beurre de cuisson augmenté d'un morceau de beurre cuit à la noisette. Le beurre brûlant et l'humidité du persil provoquent une mousse abondante et odorante qui persiste quand ce poisson délicieux est présenté sans retard aux convives.

Quenelles de poisson ou farces

Les quenelles (ou farces) de poisson sont généralement faites avec de la chair de merlan ou de brochet et toujours ou presque avec des poissons à chair blanche.

Ces quenelles, comme celles de veau, de volaille ou de gibier, peuvent être divisées en deux catégories, c'est-à-dire les quenelles fines et les quenelles ordinaires.

Les quenelles fines ou mousselines ne diffèrent pas des mousselines de volaille. Comme celles-ci, elles se composent, hors le poisson, de crème et de blancs d'œufs. Les proportions sont exactement les mêmes.

Rougets de la Méditerranée - sauce au pistou (p. 138)

Il faut cependant insister sur l'incertitude des proportions des éléments utilisés qui n'ont rien de mathématique. La solidification de la farce est assurée par l'albumine contenue dans les chairs employées. Comme la teneur en albumine des chairs varie suivant les poissons, leur taille, leur âge ou leur espèce, l'addition des blancs d'œufs a pour but de solidifier la crème incorporée et de corriger la composition des chairs. D'où un tâtonnement inévitable si l'on veut obtenir le point culminant de la finesse.

Les quenelles ordinaires sont un mélange de chair de poisson, de panade et d'œufs. Elles peuvent être affinées par un apport de beurre ou de crème.

LES POISSONS DE MER

Barbue

La barbue, de la même famille que la sole et le turbot, se classe parmi les plus fins poissons de la faune marine. Toutes les préparations culinaires spéciales à la sole et au turbot lui sont applicables. Nous conseillons de choisir des pièces moyennes.

Filets de barbue grillés Saint-Germain

Lever les filets d'une barbue moyenne préalablement débarrassée des deux peaux et vidée.

Cette opération s'effectue ainsi :

Inciser la chair de la barbue jusqu'à l'arête en suivant l'épine dorsale de la tête à la queue. Cerner d'une incision le contour des filets. Cette incision se place à la naissance des petites arêtes qui prolongent l'arête principale. Puis, la pointe d'un couteau souple en avant, en partant de l'épine dorsale, on glisse la lame à plat sous le filet en coupant et en tirant le couteau vers soi.

L'arête dégagée et la tête seront utilisées pour un fumet de poisson ou une soupe.

Vérifier les filets afin qu'il ne reste pas d'arêtes ni de barbes, les essuyer, les assaisonner de sel et de poivre mélangés à une goutte d'huile d'olive ; parsemer sur un côté des filets un peu de mie de pain émiettée en chapelure, faire adhérer cette dernière en l'appuyant sur les filets avec le plat d'une lame de couteau et poser les filets sur le gril, suffisamment incandescent, en présentant le côté pané au foyer.

On veillera à régler l'intensité du foyer selon l'épaisseur des filets. Par exemple, l'extrémité vers la queue étant la plus mince, la couche de braise incandescente sera plus basse, c'est-à-dire plus éloignée du gril. Si le gaz ou l'électricité sont employés, on éloignera cette partie des filets de la rampe incandescente, ou l'intensité de celle-ci sera diminuée. Ainsi, on obtiendra une cuisson régulière en évitant le dessèchement des parties les plus minces.

Pendant la première partie de la cuisson, on parsèmera de la mie de pain sur les filets ; on lui donnera une adhérence suffisante par une légère pression faite avec la lame d'un couteau ; on arrosera cette mie de pain de quelques gouttes de beurre fondu, puis, les filets étant à demi cuits d'un côté, on les retournera avec précaution à l'aide d'une spatule.

La cuisson terminée, les filets seront dressés sur un plat long bien chaud, arrosés de quelques gouttes de jus d'un demi-citron pressé au-dessus, puis entourés d'une garniture de petites tomates grillées et assaisonnées dans lesquelles on peut encore ajouter une cuillerée de riz cuit à la créole ou pilaf, ou à l'eau salée à point et lié au beurre frais.

Enfin, servir, en même temps, une saucière de sauce béarnaise.

Pour simplifier, la cuisson des filets peut être effectuée à la poêle, dans du beurre, comme à la meunière. On peut faire griller la barbue entière ; dans ce cas, enlever seulement la peau noire et gratter soigneusement les écailles de la peau blanche. La cuisson est plus délicate à conduire, mais ce mets sera encore plus exquis grâce à l'arête qui contient des sucs dont les filets bénéficient pendant la cuisson.

Bouillabaisse

Ce mets spécifiquement provençal, marseillais pourrions-nous dire, a son origine dans les coutumes alimentaires des pêcheurs qui, à bord de leur bateau, traitent certains poissons à la manière d'un pot-au-feu dont l'élément serait moins abondant.

Les goûts méridionaux, d'une part, et les affinements apportés par les professionnels, d'autre part, en ont fait un mets divin.

Éléments (pour 6 personnes) :

1,500 kg de poissons fraîchement pêchés, vivants quand cela est possible, et comprenant, toujours quand cela est aussi possible, rascasse, chapon, merlan, rouget, vive, saint-pierre, fiélas, congre et langouste. D'aucuns y ajoutent des coquillages tels que les moules, coques, etc. ; nous déconseillons cet usage, la saveur des moules est trop forte et les coquillages ont trop souvent la propriété de déposer du sable. Croûtons de pain frottés à l'ail.

Condiments :

60 grammes d'oignon, le blanc d'un poireau moyen, 2 tomates mondées, épépinées, et concassées — ne pas rejeter l'eau de végétation — 15 grammes d'ail râpé, une forte pincée de persil haché grossièrement, 1 décilitre d'huile d'olive, thym, laurier, sarriette, un brin de chaque, une branche de fenouil, enfin l'essentiel : un soupçon d'anis et du safran (une pincée) dont la saveur doit être dominante. Et, pour compléter, 40 grammes de beurre frais.

Méthode :

Réunir l'oignon et le poireau finement ciselés dans une casserole pouvant aller en plein feu avec deux cuillerées à potage d'huile. Chauffer doucement en remuant fréquemment jusqu'à la cuisson de ces condiments qu'il ne faut pas laisser colorer. Disposer ensuite les poissons (la langouste exceptée) nettoyés, grattés, vidés, parés et débarrassés de la tête. Ajouter tous les condiments, saupoudrer avec une forte pincée de sel (8 grammes environ), une de poivre frais moulu et mouiller largement à hauteur avec du bouillon de poisson (fumet non salé fait avec les têtes des poissons utilisés ou, quand on le peut, avec des arêtes de soles, barbue et tête de turbot. Éparpiller le beurre divisé en morceaux, arroser le tout avec le reste d'huile.

Mettre en cuisson en plein feu. Dès les premiers bouillons y jeter la langouste coupée vive en tronçons. Cuire ainsi à grands bouillons pendant 15 minutes.

Sous la violence de l'ébullition, le fumet de poisson (augmenté des principes sapides des poissons en traitement), l'huile et le beurre (vigoureusement émulsionnés) se combinent et se lient au point d'atteindre la consistance d'un potage crème.

Mais il est indispensable de servir ce mets d'une rare succulence aussitôt cuit sans quoi la liaison naturelle, qui en forme le charme, disparaîtrait rapidement.

Les poissons, égouttés avec précaution, sont présentés sur un plat, alors que la soupe est versée bouillante sur des tranches de pain frottées à l'ail, arrosées de gouttes d'huile et grillées au four et qui ont été préparées dans une soupière.

Dernière et importante recommandation : l'assaisonnement et la condimentation, vérifiés avant de verser la soupe sur le pain, sont le point culminant de la haute qualité de la bouillabaisse.

Nous avons écrit que la note dominante appartient au safran qui apporte sa saveur et l'or de sa couleur, mais il faut lui associer le fenouil et l'anis dans des proportions que seul le palais du praticien dirige s'il possède l'art de déguster et la notion précise du haut goût recherché.

Comme le fenouil et l'anis peuvent faire quelquefois défaut, une larme d'absinthe y supplée, mais ceci avec de grandes précautions.

Cabillaud à la ménagère

Couper en plein corps du poisson (préalablement gratté et lavé) un tronçon de 30 à 35 centimètres. Beurrer grassement un plat en terre à rôtir de dimension suffisante pour contenir le tronçon et sa garniture. Y placer le poisson bien assaisonné de sel et de poivre de toutes parts, l'entourer de petites pommes de terre nouvelles et de petits oignons blancs nouveaux; si ces légumes ne sont pas nouveaux, les ébouillanter, les égoutter et les assaisonner de sel fin. Arroser le tout de beurre fondu et cuire au four en pratiquant de fréquents arrosages avec le beurre de cuisson qui peut être allongé sans inconvénient, bien au contraire, d'une bonne cuillerée à potage d'huile d'olive.

Les oignons doivent représenter le quart de la totalité de la garniture et celle-ci, disposée autour du poisson, doit reposer entièrement sur le fond du plat afin que l'ensemble se trouve constamment dans le beurre de cuisson et dore régulièrement.

Au moment de servir dans le plat de cuisson, parsemer sur le tout une pincée de persil frais haché et, à part, un citron divisé en quartiers qui seront pressés sur le poisson quand celui-ci sera réparti dans les assiettes chaudes des convives.

Le cabillaud s'accommode poché ou grillé, coupé en tranches de 2 centimètres d'épaisseur, et servi avec l'une des sauces conseillées pour tous les poissons auxquels ces modes de cuisson sont appliqués.

Colin

Le colin devrait occuper une très grande place dans la cuisine familiale. Abondant sur les marchés en toutes saisons, l'un des poissons le meilleur marché par conséquent, peu chargé en déchets et en arêtes, possédant une chair blanche et délicate, il se prête à toutes les combinaisons culinaires, chaudes ou froides, entier, en tronçons, en tranches (darnes), poché, frit, grillé, au plat, à la poêle, à la meunière. Condimenté avec goût, il est toujours exquis.

Sa chair est nourrissante, se digère facilement et convient tout autant aux travailleurs de force qu'aux intellectuels et aux malades.

Colin à la portugaise

Couper un colin en darnes (tranches), de 240 grammes chacune, les assaisonner abondamment, de toutes parts, de sel fin et de poivre frais moulu, les ranger dans un plat à sauter contenant, pour 6 personnes, 6 tranches de poisson; 100 grammes de beurre; 6 cuillerées à potage, soit un décilitre d'huile d'olive; un bel oignon ciselé (haché) et fondu au beurre dans le plat à sauter avant d'y mettre le poisson et les autres condiments; 2 gousses d'ail écrasées, un kilo de tomates bien mûres, débarrassées du pédoncule, de la peau, des semences, mais pas de l'eau de végétation et grossièrement hachées; 300 grammes de riz crevé à l'eau salée à point jusqu'aux trois quarts de sa cuisson et 2 décilitres (un verre à boire ordinaire) de vin blanc sec.

Couvrir le plat à sauter, mettre en cuisson en plein feu pendant 10 minutes. Enlever ensuite le couvercle et poursuivre la cuisson encore 8 à 10 minutes au plus; l'évaporation provoque la réduction en partie de l'eau des tomates et du vin blanc. Retirer du feu et servir en dressant les darnes sur un plat long ou rond; couper en fragments 100 grammes de beurre frais, le mettre dans le plat à sauter et le mélanger en imprimant à l'ustensile un mouvement de rotation. Le beurre s'amalgame au riz et aux tomates. Vérifier l'assaisonnement et verser le tout sur les darnes de colin.

Parsemer dessus une pincée de persil frais haché.

Nota. — Le riz, les tomates, la cuisson doivent présenter un mélange légèrement lié et non compact.

Daurade

La daurade est protégée par une carapace d'écailles épaisses et rudes qu'il est nécessaire d'enlever entièrement en procédant à sa toilette. La vider en laissant toutefois à leur place naturelle les œufs ou la laitance quand il s'en trouve. Si elle est servie entière, lui laisser la tête pour la cuire.

Il existe plusieurs espèces de daurades ; la meilleure porte d'un œil à l'autre un bourrelet nacré et transparent et vit dans la Méditerranée. Elle ne doit pas être confondue avec la daurade particulière aux mers de Chine.

Les petites daurades peuvent être traitées comme les rougets : grillées, frites, à la meunière, etc. ; moyennes ou grosses : au plat, pochées, farcies comme l'alose, au gratin, comme les soles, au vin blanc ou au vin rouge, à la Bercy, à la dieppoise, à la portugaise, etc.

Daurade Bercy

Choisir une daurade pour 5 à 6 personnes ; la nettoyer, vider, gratter et laver, l'inciser légèrement transversalement tous les 2 centimètres sur l'épaisseur du dos et de chaque côté ; l'assaisonner de sel fin et de poivre et la coucher sur un plat à gratin dont le fond est grassement beurré et garni de deux échalotes hachées et d'une forte pincée de persil haché ; mouiller au tiers de sa hauteur avec du vin blanc sec ; l'arroser avec 100 grammes de beurre fondu. Cuire au four 25 à 30 minutes et procéder à de fréquents arrosages avec le jus de cuisson ; dresser la daurade sur un plat long et tenir au chaud en ayant soin de recouvrir le poisson d'une cloche ou d'un plat creux pour éviter qu'il ne sèche et ne refroidisse.

Si le jus de cuisson est trop long, le réduire à la quantité juste nécessaire pour consommer le poisson et, dans les deux cas, lui incorporer en le vannant, hors du feu, 125 grammes de beurre frais divisé en parcelles.

La cuisson devient sauce, elle doit être liée ; vérifier l'assaisonnement et en arroser la daurade. La présenter quelques minutes au four très chaud, ou au gril d'un four chauffé à l'électricité ou au gaz et la sauce prendra aussitôt une jolie couleur doré foncé. La servir immédiatement.

Dans le cas où l'on ne disposerait pas d'un four suffisamment chaud, d'un gril formant plafond, d'un fourneau à gaz ou à l'électricité, ne pas procéder à cette dernière opération.

On peut d'ailleurs exécuter cette recette d'une façon plus économique en remplaçant les 125 grammes de beurre par 50 grammes de beurre frais mélangé à une cuillerée à café de farine. Ce beurre dit « manié » est jeté en parcelles dans la cuisson bouillante, réduite ou non, vannée quelques secondes et versée sur la daurade quand la liaison est obtenue par la simple dissolution et la cuisson immédiate du beurre manié.

Daurade farcie

Pour 6 personnes, préparer une daurade de 1,500 kg environ.

Faire fondre avec 100 grammes de beurre, dans un plat à sauter, très doucement et sans laisser colorer, 4 échalotes hachées. Cette première opération nécessite 15 à 20 minutes pour que l'échalote soit cuite. A ce moment mettre le plat à sauter en plein feu et y jeter 250 grammes de champignons nettoyés avec soin et hachés ; les dessécher rapidement, les assaisonner de sel et de poivre, d'une pointe de romarin et les mouiller d'un verre à boire ordinaire de vin blanc sec. Ajouter une grosse tomate épluchée et épépinée. Faire réduire très vivement à feu vif. Compléter, hors du feu, avec 100 grammes de mie de pain rassis émiettée en chapelure, et un œuf battu en omelette. Bien mélanger et vérifier l'assaisonnement.

Si la daurade contient une laitance ou des œufs, les ajouter à la farce préparée et introduire le tout par les ouïes, dans l'intérieur du poisson. Coucher ce dernier sur un plat allant au four et préalablement grassement beurré ; assaisonner de sel et de poivre ; mouiller avec la contenance d'un verre ordinaire de vin blanc sec, parsemer sur le poisson une cuillerée à potage de mie de pain en chapelure et 100 grammes de beurre divisé en parcelles.

Cuire au four et arroser fréquemment.

Temps de cuisson : 40 minutes.

Éperlans

Il faut toujours acheter de petits éperlans et les traiter à la friture en brochette ou les servir en buisson absolument comme les goujons.

Les gros éperlans peuvent être préparés comme les merlans avec lesquels ils ont beaucoup d'analogie avec cette différence toutefois que la quantité d'arêtes étant excessive pour la grosseur, ils sont désagréables à manger.

Esturgeon

Poisson migrateur qui, comme le saumon, vit tour à tour dans les eaux douces ou salées. On le rencontre surtout dans les grands fleuves de Russie et en quantité beaucoup plus limitée dans la Gironde. Il peut atteindre une très grande taille.

Ses œufs à la suite d'une préparation particulière deviennent le caviar, sa chair est ferme, huileuse et de qualité secondaire.

On le trouve d'ailleurs assez rarement sur nos marchés où il est vendu relativement bon marché. Les préparations culinaires à lui appliquer sont celles particulières au veau braisé.

Fricandeau d'esturgeon

Couper un morceau d'esturgeon, débarrassé de la peau, en tranches de 4 centimètres d'épaisseur, les piquer au lard comme il est pratiqué pour un fricandeau ordinaire. Disposer dans le fond d'un plat à sauter grassement beurré carottes et oignons coupés en rondelles ; placer les tranches d'esturgeon et les faire braiser.

Servir avec le fond de braisage et une garniture de petits oignons, d'olives ou de légumes : épinards, oseille, courgettes, purée de pommes de terre au gratin ou champignons sautés (cèpes, girolles, morilles, etc.).

Haddock ou aiglefin fumé

Ce poisson est vendu fumé dans le commerce.

Entier ou en filets, il est généralement cuit par le pochage dans l'eau additionnée d'un peu de lait. Temps de cuisson à partir de l'ébullition : 8 à 10 minutes au kilo.

Le servir égoutté, dressé sur une serviette, accompagné d'une saucière de beurre fondu en pommade et de pommes de terre cuites à la vapeur.

Hareng

Poisson populaire par excellence en raison de son abondance et de son prix d'achat assez bas.

Consommé très frais, le hareng est un poisson excellent, de digestion difficile toutefois. Le servir dans les menus de déjeuner.

Les modes de préparation qui lui conviennent le mieux sont : grillé, frit ou meunière accompagné d'une sauce relevée telle la sauce moutarde, ou encore cuit dans une marinade et servi froid.

La laitance de hareng est recherchée et fournit à la cuisine des garnitures ou des mets délicats. Exemple : laitance à la Villeroy (trempée dans de la sauce allemande fortement réduite, panée et frite).

Fumé, il est consommé grillé ou en filets marinés (hors-d'œuvre).

La mise en train est des plus simples : le vider par les ouïes sans retirer la laitance ou les œufs, l'essuyer fortement (ce qui enlève les écailles), pratiquer de chaque côté du dos de petites incisions pour faciliter la pénétration de la chaleur et par conséquent la cuisson. L'assaisonner de sel fin et de poivre mélangés avec une goutte d'huile et le poser sur le gril ou dans la poêle dans le beurre très chaud après l'avoir roulé dans la farine.

Harengs frais marinés

Les harengs ayant été nettoyés et vidés sont mis à macérer au sel (une petite poignée de sel sur une douzaine de harengs) pendant 6 heures.

Les égoutter, les essuyer et les ranger dans un plat ovale en terre tapissé d'oignons et de carottes coupés en rondelles minces, de quelques branches de persil, d'une brindille de thym, d'une feuille de laurier, de 3 grains de poivre écrasés et de 2 clous de girofle.

Mouiller juste à hauteur des harengs avec moitié vin blanc sec et moitié vinaigre. Recouvrir les poissons avec une nouvelle couche d'oignons et de carottes émincés et, par-dessus une feuille de papier huilé.

Mettre doucement à ébullition, couvrir le plat et cuire lentement 15 minutes. Laisser refroidir et conserver dans la cuisson jusqu'au moment de servir.

Limande - Limande-sole

Poisson plat qui, à la rigueur, peut tenir lieu de sole sans cependant la remplacer, ni égaler sa finesse.

La chair est friable, filandreuse et ne rivalise pas avec la délicatesse de celle de la sole. Tous les modes d'apprêts indiqués pour la sole et la barbue lui sont applicables.

Lotte de mer ou baudroie

La lotte doit être dépouillée pour être consommée.

Sa chair, blanche et ferme, forme le complément de la bouillabaisse ou des soupes de poisson.

Elle se prépare généralement comme le cabillaud et le colin.

Escalopes de lotte sautées

Couper sur la partie épaisse d'un filet de lotte 6 escalopes de 2 centimètres d'épaisseur les aplatir légèrement, les assaisonner de sel fin et de poivre frais moulu, les tremper dans un œuf battu avec une cuillerée à potage d'huile et une prise de sel et les paner à la mie de pain émiettée en chapelure.

Faire adhérer celle-ci par une légère pression exercée avec le plat de la lame d'un couteau.

Chauffer assez fortement 100 grammes de beurre et une cuillerée à potage d'huile d'olive dans un plat à sauter et y placer les escalopes côte à côte. Quand elles sont cuites à demi et bien dorées, les retourner et cuire de même.

Les dresser sur un plat de service, presser dessus un demi-citron, les parsemer d'une cuillerée de persil haché et ébouillanté et les arroser du beurre de cuisson qui, s'il est devenu insuffisant, peut être augmenté d'un morceau de beurre frais cuit à la noisette dans le plat à sauter.

On peut servir à part une saucière de sauce tomate.

Filets de lotte frits

Les escalopes, préparées comme les escalopes de lotte sautées, peuvent être simplement trempées dans du lait, bien farinées et plongées dans de la friture bien chaude.

Égoutter ensuite, dresser sur serviette et garnir de persil frit et de quartiers de citron.

Loup de la Méditerranée en croûte

Le loup de la Méditerranée, dont la chair est très fine, blanche, d'un goût exquis et très parfumée, peut subir de nombreuses préparations culinaires : poché, braisé, en pièce froide, mais c'est surtout grillé au fenouil qu'il trouve le plus d'amateurs, à moins de le préparer en croûte.

Éléments (pour 6 à 8 personnes) :

1º Se procurer un beau loup de la Méditerranée d'une très grande fraîcheur, pesant environ trois kilos. Le vider minutieusement, lui enlever la peau sur tout le corps sans entamer les chairs et en faisant très attention de laisser la tête et la queue intactes.

Ceci étant fait, l'ouvrir sur le dos jusqu'à l'arête centrale. Dans cette longue ouverture, mettre des pluches de cerfeuil et de l'estragon fraîchement cueillis. Saler, poivrer, refermer le poisson et faire la même opération sur le ventre.

2º D'autre part, étendre au rouleau à pâtisserie deux minces abaisses de pâte feuilletée de la longueur du loup. Poser celui-ci sur l'une d'elles, le recouvrir avec l'autre abaisse de pâte. Pour souder la pâte, appuyer tout autour du poisson de façon à bien l'enrober et à reconstituer parfaitement sa forme initiale.

3º A l'aide d'un couteau très fin, découper la pâte qui est en trop en laissant un peu de celle-ci pour simuler les nageoires. Sur ces nageoires, faire quelques stries en longueur et avec le surplus de pâte imiter les ouïes du poisson ainsi que son œil.

4º Après avoir doré la pâte au jaune d'œuf, pour donner une allure plus ressemblante au poisson imiter également les écailles ; celles-ci peuvent être reproduites avec un petit emporte-pièce, en forme de demi-lune. Ce minutieux travail demande beaucoup de patience et une certaine dextérité.

Méthode :

Mettre le loup ainsi confectionné sur une plaque dans un four chaud à 220º. Quand la pâte a été saisie, réduire la chaleur du four à 180º pour que la cuisson se fasse régulièrement, aussi bien à l'intérieur qu'à l'extérieur du poisson sans brûler la pâte.

Le temps de cuisson est d'une heure et demie environ.

Pour le servir, le loup est dressé sur un grand plat long et détaillé devant les convives. On l'accompagne, pour le déguster, tout simplement de beurre fondu ou d'un beurre blanc.

Variante :

Avant d'être enrobé de pâte, le loup peut être farci d'une excellente mousse de homard.

Mousse de homard

Piler au mortier 200 grammes de chair crue de homard. Ajouter également le corail du crustacé. Assaisonner avec 10 grammes de sel fin, une prise de poivre du moulin et un soupçon de noix de muscade finement râpée.

Ensuite passer la chair du homard au tamis fin ; la mettre dans un bol sur glace et lui incorporer intimement 200 grammes de crème double et en dernier lieu 100 grammes de pistaches et truffes.

Préparation de la pâte feuilletée :

Éléments :

500 grammes de farine tamisée ; 375 grammes de beurre fin ; 10 grammes de sel ; un quart de litre d'eau.

Méthode :

Mettre la farine en couronne avec le sel au milieu, faire la détrempe avec l'eau, rassembler la pâte en boule, la laisser reposer 20 minutes. Ensuite l'étaler en carré de 20 centimètres de côté et d'égale épaisseur. Poser dessus le beurre préalablement travaillé de la même consistance que la pâte (c'est-à-dire la détrempe).

Ramener au centre les extrémités de la pâte de façon à former un carré et enfermer entièrement le beurre.

Laisser à nouveau reposer 10 minutes et donner deux tours. Le « tourage » consiste à étendre la pâte sur un marbre à l'aide d'un rouleau à pâtisserie, sur une longueur de 50 centimètres environ et 20 centimètres de largeur, un centimètre d'épaisseur. La bande de pâte est ensuite repliée en trois. Le second tour est donné en abaissant au rouleau la pâte en sens inverse.

Ce travail du tourage a pour but de répartir le beurre dans la détrempe de façon égale, ce qui doit assurer à la cuisson le développement régulier de la pâte feuilletée.

Ensuite, donner encore deux tours. Laisser 10 minutes d'intervalle entre deux tours.

Le feuilletage est prêt à être utilisé et détaillé, après avoir subi les six tours nécessaires c'est-à-dire trois fois deux tours.

Loup au varech à la façon de Michel Guérard

Éléments (pour 4 personnes) :

Un loup pesant de 1,500 à 1,800 kg ; un quart de vin blanc sec ; deux grosses poignées de varech frais ; sel et poivre.

Méthode :

Dans un plat long et creux allant au feu, mettre le tiers du varech. Le loup ayant été vidé, paré, assaisonné, le placer dessus, le recouvrir entièrement avec le restant des algues marines. L'arroser avec le vin blanc.

Mettre le plat au four chauffé à 200°. Le temps de cuisson est de 30 minutes environ. Durant la cuisson, couvrir le plat d'une feuille d'aluminium.

Le loup cuit de cette façon s'accompagne d'une sauce servie à part et composée ainsi

Dans un saladier, mettre une tomate mondée et finement concassée, un piment doux coupé en fins petits dés, 30 grammes de fines herbes hachées, composées de persil, cerfeuil, estragon, basilic, ciboulette.

Cet ensemble réuni et assaisonné de sel et de poivre, délayer le tout avec deux jus de citron et 10 centilitres d'huile d'olive extra-vierge.

A défaut de ciboulette, on peut remplacer celle-ci par un peu d'échalote ou oignon hachés. On peut aussi cuire le loup dans une poissonnière, à couvert, sur feu doux.

Foie de lotte

Le foie de la lotte, qui n'est autre que la laitance de ce poisson, est très prisé des gastronomes.

Il reçoit les préparations indiquées pour les laitances ; sa cuisson est un peu plus longue. Parmi les formules, nous conseillons surtout celle dite « au plat ».

Foie de lotte au plat

Assaisonner de sel fin et de poivre une demi-laitance de lotte. D'autre part, faire fortement chauffer 150 grammes de beurre dans un plat de service en terre allant au four. Y placer la laitance ; dès que celle-ci est raidie, mettre au four en la protégeant d'un papier huilé. Poursuivre ainsi la cuisson en pratiquant de fréquents arrosages.

La laitance absorbera une partie du beurre à mesure qu'elle rissolera légèrement. Le renouveler de façon qu'elle cuise dans un fond bien nourri.

La servir dans le plat de cuisson et, à ce moment, exprimer dessus le jus d'un demi-citron.

Maquereau

Comme le hareng, le maquereau est très abondant au printemps et fournit un aliment économique, mais de digestion difficile.

Son habillage est aussi simple ; vider par les ouïes et fortement essuyer ; couper les nageoires. Pratiquer sur le dos de légères incisions.

Maquereaux grillés

Choisir des maquereaux moyens, les habiller, les assaisonner de sel et de poivre mélangés à une cuillerée à potage de beurre fondu ou d'huile. Les poser sur un gril bien chaud. Régler l'intensité du foyer en correspondance avec le corps de ce poisson qui est très fusiforme de façon à obtenir une cuisson très régulière. A demi cuit, les retourner et poursuivre la cuisson. Les dresser sur plat long et servir à part une saucière de beurre maître d'hôtel (mélange de beurre avec des fines herbes, acidulé de vinaigre ou de citron, assaisonné de sel et poivre).

Si les maquereaux sont très gros, on peut faciliter la cuisson en les ouvrant par le dos sans séparer les deux moitiés. Les arroser de beurre fondu assaisonné. Les poser sur le gril en exposant d'abord l'intérieur et, après cuisson, les refermer pour les servir.

Nota. — On peut protéger la partie mince du poisson, en glissant sous la queue une lame de pomme de terre ou autre légume. Cette mesure est prise quand le maquereau est déjà bien saisi.

Maquereaux au beurre noir

Préparer un court-bouillon ; un litre d'eau, 10 grammes de sel, un décilitre (1/2 verre ordinaire) de vinaigre, quelques grains de poivre écrasés. Ce court-bouillon étant froid, y plonger les maquereaux, mettre lentement à ébullition et, dès le premier bouillonnement, retirer sur le côté du fourneau et laisser pocher de 10 à 15 minutes suivant la grosseur des poissons qui seront choisis de taille égale.

Les égoutter, les dresser sur un plat, les sécher quelques secondes en les présentant au four ; les saupoudrer de persil haché, les arroser d'un filet de vinaigre ou avec du jus de citron et du beurre cuit à la poêle jusqu'à ce qu'il soit devenu brun foncé. Cette dernière opération s'accomplit au moment de servir.

Filets de maquereaux à la florentine

Lever les filets d'un maquereau assez gros préalablement nettoyé.

Cette opération s'effectue en sectionnant à demi le filet du côté de la tête, le poisson maintenu couché.

Détacher le filet en commençant par la queue, à l'aide d'un couteau dont la lame, placée à plat, est légèrement appuyée sur l'arête. Renouveler deux fois cette opération.

Placer les filets dans un plat de service allant au four, les assaisonner de sel et de poivre et les mouiller avec moitié fumet de poisson et moitié vin blanc sec, à demi-hauteur ; parsemer dessus quelques noisettes de beurre ; cuire au four à couvert. Temps de cuisson : 8 à 10 minutes.

Préparer d'autre part des épinards au beurre ou à la crème, soit en purée ou en feuilles et 2 décilitres de sauce Mornay un peu épaisse pour 6 personnes.

Au moment de servir, étendre sur un plat long les épinards bien chauds, placer dessus les filets de maquereaux soigneusement égouttés, verser dans la sauce Mornay le reste de cuisson des filets en ayant soin de ne pas faire perdre à la sauce sa consistance normale. Napper les filets et les épinards de sauce Mornay, saupoudrer de fromage râpé mélangé à une pincée de mie de pain émiettée en chapelure ; arroser de beurre fondu et faire gratiner.

Merlan

La chair du merlan est délicate, de digestion aisée et convient en particulier aux malades.

Étant donné la fragilité de sa chair, il vaut mieux le traiter entier. Il se nettoie par les ouïes et, ayant peu d'écailles, il suffit, après un léger grattage, de l'essuyer fortement.

Les formules culinaires qui lui conviennent le mieux sont : frit, meunière, au plat, au gratin, bien que la plupart des recettes pour poissons blancs lui soient applicables (voir les recettes pour les soles).

Merlan frit

Le merlan de taille moyenne étant nettoyé, vidé et incisé légèrement cinq ou six fois de chaque côté, est trempé dans du lait, puis fariné.

Au moment de le servir, le plonger dans de la friture fumante.

Observer pour ce traitement les conseils donnés à la théorie des fritures.

Un poisson trop fortement saisi ne cuit pas, par contre, si la friture est insuffisamment chaude, le poisson bout et ne frit pas. C'est une question d'attention, la taille du poisson devant être considérée.

L'égoutter, l'éponger dans un linge, le saupoudrer légèrement de sel fin et le servir immédiatement afin que, bien doré, il présente une enveloppe croustillante.

On le dresse généralement accompagné de persil frit et de quartiers de citron.

Merlan au plat

Fendre le merlan sur le dos, l'ouvrir à plat, l'assaisonner de sel et de poivre, le mettre

r un plat allant au four et grassement beurré. L'arroser de deux cuillerées à potage de
1 blanc, parsemer dessus quelques noisettes de beurre, le jus d'un quart de citron, faire
rtir sur le fourneau et poursuivre la cuisson au four en arrosant très souvent.

Temps de cuisson, 10 à 15 minutes, au bout desquelles le vin blanc et le beurre sont
esque totalement absorbés par le poisson qui se trouve doré par la consistance du mouille-
ent devenu sirupeux. Servir ainsi.

orue

Fraîche ou séchée, la morue doit toujours être dessalée 24 heures avant d'être accom-
odée. On la choisira très brune sur le dos, argentée sur le ventre, épaisse, à chair blanche
à courtes fibres.

On écartera les poissons plats, secs et jaunâtres.

Au préalable, il faut avoir soin de la laver à grande eau froide en la brossant de toute
rt; la diviser en morceaux de 125 grammes environ et les mettre à tremper à l'eau froide.
elle eau sera renouvelée plusieurs fois.

La cuisson est très simple.

Égoutter les morceaux convenablement dessalés, les rouler, la peau apparente et les
aintenir ainsi à l'aide d'un fil noué.

Les placer dans un plat à sauter et les couvrir d'eau froide; mettre sur le feu; dès que
ebullition se manifeste, retirer le plat à sauter sur le coin du fourneau, enlever l'écume,
uvrir et pocher, sans ébullition, 15 à 18 minutes, suivant l'épaisseur de la morue.

Ainsi cuite, la morue est prête pour différentes préparations culinaires et notamment
our la plus succulente de toutes :

randade de morue aux truffes

Mélanger à de la brandade préparée comme il est indiqué ci-dessous des truffes coupées
1 gros dés et chauffées au beurre. La dresser dans une timbale et disposer au centre des
mes de truffes et, à la base, une couronne de croûtons frits.

randade de morue à la ménagère

éments (pour 6 à 8 personnes) :

500 grammes de morue salée à la chair très blanche; 2 à 3 décilitres d'huile d'olive
ierge; 1 décilitre de crème ou de lait; 1 pincée de poivre blanc moulu très fin; 1 jus de
tron; 100 grammes de pulpe de pomme de terre; 1 gousse d'ail écrasée.

éthode :

1º Mettre à dessaler à l'eau fraîche la morue durant 24 heures. Au besoin, renouveler
eau plusieurs fois.

2º Faire pocher à l'eau la morue dessalée. Pour cela mettre le poisson coupé en plusieurs
orceaux dans une casserole avec 3 litres d'eau. Porter à ébullition; dès le premier bouillon-
ement retirer la casserole sur le coin du feu. Laisser pocher 10 à 12 minutes environ.

3º Égoutter les morceaux de morue. Retirer les peaux noires et blanches ainsi que les
rêtes. Détacher la chair en minces feuillets.

4º Dans une casserole à fond épais mettre à chauffer un décilitre d'huile. Ajouter la morue
ffeuillée, la gousse d'ail écrasée.

Travailler l'ensemble vivement avec une spatule ou une cuiller en bois jusqu'à ce que la chair soit réduite en pâte fine. Ensuite retirer la casserole à côté du feu ou réduire la chaleur. Continuer de travailler vivement sans arrêter en incorporant le restant d'huile et la crème ou le lait.

5° Pour terminer, mélanger intimement 100 grammes de pulpe chaude de pommes de terre cuites en robe des champs ou à la vapeur. Assaisonner avec le poivre blanc moulu très fin et s'il y a lieu rectifier l'assaisonnement en sel. Enfin, bien incorporer le jus de citron. La brandade se présente une fois terminée en une pâte homogène légère et très blanche.

6° On sert la brandade chaude sur un plat en la façonnant en forme de dôme. On l'entoure de petits croûtons de pain de ménage dorés à l'huile ou au beurre.

Morue à la lyonnaise

Cuire doucement, dans un plat à sauter, ou dans une poêle, 3 oignons moyens finement coupés en julienne, avec 20 grammes de beurre et 2 cuillerées à potage d'huile. Quand les oignons seront cuits et très peu colorés, ajouter 3 pommes de terre moyennes, cuites à l'eau salée, pelées et coupées en lamelles. Faire sauter et légèrement rissoler le tout.

A ce moment, adjoindre 500 grammes de morue pochée, débarrassée de la peau et des arêtes, effeuillée et séchée à chaleur douce, juste pour assurer l'évaporation de l'eau de cuisson. Faire sauter quelques instants à feu vif, vérifier l'assaisonnement et relever d'une prise de poivre frais moulu.

Au moment de servir, jeter dans la préparation une forte pincée de persil frais haché, puis, après dressage, dans le plat à sauter vide, une demi-cuillerée à potage de vinaigre mis en ébullition rapidement et versé sur la morue en arrosant.

Mostelle

La mostelle s'apparente au merlan, mais elle est de qualité infiniment supérieure. Elle vit dans les eaux méditerranéennes et, trop délicate pour supporter le transport, elle ne se consomme que sur le littoral.

En raison de sa fragilité et de sa finesse, un seul mode de préparation lui convient vraiment : cuite au plat.

L'ouvrir sur le dos, enlever l'arête, l'assaisonner de toutes parts et l'étendre sur un plat en terre de dimension juste suffisante allant au four et grassement beurré ; parsemer dessus quelques noisettes de beurre et cuire au four en pratiquant de fréquents arrosages avec le beurre de cuisson. La mostelle est gourmande de beurre et doit être cuite alors que les convives sont à table ; elle ne souffre pas l'attente ; au moment de la servir exprimer dessus quelques gouttes de jus de citron. Alors, c'est un vrai régal !

Raie

Acheter de préférence la raie dite « bouclée », que l'on reconnaît aux appendices en forme de boutons qui sont épars sur la peau.

La laver à grande eau et à la brosse pour éliminer les matières visqueuses dont elle est enduite, puis détacher les nageoires (les ailerons), lesquels seront détaillés en morceaux de 200 grammes environ et mis dans un plat à sauter avec la partie centrale de la queue et les deux côtés de la tête où se trouvent deux noix charnues (les joues).

Recouvrir d'eau, salée normalement, et acidulée avec un décilitre de vinaigre par litre d'eau. Mettre doucement en ébullition, écumer et dès que l'eau bout, reculer le plat à sauter sur un coin du fourneau et laisser pocher 15 minutes.

Égoutter la raie soigneusement, enlever la peau des deux côtés, la dresser et l'accommoder selon l'une des recettes ci-après.

Raie au beurre noir

Après dressage, comme il est indiqué ci-dessus, la raie étant très chaude, l'assaisonner de sel fin et de poivre frais moulu, parsemer dessus des câpres écrasées et une pincée de persil haché ; arroser le tout de beurre noir brûlant et d'un filet de vinaigre versé dans la poêle très chaude utilisée pour le beurre noir et dans laquelle il succède immédiatement en l'y laissant une seconde. Servir à part des pommes de terre cuites à la vapeur.

Rougets (rougets-barbets)

On distingue le rouget-barbet aux deux barbillons fixés à la mâchoire inférieure ; son dos est rouge, ses flancs et son ventre sont rose argenté, sa queue est très échancrée, sa chair est blanche, fine et très délicate.

Ce poisson exquis vit sur les fonds rocheux de la Méditerranée, il se nourrit des menues plantes marines qui croissent sur les rochers et le seul mode de cuisson qui soit digne de lui est le gril sur lequel il est posé alors qu'il est encore très frais.

Sa toilette est simple : l'essuyer, enlever les ouïes et ne pas le vider.

Le rouget-barbet est la bécasse de mer.

Quand les rougets sont cuits (grillés), suivant la méthode des poissons grillés, les placer sur un plat de service bien chaud et les servir avec, à part, une saucière de beurre maître d'hôtel.

Sur la table, en présence des convives, les têtes seront détachées et enlevées du plat, les rougets seront ouverts par le dos, l'intérieur sera recueilli avec précaution et mélangé au beurre maître d'hôtel, les arêtes seront enlevées puis le beurre maître d'hôtel étendu sur la chair des poissons ; rehausser la saveur de quelques gouttes de jus de citron et d'un tour de moulin à poivre, puis servir ce mets divin.

Rouget à l'orientale

Le rouget-barbet enrichit la collection des plats froids et, traité à l'orientale, c'est un hors-d'œuvre ou un poisson froid (suivant le menu) de choix.

Sélectionner des rougets plutôt petits. Les assaisonner de sel et poivre, les fariner et les faire rissoler rapidement à la poêle et dans un peu d'huile comme « à la meunière ».

Les ranger dans un plat allant au four et préalablement huilé, les recouvrir avec de la fondue de tomates préparée de la manière suivante :

Enlever la peau et les semences, conserver l'eau de végétation de plusieurs tomates bien mûres ; les concasser et les jeter dans un plat à sauter où fume un peu d'huile (deux cuillerées à potage pour un kilo de tomates), assaisonner de sel et poivre, ajouter une gousse d'ail écrasée, une prise de sucre et laisser cuire doucement jusqu'à réduction des 3/4 de l'eau de végétation contenue dans la pulpe.

La fondue de tomates destinée aux rougets à l'orientale sera condimentée, en surplus, avec une pointe de safran, une branche de fenouil, une brindille de thym et un fragment de feuille de laurier pulvérisés, quelques grains de coriandre et une pincée de persil haché.

Les rougets étant recouverts avec la fondue, poursuivre la cuisson en faisant d'abord bouillir sur le fourneau, ensuite en mettant le plat à couvert au four 8 à 10 minutes.

Laisser refroidir et disposer avec goût sur les rougets des lames de citron épluché à vif. Mettre une feuille de cerfeuil au centre de chaque lame de citron et servir froid, légèrement glacé même.

Rouget à la provençale

Les rougets à la provençale constituent une variante chaude des rougets dits à l'orientale.

Procéder comme ci-dessus, mais, quand les rougets sont rissolés et rangés dans le plat de cuisson et de service tout à la fois, mettre, pour 6 rougets, dans l'huile utilisée, un gros oignon haché et le faire cuire doucement sans trop rissoler (le tenir blond); ajouter 6 tomates pelées, pressées des semences et de l'eau de végétation et grossièrement hachées, une gousse d'ail écrasée, une pincée de persil haché, 100 grammes d'olives noires évidées de leur noyau, une prise de sel, un tour de moulin à poivre; laisser mijoter 10 minutes et verser sur les rougets. Achever la cuisson au four 10 minutes, puis servir chaud en rehaussant le ton aromatique de quelques gouttes de jus de citron. Ce mets peut être également servi froid.

Rougets de la Méditerranée - Sauce au pistou   (photo page 124)

Pour cette délicieuse préparation, il faut des rougets très frais, qui se reconnaissent à l'œil vif et à leur belle teinte rouge.

Éléments (pour 4 personnes) :

8 rougets de la Méditerranée de 100 grammes chacun; 1/2 litre de vin blanc; 1/4 de litre d'eau (Évian de préférence, cette eau est très bonne et n'a pas le goût de chlore; à moins que vous ayez une source chez vous); 50 grammes de carottes émincées; 50 grammes d'oignons émincés; 50 grammes de gros sel; 15 grammes de persil en branches; 15 grammes de branches de céleri; 15 grammes de poireau émincé; 1/2 feuille de laurier; 1 petite branche de thym; 10 grammes de poivre en grains; 2 clous de girofle; 2 graines de coriandre; 4 tranches d'orange; 4 tranches de citron.

Méthode :

Préparer un court-bouillon avec les ingrédients ci-dessus que vous faites bouillir 1/4 d'heure. Mettre les rougets dans la casserole, amener à ébullition et retirer du feu immédiatement en laissant pocher 1/4 d'heure.

Sauce au pistou :

200 grammes d'huile d'olive; 20 grammes de basilic haché; 10 grammes de persil haché 5 grammes d'estragon; 5 grammes de cerfeuil haché; 5 grammes de ciboulette hachée 1 gousse d'ail écrasée; 1 jus de citron; 10 grammes de sel; 3 tours de poivre du moulin.

Mélanger le tout et tenir dans un endroit tempéré. L'été ces rougets peuvent se manger froids.

Sardines

Les sardines fraîches sans saturation légère de sel se trouvent assez rarement sur les marchés intérieurs. Leur chair délicate supporte difficilement le transport.

Sur les bords de l'océan ou de la Méditerranée, où elles sont plus particulièrement fines elles sont dégustées aussitôt pêchées, généralement grillées et accompagnées de beurre frais.

Sardines antiboises

Écailler, vider et essuyer 500 grammes de grosses sardines fraîches.

Chauffer dans une poêle deux cuillerées à potage d'huile d'olive; lorsqu'elle est fumante y ranger les sardines, les faire rissoler rapidement des deux côtés et les réserver sur un plat.

Quand cette première opération est terminée, cuire doucement dans l'huile utilisée 2 gros oignons coupés en julienne (ne pas laisser colorer les oignons), mouiller avec un décilitre de vin blanc sec, le réduire des 2/3, ajouter 6 tomates pelées, pressées des semences et de l'eau de végétation et hachées grossièrement, assaisonner de sel et poivre, laisser mijoter et réduire de moitié.

Verser cette sauce dans un plat à gratin, disposer les sardines dessus et remettre au four 5 minutes. Servir avec une saucière de beurre d'anchois. Cet accompagnement est facultatif.

Saumon

Le saumon qui habite d'abord les grands cours d'eau où il se reproduit, puis l'élément marin, peut atteindre une très grande taille (2 mètres).

Choisir des pièces de grosseur moyenne qui indique l'adulte et pas encore le vieux poisson.

Le traitement du saumon s'inspire de deux procédés : entier ou divisé en tranches de 2 à 3 centimètres d'épaisseur appelées darnes. Je conseillerais de cuire la bête entière, dans tous les cas, sauf deux : quand il s'agit de saumon grillé ou cuit à la meunière.

Le saumon est généralement cuit dans un court-bouillon et servi chaud avec de la sauce hollandaise, mousseline, crème, crevettes, genevoise, etc., ou froid avec de la sauce mayonnaise, verte, ravigote, etc.

Il se prête à toutes les préparations pochées, grillées ou braisées indiquées pour les gros poissons.

On fait aussi d'excellents pâtés de poisson dit coulibiac.

Coulibiac de saumon

Éléments :

500 grammes de pâte à brioche commune, ferme et sans sucre ; 350 grammes de saumon coupé en tranches minces d'un demi-centimètre, assaisonnées et raidies au beurre ; 50 grammes de champignons et un oignon moyen hachés, parsemés sur le saumon et fondus par étuvée dans le même beurre, puis refroidis ; 100 grammes de grosse semoule cuite dans du bouillon blanc ; un œuf dur haché grossièrement ; 250 grammes de vésiga (moelle épinière de l'esturgeon, soit 40 grammes sec) trempé cinq heures et cuit à l'eau ou dans du bouillon blanc trois heures, puis haché.

Méthode :

Étendre (abaisser) au rouleau la pâte à brioche en rectangle et disposer dessus comme il est expliqué pour un pâté Pantin les éléments de composition par lits superposés (enlever l'arête du saumon). Replier la pâte pour enfermer le tout, souder et poser le pâté en le retournant sur une plaque à pâtisserie. L'exposer à température douce pendant 20 minutes en ayant soin de le recouvrir avec un linge. Le badigeonner de beurre fondu, le rayer de quelques incisions et pratiquer sur le centre un petit trou pour l'échappement de la vapeur.

Cuire dans un four assez chaud pendant 35 minutes environ. Servir chaud, à ce moment introduire dans l'intérieur par le trou pratiqué quelques cuillerées de beurre fondu en pommade.

Nota. — La semoule cuite assaisonnée doit s'égrainer comme du riz tout en étant moelleuse.

Escalope de saumon à l'oseille des frères Troisgros

Éléments (pour 8 à 10 personnes) :

1,500 kg de saumon frais détaillé en fines escalopes; 100 grammes d'oseille cuite à l'eau salée; 1/4 de litre de Noilly; 1/4 de litre de vin blanc sec; 1/2 litre de crème; 1/4 de litre de fumet de poisson; 10 centilitres d'huile; 80 grammes d'échalotes hachées; sel, poivre.

Méthode :

1° Faire réduire au feu dans une casserole, le vin blanc, le Noilly, le fumet de poisson additionnés des échalotes hachées.

Le liquide étant devenu à l'état sirupeux le passer au chinois fin. Ajouter la crème. Laisser réduire à nouveau pour établir une certaine liaison. Assaisonner. Ensuite incorporer l'oseille bien égouttée.

2° Après les avoir salées et poivrées, poêler les escalopes de saumon à l'huile chaude ne pas les dessécher, quelques secondes suffisent pour les cuire des deux côtés.

Pour servir, dresser les escalopes sur des assiettes chaudes. Les recouvrir de sauce à l'oseille ou servir celle-ci à part.

Mettre en garniture un beau fleuron en pâte feuilletée.

Saumon cru Renga-Ya

Cette recette m'a été inspirée par la cuisine japonaise.

Trancher des escalopes de saumon de 120 grammes, juste avant de les servir.

Les poser sur des assiettes très froides, les saler, un tour de moulin à poivre, une cuillerée à soupe d'huile d'olive, le jus d'un quart de citron, une pincée de ciboulette.

Servir avec des toasts de pain grillé chauds.

P. S. — On peut y adjoindre une cuillerée de caviar au milieu.

Sole

La sole est le plus fin des poissons plats. Sa chair est blanche, ferme, délicate et de digestion très facile.

L'habillage culinaire de la sole consiste, précisément, à la débarrasser de ses deux peaux, l'une noire, l'autre blanche, cette dernière est toutefois simplement grattée quand la sole est servie entière. Cette règle a cependant quelques exceptions.

Voici la manière de procéder pour habiller une sole :

Trancher la tête de biais et au ras de la naissance des filets. Rogner l'extrémité de queue, puis, sur cette extrémité, rebrousser, en grattant avec la pointe d'un couteau, la peau noire. Saisir cette mince partie de peau avec le coin d'un torchon et tirer brusquement. La peau se détache généralement d'un seul coup. Si la sole ne doit pas être préparée en filets, gratter les écailles dont la peau blanche est revêtue, sinon enlever cette peau de la même manière que la noire.

Ensuite couper, à l'aide de forts ciseaux, les barbes (nageoires) latérales. Faire une petite incision à la hauteur de l'intestin que l'on enlève, puis la laver à l'eau fraîche et l'éponger dans un linge.

Pour faciliter la cuisson, avoir soin, au moment de l'emploi, de pratiquer du côté dépouillé une incision à droite et à gauche de l'épine dorsale qui guide la pointe du couteau.

Quand une sole est préparée en filets, les deux peaux sont enlevées, ensuite on cerne avec la pointe du couteau le contour extérieur des filets, puis on détache ces derniers en glissant entre l'arête et les filets, en partant de l'épine dorsale, une lame de couteau mince et flexible qui doit raser de très près l'arête afin de ne pas y laisser de chair.

Les filets levés doivent être légèrement aplatis avec la batte à boucherie (un couperet à défaut), un peu humide pour rompre la fibre.

Enfin, dernière manipulation avant cuisson, quand une sole est servie entière et nappée de sauce, couper au ras des filets les menues arêtes qui prolongent les barbes.

Cette précaution, qui n'est pas à pratiquer quand la sole doit être frite ou grillée, a pour but d'éviter aux convives l'inconvénient de ces courtes et nombreuses arêtes qui se mélangent trop souvent, au moment où l'on sert, à la sauce ou à la garniture.

Certes, l'apparence y perd, par contre la commodité y gagne, ainsi que l'économie de sauce et de garniture.

Ces parures, ainsi que la tête dépouillée, sont toujours employées utilement pour préparer un court fumet de sole qui servira au mouillement du poisson mis en cuisson.

Le poids brut d'une sole pour 2 personnes est de 350 à 400 grammes environ, soit net 260 grammes en moyenne. Les 4 filets levés représentent 225 grammes. On compte 2 filets par personne.

Sole frite

La sole a été habillée, la peau noire a été enlevée et la blanche a été grattée.

La tremper dans du lait, la passer à la farine, bien secouer l'excédent et la plonger en grande friture d'huile fumante. Il est recommandé de procéder au traitement par la friture en tenant compte des conseils donnés à la « théorie sur la friture » et du temps de cuisson (8 à 10 minutes pour une sole de 250 grammes), de façon que le poisson soit servi bien croustillant et doré, c'est-à-dire sans attendre.

Au moment où la sole est égouttée de la friture, l'éponger rapidement avec un linge, la saupoudrer de sel fin, la dresser accompagnée de quartiers de citron et d'un bouquet de persil plongé une seconde dans la friture très chaude, puis salé normalement.

Sole grillée

La sole a été préparée comme ci-dessus, mais au surplus, on pratique avec la pointe d'un couteau quelques faibles incisions en losange sur la peau blanche. L'assaisonner de sel et de poivre et la tremper dans du beurre fondu ou dans un peu d'huile. La placer sur le gril très chaud, la peau blanche en dessous. Régler l'incandescence du foyer, compte tenu de l'épaisseur de la sole, sinon le côté de la queue se trouverait cuit plus rapidement que celui opposé et dessécherait.

Le premier temps de cuisson demande 3 minutes ; alors, à l'aide d'une spatule glissée entre le gril et la sole, celle-ci est soulevée et déplacée de 2 centimètres à la manière d'une roue qui tourne sur son axe. Un deuxième temps de cuisson de 3 minutes (s'il s'agit toujours d'un poisson de 250 grammes environ) et glisser une seconde fois la spatule sous la sole que l'on retourne d'un mouvement rapide. La peau blanche apparaît dorée et ornée d'un joli quadrillage plus brun laissé par l'empreinte des barreaux du gril.

L'arroser légèrement de quelques gouttes de beurre fondu pendant la cuisson de la seconde partie de la sole et saupoudrer d'un soupçon de sel fin qui, en fondant, pénètre dans les chairs.

Se sert le côté quadrillé apparent, accompagnée de tomates grillées, de champignons grillés, de beurre fondu présenté en saucière, de beurre maître d'hôtel, de beurre d'anchois, de sauce béarnaise ou Choron.

Sole meunière

L'habillage ne varie pas et la peau blanche bien grattée est laissée adhérente.

Assaisonner la sole de sel et poivre mélangés à quelques gouttes d'huile, puis la fariner

La mettre en cuisson, la peau blanche en dessous, dans une poêle (ovale de préférence, ce qui évite une consommation de beurre inutile et qui souvent brûle, la poêle pouvant être presque de la dimension du poisson), où fument 30 grammes de beurre additionné d'une cuillerée à potage d'huile d'olive.

Cuire assez vivement; au contact du beurre très chaud, la sole est suffisamment saisie pour éviter qu'elle n'attache à la poêle. A aucun moment, le beurre de cuisson ne doit bouillir.

Au bout de 5 à 6 minutes, retourner la sole avec une spatule et poursuivre jusqu'à cuisson complète.

Dresser sur un plat de service, très chaud, dont la bordure peut être ornée d'une rangée de tranches minces coupées dans un demi-citron divisé dans le sens de la longueur et dans la peau duquel des incisions en dents de loup ont été pratiquées.

Presser sur la sole quelques gouttes de jus de citron; parsemer dessus une cuillerée à café de persil haché et échaudé au dernier moment, par conséquent encore humide; ajouter 50 grammes de beurre à celui de la cuisson, le chauffer jusqu'à couleur noisette et en arroser la sole.

Le contact du beurre très chaud et du persil humide, provoque une mousse abondante qui recouvre encore la sole quand elle est immédiatement mise sur table devant les convives.

Sole au champagne

Habiller la sole en coupant au ras des filets les menues arêtes formant le prolongement des barbes. Faire avec ces arêtes et la tête un court fumet de sole au champagne.

Beurrer grassement un plat long de dimension appropriée au poisson et allant au four, le saupoudrer d'une prise de sel fin et y placer la ou les soles, le côté dépouillé en dessous.

Mouiller juste à hauteur et par moitié avec du champagne brut et du fumet de sole, parsemer dessus quelques noisettes de beurre frais, recouvrir d'un papier beurré, mettre en ébullition sur le fourneau puis au four où le poisson pochera doucement. La cuisson est à point quand les filets se détachent aisément de l'arête; elle demande 12 à 15 minutes environ.

Égoutter le poisson avec une spatule et le dresser sur un plat de service bien chaud le recouvrir avec un autre plat pour maintenir l'humidité de la cuisson pendant que la sauce est préparée.

La sauce peut être achevée, c'est-à-dire liée de différentes manières.

Je me place dans l'hypothèse d'une cuisine familiale qui ne possède pas tous les fonds tenus en réserve dans un restaurant.

1re méthode :

Mettre le plat utilisé pour la cuisson sur le fourneau et réduire le fumet à la quantité de sauce juste nécessaire pour servir la ou les soles. Quand ce point est atteint, lier avec quelques noisettes de beurre frais manié avec les 2/3 de son poids de farine; pendant l'ébullition, le beurre se dissout immédiatement et la liaison est aussitôt obtenue; hors du feu, terminer cette sauce en lui incorporant en vannant 50 grammes de beurre frais. Vérifier l'assaisonnement égoutter dans la sauce le fumet qui peut être dans le plat de service provenant de la sole e étendre la sauce sur le poisson.

2e méthode :

Verser la cuisson de la sole dans une petite sauteuse, réduire ce fumet des 2/3, y adjoindr (pour une sole), 3 cuillerées à potage de velouté de poisson ou de sauce béchamel; diluer l tout, faire bouillir et lier avec un jaune d'œuf étendu avec une demi-cuillerée de fumet de poisson froid, ou de lait ou de cuisson de champignons. Faire attention de ne pas cuire totalement le jaune qui ne doit pas bouillir, mais épaissir jusqu'à la consistance de la crème. Terminer en beurrant, hors du feu, comme pour le procédé 1 et servir de même.

3ᵉ méthode :

Réduire la cuisson des 2/3, la retirer du feu puis la lier avec un jaune d'œuf additionné d'une cuillerée de fumet de sole froid, de lait ou de cuisson de champignons. Cuire le jaune sans bouillir en opérant à chaleur douce, au bain-marie, avec un fouet à sauce, comme il est recommandé pour la sauce hollandaise. Vérifier l'assaisonnement, beurrer hors du feu avec 100 grammes de beurre et servir comme il est indiqué aux procédés précédents.

Cette sauce doit avoir la consistance d'une crème légère.

Sole Bercy

Beurrer grassement un plat en terre allant au four, parsemer dans le fond, pour une sole de deux personnes, une échalote hachée très finement, chauffer doucement le plat sur le fourneau afin de cuire, sans la colorer, l'échalote dix minutes environ.

Assaisonner de toutes parts, sel et poivre, une sole de 300 grammes, l'étendre sur l'échalote, la peau blanche dessus, la mouiller avec du vin blanc sec et de la cuisson de champignons ou du fumet de sole, par moitié ou par tiers si l'on possède les trois ; le liquide doit atteindre à peine la hauteur du poisson ; diviser sur celui-ci une noix de beurre, faire bouillir sur le fourneau et poursuivre le pochage au four une dizaine de minutes. Pratiquer de fréquents arrosages.

Dresser la sole sur un plat de service, la recouvrir d'un autre plat et la tenir au chaud pendant que l'on termine la sauce.

Verser la cuisson de la sole dans une petite sauteuse, la réduire rapidement de façon à atteindre la contenance de quatre cuillerées à potage de liquide qui est devenu très sirupeux, hors du feu, et en imprimant à la sauteuse un mouvement de rotation sur son fond ; incorporer 60 grammes de beurre divisé en parcelles qui se lie à la cuisson au fur et à mesure de sa fonte, ajouter une cuillerée à café de persil frais haché, exprimer dans cette sauce quelques gouttes de jus de citron, vérifier l'assaisonnement et en recouvrir entièrement la sole bien égouttée.

Si l'on dispose d'un four très chaud, ou d'un gril au gaz ou à l'électricité, présenter la sole quelques secondes au foyer incandescent et la sauce se recouvrira d'un joli voile de belle couleur dorée. Il est essentiel que cette opération soit faite sans provoquer l'ébullition de la sauce dont les deux éléments, la cuisson d'une part, le beurre d'autre part, se dissocieraient immédiatement. Cette faute ou cet accident fait, dit-on improprement, tourner la sauce. Ce procédé, qui est le plus simple et le plus délicieux de tous, s'applique avec avantage à une foule de recettes pour poisson.

Seuls les condiments et les garnitures changent.

Et, pour le réussir, c'est davantage une question de compréhension que de tour de main et il suffit de retenir ceci : la liaison de la cuisson et du beurre n'est possible que si la cuisson est suffisamment corsée, c'est-à-dire si les sucs de poisson concentrés dans la sauce sont en quantité suffisante pour former un support, c'est-à-dire pour fixer des éléments liquides de composition opposée et qui, par leur nature, n'ont pas la même densité.

L'expérience faite avec du fumet de poisson dont on pousse la réduction à son point extrême permet de constater qu'il se forme peu à peu un liquide de couleur grise, ayant d'abord la consistance d'un sirop de sucre et qui se solidifie enfin. Cet extrait s'appelle glace de poisson et constitue la substance de liaison et de saveur de la sauce.

Pour des raisons d'économie ou de pratique, on peut appliquer à cette recette classique une des trois formules indiquées à la sole au vin blanc. Dans les trois cas, le fond de cuisson, dit à la Bercy, est ajouté à la sauce préparée ou utilisé pour la faire.

Sole aux champignons ou sole bonne femme

Cette recette est absolument identique à la précédente, dite Bercy, à laquelle nous vous invitons à vous référer.

La seule modification consiste à additionner à l'échalote hachée 4 ou 5 champignons bien blancs (pour 2 personnes), finement émincés et étendus sur l'échalote après la cuisson de cette dernière.

Procéder ensuite comme pour la sole Bercy.

Sole aux tomates ou à la portugaise

Appliquer le même mode de préparation que pour la sole Bercy et remplacer les champignons par deux belles tomates bien mûres débarrassées de la peau, des semences, grossièrement hachées et fondues avec une noix de beurre.

Sole aux moules dite marinière

Pour deux personnes, nettoyer 1/2 litre de moules, s'assurer en les grattant qu'il n'en existe aucune vaseuse et les faire ouvrir avec une cuillerée à potage de vin blanc sec et le volume d'une noix de beurre.

Égoutter la cuisson en la passant dans un linge, la recueillir dans un bol et y déposer les moules à mesure qu'elles sont extraites de leur coquille, puis ébarbées.

Préparer, d'autre part, une sole comme pour la sole au vin blanc, mais la mouiller avec de la cuisson des moules et la pocher comme il est indiqué et terminer la sauce de même.

Dresser la sole sur un plat de service et la recouvrir de la sauce dans laquelle les moules chauffées dans un peu de leur cuisson, et bien égouttées, auront été mises.

On peut aussi placer les moules chaudes et bien égouttées autour de la sole sur le plat de service et les saucer en même temps que le poisson.

Je recommande de ne pas trop forcer la réduction de la cuisson des moules. Un tel fond corsé à l'excès est sans finesse et acquiert une saveur trop forte.

Sole à la bourguignonne

Pour deux personnes, faire rissoler et cuire très doucement au beurre dans une petite sauteuse 12 petits oignons ; quand ces derniers sont presque cuits, y ajouter 12 petits champignons.

Préparer une sole comme pour la sole Bercy, mettre oignons et champignons autour, faire bouillir dans la sauteuse 6 cuillerées à potage de bon vin rouge (condimenter avec une prise de sucre) et réduire à la contenance d'une cuillerée à potage ; à ce moment, ajouter 4 cuillerées à potage de fumet de sole. Mouiller la sole avec cette réduction complétée avec du fumet de poisson et poursuivre l'opération comme il est indiqué à la sole Bercy. Dresser et saucer sans faire gratiner. Mettre dessus quelques petits croûtons taillés en losanges et frits au beurre.

Sole meunière à la niçoise

Enlever le pédoncule, la peau de deux tomates bien mûres, les presser pour enlever les graines et l'eau de végétation, les couper en quartiers et les faire cuire dans une sauteuse avec la grosseur d'une noix de beurre, une pincée de sel, une prise de sucre et gros comme un pois d'ail bien broyé.

Laisser réduire comme une compote, goûter et dresser en bouquet sur le plat de service et à chaque extrémité d'une sole préparée à la meunière.

Nota. — Courgettes, aubergines et concombres se combinent délicieusement avec la tomate ainsi traitée comme garniture. Dans le cas où deux légumes sont utilisés, dresser en alternant un bouquet de chacun aux extrémités du plat de service.

Sole normande

Ranger la sole dans un plat grassement beurré, l'assaisonner d'une prise de sel fin et la mouiller à hauteur avec une cuillerée à potage de vin blanc sec, une de cuisson de champignons et compléter avec du fumet de sole. Éparpiller dessus une noix de beurre divisé en parcelles, recouvrir d'un papier beurré et pocher doucement au four sans laisser bouillir.

Après pochage, égoutter la cuisson bien à fond, la réduire à la valeur de deux cuillerées et l'incorporer dans de la sauce normande (sauce vin blanc fortement additionnée de crème).

Dresser la sole sur un plat long et chaud assez spacieux pour la contenir avec sa garniture et l'entourer de moules pochées et sans franges, de queues de crevettes, d'huîtres pochées, de champignons cuits à l'étuvée au beurre avec quelques gouttes de jus de citron ; masquer le tout de sauce normande, mettre dessus en ligne des lames de truffes et aux extrémités du plat un bouquet de petits goujons panés et frits, autant d'écrevisses troussées et cuites au court-bouillon que de convives et en guirlande un cordon de petits fleurons en parures de feuilletage.

Thon braisé à la ménagère

Éléments (pour 6 personnes) :

Une tranche de thon frais de 1,200 kg ; 1/4 de litre de vin blanc ; 5 centilitres d'huile d'olive vierge ; 300 grammes de chair de tomate ; 50 grammes d'oignons hachés ; 1 petit bouquet garni ; sel et poivre.

Méthode :

1º Mettre à dégorger à l'eau froide la tranche de thon environ une heure, pour éliminer le sang.

2º Dans une cocotte en fonte, faire revenir à l'huile d'olive les oignons hachés, sans les colorer. Après l'avoir salée et poivrée, poser la tranche de thon sur les oignons, la retourner au bout de cinq minutes.

Ajouter la chair de tomate concassée, le vin blanc et le petit bouquet garni composé de laurier, thym, romarin et persil. Assaisonner.

3º Couvrir la cocotte et laisser mijoter à feu doux 30 minutes environ. La tranche de thon étant cuite, la dresser sur un plat creux. Au moment de servir la napper avec la sauce qui doit être assez épaisse.

Accompagner d'une timbale de riz créole.

Thon grillé

Couper un tronçon de thon en tranches de 2 centimètres d'épaisseur. Les assaisonner de sel et de poivre et les faire mariner une heure environ avec un oignon émincé, quelques branches de persil, une brindille de thym, une feuille de laurier, une cuillerée à potage d'huile, une de vin blanc et le jus d'un demi-citron.

Au moment de les faire griller, les égoutter, les éponger, les arroser de quelques gouttes d'huile et les poser sur le gril bien chaud. Observer les conseils donnés pour griller un poisson.

Servir accompagné de sauce rémoulade, tartare ou mayonnaise.

Turbot et turbotin

Le turbot se classe parmi les meilleurs poissons plats de mer. Sa chair est très blanche et savoureuse. Les plus fins proviennent du Pas-de-Calais et de la mer du Nord.

Le turbot de 1 à 3 kilos s'appelle turbotin.

Les applications culinaires sont celles qui conviennent aux barbues et aux soles quand il s'agit d'un turbotin. Les grosses pièces s'indiquent mieux pour les mets compliqués particuliers à la grande cuisine ou tout simplement pour être pochés.

Turbot ou turbotin poché

Se cuit dans une turbotière, ustensile indispensable, muni d'une grille qui permet, le poisson étant cuit, de l'égoutter sans le briser.

Le turbot est, au préalable vidé, gratté, ébarbé et lavé. Puis, on incise le dos (côté brun) le long de l'arête dorsale et on le place (côté blanc dessus) sur la grille de la turbotière. Le poisson est recouvert d'eau froide additionnée d'un quart de litre de lait pour 2 litres d'eau de sel (10 grammes au litre) et mis au feu. Dès que l'ébullition se manifeste, écumer et mettre sur le côté du feu pour maintenir un léger frémissement du liquide. Durée de la cuisson calculée à raison d'un quart d'heure environ par kilo suivant l'épaisseur.

Le service s'accomplit sans difficulté malgré la forme et la taille du poisson. L'égoutte en soulevant la grille hors de la cuisson et le glisser sur un plat de service ou une planche spécialement préparée et habillée d'une serviette. L'accompagner de pommes de terre cuite à l'anglaise et de l'une des sauces suivantes : beurre fondu, hollandaise, mousseline, au câpres, béarnaise, beurre maître d'hôtel, vin blanc, crevettes, etc.

Le turbot est extrêmement gélatineux et se prête mal à des combinaisons culinaire froides.

Les desserts de turbot ou de turbotin peuvent être utilisées pour garnir des coquille Saint-Jacques vides ou mises en réserve en vue de différents usages culinaires.

LES COQUILLAGES, MOLLUSQUES, CRUSTACÉS, ESCARGOTS ET GRENOUILLES

Coquilles Saint-Jacques

Opérations préliminaires :

1º Laver à la brosse les coquilles et les placer sur le fourneau ou au four très chaud pour les faire s'entrouvrir ; glisser alors la lame d'un couteau entre la coquille plate et la noix du mollusque et détacher la coquille.

2º Avec un couteau à lame souple, faire de même pour séparer la noix de la coquille concave.

3º Enlever la membrane et les franges qui enveloppent la noix, puis la partie rouge, appelée corail. Laver noix et corail soigneusement à l'eau fraîche.

4º Laver à la brosse les coquilles concaves et les conserver pour des emplois ultérieurs, soit de coquilles Saint-Jacques soit de coquilles de poissons divers.

Coquilles Saint-Jacques à la ménagère

1º Pour 6 personnes, utiliser 12 coquilles Saint-Jacques préparées comme il est indiqué ci-dessus. Les pocher 4 minutes dans un court-bouillon composé de : 1/4 de litre d'eau, 1/2 verre à boire ordinaire de vin blanc sec, une brindille de thym, un fragment de feuille de laurier, un oignon moyen émincé finement, une pincée de sel et une prise de poivre.

2º Égoutter les noix, les diviser en rondelles d'un demi-centimètre d'épaisseur. D'autre part, nettoyer 250 grammes de champignons bien blancs, les couper en lames minces (émincées) et les jeter dans un plat à sauter où grésille du beurre (50 g), les cuire rapidement, ajouter les rondelles des coquilles Saint-Jacques, mélanger le tout et tenir au chaud à couvert.

3º Dans une sauteuse, faire fondre 100 grammes de beurre, y adjoindre une cuillerée à potage de farine et cuire doucement, comme un roux, 10 minutes. Mouiller ce roux avec la cuisson des coquilles Saint-Jacques au préalable passée dans un linge. Le mélange sera fait, le roux refroidi et le court-bouillon chaud versé par petites quantités, pour obtenir une sauce bien lisse. Faire bouillir en remuant au fouet à sauce et cuire une minute.

Lier la sauce, hors du feu, avec 2 jaunes d'œufs dilués avec deux cuillerées de court-bouillon ; chauffer en fouettant et retirer du feu quand le mélange approche de l'ébullition.

Ne pas faire bouillir, les jaunes durciraient en petits granules et perdraient leur onctuosité. Incorporer 100 grammes de beurre frais et vérifier l'assaisonnement.

4º Plonger 6 coquilles concaves dans de l'eau bouillante, les égoutter, les essuyer, étendre dans le fond une cuillerée de la sauce ci-dessus, puis la chair d'environ 2 coquilles, des champignons et enfin, deux morceaux de corail. Recouvrir de sauce, saupoudrer de chapelure, arroser cette dernière de quelques gouttes de beurre fondu et gratiner au four très chaud.

Servir sur plat recouvert d'une serviette pliée.

Ragoût de coquilles Saint-Jacques aux truffes fraîches

Éléments (pour une personne) :

Selon la grosseur, 3 à 5 coquilles Saint-Jacques ; 50 grammes de truffes fraîches émincées ; 5 centilitres d'excellente sauce demi-glace ; 50 grammes de feuilles d'épinards cuits à l'anglaise ; beurre ; sel ; poivre.

Méthode :

1º Ouvrir les coquilles Saint-Jacques. Éliminer les parties non comestibles. Pocher les chairs sans faire bouillir dans la sauce demi-glace, ainsi que les truffes émincées (cinq à huit minutes suffisent pour la cuisson).

2º Essorer les feuilles d'épinards cuits. En les chauffant, les assaisonner avec beurre sel et poivre.

3º Pour servir, mettre les épinards dans une assiette chaude et le ragoût de coquilles Saint-Jacques aux truffes dessus.

Nota. — On peut aussi, si les coquilles sont grandes, les utiliser à la place des assiettes.

Huîtres

Les huîtres ont fait l'objet de plusieurs recettes dans le chapitre des hors-d'œuvre chauds que nous compléterons par quelques formules supplémentaires qui peuvent être d'une certaine utilité pour la composition des menus.

Observons cependant qu'une marennes, une belon, une cancale de belle qualité dégustée crue est, pour l'amateur, un mets souverain dans sa plus naturelle simplicité.

Huîtres frites en brochettes

Détacher les huîtres des coquilles, les faire raidir 2 minutes dans leur eau additionnée d'un jus de citron, les égoutter sur un linge, les rouler dans un œuf battu puis les paner à la chapelure, les enfiler par 6 sur une brochette en laissant un léger intervalle entre chacune les plonger dans la friture fumante pendant 2 minutes. Servir avec persil frit et un quartier de citron par brochette.

Huîtres au gratin

Détacher l'huître de sa coquille en la laissant dans celle qui est concave. Parsemer dessus des fines herbes hachées, du jus de citron, une prise de chapelure et arroser de beurre fondu. Gratiner au four bien chaud pendant 3 à 4 minutes.

Servir ainsi dans la coquille.

Moules

Les moules doivent être toujours soigneusement raclées une à une avec un couteau, débarrassées des filaments herbeux qui les retiennent au rocher ou au bouchot, quand il s'agit de moules d'élevage, puis vérifiées par une légère pression du pouce et de l'index tendant à faire glisser les deux coquilles l'une sur l'autre, lesquelles se détachent toujours quand elles sont remplies de vase. Il ne reste plus qu'à les laver plusieurs fois à grande eau en les brassant fortement et enfin à les égoutter.

Elles sont prêtes alors à la consommation.

Moules à la marinière

Pour 2 litres de moules préparées comme il est conseillé.

Ciseler menu un oignon moyen, le cuire très doucement avec 50 grammes de beurre (ne pas laisser colorer) dans une casserole assez grande pour y faire ouvrir (cuire) les 2 litres de moules.

Quand l'oignon est bien fondu, ce qui nécessite 15 à 20 minutes, mouiller avec 1/2 verre à boire ordinaire ou un décilitre de vin blanc sec, ajouter les moules puis 3 branches de persil haché et une pincée de poivre blanc frais moulu. Couvrir hermétiquement la casserole, la placer en plein feu et faire ouvrir en quelques minutes très rapidement.

Retirer les moules et les tenir au chaud et couvertes dans une soupière ou un légumier, transvaser la cuisson dans une autre casserole en évitant de verser le fond qui peut contenir du sable malgré les précautions prises pendant le nettoyage et la réduire de moitié, si l'on aime un fond un peu corsé, ou la laisser telle. Dans les deux cas, après ébullition, lui incorporer, hors du feu, 50 grammes de beurre frais, puis en arroser les moules ; parsemer dessus une pincée de persil haché et servir.

Nota. — Les moules à la marinière doivent être cuites au dernier moment et être attendues par les convives. Les moules préparées à l'avance et tenues au chaud brunissent, sèchent, et perdent leur caractère savoureux.

Court-bouillon pour crustacés

Pour 4 litres de court-bouillon, réunir dans une casserole : 3 litres d'eau ; un litre de vin blanc ; 1/4 de litre de vinaigre ; 40 grammes de sel ; 15 grains de poivre écrasés ; 1 feuille de laurier ; 2 brindilles de thym ; une branche de céleri ; quelques queues de persil ; un oignon émincé en rondelles. Faire cuire 20 minutes avant l'emploi.

Crabes ou tourteaux

Les cuire dans un court-bouillon préparé comme ci-dessus et à raison de 30 minutes par kilo ; après refroidissement dans le court-bouillon, retirer les chairs et le corail. Ce travail doit être fait minutieusement afin de ne laisser aucune esquille dans la chair.

Avec cette chair, préparer des mets succulents (voir ci-dessus).

Bouchées de crabe

Garnir des petites bouchées chaudes faites en pâte feuilletée avec la chair de crabe liée avec une partie de la sauce d'accompagnement : une sauce américaine ou une sauce tomate bien relevée, sauce à la crème, sauce Mornay ou sauce au cary, etc. L'autre partie de la sauce est servie à part dans une saucière.

Crabe en pilaf

Garnir le fond et les parois d'un moule à biscuit beurré avec une couche assez épaisse de riz cuit et chaud ; remplir avec la chair de crabe liée avec une partie de la sauce d'accompagnement, et une autre couche de riz. Tasser et tenir au chaud.

Démouler au moment de servir, accompagner d'une saucière de sauce au cary ou américaine, etc.

Crabe à la parisienne

(froid)

Garnir la carapace avec une salade ainsi composée : une partie de chair de crabe, une partie de légumes cuits (carottes, navets, pommes de terre, haricots verts coupés en petits dés) ; lier le tout avec de la sauce mayonnaise bien relevée, parsemer dessus une pincée de persil haché et un œuf dur haché.

Crevettes

Les crevettes doivent être cuites vivantes, de préférence à l'eau de mer ; à défaut, la cuisson se fait aussi avec de l'eau très fortement salée à raison de 30 grammes de sel marin par litre, une branche de thym, une feuille de laurier, 10 grains de poivre écrasés.

Plonger les crevettes dans la cuisson bouillante pendant 3 minutes, les égoutter et laisser refroidir.

Les crevettes décortiquées servent à la garniture des poissons et des sauces.

Gratin de queues d'écrevisses Fernand Point

Éléments (pour 4 à 6 personnes) :

2 kilos d'écrevisses vivantes ; 1/2 litre de vin blanc sec ; 10 centilitres de cognac ; 1 décilitre de sauce hollandaise ; 1/4 de litre de crème ; 30 grammes de farine ; 80 grammes de beurre ; 50 grammes de truffes taillées en julienne ; 50 grammes d'oignons ; 50 grammes de carottes ; 1 cuillerée de purée de tomates ; 1 petit bouquet garni riche en estragon ; sel, poivre, cayenne.

Préparation :

Plonger les écrevisses cinq minutes dans l'eau bouillante. Égoutter aussitôt, décortiquer les queues et les grosses pinces. Piler les carapaces.

1º Dans une casserole, faire revenir avec une noix de beurre les carapaces pilées. Ajouter les oignons et les carottes taillés en fine mirepoix, c'est-à-dire en petits dés.

Flamber avec la moitié du cognac. Mouiller avec le vin blanc et un peu d'eau pour baigner le tout. Ajouter la purée de tomates, le bouquet garni. Assaisonner avec sel, poivre et un soupçon de piment de Cayenne.

Cuire à feu doux 20 minutes environ. Ensuite passer la cuisson au chinois fin, la lier au beurre manié pour obtenir une sauce.

2° D'autre part faire « suer » au beurre les queues et pinces d'écrevisses décortiquées. Déglacer avec le restant du cognac. Ajouter la crème et la sauce. Après avoir incorporé la julienne de truffes, porter quelques minutes à ébullition et, hors du feu, lier l'ensemble avec la sauce hollandaise.

Après rectification de l'assaisonnement, dresser la préparation obtenue dans des plats à gratin individuels en porcelaine à feu.

Glacer à la salamandre pour obtenir un léger gratin.

Servir aussitôt ce mets de grande qualité.

Écrevisses à la nage

Pour 12 personnes :

Émincer en rondelles une carotte, 2 oignons moyens, 2 échalotes ; réunir ces légumes dans une casserole avec 1/2 litre d'eau, 1/2 litre de vin blanc, 15 grammes de sel, une forte pincée de poivre et un bouquet garni comprenant une feuille de laurier, 2 brindilles de thym, une branche de céleri et quelques queues de persil. Faire bouillir doucement jusqu'à complète cuisson des légumes.

Laver les écrevisses (60 à 80), les châtrer, c'est-à-dire enlever l'intestin ; les jeter dans la cuisson bouillante et cuire 8 à 10 minutes.

Dresser les écrevisses en buisson dans une jatte de cristal, réduire la cuisson de moitié après en avoir enlevé les légumes et la verser sur les écrevisses. Servir tiède ou froid.

Écrevisses à la bordelaise

Pour 24 écrevisses, tailler en dés minuscules la partie rouge d'une carotte moyenne, un oignon et 2 échalotes ; étuver ces légumes lentement au beurre, ajouter 50 grammes de beurre, les écrevisses lavées et châtrées, une pincée de sel, une brindille de thym et une feuille de laurier, les sauter à feu vif jusqu'à ce qu'elles soient bien rouges. Mouiller avec un décilitre de cognac, 3 décilitres de vin blanc et 3 cuillerées à potage de purée de tomates. Faire cuire à couvert 8 à 10 minutes.

Dresser les écrevisses dans un légumier et tenir au chaud.

Réduire la sauce de moitié, finir en ajoutant, hors du feu, 100 grammes de beurre, une pincée de cerfeuil et d'estragon hachés.

Verser la sauce sur les écrevisses.

Homard à l'américaine

Pour 3 ou 4 personnes :

Pour cette préparation, il est indispensable de disposer d'un crustacé bien vivant du poids de 800 à 900 grammes.

Le découper de la manière suivante :

Maintenir le homard de la main gauche, la queue et les pinces bien allongées, couper les pinces au ras du coffre et briser leur carapace, tronçonner la queue en 5 ou 6 anneaux, fendre le coffre en deux parties dans le sens de la longueur, retirer la petite poche membraneuse qui se trouve à hauteur de la tête et qui contient du gravier. Mettre en réserve, dans un bol, la partie crémeuse et la partie verdâtre appelée corail. Cette opération doit être exécutée très rapidement. Dans un plat à sauter faire chauffer en plein feu 4 cuillerées d'huile, placer les morceaux de homard dans l'huile fumante. Assaisonner de sel et poivre frais moulu ;

faire revenir ainsi jusqu'à ce que la carapace soit rouge. Retirer alors les morceaux de homard et les réserver au chaud. Ajouter dans l'huile un oignon moyen finement ciselé, le faire fondre en remuant souvent sans laisser colorer ; quand il est presque cuit, adjoindre 2 échalotes hachées très fines, le 1/4 d'une gousse d'ail écrasée. Égoutter l'huile. Mouiller avec 2 décilitres de vin blanc sec, 1/2 décilitre de fumet de poisson, d'eau à défaut, 2 cuillerées à potage de cognac. Ajouter 2 tomates moyennes, pelées, pressées des semences et hachées grossièrement, ou, à défaut, un décilitre de purée de tomates, un bouquet de 2 à 3 branches d'estragon et une pointe de poivre de Cayenne. Ranger les morceaux de homard sur ces aromates ; cuire, à couvert, pendant 20 minutes. Retirer les morceaux de homard, les dresser dans un légumier et tenir au chaud ; enlever l'estragon du fond de cuisson, le réduire de moitié et le lier avec les parties crémeuses malaxées avec 50 grammes de beurre, une pincée de cerfeuil et une d'estragon hachés ; retirer la sauce du feu dès que le premier bouillon est sur le point de se manifester ; y incorporer 50 grammes de beurre frais et 2 cuillerées de cognac.

Verser la sauce sur le homard et saupoudrer de persil concassé.

On peut servir à part du riz pilaf.

Nota. — Pour la commodité du service, l'usage d'extraire les chairs de la carapace se pratique de plus en plus. Les convives ne se salissent pas les doigts. Ce procédé est recommandable.

Homard thermidor

Partager le homard vivant en deux parties dans sa longueur, briser les pinces, assaisonner la chair de sel et poivre, l'arroser de quelques gouttes d'huile.

Placer les deux moitiés de homard, la carapace en dessous, dans un plat à rôtir et cuire à four bien chaud pendant 15 minutes. Arroser de temps à autre avec un peu de beurre fondu.

D'autre part, préparer la sauce de la façon suivante : faire un roux avec 50 grammes de beurre et 2 cuillerées à potage de farine, le cuire sans colorer 15 minutes et le mouiller avec 1/4 de litre de lait, saler et faire bouillir 1 minute ; lier, hors du feu, avec un jaune d'œuf dilué avec 2 cuillerées à potage de crème, ajouter gros comme une noix de moutarde forte, dégager la chair du homard de la carapace et la découper en escalopes ; les lier avec une partie de la sauce et les replacer dans la carapace. Recouvrir avec le reste de la sauce ou mieux avec de la sauce Mornay ou hollandaise et gratiner au four.

Homard printanier   (photo page 156)

Éléments (pour 4 personnes) :

2 homards vivants de 700 grammes chacun ; 6 petites pommes de terre, 100 grammes de carottes et 100 grammes de navets taillés en gousses d'ail ; 200 grammes de haricots verts très fins ; 100 grammes de petits pois frais écossés ; 3 échalotes finement hachées ; 6 petits oignons blancs ; 1/4 de litre de vin blanc sec ; 1/4 de litre de consommé de volaille ; sel ; poivre du moulin ; estragon ; cerfeuil.

Méthode :

Blanchir en les tenant fermes pommes de terre et haricots verts séparément à l'eau bouillante salée, carottes et navets à l'eau froide salée. Égoutter, rincer à l'eau froide, égoutter à nouveau.

Jeter les petits pois dans de l'eau bouillante salée que l'on maintiendra frémissante à 6 minutes. Égoutter, rincer à l'eau froide, égoutter à nouveau.

Enfoncer un couteau au milieu de la ligne d'intersection de la queue et du coffre, ce qui tue instantanément les homards, trancher pour séparer la queue que l'on coupera en 4 tronçons. Fendre le coffre dans le sens de la longueur, retirer la petite poche membraneuse contenant le gravier, mettre le corail en réserve. Briser les pinces.

Dans un plat à sauter faire chauffer 100 grammes de beurre, y faire revenir les morceaux de homards 3 à 4 minutes. Ajouter échalotes et oignons, remuer quelques instants, ajouter les légumes blanchis, saler et poivrer au moulin, cuire environ 5 minutes en remuant afin de bien mélanger les éléments. Ajouter vin et consommé. Couvrir et laisser cuire environ 10 minutes.

Retirer sur le coin du feu après avoir versé le jus de cuisson dans une autre sauteuse, le faire réduire 15 minutes environ, le monter au beurre que l'on aura intimement mélangé au corail en y ajoutant au dernier moment estragon et cerfeuil.

Verser la sauce sur les homards, ramener au point d'ébullition en continuant de remuer encore 5 minutes. Servir immédiatement.

Langoustes et langoustines

Se préparent exactement comme le homard.

Nota. — Les crustacés destinés à être servis froids et cuits dans un court-bouillon doivent toujours refroidir dans ce dernier. Ne les égoutter qu'après complet refroidissement. Au moment où ils sont sortis du court-bouillon, pratiquer dans la carapace, à la pointe de la tête, une petite incision : le crustacé sera placé debout sur la tête et le court-bouillon qui a pénétré à l'intérieur s'égouttera.

La langouste grillée aux deux sauces

Éléments (pour 2 personnes) :

1 langouste vivante de 800 grammes (ou 2 langoustes de 400 grammes environ); 50 grammes de beurre fondu; sel fin; poivre du moulin; persil.

Méthode :

1º Dans une marmite d'eau bouillante salée, plonger la langouste deux ou trois minutes pour la tuer et lui raffermir les chairs.

2º La retirer, la fendre par moitié dans le sens de la longueur, saler, poivrer les chairs, les badigeonner de beurre fondu.

Cuire la langouste (côté chair) sur un gril à feu modéré. On compte 1/4 d'heure de cuisson environ (surtout ne pas la dessécher).

3º Pour servir on dresse les demi-langoustes sur serviettes ou papier gaufré. Mettre en bordure du plat du persil en branches.

On sert en garniture une timbale de riz créole.

Sauce Choron et sauce américaine sont servies en saucière à part.

Le homard peut se traiter de la même façon.

Escargots

En France, l'escargot de vigne et le petit-gris sont les deux espèces qui sont surtout consommées.

Utiliser de préférence des escargots déjà obturés (operculés) pour passer l'hiver; à défaut, avoir soin de les faire jeûner quelques jours.

Les laver ensuite à plusieurs eaux jusqu'à disparition complète de toute mucosité et le blanchir, c'est-à-dire, les plonger dans l'eau bouillante pendant 5 minutes.

Les égoutter, les rafraîchir, les sortir des coquilles et supprimer l'extrémité noire d l'animal (le cloaque).

Les mettre enfin en cuisson dans une casserole en les mouillant largement avec moiti vin blanc et moitié eau ; condimenter pour un litre de cuisson avec une carotte moyenn un oignon, 2 échalotes coupées en rondelles minces, un bouquet garni composé d'une dizain de branches de persil, une brindille de thym, une feuille de laurier, une pincée de poivr écrasé, 8 grammes de sel. Faire bouillir, écumer et cuire doucement pendant 3 heures. Déba rasser dans un récipient et laisser les escargots refroidir dans leur cuisson.

D'autre part, les coquilles vides seront lavées, mises à bouillir à grande eau penda 1/2 heure, égouttées, rafraîchies et séchées.

Nota. — Par principe, il ne faut jamais dégorger les escargots au sel. La qualité gastron mique du mollusque s'en ressent.

Escargots à la bourguignonne

Préparation de beurre spécial pour 50 escargots

Broyer 10 grammes d'ail, y adjoindre 30 grammes d'échalotes hachées très fin, 20 gram mes de persil également haché menu, 12 grammes de sel fin, 2 grammes de poivre fra moulu et 250 grammes de beurre frais. Bien malaxer le tout.

Préparation des escargots

Mettre dans chaque coquille gros comme une noisette de ce beurre, introduire un esca got froid égoutté de la cuisson, l'escargot chassera le beurre au fond de la coquille, bouch totalement cette dernière par un dernier apport de ce beurre.

Les ranger dans un plat allant au four et humecté d'eau, parsemer sur chaque escarg une prise de chapelure blanche et mettre au four bien chaud 8 minutes.

Servir tel.

Escargots à la mode de Chablis

Se préparent comme les escargots à la bourguignonne. Toutefois, au moment de l mettre dans les coquilles, remplacer la noisette de beurre par une demi-cuillerée à café vin blanc réduit avec de l'échalote hachée ; poursuivre selon la méthode indiquée.

Escargots à l'alsacienne

Même méthode que pour la recette à la bourguignonne avec la légère différence traitement suivante :

Les escargots seront cuits dans une cuisson assez courte, quoique les recouvrant, et da laquelle seront ajoutés quelques couennes fraîches et un petit morceau de jarret de vea afin d'obtenir un fond très gélatineux et corsé.

Les escargots étant refroidis dans cette cuisson seront mis dans chaque coquille, tr enrobés de gelée, qui se mélangera au beurre spécial ; ajouter pour finir, comme il est in qué pour la recette à la bourguignonne, une prise de chapelure blanche pour chaque escarg au moment où ils seront chauffés au four.

Homard printanier (p. 154)

Grenouilles sautées à la bordelaise

Compter 12 grenouilles par personne.

Les saupoudrer de farine, bien les secouer et les jeter dans une poêle où grésille gros comme une noix le beurre pour 12 grenouilles. Les sauter à feu vif et les faire rissoler légèrement. Assaisonner avec une prise de sel fin, une de poivre frais moulu, une échalote hachée mise au dernier moment avec une cuillerée à café de chapelure blanche (mie de pain). Ajouter une pincée de persil haché et servir.

Grenouilles frites

Faire macérer 24 grenouilles pendant une heure dans le jus d'un demi-citron, un filet d'huile, une cuillerée à café de persil haché, une gousse d'ail écrasée, une prise de sel fin et une de poivre frais moulu.

Les tremper ensuite, une à une, dans de la pâte à frire et les plonger au fur et à mesure dans de la friture à l'huile fumante.

Les égoutter bien dorées et les dresser sur serviettes avec un bouquet de persil frit.

Grenouilles à la lyonnaise

Procéder comme pour les grenouilles à la bordelaise, remplacer l'échalote et la chapelure par des oignons coupés en julienne et fondus au préalable au beurre.

A la dernière minute, après dressage et au moment de servir, jeter dans la poêle brûlante un filet de vinaigre et en arroser les grenouilles.

Saupoudrer de persil haché.

Grenouilles à la poulette

Pocher 24 grenouilles dans un peu de vin blanc, mélangé de quelques gouttes de jus de citron et de beurre fondu, assaisonner de sel, poivre, un petit oignon coupé en julienne, branches de persil, une brindille de thym, un fragment de feuille de laurier. Dès que l'ébulion se manifeste, ajouter 100 grammes de champignons bien blancs escalopés.

Cuire doucement à couvert.

Égoutter les cuisses de grenouilles et les champignons et les tenir au chaud. Passer au nge la cuisson qui doit être courte et la lier avec 3 jaunes d'œufs et 1/2 verre de crème (un écilitre).

La sauce doit être assez consistante : réduire la cuisson avant de la lier si besoin est.

Remettre dans cette sauce, après liaison, les grenouilles et les champignons, 50 grammes de beurre frais, bien mélanger le tout, vérifier l'assaisonnement et dresser bien chaud en mbale.

Saupoudrer de persil frais haché.

LES VIANDES DE BOUCHERIE

**TABLEAU DES CLASSIFICATIONS
DES QUARTIERS ET PIÈCES DE BOUCHERIE**

	A ROTIR	A GRILLER	A BRAISER	A MIJOTER (ragoûts)	POT-AU-FEU		ABATS
1er choix	Aloyau Filet Faux-filet Train de côtes couvert Rumsteak	Filet Faux-filet Train de côtes couvert Rumsteak	Filet Faux-filet Train de côtes couvert Rumsteak				Rognons Cervelle Tripes Pieds Queue Amourette (moelle épinière)
2e choix	Train de côtes découvert	Train de côtes découvert Culotte Tranche grasse Hampe Onglet	Train de côtes découvert Culotte Tranche grasse Bavette Paleron Macreuse Gîte à la noix	Culotte Tranche grasse Bavette Hampe Paleron Macreuse Gîte à la noix	Pointe de culotte Tranche grasse Gîte à la noix Jarrets et Jambe Talon de collier Jumeaux Macreuse Plat de côtes Grosse poitrine Bavette Flanchet Surlonge Collier Joue	Cuisse Paleron Poitrine Collier Tête	

Nota. — Utiliser le filet, le faux-filet et le train de côtes couvert à braiser est évidemment un luxe culinaire qui ne s'impose pas. La culotte, la tranche grasse, la hampe et l'onglet débités en beefsteaks doivent être bien rassis, c'est-à-dire suffisamment mortifiés.

Savoir discerner la viande de bonne qualité et choisir le morceau qui convient le mieux à rôtir ou à griller, à bouillir, à braiser ou à mijoter c'est préparer judicieusement la réussite d'un mets.

La bonne qualité d'une viande se distingue à différentes caractéristiques dont les principales sont :

a) Couleur amarante vif; ferme, consistante et légèrement élastique au toucher;

b) Abondamment sillonnée de filaments minuscules gras; se dit viande « persillée » ou « marbrée »;

c) Couverte d'une couche épaisse de graisse blanche ou jaune clair;

d) Le faux-filet est rebondi.

La viande de vache a le grain plus fin que celle du bœuf; celle d'un vieux taureau est de couleur rouge brun; toute viande maigre, flasque, de couleur pâle ou rouge foncé est de qualité inférieure.

La classification des morceaux ou diverses parties de l'animal en cinq catégories et deux choix répond aux nécessités culinaires.

Remarques particulières aux parties de 1ᵉʳ choix :

Les parties de 1ᵉʳ choix sont constituées par l'aloyau.

L'aloyau est situé entre la pointe de la hanche et les premières côtes. C'est le dos de l'animal.

L'aloyau se divise en 4 parties : filet, faux-filet ou contre-filet, placés face à face et séparés par une cloison nerveuse et osseuse; le rumsteak et les côtes couvertes, situés aux extrémités

L'aloyau peut être rôti entier ou en tronçons; toutefois, les quatre parties sont généralement traitées séparément.

Le filet est la partie la plus tendre, la plus recherchée et la plus chère de l'animal.

Entier ou en gros tronçons, dénervé, piqué ou bardé, il fournit des rôtis exquis. Temps de cuisson au four : 12 à 15 minutes au kilo; à la broche : 15 à 18 minutes.

Le filet se prête, en outre, à 5 combinaisons culinaires : filets grillés, châteaubriants cœurs de filet, tournedos, filets mignons.

Le texte ci-dessous indique comment l'on débite un filet de bœuf.

Filets grillés. — Tranches transversales au fil de la viande de 1 à 2 doigts d'épaisseu (tête de filet).

Châteaubriants. — Tranches transversales au fil de la viande de 2 à 3 doigts d'épaisseu (1ʳᵉ partie du cœur).

Cœurs de filet. — Tranches transversales au fil de la viande de 1 à 2 doigts d'épaisseu (2ᵉ partie du cœur).

Tournedos. — Tranches transversales au fil de la viande de 2 doigts d'épaisseur (3ᵉ parti du cœur).

Filets mignons. — Tranches parallèles au fil de la viande d'un doigt d'épaisseur (queue d filet).

Le faux-filet ou *contre-filet* désossé se fait rôtir comme le filet, entier ou en gros tronçon (même temps de cuisson). On le débite en grillades sous l'appellation de rumsteak, entrecôt ou faux-filet grillé.

Le rumsteak se traite dans les mêmes conditions.

Le train de côtes couvert est compris entre la huitième et la dernière vertèbre. On le rôt entier ou en gros tronçons de préférence non désossé ce qui le rend plus savoureux. Temps d cuisson au four : 15 à 18 minutes au kilo; à la broche : 20 à 22 minutes.

Débité en tranches transversales au fil de la viande, il est servi en grillades : côtes o entrecôtes.

Les rôtis

Rôtir, griller ou sauter une pièce de boucherie, une volaille, un gibier, c'est cuire par concentration de la chaleur qui pénètre peu à peu vers le point central du morceau en traitement. Cette pénétration calorique refoule devant elle les sucs des substances et les emprisonne dans une enveloppe rissolée. Ce premier temps de l'opération de rôtissage est suivi d'un phénomène inverse qui constitue le second temps.

La pénétration calorique étant accomplie, la pièce est retirée de l'action directe de la chaleur nue (broche) ou rayonnante (four) et mise à reposer. Alors, les sucs emprisonnés et refoulés, qui étaient soumis à une forte compression, se libèrent et refluent lentement vers l'extérieur jusqu'à l'enveloppe rissolée. Ils s'insinuent dans les tissus, achèvent leur cuisson en leur communiquant une jolie couleur rosée.

L'enveloppe rissolée elle-même s'amollit légèrement, son épaisseur tend à disparaître pour ne devenir qu'une mince ligne brune qui cerne à peine et souligne la tranche de viande rouge ou blanche, de laquelle s'échappent des perles de jus grassouillet, rosé ou doré, suivant la nature de la viande.

Conduite des rôtis

Les rôtis se traitent au four ou à la broche.

La broche, trop abandonnée de nos jours, est de beaucoup supérieure au four en raison de l'évaporation des substances qu'elle provoque à l'air libre. Le rissolage est plus fin et plus savoureux si l'on emploie des bois spécialement choisis, tels les sarments de vigne qui communiquent leurs éthers au rôti exposé à leur flamme.

Le rôtissage au four s'effectue dans un milieu clos, dans une atmosphère de buée qui détruit en partie les fonctions du rissolage.

Broche ou four seront ardents ou très chauds pour provoquer un saisissement raisonné en fonction du volume de la pièce.

Le rissolage obtenu, l'intensité de la source de chaleur sera réduite en alimentant moins le foyer, ou en éloignant la pièce de ce dernier ou en prenant toute autre mesure de protection, un écran par exemple.

La pièce mise à rôtir reposera toujours sur une grille qui l'empêchera de baigner dans la graisse et le jus de cuisson.

Cette graisse et non le jus sera utilisée pour pratiquer de fréquents arrosages de la pièce. Dans une broche, graisse et jus sont recueillis par la lèchefrite.

On constate qu'un rôti, la volaille exceptée, est cuit à point par le toucher, ce qui nécessite une certaine expérience.

A défaut de cette dernière, il faut consulter le temps de cuisson établi selon le poids de la pièce et l'indication donnée au chapitre des viandes de boucherie ou aux recettes, puis pratiquer un sondage à l'aide d'une fine aiguille. La piqûre pratiquée laisse alors échapper quelques gouttes de sang rose pâle s'il s'agit d'une viande rouge (bœuf et mouton).

Les viandes blanches (veau, agneau, porc) perdent quelques gouttes de jus incolore.

Les gibiers se font cuire généralement légèrement saignants. L'à-point qui doit être de couleur rosée se remarque comme pour les viandes rouges.

Les volailles sont penchées sur une assiette, le jus qui s'écoule de l'intérieur est complètement blanc limpide et incolore si l'à-point est atteint.

Les jus de rôtis

Sauf exception indiquée dans une recette, un rôti doit toujours être servi avec son jus de cuisson.

Si la conduite du rôti a été méthodique, le jus recueilli dans la lèchefrite ou dans le plat à rôtir doit être suffisant.

Pendant le rôtissage au four, on doit veiller attentivement à l'intensité de chaleur de la sole du four qui, si elle est trop grande, provoque la réduction et le pinçage — caramélisation — des sucs qui deviennent amers ; d'autre part, le beurre de cuisson brûle.

On prévient ce défaut en glissant un objet sous le plat à rôtir ou en versant dans ce dernier une ou deux cuillerées à potage d'eau ou de bouillon blanc.

Le jus de rôti se dégraisse très partiellement ou pas du tout. On ne doit jamais oublier que la saveur est surtout retenue par les éléments gras.

Le dressage et le découpage des rôtis

D'une manière générale, un rôti est servi simplement sur un plat long et bien chaud et légèrement arrosé d'une ou deux cuillerées de son jus. Le supplément du jus est présenté dans une saucière.

Les légumes d'accompagnement d'un rôti formant garniture sont soit servis dans des légumiers, soit dressés autour du rôti. Dans ce cas, ils devront être disposés avec goût, par exemple, en bouquets aux extrémités du plat, ou autour du rôti par petits bouquets alternés. La garniture ne devra jamais être placée sur la bordure du plat de service, mais à l'intérieur de celle-ci. Le plat utilisé sera donc toujours spacieux sans exagération.

Dans les grands dîners d'apparat, il est d'usage de décorer les grosses pièces rôties avec des hâtelets, brochettes en argent ou en métal argenté surmontées d'un attribut et avec laquelle l'on embroche avec art certains éléments gastronomiques : écrevisses, champignons truffes, crêtes de coq, etc., en rapport avec la garniture d'accompagnement.

Le découpage des viandes de boucherie consiste à débiter des tranches minces perpendiculairement au fil de la viande. On comprendra la raison de ce principe en réfléchissant à la mastication. Si l'on présente à la morsure des dents une bouchée de viande tranchée contrairement au fil des tissus, la dentition attaque ces derniers et enfonce dans le sens sans résistance. Si la tranche a été faite en suivant le fil, la bouchée sera présentée ainsi à la bouche et la dentition rencontrera l'obstacle du sens. Une viande tendre semblera alors dure.

Préparation des pièces à rôtir

Filet, faux-filet, côtes de bœuf, noix de veau, gigot de mouton, volaille, gibier, etc., sont toujours l'objet de préparations préliminaires avant d'être mis à rôtir.

Le *filet de bœuf* est dégraissé et dénervé, puis piqué ou bardé.

Le *faux-filet* est dénervé. Cette opération s'effectue après avoir soulevé la membrane grasse qui forme couverture des nerfs et que l'on remet en place quand ces derniers sont enlevés.

Le *train de côtes* est légèrement raccourci, c'est-à-dire que les côtes sont sciées afin de diminuer leur longueur. D'autre part, tous les petits os adhérents sont enlevés.

Quand cette préparation est achevée, la pièce est ficelée sans être serrée, juste maintenue. Il convient de ne jamais comprimer une pièce par un ficelage trop bridé. Pendant la cuisson, les tissus gonflent et ont besoin d'une certaine aisance. Nous conseillons de couper les ficelles aux deux tiers de la cuisson.

La *noix de veau* doit être piquée quand elle est traitée en fricandeau.

Le *gigot* est débarrassé de l'os du quasi pour faciliter le découpage. S'il est piqué à l'ail les gousses seront insérées entre les membranes, on évitera toujours de pratiquer des blessures en pleine noix pour y glisser une gousse.

Les *volailles* et les *gibiers* à plume sont bridés, très souvent bardés.

Piquage des viandes

Le piquage des viandes a pour but, en introduisant en quinconce et en séton de menus bâtonnets de lard gras frais dans la partie extérieure d'une pièce, de la nourrir par la fonte du lard pendant la durée de la cuisson.

Barder une pièce est la protéger de l'action calorique trop vive provenant de la source de chaleur et en même temps la nourrir du lard fondu.

Les grillades

Faire griller ou sauter une pièce généralement de petit volume consiste à la rôtir à feu libre sur un gril ou dans un plat à sauter.

· La source de chaleur sera, pour les grillades, incandescente, qu'elle soit provoquée par de la braise, du charbon de bois ou du coke, le gaz ou l'électricité. Son intensité sera conditionnée par le volume, l'épaisseur surtout, de la pièce mise en cuisson.

Toutes les règles développées pour la rôtisserie seront respectées.

Le gril devra être, au préalable, bien chauffé par la couche en ignition ou incandescente au-dessus ou au-dessous de laquelle il est posé. La pièce mise en cuisson sera badigeonnée de beurre fondu, puis placée sur le gril ; au bout de quelques minutes, la pièce est déplacée à l'aide d'une spatule ; ce déplacement consiste en un quart de tour sur sa position initiale et provoque un quadrillage marqué par les barreaux du gril. Lorsque l'à-point de cuisson est obtenu pour, à ce moment seulement, la moitié de la pièce, celle-ci est retournée avec la spatule puis assaisonnée de sel fin lequel fondra à l'aide des sucs qui perlent sur la surface rissolée et pénétrera peu à peu les tissus ; quand la deuxième moitié de la grillade est à point, la pièce est mise sur le plat de service, le côté qui reposait sur le gril dans le deuxième temps de cuisson par-dessus. Ce côté est, à son tour, assaisonné. Il convient, pour obtenir une cuisson parfaite des viandes rouges — bœuf et mouton —, de cuire saignant et de laisser reposer quelques minutes avant de servir.

Pendant ce repos, il se produit une révolution inverse des jus concentrés qui s'étendent jusqu'aux parties extérieures. La pièce, tout comme si elle était rôtie, est parfaitement atteinte et rosée jusqu'à la surface rissolée. Si cette précaution n'est pas observée, la grillade sera molle et exagérément saignante au centre et cernée sur ses faces par une croûte noirâtre de plusieurs millimètres.

Les *sautés* se cuisent selon la même méthode mais dans un plat à sauter (ou à la poêle, ce qui est peu recommandable), lequel est déglacé (dissolution des sucs qui s'y sont solidifiés) pour servir avec la pièce en traitement.

Les braisés

La conduite de la cuisson d'une pièce braisée exige beaucoup d'attention, voire de minutie. Braiser une viande est, parmi les opérations culinaires, l'une des plus difficiles à réussir parfaitement.

Les meilleures viandes à braiser proviennent d'animaux de 3 à 6 ans pour le bœuf et de à 2 ans pour le mouton.

Les bêtes plus jeunes sont mal indiquées au contraire des viandes à rôtir ; plus vieilles, les viandes sont filandreuses et sèches. Le prolongement de la cuisson ne fait qu'accentuer ces défauts.

Les viandes à braiser — bœuf — seront toujours lardées quand les morceaux ont été choisis dans la cuisse ou dans le paleron. Quand il s'agit d'une pièce prélevée sur l'aloyau, le lardage n'est pas nécessaire, cette partie de l'animal étant, si ce dernier est de bonne qualité, très persillée, c'est-à-dire suffisamment nourrie en filaments gras.

Tous les phénomènes de cuisson expliqués à la théorie sur les rôtis se reproduisent au cours du braisage d'une pièce de boucherie. Le lecteur sera parfaitement instruit de la manière de procéder en lisant et en respectant tous les conseils donnés dans le corps des recettes des braisés contenues dans ce volume.

J'ajouterai, toutefois, que l'*Ancienne Cuisine* traitait les braisés d'une façon un peu différente que nous le faisons de nos jours, où les soucis d'économie et les nécessités de certains services ont obligé les praticiens à presque abandonner un usage extrêmement riche et savoureux.

Autrefois, la cuisson d'un braisé était tellement poussée qu'il n'était plus possible de le débiter en tranches avec un couteau. La pièce était véritablement compotée, elle réabsorbait tous ses sucs et ceux du fond de braise ; elle devenait meilleure, littéralement fondante et était servie avec une cuiller, seul instrument avec lequel il était possible de la débiter.

Les gourmets qui le peuvent ne doivent pas hésiter à remettre en pratique cette ancienne formule dont rien n'égale la succulence.

Les poêlés

Poêler une pièce de boucherie ou de volaille, c'est recourir à un procédé culinaire essentiellement familial, des plus simples et, par surcroît, des meilleurs.

Ce traitement consiste à mettre en cuisson une pièce déterminée avec un morceau de beurre dans un ustensile juste de dimension appropriée à la pièce traitée et de la cuire très lentement, au four de préférence, et à couvert. L'évaporation étant presque nulle, l'exsudation des sucs forme un jus grassouillet, sirupeux et exquis.

Les fritures

Il est prudent de n'employer, pour les opérations ressortissant de la friture, que des ustensiles robustes, profonds, ronds ou ovales, assez grands, et remplis seulement à moitié de graisse ou d'huile.

La friture idéale est constituée par l'huile d'arachide rigoureusement neutre.

On peut utiliser les graisses animales qui, sans brûler, atteignent un haut degré calorifique quoique moins élevé que celui auquel peut atteindre l'huile végétale.

La graisse de rognon de bœuf est la plus recommandable des graisses animales. Celle de veau est plus fine, mais ne résiste pas aux fortes températures. Celle de mouton est franchement mauvaise et doit être déconseillée. Celle de porc, à la rigueur, s'emploie, mais il vaut mieux la réserver pour les différentes opérations culinaires où elle intervient comme condiment.

Le beurre brûle à partir de 130 degrés, il ne peut être employé comme grande friture.

Les graisses animales quand elles sont très chaudes atteignent 180 degrés — elles fument alors légèrement.

Le saindoux et la panne peuvent supporter 250 degrés.

L'huile végétale ne brûle qu'à partir de 300 degrés.

Les degrés calorifiques de la friture se vérifient de la façon suivante :

a) Moyennement chaude, une feuille de persil jetée dedans la met en travail ;

b) Chaude, elle crépite si l'objet qui y est plongé est un peu humide ;

c) Très chaude, elle fume et frappe l'odorat.

Après chaque utilisation, il est indispensable de passer la friture dans un linge afin de décanter les impuretés abandonnées par les aliments qui y ont été frits.

Ces résidus, s'ils y demeurent, brûlent, activent l'usure d'une friture et, finalement dégagent une odeur nuisible aux éléments frits par la suite.

Mettre la friture en réserve dans un pot en grès ou dans une terrine.

Aloyau rôti, filet et contre-filet, train de côtes et rumsteak rôtis

Le filet et le contre-filet forment l'aloyau. Il est d'usage de faire figurer sur un menu soit l'aloyau, soit le filet, soit le faux-filet rôti ou braisé.

Les recettes appliquées aux uns conviennent aux autres et il en est de même pour le train de côtes et le rumsteak.

Seule, la présentation diffère selon la pièce.

J'ai indiqué au chapitre préliminaire sur *les rôtis* la méthode de préparation et de cuisson, y compris le temps — en principe — au kilo. La maîtresse de maison pourra s'y référer.

Quant aux garnitures de légumes, toutes peuvent, sans distinction, accompagner l'une ou l'autre de ces pièces.

Nous nous bornerons à quelques exemples types.

Filet de bœuf Richelieu

Dégraisser et dénerver à vif un filet de bœuf, le parer en enlevant la chaîne — partie nerveuse située sur le côté du filet et le longeant de la tête à la queue.

Piquer le filet de petits bâtonnets de lard frais, longs de 4 centimètres et ayant la taille d'une grosse allumette.

Cette opération s'effectue en tenant le filet de bœuf sur une assiette creuse posée à l'envers sur la table, la main droite manœuvre l'aiguille à piquer qui, chaque fois, traverse en séton, dans le sens de la viande, la surface du filet et y dépose un lardon dont les deux extrémités dépassent du filet.

Les lardons sont disposés en ligne avec un écartement de 2 centimètres entre chacun. Les lignes se succèdent parallèlement à un intervalle calculé de manière que les lardons de la ligne suivante sortent du filet légèrement en arrière de la ligne précédente et en quinconce par rapport à elle.

La propriété des lardons est de nourrir le filet et de le maintenir pendant toute la durée de la cuisson sous le bénéfice d'un arrosage permanent.

Maintenir ensuite le filet en le ceinturant tous les 6 centimètres d'un tour de ficelle un peu serré.

Disposer dans le fond d'un plat à rôtir une carotte moyenne et un gros oignon coupés en rondelles minces ; placer dessus le filet, l'assaisonner de sel fin de toutes parts, l'arroser de beurre fondu, le mettre à four chaud. Conduire la cuisson selon les indications données au chapitre sur les rôtis.

Pratiquer de fréquents arrosages et veiller à ne pas laisser rissoler exagérément au fond du plat les condiments — carotte et oignon — et les sucs qui s'échappent du filet.

Si l'on dispose d'une daubière de dimension suffisante, cette cuisson pourra y être faite avec avantage suivant la méthode dite « poêlée » tout en tenant l'à-point saignant. Dans les deux cas, temps de cuisson : 12 à 15 minutes au kilo.

La cuisson terminée, contrôler par un sondage à défaut d'expérience au toucher ; le filet sera placé sur un plat à rôtir et maintenu au chaud à reposer, deuxième phase de la cuisson.

Verser dans le plat à rôtir, ou dans la daubière, utilisé pour cuire le filet, un verre à boire ordinaire de bon jus de veau ou de bouillon blanc ou à défaut d'eau ; faire bouillir doucement minutes, puis passer à la passoire fine et réserver au chaud.

Garniture Richelieu

Composition : laitues farcies de purée de champignons et braisées ; champignons farcis ; tomates farcies ; pommes de terre fondantes (voir chacune de ces recettes au chapitre des légumes), en nombre suffisant pour que chaque convive ait ces quatre légumes.

Dressage

Disposer le filet de bœuf sur un plat assez grand, puis, autour, en alternant, une laitue, un champignon, une tomate et un bouquet de pommes de terre fondantes. Mettre un point de persil haché sur chaque bouquet de pommes de terre ; arroser légèrement le filet avec un peu de jus de cuisson dans lequel le sang qui s'est échappé du filet pendant le repos aura été ajouté, hors du feu, en même temps qu'un verre de madère ; servir avec le jus en saucière.

Service

Mettre les assiettes très chaudes sur table pendant le découpage pour recevoir, pour chaque convive, une tranche de filet, 4 éléments de la garniture, une cuillerée à café de jus versé sur l'assiette et non la tranche qui doit rester d'une belle couleur rosée ; enfin, saupoudrer chaque tranche d'une imperceptible pincée de sel fin provenant de sel marin mis en poudre.

Le filet de bœuf Richelieu peut être simplifié. Sans modifier le mode de traitement, la garniture limitée à 1, 2 ou 3 de ces éléments, il demeure néanmoins une pièce de relevé de grand style. Il suffit de changer l'appellation et de lui substituer celle de la garniture, par exemple : « aux laitues braisées », etc.

Filet de bœuf bouquetière

Piquer le filet, le rôtir ou le poêler selon les principes énoncés pour la formule dite « Richelieu ».

Le garnir en l'entourant de petits bouquets alternés de légumes : carottes, navets, cuits selon la recette dite « glacée », haricots verts et petits pois liés au beurre, pommes de terre de la grosseur d'une olive et rissolées.

Filet de bœuf sauce madère et champignons à la ménagère

Cette formule appartient essentiellement à la cuisine familiale. Elle pourra servir de base dans bien des cas où les ressources culinaires domestiques sont privées des fonds corsés utilisés généralement dans une grande cuisine.

Supposons une famille de 8 personnes ou un dîner pour 8 convives.

Acheter 1,500 kg de filet de bœuf en plein cœur ; 125 grammes de lard à piquer 60 grammes de beurre.

Préparation du filet : le parer, le dénerver, le piquer, le ficeler selon les indication données à la recette dite « Richelieu ».

Cuisson : le rôtir ou le poêler.

Dressage : présenter le filet sur un plat long, enlever les ficelles, l'entourer de belle têtes de champignons prélevés sur la garniture.

La sauce madère :

Temps d'exécution et de cuisson : 1 heure 1/2.

Éléments :

100 grammes de beurre ; 45 grammes de farine ; un verre à boire ordinaire de vin blan sec, soit 2 décilitres ; un litre de bouillon ou de jus de veau peu salé ; 2 cuillerées à potag de purée de tomates réduite ; 250 grammes de champignons ; un décilitre de madère, so

1/2 verre ordinaire ; une petite carotte ; un oignon moyen ; quelques branches de persil et fragments de thym et de laurier.

Méthode :

Tailler en dés très menus la carotte et l'oignon ; les cuire doucement dans une casserole assez grande pour contenir la sauce avec un morceau de beurre de la grosseur de 2 noix ; au terme de la cuisson, faire rissoler légèrement ces condiments et ajouter la farine ; bien mélanger l'ensemble et cuire ce roux lentement en le remuant constamment jusqu'à ce qu'il ait pris une couleur blond foncé. Laissez refroidir ; quand le roux est froid, le délayer avec le vin blanc versé peu à peu, puis, avec 9 décilitres de bouillon ou de jus de veau. Ajouter la purée de tomates, le persil, le thym et le laurier.

Mettre en ébullition, en remuant avec un fouet à sauce pour éviter la formation de grumeaux ; laisser bouillir très doucement pendant 45 minutes.

Les parures dégraissées du filet, légèrement rissolées, y seront adjointes à ce moment ainsi que 4 ou 5 pédicules de champignons nettoyés et émincés.

Pendant cette cuisson, enlever de temps à autre la peau et la graisse qui se forment pendant l'ébullition. Cette dernière opération a pour but d'enlever les impuretés de la farine et la graisse contenues dans la sauce qui, finalement, se trouve dépouillée, c'est-à-dire clarifiée. La sauce ne conserve alors que les principes amylacés de la farine qui en assure la liaison fine et légère.

Après 45 minutes d'ébullition, passer cette sauce à la passoire fine ou au chinois ; dans une autre casserole fouler fortement les condiments ; la remettre à bouillir lentement et poursuivre l'opération de clarification.

Cette clarification sera favorisée par l'addition dans la sauce, de temps à autre, d'une cuillerée ou deux du bouillon réservé.

Cette deuxième partie de la cuisson durera 30 minutes.

Les champignons :

Les champignons doivent être fermes et bien blancs. Couper l'extrémité terreuse et les laver rapidement à deux eaux sans les y laisser séjourner. Les égoutter aussitôt et les éponger.

Conserver entières quelques belles têtes pour garnir le filet et couper le reste des champignons en quartiers.

Chauffer le restant du beurre dans un plat à sauter de dimension assez grande pour contenir en surplus toute la sauce. Quand le beurre bien chaud a pris une couleur noisette, y jeter en plein feu les champignons, les remuer jusqu'à ce qu'ils soient légèrement rissolés.

Les retirer du feu et y verser, en la passant dans un linge, toute la sauce préparée ; faire bouillir et mijoter 5 minutes ; retirer à nouveau du feu, vérifier l'assaisonnement et la maintenir au chaud sans bouillir jusqu'au moment de la servir.

A cet instant, ajouter le madère ainsi que le jus de cuisson du filet de bœuf ; alors, cette sauce ne doit plus bouillir car le parfum du madère se volatiliserait en même temps que l'alcool qu'il contient et le jus sanguinolent cuirait en granules noirs.

La quantité de la sauce madère doit se trouver réduite à environ 5 décilitres, c'est-à-dire la moitié des éléments employés pour le mouillement, par suite des opérations d'épuration et de l'évaporation.

Il est évident que si l'on possède parmi les fonds de cuisine de la sauce demi-glace, dont la recette figure au chapitre des sauces, il est infiniment préférable d'employer cette dernière beaucoup plus sapide. Dans ce cas, le traitement conseillé pour les champignons subsiste et ils sont mouillés avec 5 décilitres de sauce demi-glace au lieu de la sauce dont la préparation est donnée ci-dessus.

La terminaison de la sauce avec le madère s'effectue dans les mêmes conditions.

Filet de bœuf à la financière

Piquer et rôtir ou poêler un filet de bœuf.

Préparer d'autre part une sauce madère soit avec de la sauce demi-glace (voir chapitre des sauces) ce qui est préférable, soit avec une sauce faite selon la formule indiquée ci-dessus, et y ajouter la garniture suivante :

Petits champignons sautés au beurre, truffes coupées en lames, crêtes et rognons de coq cuits dans un court-bouillon composé de bouillon blanc mélangé, pour un demi-litre, à une demi-cuillerée à potage de farine et le jus d'un demi-citron ou une cuillerée à potage de vinaigre, quenelles de veau ou une noix de ris de veau braisée à blanc et coupée en rondelles de un centimètre d'épaisseur.

Filet de bœuf Saint-Germain

Pour 15 personnes, acheter un filet de 6 à 7 livres, le parer, le raccourcir légèrement du côté de la tête et couper la queue, la tête sera utilisée en filets grillés, la queue en filets mignons et la chaîne pour faire un sauté à la minute ou une carbonnade.

Piquer le filet et le rôtir ou le poêler.

Le dresser et le garnir avec 15 timbales de purée de pois frais, des carottes glacées et des pommes de terre cuites au beurre.

Le servir accompagné de son jus de cuisson et d'une saucière de sauce béarnaise ou de sauce Valois.

Préparation de la garniture :

Faire bouillir dans une casserole ou dans une bassine en cuivre non étamée 3 litres d'eau salée normalement, y jeter 1 litre 1/2 de gros pois frais et les cuire rapidement en plein feu ; avant qu'ils ne soient totalement cuits, y ajouter une poignée d'épinards, laisser bouillir 5 minutes, retirer du feu, puis égoutter. Passer au tamis fin les pois et les épinards ; ces derniers ont pour but de maintenir bien verte la purée obtenue. Recueillir cette dernière dans une terrine, la travailler vigoureusement avec une spatule pour bien la lisser et y incorporer 1/4 de beurre frais et 2 cuillerées à potage de crème épaisse. Si les pois ne sont pas suffisamment sucrés, compléter l'assaisonnement avec une pincée de sucre en poudre. Ajouter à la purée, en mélangeant sans trop la travailler, 5 œufs entiers et 6 jaunes d'œufs battus en omelette.

D'autre part, beurrer soigneusement 15 moules à dariole ou à baba, les emplir jusqu'à un centimètre du bord avec la purée préparée, les ranger dans un plat à sauter ou à rôtir, verser dans ce plat de l'eau bouillante et pocher les timbales 35 minutes, au four, dans ce bain-marie qui à aucun moment ne devra bouillir. On obtient cette régularité de cuisson par une surveillance constante et l'addition d'une cuillerée ou deux d'eau froide quand l'on remarque un début d'ébullition de l'eau du bain-marie.

L'à-point de cuisson se manifeste à la manière d'une crème renversée, la purée devenant plus ferme au toucher.

Tenir au chaud dans le bain-marie en l'attente de démouler ; le démoulage sera facilité par un repos de quelques minutes après cuisson.

Carottes glacées :

Choisir une botte de carottes nouvelles, espèce dite grelot, les éplucher aussi finement que possible ; si elles sont petites, les laisser entières ; dans le cas contraire, les diviser en deux ou quatre parties et parer légèrement les angles afin de leur donner la forme et le volume d'une grosse gousse d'ail.

Les laver et les mettre dans une sauteuse assez grande pour qu'elles forment une couche peu épaisse, les mouiller d'eau juste à hauteur, ajouter une pincée de sel, une de sucre et la grosseur de deux noix de beurre ; mettre en ébullition et cuire doucement sans couvrir de sorte que l'évaporation du liquide soit presque totale au moment où la cuisson des carottes est achevée.

Alors, les sucs des légumes, le beurre, le sucre et l'humidité qui subsiste composent une matière sirupeuse dans laquelle il suffit d'ajouter, hors du feu, une noix de beurre frais ; rouler doucement le tout ; les carottes en s'enrobant dans ce fond deviennent brillantes.

Elles doivent être fondantes.

Pommes de terre au beurre :

Utiliser un kilo de pommes de terre nouvelles de la grosseur d'une noix, les éplucher et les cuire au beurre, avec une pincée de sel fin, dans un plat à sauter et à couvert. Elles doivent être peu rissolées et très moelleuses.

Dressage :

Placer le filet de bœuf sur un plat long assez grand, enlever les ficelles et l'arroser avec un peu de jus de cuisson ; démouler à chaque extrémité du plat, en demi-couronne, les timbales de purée de pois et, à droite et à gauche du filet, en les intercalant, les carottes glacées et les pommes de terre au beurre dressées en petites pyramides.

Mettre sur chaque petit bouquet de pommes de terre un point de persil haché.

Bœuf à la ficelle

(photo page 172)

Éléments (pour 6 personnes) :

2 kilos de filet de bœuf paré et ficelé ; 200 grammes de carottes et navets coupés en bâtonnets ; 6 blancs de poireaux ; 2 cœurs de céleri ; 3 tomates, 1 oignon piqué de trois clous de girofle ; 1 branche de persil, cerfeuil et estragon ; 25 grammes de gros sel ; 5 grammes de poivre en grains ; croûtons de pain ; gruyère râpé.

Méthode :

1º Mettre 3 litres d'eau dans une marmite ou un faitout, ajouter l'assaisonnement, les aromates et les légumes.

Porter 5 minutes à ébullition ; ensuite, plonger dans le bouillon le filet de bœuf, l'attacher par une ficelle à la poignée du récipient, ce qui donnera plus de facilité pour retirer la pièce.

2º Après avoir soigneusement écumé, la cuisson doit se faire à lente ébullition. On compte en moyenne 10 à 15 minutes par livre de viande comme un roastbeef ; celle-ci doit rester rouge rosé à la coupe.

3º On sert le filet de bœuf entouré des légumes et accompagné d'une sauce tomate aromatisée à l'estragon et à la ciboulette ; ou on le sert tout simplement avec gros sel, cornichons et petits oignons au vinaigre. Certains le dégustent avec une sauce rémoulade.

Le bouillon est servi (après l'avoir légèrement beurré) avec des petits croûtons de pain et du gruyère râpé.

Nota. — Aiguillette ou côte de bœuf peuvent se traiter de la même façon, ainsi que le gigot de mouton.

Steak tartare

Prélever un morceau de filet de 200 grammes sur la tête du filet, le dénerver, le dégraisser, le hacher finement et l'assaisonner de sel fin et de poivre frais moulu. Rassembler ce hachis et lui donner la forme d'un palet arrondi de 3 centimètres d'épaisseur ; le placer sur un plat de service et pratiquer au centre une cavité avec le dos d'une cuiller à café trempée dans de l'eau froide, mettre dans cette cavité un jaune d'œuf cru.

Servir avec un bol de consommé bouillant et 3 raviers contenant, l'un des câpres, l'autre de l'oignon ciselé, le troisième du persil haché.

Steak aux œufs au miroir

Préparer un steak haché comme il est expliqué dans la recette du steak tartare, le cuire en le tenant rosé, au beurre, dans un plat à sauter ; le dresser sur un plat de service et le recouvrir de 2 œufs cuits à la poêle et au four (cuisson dite au miroir, voir chapitre des œufs).

Le miroitement des jaunes peut être également obtenu en les arrosant, à l'aide d'une cuiller à café, avec le beurre de cuisson brûlant.

Verser 2 cuillerées de jus de veau dans la sauteuse utilisée, réduire de moitié et entourer le beefsteak de ce jus.

Hamburger ou steak haché

Ciseler finement un oignon moyen, le cuire doucement dans une sauteuse avec gros comme une noix de beurre, l'oignon doit blondir et non rissoler.

Préparer, d'autre part, un steak haché de 200 grammes, l'assaisonner de sel et de poivre frais moulu et condimenter avec l'oignon cuit au beurre.

Reconstituer le steak dans sa forme, le cuire au beurre dans la sauteuse utilisée pour l'oignon, mais dans laquelle aucune parcelle d'oignon ne subsiste car elle brûlerait. L'à-point se constate quand le sang perle à la surface.

Dresser sur un plat de service, mettre une noix de beurre dans la sauteuse, une cuillerée de jus de veau, faire bouillir deux minutes et arroser le steak avec ce fond.

Facultatif : glisser un œuf à cheval sur le steak.

Châteaubriant

Pièce de boucherie dégraissée et dénervée coupée sur la partie la plus épaisse du filet de bœuf qui suit immédiatement la tête.

Un châteaubriant ne doit pas dépasser le poids de 400 à 500 grammes pour assurer une cuisson méthodique par la grillade.

Le griller selon les principes développés à la théorie sur les grillades et le servir accompagné d'un beurre maître d'hôtel ou autre beurre composé et de pommes de terre soufflées dressées en bouquets à l'une des extrémités du plat, alors qu'à l'autre on dispose un bottillon de cresson, ou frites dites Pont-Neuf ou allumettes ou pommes sautées ou tout autre légume.

Toutefois, la garniture classique du châteaubriant est « aux pommes de terre soufflées » accompagné de beurre maître d'hôtel ou de sauce béarnaise.

Beurre maître d'hôtel

100 grammes de beurre ; une cuillerée à café de persil frais haché ; 4 grammes de sel fin (une forte prise) ; quelques tours de moulin à poivre ; le jus d'un demi-citron.

Malaxer le tout à chaleur douce pour obtenir une pommade ; servir soit en saucière soit sur le châteaubriant dont la chaleur le fait fondre.

Bœuf à la ficelle (p. 17

Service :

Pour servir un châteaubriant à plusieurs convives, le découper sur le plat de service après présentation. La coupe sera pratiquée en biais. Chaque morceau servi sur assiette bien chaude sera accompagné de quelques pommes de terre soufflées (ou autre garniture choisie), disposées sur le côté de l'assiette ; en regard, quelques branches de cresson seront mises. Une cuillerée à café de beurre maître d'hôtel et un peu de jus sanguinolent échappé du châteaubriant pendant le découpage, seront ajoutés sur l'assiette et non sur la viande. Sur celle-ci, le convive pourra, selon son goût, moudre un grain de sel marin et un soupçon de poivre, à l'aide des moulins à sel et à poivre qui font généralement partie du service de table.

Cœur de filet sauté ou grillé

Tranche de filet de bœuf de 150 à 200 grammes provenant de la partie centrale du filet dénervée et dégraissée.

Se traite au plat à sauter comme les tournedos ou sur le gril comme le châteaubriant. Les garnitures et les sauces d'accompagnement des uns et des autres leur conviennent.

Filets mignons

Ce mets permet d'utiliser la queue du filet de bœuf trop mince pour être débitée en tournedos.

La queue est parée, c'est-à-dire dénervée et dégraissée, puis divisée en beefsteaks un peu minces en les coupant dans le sens du fil de la viande.

Le traitement des filets mignons est simple : les aplatir légèrement avec la batte à boucherie, le plat d'un couperet ou d'un gros couteau de cuisine, les assaisonner de sel fin et de poivre frais moulu, faire adhérer ces condiments à la viande par une légère pression avec le plat d'une lame de couteau, les tremper dans du beurre fondu et, aussitôt, dans la mie de pain émiettée en chapelure, appuyer cette panure avec le plat du couteau ; avec le dos du couteau, imprimer un quadrillé sur les deux surfaces et placer sur le gril assez chaud, arroser d'un peu de beurre fondu. Cuire saignant.

Servir avec un accompagnement de légumes et une saucière de beurre maître d'hôtel, de sauce béarnaise, Choron ou Valois, etc.

Ne jamais verser sur les filets mignons panés un accompagnement liquide : jus, sauce périgueux, sauce madère, etc., qui détremperait immédiatement la chapelure. Si ces sauces ou jus sont utilisés, les servir à part en saucière, et en verser une demi-cuillerée dans l'assiette, sur le côté de la grillade et non dessus.

Tournedos et médaillons

Le médaillon n'est qu'une manière de tournedos. Il se fait griller ou sauter, se traite et se garnit de même. Toutes les préparations de ce dernier lui sont applicables.

On taille l'un et l'autre dans la partie du filet de bœuf qui précède la queue et qui forme le cœur du filet où celui-ci est moins épais.

La partie utilisée du filet doit être parée à vif, nerfs, graisse et chaîne sont enlevés. Les tournedos sont débités avec une épaisseur de 5 à 6 centimètres et ceinturés avec une mince bande de lard frais d'égale hauteur, maintenue au moyen d'un tour de ficelle un peu serré de façon à donner au tournedos l'apparence d'un palet épais et rond.

Méthode :

Si le tournedos est grillé, il convient de s'inspirer des indications données pour le châteaubriant et de le servir avec l'une des garnitures suivantes.

J'ai toutefois une préférence pour le mode de traitement dit sauté, quand il s'agit de tournedos, qui permet d'utiliser le déglaçage de la pièce et d'obtenir des fonds ou sauces d'une plus grande sapidité.

Tournedos à l'arlésienne

Éléments (pour 6 personnes) :

6 tournedos pesant chacun de 100 à 110 grammes ; 125 grammes de beurre ; 2 cuillerées à potage d'huile ; 2 aubergines moyennes ; 6 tomates ; 2 gros oignons ; 1/2 verre de madère (un décilitre) ; un verre de bon jus de veau.

Méthode :

Chauffer dans un plat à sauter l'huile et 30 grammes de beurre ; quand ce dernier grésille y ranger les tournedos. L'huile et le beurre doivent être bien chauds (fumer) afin de saisir les tournedos. Cuire sans couvrir quatre minutes, les retourner avec une spatule afin de ne pas les piquer, assaisonner de sel fin et de poivre frais moulu la face retournée (voir théorie sur les grillades) et cuire le même temps le second côté.

Une minute avant le terme de la cuisson, enlever la ficelle, et la ceinture de lard, placer les tournedos sur le côté, les rouler ainsi dans le beurre de cuisson pour saisir le tour de la pièce protégé par la barde.

Poser, en les retournant, les tournedos sur une assiette, assaisonner la seconde face et les tenir au chaud. En reposant, ils termineront de cuire à point.

D'autre part, pendant que les tournedos cuisent, préparer la garniture de tomates d'aubergines et d'oignons.

Les tomates

Les choisir d'égale grosseur, enlever le pédoncule et la partie attenante et les presser pour extraire les semences et l'eau de végétation, assaisonner l'intérieur de sel et poivre et les cuire au beurre à couvert dans un plat à sauter.

Les aubergines

Éplucher les aubergines, les couper en rondelles de 2 à 3 millimètres d'épaisseur, les saupoudrer d'une prise de sel et d'une cuillerée de farine, bien mélanger, secouer la farine et les plonger en grande friture bien chaude. Laisser prendre une belle couleur dorée et les égoutter bien croustillantes sur un linge. Temps de cuisson : 5 minutes.

Les oignons

Couper en anneaux les deux oignons, les tremper dans un peu de lait, puis les saupoudrer de farine, bien les secouer et les plonger 3 minutes dans la friture après les aubergines. Dès qu'ils sont bien dorés, les égoutter sur un linge et saler légèrement.

Dressage :

Disposer les tomates en couronne sur un plat rond et chaud ; placer sur chacune d'elle un tournedos et sur ceux-ci quelques rondelles d'oignon frit. Dresser, au centre, en dôme les aubergines frites, parsemer dessus une pincée de persil haché. Verser dans le fond du plat une cuillerée à potage du jus ci-dessous.

Le fond

Réunir dans le plat à sauter utilisé le fond de cuisson des tomates et le jus de veau ; réduire rapidement des 3/4 et, hors du feu, ajouter le madère, le jus qui, dans l'assiette, provient des tournedos, et le reste du beurre ; lier le tout en imprimant au plat à sauter un mouvement de rotation et servir cette sauce à part, en saucière.

Tournedos à la béarnaise

Préparer et faire sauter 6 tournedos comme il est indiqué dans la recette des tournedos à l'arlésienne.

Les dresser sur un plat rond et bien chaud, chaque tournedos surélevé par un petit croûton de pain de mie de même dimension, de 1,5 centimètre d'épaisseur, et frit au beurre.

Disposer au centre une garniture de petites pommes de terre nouvelles cuites au beurre et légèrement rissolées, ou des pommes de terre dites château, ou noisettes, saupoudrées d'une pincée de persil haché.

Border chaque tournedos d'un cordon de sauce béarnaise, verser au centre du cordon 1/2 cuillerée à café du fond de cuisson déglacé avec un bon jus de veau et légèrement beurré hors du feu.

Servir à part dans une saucière le complément de la sauce béarnaise.

Tournedos Bercy

Dresser sur petits croûtons ronds ayant 2 centimètres d'épaisseur et de 7 à 8 centimètres de diamètre et frits au beurre, 6 tournedos sautés. Verser dans le plat à sauter utilisé 1/2 verre à boire ordinaire de vin blanc sec, le réduire des 3/4, ajouter autant de bon jus de veau, réduire aux 2/3 ; finir, hors du feu, par l'addition de la grosseur d'une noix de beurre incorporé en roulant le fond dans le plat à sauter auquel il suffit d'imprimer un mouvement de rotation.

Arroser les tournedos de ce fond et mettre sur chacun une cuillerée à café de beurre Bercy fondu en pommade.

Beurre Bercy

Hacher finement 3 échalotes, les cuire très doucement avec une noix de beurre sans colorer. Elles doivent presque fondre ; à ce moment ajouter 1/2 verre à boire ordinaire de vin blanc sec, réduire jusqu'à contenance de 3 cuillerées à potage ; ajouter, hors du feu, dans la sauteuse utilisée et encore très chaude : 125 grammes de beurre frais ; 250 grammes de moelle coupée en petits dés, pochée quelques minutes dans l'eau salée à point et presque bouillante et bien égouttée ; 1/2 cuillerée à potage de persil haché ; une pincée de sel fin ; une forte prise de poivre frais moulu et le jus d'un quart de citron ; bien malaxer le tout afin d'obtenir un mélange ayant la consistance d'une pommade.

Ce beurre peut être servi à part, en saucière.

Tournedos sautés à la bordelaise

Dresser sur un plat rond et bien chaud 6 tournedos sautés ; placer sur chacun une belle lame de moelle préalablement pochée à l'eau salée à point et presque bouillante. Déglacer le plat à sauter utilisé avec 8 cuillerées de sauce bordelaise ; achever, hors du feu, avec 50 grammes de beurre frais, saucer les tournedos, mettre sur la moelle un point de persil haché et servir bien chaud.

Tournedos sautés aux champignons

Faire sauter 6 tournedos, les dresser en couronne sur un plat rond bien chaud, mettre au centre, en dôme, la garniture de petits champignons décrite ci-après et sur chaque tournedos une belle tête de champignon décorée.

Garniture de champignons

Sur 250 grammes de champignons bien blancs, plutôt petits, nettoyés et lavés rapidement, choisir 6 belles têtes et les canneler, c'est-à-dire pratiquer dessus, à l'aide d'un couteau à légume, une rosace en enlevant la pelure. Si les autres champignons dépassent la grosseur d'une bille, les couper en deux ou plus et jeter le tout dans le plat à sauter dans lequel les tournedos ont été cuits et où 125 grammes de beurre ont été ajoutés et chauffés sans excès afin que les sucs dégagés des tournedos ne brûlent pas.

Cuire à feu vif pendant 5 minutes et ajouter :

1º 1/2 verre à boire ordinaire de vin blanc sec ; réduire des 2/3.

2º Soit un verre de sauce demi-glace, soit 2 verres de bon jus de veau ; dans cette deuxième éventualité, réduire de moitié ; beurrer hors du feu. Vérifier l'assaisonnement puis dresser en disposant les 6 champignons cannelés sur les tournedos et les autres champignons au centre.

Napper les tournedos avec la sauce et achever en mettant un point de persil haché sur les champignons cannelés.

Tournedos chasseur

Même procédé que pour les tournedos aux champignons que l'on coupe en lamelles au lieu de les diviser en quartiers. Ajouter, en outre, au moment de beurrer la sauce, une bonne cuillerée à café d'estragon et de persil frais hachés par moitié.

Ne plus faire bouillir après cette addition.

Tournedos Choron

Éléments (pour 6 personnes) :

6 tournedos de 100 grammes ; 6 fonds d'artichauts cuits dans un blanc ; 2 bottes de pointes d'asperges vertes dites « balais » ; un kilo de grosses pommes de terre ; 2 cuillerées à potage d'huile ; 150 grammes de beurre ; 2 décilitres de sauce béarnaise additionnée de purée de tomates réduite : 3 parties de béarnaise, une partie de tomate ; 150 grammes de pain de mie bien rassis.

Méthode :

1º Préparer les croûtons, les frire au beurre, les dresser sur un plat rond et tenir au chaud.

2º Cuire les tournedos selon la théorie sur les sautés.

3º Les dresser sur les croûtons disposés en couronne et mettre sur chacun un cordon de sauce béarnaise tomatée dite sauce Choron.

4º Intercaler entre chaque tournedos les 6 fonds d'artichauts préalablement assaisonnés de sel et poivre et étuvés des deux côtés au beurre 15 à 20 minutes ; les garnir d'un bouquet de pointes d'asperges cuites à l'anglaise, c'est-à-dire à grande eau salée à point, puis égouttées et liées délicatement, hors du feu, avec du beurre frais. Vérifier l'assaisonnement.

5° Disposer au centre du plat les pommes de terre traitées selon la formule dite à la parisienne, chapitre des légumes.

6° Déglacer le plat à sauter avec 6 cuillerées à potage de bon jus de veau, réduire de moitié et en verser quelques gouttes sur les tournedos au centre du cordon de sauce Choron.

Tournedos Clamart

Éléments (pour 6 personnes) :

6 tournedos de 100 grammes ; 3 grosses pommes de terre cuites au four ; 6 tartelettes en pâte sablée non sucrée et cuites à blanc ; 1/2 litre de petits pois préparés à la française ; 2 cuillerées d'huile ; 150 grammes de beurre ; un décilitre de xérès ; 2 décilitres de jus de veau.

Méthode :

1° Ouvrir en deux parties les pommes de terre cuites au four, en extraire la pulpe et la recueillir dans un bol, l'assaisonner de sel et poivre et la malaxer à la fourchette en lui incorporant 50 grammes de beurre. Avec cette pâte faire 6 palets de la forme et de la dimension des tournedos et les rissoler de chaque côté dans un peu de beurre et à la poêle. Les retourner avec précaution à l'aide d'une spatule.
Les dresser en couronne sur un plat rond et tenir au chaud.

2° Cuire les tournedos et les disposer sur les palets en pommes de terre.

3° Mettre autour des tournedos les tartelettes cuites à blanc (c'est-à-dire entre deux moules à tartelette pour éviter qu'elles ne se déforment ou garnies d'un papier pelure et de légumes secs). Dans chacune, ajouter une cuillerée de petits pois bien liés au beurre frais.

4° Déglacer le plat à sauter avec le xérès et le jus de veau, réduire des 2/3, beurrer hors du feu et servir en saucière. Ne pas verser de ce fond dans le plat de service, il détremperait prématurément les palets en pommes de terre.

Tournedos forestière

Éléments (pour 6 personnes) :

6 tournedos de 100 grammes ; 150 grammes de pain de mie compact et bien rassis ; 100 grammes de beurre ; 4 cuillerées d'huile ; 600 grammes de champignons (morilles, cèpes, girolles, etc.) ; un décilitre de jus de veau ; persil.

Méthode :

1° Préparer 6 croûtons.

2° Nettoyer les champignons et les laver avec soin à plusieurs eaux sans les y laisser séjourner, bien les égoutter et les éponger. S'ils sont moyens ou un peu gros, les escaloper.
Mettre l'huile dans une poêle ; dès qu'elle est fumante, y jeter les champignons, les assaisonner de sel, les cuire à feu très vif 5 minutes en les faisant sauter fréquemment, les égoutter et les jeter, à nouveau, dans la poêle où grésille du beurre (50 grammes) ; les faire très légèrement rissoler. Compléter l'assaisonnement en sel si besoin, donner sur les champignons quelques tours du moulin à poivre.

3° Cuire les tournedos; les dresser sur les croûtons disposés en couronne sur un plat rond et mettre, au centre, les champignons, les persiller d'une pincée de persil haché.

4° Arroser les tournedos avec le déglaçage effectué avec le jus de veau beurré. Servir très chaud.

Nota. — Selon les goûts, une cuillerée à café d'échalote hachée peut être ajoutée à la dernière minute dans les champignons.

Tournedos Henri IV

Éléments (pour 6 personnes) :

6 tournedos de 100 grammes; 150 grammes de pain de mie compact et bien rassis 2 cuillerées à potage d'huile; 100 grammes de beurre; 2 décilitres de sauce béarnaise 700 grammes de grosses pommes de terre; 6 fonds d'artichauts préalablement cuits dans un blanc; un décilitre de jus de veau; cerfeuil; estragon.

Méthode :

1° Préparer les croûtons.

2° Cuire sur le gril les tournedos.

3° Sauter au beurre les pommes de terre levées à la cuiller de la grosseur d'une noisette

4° Escaloper les fonds d'artichauts et les jeter dans une sauteuse où grésille du beurre (50 grammes). Les faire rissoler légèrement.

5° Dresser les tournedos sur les croûtons, mettre sur chacun un cordon de sauce béarnaise et, autour en alternant, un bouquet de pommes de terre noisettes et un bouquet de fonds d'artichauts. Veiller au parfait assaisonnement de ces légumes. Terminer avec un point de cerfeuil et d'estragon hachés sur les pommes de terre.

Servir à part le reste de la sauce béarnaise.

Tournedos à la moelle

Éléments (pour 6 personnes) :

6 tournedos de 100 grammes; 6 belles lames de moelle de bœuf; un décilitre de sauce bordelaise.

Méthode :

1° Faire griller les tournedos.

2° Mettre la moelle à pocher 5 minutes dans un bol d'eau presque bouillante et salée point.

3° Disposer les tournedos sur un plat rond, mettre sur chacun une lame de moelle et les napper avec la sauce bordelaise légèrement réduite et beurrée hors du feu.

Entrecôte à la bordelaise

Griller l'entrecôte. Quand elle est cuite d'un côté, qu'elle a été retournée et que la cuisson du second côté est avancée, disposer sur l'entrecôte, en la recouvrant entièrement de belles lames de moelle de 3 millimètres d'épaisseur et pochées 5 minutes dans de l'eau salée à point et presque bouillante.

Dès que la cuisson est à point, relever avec soin l'entrecôte à l'aide d'une spatule et la poser sur un plat long de service bien chaud. Persiller légèrement la moelle avec une pincée de sauce Bonnefoy (sauce bordelaise faite au vin blanc).

Nota. — L'entrecôte, le faux-filet et le rumsteak, grillés ou sautés, se servent accompagnés de pommes de terre frites : soufflées, Pont-Neuf, mignonnettes, paille, etc.

Côte de bœuf à la moelle au vin de Brouilly

Éléments (pour 2 personnes) :

1 côte de bœuf de 1 kilo ; 100 grammes de moelle ; 1 bouteille de vin de Brouilly ; 100 grammes de beurre fin ; 1 cuillerée de beurre manié ; 30 grammes d'échalote hachée ; sel et poivre du moulin.

Méthode :

Saler et poivrer la côte de bœuf. Dans une casserole basse à fond épais, la cuire au beurre mousseux en lui faisant prendre couleur. On compte, si on la désire saignante, cinq minutes de chaque côté pour la cuire et la dorer.

Ensuite la retirer sur un plat de service et la maintenir au chaud.

Dans le beurre de cuisson, faire revenir les échalotes hachées, sans les colorer. Pour déglacer et faire la sauce, ajouter le vin de Brouilly, le laisser réduire par ébullition de moitié.

Établir la liaison avec le beurre manié et en dernier lieu, en rectifiant l'assaisonnement, incorporer à la sauce le restant du beurre pour la rendre onctueuse.

La côte de bœuf se sert recouverte de lames de moelle ayant été dégorgées et pochées à l'eau légèrement salée.

On peut à volonté présenter la côte de bœuf nappée de la sauce ou servir celle-ci en saucière.

Nota. — Ce principe d'incorporer en dernier lieu un peu de beurre en pommade aux sauces à base de vin élimine l'acidité et augmente la saveur.

Bœuf à la mode

Éléments (pour 6 personnes et 2 services, l'un chaud, l'autre froid) :

1,800 kg de culotte ou de tendre de tranche ; 200 grammes de lard gras frais ; 60 grammes de beurre ou de graisse de porc, veau ou volaille ; 1 décilitre de cognac ; 4 décilitres de vin blanc ; 1 litre de bouillon ou de jus de veau peu salé ; 2 pieds de veau ; 50 grammes de couennes fraîches ; une dizaine de branches de persil ; une feuille de laurier ; une brindille de thym ; 1 carotte moyenne et 1 gros oignon ; 5 gousses d'ail. Pour la garniture : 500 grammes de carottes ; une vingtaine de petits oignons.

Temps de cuisson : 5 heures au moins.

Méthode :

1° Couper le lard en lardons de la grosseur et de la longueur d'un crayon ordinaire ; les mettre sur une assiette creuse, les assaisonner de sel, de poivre et d'une pointe d'épices ; ajouter 2 cuillerées à potage de cognac, mélanger et laisser macérer 20 minutes, les retourner de temps à autre.

2º Larder la pièce de viande ; au préalable, saupoudrer les lardons au moment de les employer de persil frais haché, puis mélanger. A l'aide de la lardoire spéciale au piquage des grosses pièces, introduire les lardons dans le morceau en enfonçant la lardoire dans le sens du fil de la viande. La répartition des lardons doit former un damier assez régulier dans chacune des tranches après découpage. Assaisonner la pièce de bœuf, de sel, de poivre et d'une prise de thym et de laurier broyés très fin, la placer dans un récipient de dimension restreinte avec le cognac et le vin blanc de façon qu'elle y baigne entièrement, laisser mariner au frais 5 heures en la retournant de temps en temps pour que la viande se pénètre des condiments.

Cuisson :

3º 1re partie : a) désosser les pieds de veau, les blanchir, c'est-à-dire les mettre à grande eau froide et les ébouillanter 10 minutes, les rafraîchir et les ficeler. Casser les os en menus morceaux.

b) ébouillanter les couennes, les rafraîchir et les ficeler en un paquet.

c) égoutter la pièce de la marinade, l'éponger soigneusement et la ficeler sans serrer, il suffit de maintenir la viande. Choisir une casserole de dimensions convenables, y mettre le beurre ou la graisse, chauffer fortement, ajouter la pièce et la faire rissoler de tous les côtés. Au terme de cette première partie de la préparation, ajouter la carotte et l'oignon débités en quartiers ; faire rissoler légèrement. Adjoindre les pieds, les os et les couennes, le persil, le thym et le laurier (ces trois derniers liés en bouquet), la marinade et le bouillon de manière que l'ensemble soit juste couvert et l'ail. Faire bouillir, couvrir et poursuivre la cuisson de préférence au four, lentement et régulièrement sans arrêts ni à-coups. L'ébullition trop forte trouble le jus, le rend insipide et lui communique un goût désagréable. Ce mets doit plutôt mijoter que bouillir. Alors le jus recueillera les sucs qui s'échappent peu à peu de la viande ainsi que les éléments gélatineux des couennes et des pieds de veau et deviendra onctueux et savoureux.

Cuire ainsi 4 heures.

d) pendant cette opération, préparer les carottes et les oignons. Couper les carottes de la grosseur et de la forme d'une petite noix en parant les angles. Si elles sont vieilles enlever les cœurs, toujours durs et de saveur très forte et les ébouillanter 15 minutes. Si elles sont nouvelles, ces deux précautions sont inutiles.

Faire rissoler les oignons avec un peu de beurre dans un plat à sauter de préférence ou à la poêle.

4º 2e partie : retirer la viande, les pieds, les couennes et la garniture de légumes de la casserole, passer le jus au chinois, laisser reposer 5 minutes, puis enlever la graisse montée à la surface.

Couper les pieds et les couennes en petits morceaux de un centimètre carré.

Mettre la viande dans une casserole, toujours de dimensions calculées juste pour contenir la pièce et la garniture et y réunir : pieds, couennes, carottes, oignons et le jus. Faire bouillir couvrir et cuire pendant une bonne heure aussi lentement que pendant la première partie. A ce moment, une aiguille à brider doit pénétrer sans efforts dans la viande qui ne doit offrir aucune résistance.

Service :

Enlever la pièce avec précaution et la déposer sur un plat, la déficeler, l'entourer des carottes, des oignons, des pieds de veau, et des couennes. Arroser le tout avec une quantité de jus nécessaire au service.

Au terme de la cuisson, si celle-ci a été soigneusement conduite, le jus doit être légèrement sirupeux et réduit à environ 4 décilitres.

Cuisse de bœuf rôtie au feu de bois

Pour 80 à 100 convives

Éléments :

Une cuisse de bœuf de 40 à 50 kilos ; 500 grammes de gousses d'ail épluchées ; sel fin, poivre finement concassé.

Préparation :

1º Choisir de préférence une cuisse de bœuf charolais ayant été rassise à point.

La veille de son emploi la parer comme un cuisseau de veau (scier la crosse et enlever l'os du quasi).

2º De 10 centimètres en 10 centimètres, piquer les chairs en profondeur avec un lardoir.

Dans chaque trou, mettre une pincée de sel mélangée de poivre finement concassé ainsi qu'une gousse d'ail.

Saler et poivrer également la surface de la cuisse en frottant avec la main, de façon que l'assaisonnement pénètre dans les chairs.

Cuisson :

1º Dans une grande cheminée munie d'une broche, préparer un bon feu de bois aux essences aromatiques.

Lorsque les bûches sont en partie consumées et qu'il se dégage une chaleur assez forte, placer la cuisse de bœuf (après l'avoir embrochée) dans la cheminée à une dizaine de centimètres du brasier. Mettre aussitôt le tourne-broche en action ; on compte pour une cuisse de 50 kilos, 8 heures de cuisson régulière.

2º Durant cette longue opération, le foyer doit être alimenté régulièrement et la cuisse de bœuf arrosée fréquemment avec le jus et le gras qui s'écoulent dans la lèchefrite.

Au besoin, on peut pendant la cuisson, pour empêcher la cuisse de se dessécher, la badigeonner de beurre fondu.

3º Il est préférable, avant de servir la cuisse de bœuf, de la laisser reposer une heure ou deux dans une étuve à basse température.

Cette magnifique pièce rôtie, après avoir été présentée, se tranche devant les convives. A la coupe, les chairs doivent être rosées, légèrement saignantes.

On l'accompagne de pommes de terre en robe des champs cuites sous la cendre et de la préparation suivante :

Éléments (pour 10 personnes) :

1 kilo d'oignons blancs ; 1 kilo de tomates fraîches ; 500 grammes de poivrons ou piments doux ; 1 tête d'ail ; 1 bouquet garni ; 20 centilitres d'huile d'olive ; sel, poivre, paprika, cayenne.

Méthode :

Émincer finement les oignons. Les faire revenir à l'huile d'olive dans une sauteuse, ne pas les colorer.

Ajouter les tomates mondées et concassées, les poivrons coupés en petits dés, les gousses d'ail écrasées.

Assaisonner avec sel, poivre, cayenne, paprika. Laisser cuire très doucement 3/4 d'heure environ à couvert.

P. S. — Cette recette est très populaire au Mexique pour servir la cuisse de bœuf.

Bœuf à la bourguignonne

Pour 6 personnes :

1,500 kg de pointe de culotte ou de tranche ; 150 grammes de lard gras ; 200 grammes de lard de poitrine maigre ; 400 grammes de champignons ; 2 douzaines de petits oignons ; 100 grammes de beurre ; 2 cuillerées à potage de farine ; un pied de veau ; un décilitre de cognac ; un décilitre et demi de bon vin de Bourgogne rouge ; quelques branches de persil ; une brindille de thym ; une feuille de laurier.
Temps de cuisson : 5 heures.

Méthode :

1º Larder la pièce, l'assaisonner, la mettre en marinade pendant 3 heures.
Désosser, ébouillanter et ficeler le pied de veau ; briser menu l'os.
Égoutter, éponger le morceau de viande et le mettre au feu à rissoler comme il doit être pratiqué pour le bœuf mode.

2º La pièce étant parfaitement rissolée, l'enlever et la tenir en réserve sur un plat, ajouter la farine au beurre et faire roussir lentement le mélange en remuant constamment.
Délayer avec la marinade et le bouillon, faire bouillir tout en remuant avec un fouet à sauce et remettre la pièce dans cette sauce très claire qui doit la couvrir juste à hauteur. Adjoindre le persil, le thym et le laurier liés en bouquet, le pied de veau, les os, la couenne du lard ébouillantée, les jambes de champignons bien nettoyées, mettre le couvercle et cuire régulièrement très lentement au four pendant 4 heures.

3º Couper le lard de poitrine en lardons d'un centimètre de côté, l'ébouillanter 5 minutes, l'égoutter et l'éponger ; le faire rissoler à la poêle avec une noix de beurre ; l'enlever sur une assiette et, à sa place, dans le même beurre, faire colorer les oignons.

4º Après les 4 heures du premier temps de cuisson, retirer la pièce et le pied, puis passer la sauce à la passoire fine. Remettre dans la casserole le morceau de bœuf, le pied coupé en gros dés, le lard, les oignons, les têtes de champignons coupées en quartiers et la sauce passée. Faire bouillir à nouveau et cuire au four à couvert très doucement — mijoter — encore pendant une heure.
Au terme de cette cuisson, le fond doit être réduit à 6 décilitres au plus. Si la quantité était supérieure, il serait nécessaire de le faire bouillir jusqu'à ce point de réduction.

5º Dressage. — Poser la pièce sur un plat rond et creux, l'entourer de la garniture, arroser le tout avec la sauce et servir.

Daube du maître Philéas Gilbert

Pour 6 personnes :

1,800 kg de tranche, de gîte et de paleron par tiers ; 250 grammes de lard gras frais ; 125 grammes de couennes fraîches ; 250 grammes de lard de poitrine maigre ; un pied de veau ; 4 carottes moyennes ; 4 gros oignons ; 2 échalotes ; 4 gousses d'ail ; quelques branches de persil ; 1/2 bouteille de vin de Bourgogne rouge ; 1 décilitre de cognac ; 1/2 litre de bouillon peu salé ; thym, laurier, persil ; 60 grammes de beurre ou graisse.
Temps de cuisson : 5 heures.

1º Débiter la viande en cubes de 80 grammes environ et les larder avec 4 des lardons préparés en enfonçant la lardoire dans le sens du fil de la viande ; assaisonner ces morceaux d'une pincée de sel, poivre et épices ; bien mélanger ; les mettre dans une terrine ajouter le cognac, le vin rouge, les échalotes émincées et quelques branches de persil fragmentées. Faire mariner ainsi 2 heures.

Diviser le lard gras en gros lardons de la grosseur du petit doigt, et longs de 6 centimètres, les assaisonner de sel, de poivre et d'une pointe d'épices ou d'une prise de fleurs de thym et de laurier ; saupoudrer avec une cuillerée à café de persil frais haché et laisser macérer une heure.

2⁰ Mettre à l'eau froide les couennes et le pied de veau désossé, les ébouillanter 5 minutes, les rafraîchir et les couper en petits carrés. Briser menu l'os du pied. Ébouillanter également le lard de poitrine détaillé en gros dés. Ciseler grossièrement les oignons, râper l'ail avec la pointe d'un couteau et les réunir (bien mélanger) entre deux assiettes pour éviter que l'oignon ne brunisse au contact de l'air ; couper les carottes en rondelles.

3⁰ Égoutter et éponger les morceaux de viande.

Chauffer dans un sautoir le beurre (ou la graisse) et, lorsqu'il grésille, y mettre la viande par 5 ou 6 morceaux à la fois afin de les faire parfaitement rissoler de tous les côtés.

Choisir une terrine en terre allant au feu (genre terrine à tripes) dont les dimensions sont appropriées à la quantité de viande mise en traitement. Disposer dans le fond les os du pied de veau, puis, sur ce lit, ranger le tiers de la viande, ensuite, la moitié des carottes débarrassées du cœur si elles ne sont pas nouvelles et coupées en tronçons, des oignons, des pieds, des couennes et des lardons ; saupoudrer avec une bonne pincée de sel épicé, mettre une deuxième couche de viande, l'autre moitié des condiments, pieds, couennes et lard, puis une pincée de sel, le bouquet garni et une troisième couche de viande. Terminer par la marinade et le bouillon qui doivent submerger d'un bon centimètre la dernière couche, laquelle sera finalement recouverte de bardes de lard.

Placer le couvercle sur la terrine et l'assujettir au moyen d'un gros cordon de pâte mollette (mélange de farine et d'eau) pour empêcher l'évaporation trop rapide pendant la cuisson.

4⁰ Mettre au feu sur le côté du fourneau. Quand l'ébullition est constatée, poursuivre pendant 5 heures 1/2 la cuisson à four moyennement chaud afin que l'ébullition soit lente et régulière.

La chaleur idéale est assurée par un four de boulanger, après la sortie d'une fournée de pain. Ne jamais manquer ce moyen de cuisson d'une daube chaque fois que cela est possible.

5⁰ Pour servir, laisser reposer quelques minutes aussitôt la sortie du four afin de pouvoir enlever la graisse qui surnage, retirer le bouquet garni, vérifier l'assaisonnement et présenter ainsi sur table.

Estouffade de bœuf

Éléments (pour 6 personnes) :

800 grammes de viande de bœuf choisie dans le paleron ; 250 grammes de lard de poitrine maigre ; 3 oignons moyens ; 2 gousses d'ail ; 2 cuillerées à potage de farine ; 10 grammes de sel ; une pincée de poivre frais moulu ; 1/2 litre de bon vin rouge ; un litre de fond de veau ou de bouillon peu salé ; 30 grammes de beurre ou graisse ; 250 grammes de champignons.

Méthode :

1⁰ Couper le lard en gros dés, l'ébouillanter, l'égoutter et le faire rissoler avec le beurre dans une sauteuse de dimension juste suffisante pour contenir la viande de bœuf et le fond de mouillement.

Enlever le lard et, dans le même beurre ou graisse, faire revenir à moitié la viande de bœuf débitée en cubes de 100 grammes. Ajouter les oignons divisés en quartiers et poursuivre jusqu'à complet rissolage.

A ce moment, saupoudrer de sel, de poivre et de farine. Bien mélanger et faire roussir légèrement en remuant presque sans arrêt. Prendre soin que les oignons ne colorent pas trop ce qui donnerait une saveur amère.

Mettre l'ail broyé, remuer encore deux secondes, le temps de chauffer le condiment qui dégage ainsi tout son parfum, puis le 1/2 litre de vin. Réduire ce dernier des deux tiers et mouiller avec le fond de veau ou le bouillon de façon à effleurer le dessus des morceaux de bœuf, faire bouillir en remuant ; compléter avec les lardons et un bouquet garni (un brin de persil, thym et laurier), couvrir et cuire tout doucement au four pendant 3 heures. Ce mets doit tout au plus mijoter.

2º Nettoyer, laver rapidement et partager en quartiers les champignons ; les sauter 5 minutes à feu vif au beurre dans un plat à sauter de même contenance que celui déjà utilisé ; retirer du feu dès que les champignons commencent à colorer.

Sortir l'estouffade du four, la décanter dans le récipient contenant les champignons en plaçant les morceaux de viande et les lardons sur les champignons ; laisser reposer la sauce 5 minutes, la dégraisser et la mettre au point de consistance par allongement ou réduction ; à ce moment elle doit être légèrement liée et courte, c'est-à-dire baigner à demi la viande et la garniture. Vérifier l'assaisonnement et la passer au chinois fin sur l'estouffade en foulant fortement les condiments avec une cuiller en bois.

Remettre à bouillir et laisser mijoter à tout petit feu encore 15 à 20 minutes.

Dresser dans un plat creux et servir accompagnée (à part) de pommes de terre cuites à l'anglaise.

Nota. — La garniture peut être complétée par 500 grammes de tomates épluchées, pressées des graines et de l'eau de végétation, et concassées, ajoutées avec les champignons. Prendre garde : ces tomates crues allongeront la sauce de l'eau de végétation contenue dans la pulpe. La mise au point de consistance de la sauce sera faite compte tenu de ce détail important.

L'estouffade, mets exquis de l'ancienne cuisine, se fait également au vin blanc.

Carbonade à la flamande

Éléments (pour 6 personnes) :

800 grammes de viande de bœuf : paleron ou chair de côtes découvertes ; 3 cuillerées de graisse ; 3 gros oignons ; 50 grammes de beurre ; 4 décilitres de bière ; 6 décilitres de bouillon ; 30 grammes de farine ; un bouquet de persil, thym et laurier ; une cuillerée à café de sucre en poudre ; une cuillerée à potage de vinaigre ; sel et poivre.

Méthode :

1º Diviser la viande en petits beefsteaks de 50 grammes en moyenne, les assaisonner de sel et de poivre.

Chauffer la graisse dans une sauteuse ; dès qu'elle est fumante, y faire rissoler de chaque côté les beefsteaks, les retirer et les réserver sur un plat.

Pendant cette opération, émincer finement les oignons et les faire légèrement blondir dans la graisse utilisée pour les beefsteaks.

Les enlever à leur tour et les remplacer par la farine, remuer à feu doux jusqu'au moment où ce roux aura pris une teinte blond foncé ; le délayer avec la bière et le bouillon ; adjoindre une pincée de sel, une de poivre, le sucre en poudre et le vinaigre.

Mettre en ébullition tout en remuant et laisser mijoter sur le coin du feu 15 minutes.

184

2º Dans un poêlon en terre ou une terrine à tripes choisis de contenance appropriée, disposer par couches superposées les beefsteaks et les oignons. Placer au centre le bouquet garni.

Passer la sauce au chinois fin sur l'ensemble, mettre à bouillir, couvrir hermétiquement en fixant le couvercle avec un cordon de pâte mollette faite de farine et d'eau et poursuivre régulièrement à four chaud, pendant 3 heures, la cuisson de la viande et la réduction de la sauce.

3º Sortir le poêlon du four, enlever le couvercle et le bouquet garni, laisser reposer 6 minutes et dégraisser. Vérifier l'assaisonnement de la sauce qui doit être plutôt courte et légèrement liée ; servir dans le récipient de traitement.

La présentation des carbonades peut être faite également dans un plat creux dans lequel elles sont rangées. Dans ce cas, passer la sauce au chinois fin et fouler fortement les oignons pour obtenir une purée.

Mélanger, chauffer et verser les beefsteaks tenus au chaud et couverts pour éviter qu'ils ne sèchent pendant cette dernière opération.

PLAT DE COTES ET POITRINE DE BŒUF

Le plat de côtes et la poitrine sont généralement réservés pour le pot-au-feu.

Ils sont servis accompagnés des légumes formant à la fois la garniture et les condiments du pot-au-feu, du gros sel broyé à table avec le moulin à sel, de cornichons, de raifort à la crème, de moutarde.

D'autres garnitures de légumes leur conviennent encore : choucroute, choux braisés, choux de Bruxelles, choux rouges, choux farcis, riz au gras ; des purées de légumes frais ou secs.

Très souvent, surtout quand il s'agit de dessertes, ils sont accommodés avec l'une des sauces suivantes : piquante, chasseur, Robert, etc., toutes préparations fortement condimentées, acidulées ou relevées.

Le plat de côtes et la poitrine de bœuf peuvent également être salés et servis avec un accompagnement de pâtes : nouilles, macaroni, spaghetti, lasagnes.

Recette d'accommodement du plat de côtes salé

Éléments (pour 6 personnes) :

2 kilos de plat de côtes ou poitrine salés ; 2 carottes moyennes ; 2 gros oignons piqués de 2 clous de girofle ; une feuille de laurier ; une brindille de thym ; une pincée de poivre ; 00 grammes de pâtes fraîches (nouilles) ou 150 grammes de pâtes sèches ; 100 grammes de fromage de gruyère ou de chester râpé ; 50 grammes de beurre ; muscade.

Méthode :

1º Choisir du plat de côtes épais, persillé et portant une belle couverture de graisse de couleur blanche ou jaune clair. Faire scier les os des côtes pour faciliter le découpage et le service de façon à présenter à chaque convive un morceau attaché à son os.

2º Mélanger dans un bol deux poignées de sel marin et une cuillerée à potage (40 grammes) de salpêtre broyé.

A l'aide d'une aiguille à brider, piquer la viande et la frotter de toutes parts avec le sel salpêtré. Parsemer une partie du sel dans le fond d'un plat creux pouvant contenir la pièce de viande, y mettre cette dernière, puis dessus, le restant du sel éparpillé. Diviser en parcelles le thym et le laurier et les mettre sur le sel avec le poivre.

Mettre dans un endroit frais pendant 10 à 12 jours en hiver ou 6 à 8 jours en été ou par temps humide. Tous les deux jours retourner la pièce et la recouvrir de sel.

3° Pour mettre en cuisson, égoutter la pièce et bien la laver à l'eau froide, l'immerger dans une casserole d'eau froide avec les carottes et les oignons coupés en quartiers ; compléter avec un bouquet garni (branches de persil, un brin de thym et de laurier). Faire bouillir et cuire très doucement comme le pot-au-feu pendant 3 heures. Un simple frissonnement de l'eau suffit, l'essentiel est de ne pas arrêter l'ébullition, ce qui provoque des à-coups et, par voie de conséquence, un mauvais goût aux aliments.

4° Si les nouilles sont fraîches, les pocher 1/4 d'heure avant de les servir en les plongeant dans une casserole d'eau bouillante salée à point. Les retirer sur le côté du fourneau dès la reprise de l'ébullition ; les couvrir et cuire ainsi sans bouillir 10 minutes, les égoutter ensuite bien à fond.

Alors qu'elles sont très chaudes, les mettre dans une sauteuse préalablement chauffée ; donner quelques tours de moulin à poivre, mettre une pointe de muscade fraîchement râpée, une pincée de sel si besoin est — goûter les pâtes avant et tenir compte du fromage —, le gruyère ou le chester râpé, le beurre divisé en parcelles et mélanger le tout à l'aide d'une fourchette, jusqu'à ce que le fromage complètement fondu enrobe et lie les pâtes.

5° Sortir le plat de côtes de la cuisson, le poser sur un grand plat long et chaud et dresser les pâtes à chaque extrémité ou à part dans un légumier. Dans ce dernier cas, arroser le bœuf d'une demi-louche de son bouillon.

Bœuf en miroton

Éléments (pour 6 personnes) :

700 grammes de bœuf bouilli ; 6 gros oignons ; 60 grammes de beurre ou encore de lard gras frais râpé ; une forte cuillerée à potage de farine ; 1/2 litre de bouillon ou jus de veau une cuillerée de purée de tomates réduite ou trois tomates fraîches épluchées, pressées des graines et de l'eau et concassées ; 2 cuillerées à potage de vinaigre ; 2 gousses d'ail ; une cuillerée à café de persil haché, une cuillerée à potage de chapelure.

Méthode :

1° Couper les oignons en julienne fine, les ébouillanter 5 minutes pour faire disparaître l'âcreté, les égoutter et les éponger parfaitement.

Chauffer, dans un poêlon ou une cocotte en terre allant au feu, le beurre, ajouter les oignons et faire colorer à feu doux en remuant souvent avec une cuiller en bois.

Quand ils sont bien blonds, y mélanger la farine et continuer à faire roussir lentement.

Lorsque le roux est à point, y verser le vinaigre et le laisser refroidir ; ensuite le mouille avec le bouillon ou le jus presque bouillant en délayant bien la farine comme l'on pratique pou une sauce pour éviter de provoquer des grumeaux ; compléter avec la tomate et l'ail écrasé donner au-dessus de la sauce quelques tours de moulin à poivre. Faire bouillir, puis mijote à petit feu pendant 20 minutes.

2° 15 minutes avant de servir, diviser le bœuf en tranches de 3 millimètres d'épaisseur l'étendre sur un plat en terre allant au four ; vérifier l'assaisonnement de la sauce puis la verse sur le bœuf qui doit en être bien imprégné ; mettre sur le fourneau jusqu'à l'ébullition ; sau poudrer avec le persil haché et une cuillerée à potage de chapelure, arroser avec quelque gouttes de beurre fondu et exposer à four chaud pour mitonner et gratiner. Servir ainsi.

Nota. — On peut ajouter à la sauce du miroton une cuillerée à café de moutarde ou de raifort râpé ou encore des cornichons coupés en minces rondelles. Dans ce cas, il ne faut plus laisser bouillir dès cette addition opérée et on termine différemment.

Les condiments sont dilués dans le vinaigre et ajoutés à la sauce, hors du feu, le bœuf est alors ajouté à la sauce ; l'ustensile employé est couvert et maintenu au chaud sans bouillir.

Le miroton se sert dans un plat creux et chaud, saupoudré de persil haché. Le bord du plat peut être décoré avec des détails de cornichons.

Le dressage du miroton peut être différent des indications ci-dessus. On peut :

a) L'entourer de quartiers d'œufs durs chauds ;

b) Le servir avec un plat d'aubergines ou d'oignons coupés en rondelles et frits à l'huile bien croustillants ;

c) Disposer autour de la viande, avant gratinage, une couronne de pommes de terre cuites à l'eau, émincées et arrosées de sauce.

LE BŒUF FROID

Contre-filet, côte de bœuf, aloyau, filet de bœuf rôti, doivent être cuits bien rosés à l'intérieur.

Le dressage est simple : parer la pièce des nerfs, peau et graisse ou parties rissolées, l'enduire ou non d'une mince couche de gelée en l'arrosant à la cuiller avec de la gelée mi-prise ; la disposer sur un plat assez grand, si la garniture est dressée autour, ou proportionné à son volume si elle est servie à part. Dans ce cas, il convient de l'entourer de gelée hachée ou distribuée en motifs décoratifs que l'on dispose sur le bord intérieur du plat.

La garniture est presque toujours une salade de légumes — composée ou non — cuits et refroidis sans être rafraîchis, bien égouttés, assaisonnés et liés avec l'une des sauces ci-après : vinaigrette, rémoulade, mayonnaise légère, cette dernière additionnée d'une partie sur quatre de gelée mi-prise quand la salade est destinée à être dressée soit moulée, soit en bouquet autour de la pièce de boucherie.

Cette addition est inutile quand la garniture est présentée dans un saladier ou un légumier.

Filet ou contre-filet froid ménagère

Utiliser une pièce poêlée et refroidie naturellement sans l'aide du réfrigérateur. La parer et la découper en tranches de 3 millimètres d'épaisseur et très régulières.

Les arroser avec le fond de poêlage bien dégraissé, passé dans un linge et à demi pris en gelée de façon à laisser sur chaque tranche un léger enduit.

Reformer la pièce en la dressant sur un plat et l'entourer de gelée hachée ou de cresson. Servir en même temps une salade de légumes.

Daube froide

Refroidie dans la terrine de cuisson, la desserte de la « daube Philéas Gilbert » offre un plat froid excellent pour un déjeuner d'été.

Les principes gélatineux du pied, des couennes et des muscles de la viande sont suffisants pour solidifier la masse qu'il suffit de découper en tranches à la manière d'un pâté en terrine.

Bœuf à la mode

(froid)

Ce mets, agréable surtout en été, constitue une manière exquise d'utiliser la desserte du bœuf à la mode dont les proportions ont été données précédemment et intentionnellement pour deux services.

Méthode :

1° Séparer le reste de la pièce de bœuf de la garniture, faire bouillir deux à trois minutes cette dernière avec le jus de braisage ; passer à la passoire et recueillir sur une assiette les carottes, oignons et pieds de veau, en écartant les morceaux de couenne ; celle-ci perd son moelleux lorsqu'elle est froide.

2° Allonger si cela est nécessaire le fond de braisage avec du jus de veau ou du bouillon de façon à disposer d'une quantité juste suffisante pour mouiller à hauteur le bœuf et la garniture mis en moule ; ajouter deux ou trois feuilles de gélatine préalablement trempées à l'eau froide et faire prendre l'ébullition pour les dissoudre.

S'assurer que la gelée est suffisamment consistante en mettant au froid la valeur de deux cuillerées de jus. La gelée doit pouvoir être coupée au couteau tout en demeurant assez fragile. Une gelée trop gélatineuse n'est pas savoureuse. Vérifier l'assaisonnement en tenant compte que le froid atténue légèrement le sel et qu'un plat chaud, salé à point, semble fade quand il est consommé froid.

3° Choisir un moule à charlotte de grandeur convenable, ou tout récipient de forme analogue, y verser un peu du fond de braisage préparé selon les indications du paragraphe 2 et laisser prendre en gelée ; ensuite disposer dessus avec harmonie une partie des carottes et des oignons, puis le morceau de bœuf, lequel ne doit pas toucher les parois du moule ; mettre autour de la pièce le reste des carottes, des oignons et des pieds de veau, puis couler le fond de braisage sur l'ensemble.

A noter que la gelée ne doit pas dominer sur la garniture, l'allongement du fond de braisage sera donc fait avec beaucoup de circonspection.

Laisser prendre au frais cette préparation qui gagnera à être servie le lendemain seulement.

4° Pour servir, tremper le moule une seconde dans l'eau chaude, l'essuyer et renverser son contenu sur un plat froid. Décorer la bordure avec quelques cornichons.

Cette préparation peut être simplifiée de la façon suivante :

Diviser le morceau de bœuf en tranches régulières, les ranger sur un plat creux en les faisant se chevaucher ; disposer autour : carottes, oignons et pieds de veau, couvrir du fond de braisage très légèrement additionné ou non de gélatine, tenir au frais jusqu'à coagulation.

Le démoulage étant ainsi évité, le fond de braisage sera presque suffisamment gélatineux sans adjonction de gélatine (s'en assurer par un essai préalable comme nous l'avons indiqué) ; le mets en sera plus savoureux, la gélatine atténuant la sapidité.

Nota. — Cette préparation culinaire peut être braisée selon les principes de la cuisine ancienne dits « à la cuiller ». Cette formule n'est certes pas économique mais elle atteint le summum de la perfection.

La viande de veau de belle qualité est blanche ou plutôt rosé très pâle. La graisse est nettement blanche, épaisse sur les reins et la poitrine. Viande et graisse sont très fermes.

Ces qualités supérieures se rencontrent exclusivement chez des animaux de deux à trois mois, élevés avec le lait des mères, des farines et qui n'ont jamais été mis en pâturage.

La viande de veau de qualité inférieure est rouge, molle et souvent maigre. Si la viande est flasque et gélatineuse, elle provient d'un animal de peu de semaines, tué prématurément.

Division de l'animal :

Un demi-veau comprend trois parties essentielles :

Le cuisseau, l'épaule et, entre l'un et l'autre, la longe et les carrés couverts et découverts. Si les deux longes sont prélevées sur l'animal d'une seule pièce, on obtient la selle.

Le cuisseau peut être divisé en 4 morceaux :

La noix, la sous-noix, la noix pâtissière, le jarret. Ce sont (le jarret excepté) les pièces de choix à rôtir, à braiser ou à débiter en escalopes, grenadins, paupiettes.

Une tranche coupée dans toute l'épaisseur d'un cuisseau de veau s'appelle rouelle. Cette façon de débiter un cuisseau est peu usitée aujourd'hui.

La pointe du cuisseau attenant à la queue s'appelle le quasi.

L'épaule est employée en ragoûts ou en rôtis.

La longe ou selle, les carrés se font rôtir ou braiser ; on les détaille aussi en côtelettes.

Sont attenants à cette troisième partie : le tendron, la poitrine et le collet. Le collet est utilisé en ragoûts ; le tendron et la poitrine qui eux aussi font d'excellents sautés ou ragoûts, s'emploient braisés débités ou entiers.

Les abats sont constitués par : la tête, le foie, la graisse, le mou, le cœur, le ris, la cervelle, la langue et les pieds.

Quasi de veau bourgeoise

Éléments (pour 12 à 15 personnes) :

Un quasi de veau de 2 kg à 2,500 kg ; un pied de veau ; 250 grammes de couennes fraîches ; une carotte moyenne ; 2 gros oignons ; quelques branches de persil, une feuille de laurier, une petite branche de thym (liées en bouquet) ; 2 tomates fraîches pendant la saison ; 50 grammes de beurre ; sel ; poivre ; 500 grammes d'os de veau.

Méthode :

1° Désosser le pied, l'ébouillanter avec les couennes et rafraîchir le tout.
Briser les os, y compris celui du pied, en menus morceaux et les faire rissoler au four
avec les carottes et les oignons coupés en rondelles.

2° Choisir une casserole, une daubière, braisière ou une bassine à ragoût de dimension
convenable et dont le couvercle ferme hermétiquement. Beurrer largement le fond et y placer
le quasi de veau préalablement assaisonné de sel fin et de poivre moulu. Étaler le reste du
beurre sur le quasi. Mettre le récipient sans son couvercle à four de chaleur moyenne. Faire
dorer doucement la pièce de tous les côtés. Veiller à ce que le beurre ne brûle pas.

3° Quand le quasi est coloré régulièrement, l'enlever de la casserole et disposer au
fond de celle-ci les os et les légumes rissolés, les couennes, le pied, le bouquet garni et les
tomates écrasées ; remettre le quasi et couvrir hermétiquement. Poursuivre la cuisson pendant
2 heures 1/2 à four de chaleur moyenne en procédant à de fréquents arrosages avec le jus
de la pièce.
Si la cuisson (le poêlage) est conduite très lentement, la sudation de la viande se transforme en buée sous l'action de la chaleur. Cette buée se trouvant emprisonnée sous le couvercle hermétique se condense et retombe en gouttelettes sur la pièce qu'elle humidifie
et arrose constamment avant d'aller s'associer au beurre et aux principes sapides gélatineux
qui s'échappent des os, des pieds, des couennes, des légumes et des condiments, composant
ainsi un jus blond, odorant et sirupeux d'une quantité suffisante pour le service du quasi
de veau.
Si malgré l'attention, la marche de la cuisson devenait trop rapide par suite d'une allure
subitement plus vive du foyer, et que le jus réduise et menace de tomber à glace, c'est-à-dire
d'épaissir et de caraméliser au fond de l'ustensile où il brûlerait en donnant à l'ensemble
une saveur âcre et amère, mouiller les os avec un verre de jus de veau ou de bouillon ou
à défaut, d'eau.
Au terme de la cuisson, enlever le couvercle, placer le quasi, la partie arrondie par
dessus, l'exposer au foyer quelques minutes en l'arrosant plusieurs fois. Le jus devenu très
riche lustrera d'une couche brillante le quasi alors prêt à servir. Passer le jus à la passoire
fine et le présenter en saucière sans le dégraisser ; il doit être grassouillet, blond et légèrement sirupeux.
Généralement le quasi de veau est servi accompagné d'un légume comme garniture.
Les mieux indiqués sont :
Bouquetière, bourgeoise, épinards, chicorée, endives, oseille, petits pois, céleris, carottes
jardinière ; pâtes diverses ; laitues, aubergines, courgettes, petits oignons, etc. ; des purée
de champignons, de pommes de terre, de céleri, d'oseille, etc.

4° Le service. — Le quasi de veau se débite sur table en tranches de 2 millimètre
d'épaisseur coupées sur toute la largeur dans le sens opposé au fil de la viande. L'à-poir
de cuisson se manifeste aussitôt après le passage de la lame du couteau à trancher : la viand
très blanche est juteuse et des perles de jus très clair et à peine rosé s'échappent. Trop cuite
elle apparaît sèche, et au goût, elle n'est pas savoureuse.

5° Le fond de poêlage. — Cuits pendant 3 heures et presque à sec, les os du fond d
poêlage n'ont pas donné tous les éléments sapides qu'ils contiennent. Ils seront réunis dan
une casserole plus petite avec une carotte et un oignon coupés, puis mouillés avec 1 litre 1/
d'eau et salés avec une forte pincée de sel. Mis en ébullition ce jus pourra mijoter avec prof
pendant 3 heures. Il constituera un fond de cuisine pour différents usages culinaires ultérieur.
Le pied de veau, s'il n'a pas été employé avec une garniture de légumes, sera ser
comme hors-d'œuvre chaud avec une vinaigrette.
Les couennes, coupées en courte julienne, compléteront admirablement l'accommode
ment des haricots et des carottes à la bourgeoise.

Fricandeau

Le fricandeau est constitué par une coupe de la noix de veau, tranchée parallèlement au sens de la viande sur 6 à 7 centimètres d'épaisseur.

Battre la surface de la tranche obtenue pour rompre les fibres de la viande et la piquer finement avec du lard frais comme on opère sur un filet de bœuf.

Le traitement du fricandeau par le procédé du poêlage est le même que pour la noix de veau. Seul le temps de cuisson est différent et proportionné à l'épaisseur.

Le fricandeau se trouvant nourri par le lard du piquage peut être aussi braisé pour être servi à la cuiller. Ce mets, évidemment peu économique, atteint une rare succulence, qu'il soit servi chaud ou froid.

Les garnitures de la noix s'appliquent au fricandeau.

Rouelle de veau

La rouelle de veau, coupe de 6 à 7 centimètres d'épaisseur, tranchée sur le plein centre d'une cuisse de veau, comprend une section des trois parties principales du cuisseau de veau : noix, sous-noix, noix pâtissière.

Sauf qu'elle n'a pas à être piquée au lard, son traitement est celui du fricandeau poêlé ou braisé.

L'accompagner d'une purée d'oseille ou d'épinards ou de chicorée ou encore d'une fondue de tomates.

Selle de veau

La selle réunit en une pièce royale les deux filets ou longes. Elle est prélevée sur la partie de l'animal comprise entre le ras du quasi et les premières côtes.

Les rognons sont supprimés ; par contre, la graisse est laissée en grande partie ; les pavettes sont raccourcies et repliées de façon à couvrir et protéger les filets mignons.

Des bardes de lard frais sont disposées comme un enveloppement et maintenues avec quelques tours de ficelle.

Le traitement est le même que celui de la noix de veau. Il nécessite de fréquents arrosages. Quand la pièce approche de l'à-point de cuisson, les bardes sont enlevées pour que la surface, bien arrosée avec le fond, devienne d'une jolie couleur dorée.

Temps de cuisson : 3 heures environ.

Le découpage est effectué en tranchant des aiguillettes minces, le couteau posé à plat sur le filet et dirigé vers l'échine.

Toutes les garnitures de la noix, du fricandeau et de la rouelle conviennent comme accompagnement de la selle de veau. Cette dernière figure plus spécialement sur les menus de grands festins ; entrée imposante et succulente, elle reçoit alors une préparation culinaire savante comme par exemple dans la selle de veau prince Orlof, l'une des recettes des plus classiques de la grande cuisine.

Selle de veau prince Orlof

1o Parer une selle de veau comme il est expliqué dans le commentaire qui précède et la faire poêler selon les principes exposés pour la noix de veau poêlée.

D'autre part, éplucher 1 kilo d'oignons, les couper en rondelles et les ébouillanter minutes ; les égoutter, les éponger et les cuire à l'étuvée avec 100 grammes de beurre, une pincée de sel et une forte prise de sucre.

2º Préparer, en outre, 1 litre 1/2 de sauce béchamel bien réduite, mélanger la moitié de cette sauce aux oignons et réserver l'autre moitié que l'on transformera en sauce Mornay. Poursuivre la cuisson des oignons jusqu'à leur écrasement complet et leur assimilation à la béchamel. Passer cette purée à l'étamine, la relever dans une sauteuse, la faire bouillir deux minutes et la mettre au point, hors du feu, avec 125 grammes de beurre et un décilitre de crème épaisse ou plus, suivant les besoins de la consistance de cette purée Soubise qui doit ressembler à de la crème fraîche raffermie. S'assurer que l'assaisonnement est correct. Une pointe de muscade râpée donne une note agréable.

3º La selle de veau, parfaitement cuite et dorée à souhait, est dégagée de la braisière et posée, les bavettes dessous, sur un plat à rôtir. Le jus est passé au chinois fin et réservé au chaud.

La selle est alors traitée de la manière suivante :

Avec la pointe du couteau, pratiquer une incision profonde en traçant une ligne droite à un bon centimètre des bords extérieurs des deux filets. Opérer de même de chaque côté de l'os de l'échine mais le couteau rasant celle-ci, puis enlever les filets en les détachant avec précaution des os.

Détailler les filets en tranches d'un demi-centimètre d'épaisseur coupées légèrement en biais.

Napper de purée Soubise l'intérieur des deux cavités pratiquées sur la selle et y remettre en place chaque filet reformé, chaque tranche intercalée entre deux demi-cuillerées à potage de purée Soubise, d'une escalope de foie gras poché au porto et d'une belle lame de truffe chauffée ou cuite 2 minutes dans le jus de la pièce réservé.

Terminer en mélangeant le reste de la purée Soubise à la sauce Mornay, laquelle doit être bien crémeuse, et en napper toute la surface de la selle. Saupoudrer de parmesan ou de gruyère râpé, arroser de beurre fondu et présenter à la salamandre ou au four très chaud pour provoquer un gratiné très rapide.

Dressage :

La selle sera disposée avec précaution sur un vaste plat de service long. Tout autour l'on mettra une garniture de petits fonds d'artichauts préalablement cuits dans un blanc étuvés, assaisonnés et légèrement rissolés au beurre dans un plat à sauter. Dresser dans chaque fond un petit monticule de pointes d'asperges vertes cuites à l'anglaise et liées au beurre ou à la crème dans le plat à sauter où se trouvaient les fonds d'artichauts. Des petits pois peuvent remplacer les pointes. Sur chaque monticule, mettre une petite lame de truffe chauffée avec les artichauts quelques secondes avant d'enlever ces derniers. Le beurre parfumé sera absorbé par les pointes d'asperges.

Le jus de poêlage est présenté en saucière ; 1/2 cuillerée versée sur le côté de la tranche de veau suffit pour chaque convive.

Ainsi préparée et servie, la selle de veau prince Orlof est un mets de grand apparat.

Carré de veau

Le carré de veau est composé par les côtes couvertes dont les côtes sont raccourcies. Nous conseillons de le débarrasser, en surplus, des os de l'échine qui gênent le découpage après cuisson.

Le dénerver, le barder, le piquer de lard gras frais sur la noix à la manière d'un filet de bœuf et le poêler entier comme la noix de veau.

Toutes les garnitures de légumes peuvent l'accompagner.

Côtes de veau

Mais c'est plutôt en côtes que le carré de veau est le plus utilisé.

Il est préférable de faire sauter plutôt que de griller les côtes de veau, le premier mode de cuisson est de beaucoup plus savoureux.

Une côte de veau ordinaire pèse 250 grammes et convient pour 2 personnes ; taillée plus mince elle sèche à la cuisson. Avoir soin de faire dégager l'os du manche et enlever l'os de l'échine qui souvent y adhère.

Quelle que soit la garniture choisie pour accompagner des côtes de veau, on respectera pour les cuire, la méthode ci-après (pour 6 personnes) :

Chauffer dans un plat à sauter 30 grammes de beurre, y faire rissoler doucement trois côtes de veau tenant bien à plat dans l'ustensile ; quand elles sont à demi cuites, les retourner et assaisonner la surface rissolée de sel fin et de poivre frais moulu.

Poursuivre la cuisson.

Temps total : 15 à 18 minutes.

Dresser les côtes sur un plat rond et chaud, la surface assaisonnée mise en dessous ; saupoudrer de sel fin et de poivre le second côté et couvrir d'une cloche ou d'un plat retourné ; tenir au chaud pendant la mise au point du fond ou sauce ou de la garniture d'accompagnement.

Côtes de veau à la ménagère

Préparer et faire sauter des côtes de veau dans une sauteuse un peu grande ; lorsqu'elles sont à demi cuites, les entourer de petits oignons et de petites pommes de terre nouvelles ou château aux trois quarts cuites au beurre, assaisonnées et déjà bien rissolées. Couvrir hermétiquement jusqu'à cuisson complète.

Au dernier moment ajouter, par côte, une cuillerée à potage de jus de veau, de bouillon ou d'eau.

Laisser les sucs de la viande se dissoudre une minute (déglacer) ; saupoudrer d'une pincée de persil haché et servir en posant la sauteuse sur un grand plat rond et présenter ainsi.

Côtes de veau aux champignons

Faire sauter les côtes de veau selon la méthode ci-dessus et les dresser.

Jeter dans le beurre de cuisson de tout petits champignons entiers ou des moyens coupés en quartiers à raison de 60 grammes par convive. Faire rissoler légèrement, assaisonner d'une pincée de sel et ajouter une cuillerée à potage de vin blanc sec par côte ; réduire de moitié, adjoindre autant de jus de veau, de bouillon ou d'eau, donner une vive ébullition et terminer, hors du feu, avec une noix de beurre frais.

Recueillir dans les champignons le jus qui s'est échappé des côtes pendant qu'elles reposaient ; mélanger et verser sur les côtes.

Saupoudrer avec une pincée de persil haché.

Escalopes de veau

Les escalopes sont des tranches de veau d'un bon centimètre d'épaisseur coupées sur le filet, le carré ou la noix et sur toute l'épaisseur dans le sens opposé au fil de la viande. Leur poids moyen est de 120 à 150 grammes.

Étant minces, elles doivent être sautées à feu vif. Elles sont souvent préparées panées ; mais ceci n'est pas une nécessité. Dans ce dernier cas, il est recommandé de ne pas les arroser de jus ou de sauce pour les servir, ce qui aurait pour résultat fâcheux de détremper la chapelure. Elles doivent être croustillantes.

Escalopes panées au beurre noisette

Éléments (pour 6 personnes) :

6 escalopes de 120 grammes ; un œuf cru et deux œufs cuits durs et chauds ; 125 grammes de pain de mie rassis broyé en chapelure fine ; 125 grammes de beurre ; 4 cuillerées à potage d'huile ; 1/2 citron ; 2 cuillerées à café de persil haché ; 2 cuillerées à café de câpres ; une pincée de paprika ; 12 filets d'anchois macérés à l'huile.

Méthode :

1º Aplatir les escalopes avec la batte ou le plat du couperet. Cette opération a pour but de briser les fibres de la viande et d'étendre les escalopes qui ont ensuite 7 à 8 millimètres ; les assaisonner de sel, de paprika (poivre à défaut) sur les deux faces. Battre un œuf dans une assiette avec une prise de sel, 1/2 cuillerée d'huile ; y tremper les escalopes puis les recouvrir de mie de pain des deux côtés ; appuyer avec le plat d'une lame de couteau sur la chapelure pour la faire adhérer parfaitement.

2º Mettre 60 grammes de beurre et 2 cuillerées à potage d'huile dans un plat à sauter assez grand pour contenir les escalopes sans que celles-ci se chevauchent. Chauffer assez fortement et y mettre les escalopes de façon à bien les saisir ; faire prendre une belle couleur à la mie de pain des deux côtés et finir de cuire quelques minutes sur le côté du feu.

Temps de cuisson : 8 minutes.

Les dresser sur un plat bien chaud, exprimer sur les escalopes le jus d'un demi-citron et les arroser avec 60 grammes de beurre cuit à la noisette dans le plat à sauter utilisé et vidé de l'huile de cuisson. Les entourer de bouquets de câpres, persil et blancs et jaunes d'œufs durs hachés séparément. Les escalopes panées doivent être servies croustillantes. Les convives doivent les attendre et non les escalopes attendre les convives. Cette remarque est valable pour les recettes dérivées qui suivent.

L'accompagnement le mieux indiqué est un légumier de pommes de terre cuites à l'eau et sautées, ou ce qui est mieux, sautées à cru. Les pommes de terre peuvent être remplacées par des fonds d'artichauts escalopés et sautés à cru.

Escalopes de veau à la viennoise

Préparer des escalopes comme il est expliqué pour la recette précédente et les dresser de la manière suivante :

1º Sur chaque escalope posée sur le plat de service placer deux rondelles d'un citron épluché à vif et débarrassé des pépins. Mettre sur chacune une olive évidée de son noyau.

2º Disposer autour des rondelles quelques filets d'anchois macérés à l'huile ; puis, au bord du plat, autour des escalopes, de petits bouquets de câpres et de blanc d'œuf dur haché.

3º Arroser les escalopes avec le beurre cuit à la noisette.

Pour servir, les escalopes après avoir été présentées, sont mises sur les assiettes bien chaudes des convives, les câpres et le blanc d'œuf sont mélangés au beurre dont le contenu d'une cuillerée est ajoutée sur chaque escalope.

Accompagner de pommes de terre sautées à cru ou non, bien rissolées.

Escalopes de veau à la milanaise

Même préparation que les escalopes panées et cuites au beurre noisette mais en additionnant la mie de pain du quart de son volume de parmesan ou de gruyère râpé.

Les dresser en turban autour d'un pain de macaroni à la milanaise. Accompagner d'une saucière de sauce tomate légère et bien beurrée.

Grenadins

On dénomme grenadin une escalope étroite et épaisse piquée de quelques minuscules bâtonnets de lard gras et frais, poêlée ou braisée comme un fricandeau dont il est la miniature.

Éléments (pour 6 personnes) :

800 grammes de filet ou de carré de veau désossé ; 100 grammes de lard gras frais ; 4 couennes fraîches de lard ; une carotte moyenne ; un gros oignon ; quelques branches de persil, une brindille de thym, 1/2 feuille de laurier (réunies en bouquet) ; 125 grammes de beurre ; 1/2 verre de vin blanc sec ; 1/2 litre de jus de veau ou de bouillon peu salé si le mode de traitement choisi est braisé.

Méthode :

Les grenadins étant détaillés de 3 centimètres d'épaisseur, les piquer avec le lard frais divisé en petits lardons courts et les assaisonner de sel et de poivre.

Faire chauffer le beurre dans un plat à sauter et y mettre les grenadins à colorer doucement des deux côtés ; les enlever et les réserver sur une assiette. A leur place, mettre à fondre et à blondir la carotte et l'oignon coupés en rondelles très minces ; ne pas pousser à feu vif, car le beurre brûlerait et les sucs échappés du veau caraméliseraient.

Cette opération faite à feu très doux, et achevée, ajouter les couennes ébouillantées et égouttées, puis les grenadins disposés, côte à côte, sur la garniture.

Couvrir et faire suer à four de chaleur moyenne 15 minutes. Si les grenadins sont poêlés, il suffira de poursuivre la cuisson à découvert pendant 10 minutes, en pratiquant de fréquents arrosages avec le jus naturel de la viande ; il faut être attentif au jus qui ne doit pas réduire. Ajouter quelques cuillerées de jus de veau peu salé ou d'eau si le jus devenait trop court.

Par contre, le braisage des grenadins sera assuré après sudation en les mouillant avec le vin blanc ; faire réduire des 2/3, puis avec le jus de veau juste à hauteur. La cuisson sera menée à four plus chaud pour provoquer la réduction des deux tiers du fond et cela pendant 40 minutes. Vers le terme du braisage, enlever le couvercle, rapprocher le plat à sauter du foyer et arroser très souvent pour glacer la surface des grenadins et rissoler le lard. La pratique du glaçage enduit le dessus des grenadins d'une couche brillante de jus réduit à glace et accroît la saveur.

Dresser en couronne autour de la garniture choisie et arroser avec le fond passé au chinois fin. Vérifier l'assaisonnement de ce dernier avant cette terminaison.

Médaillons ou noisettes de veau

Ces pièces de 100 à 110 grammes sont détaillées à raison d'une par convive, et prélevées sur le filet de veau dont la forme et la finesse conviennent à ces deux appellations.

Les médaillons ou noisettes de veau correspondent aux tournedos taillés dans le filet de bœuf.

Leur apprêt culinaire s'inspire du traitement des côtes de veau pour la cuisson et des tournedos quant au dressage.

Toutes les sauces ou garnitures des unes et des autres leur sont applicables.

Médaillons de veau à la compote d'oignons

Éléments (pour 8 personnes) :

8 tranches de 160 grammes environ découpées en médaillons de 1 centimètre d'épaisseur dans les filets mignons de veau ; 150 grammes de beurre ; 3/4 de litre de crème fraîche ; 5 centilitres de vin de madère ; 10 centilitres de vin blanc sec ; 30 grammes de truffes du Périgord taillées en julienne ; farine ; sel ; poivre.

Méthode :

1º Saler, poivrer les médaillons de veau, les fariner légèrement. Dans une casserole basse, assez large et à fond épais, les sauter au beurre. Les maintenir moelleux.

2º Quand ils sont cuits à point et légèrement dorés, aligner les médaillons sur un plat de service. Les couvrir d'un papier beurré, tenir le plat à l'entrée du four.

3º D'autre part, déglacer la casserole avec le madère et le vin blanc. Laisser réduire aux trois quarts. Ajouter la crème, réduire à nouveau sur le feu pour obtenir, après rectification de l'assaisonnement, une sauce onctueuse.

En dernier lieu, incorporer la julienne de truffes après les avoir légèrement étuvées au beurre (surtout si elles sont crues).

Pour servir, mettre dans le plat sous chaque médaillon une cuillerée de compote d'oignons, napper l'ensemble de l'excellente sauce.

On peut aussi présenter individuellement les médaillons dans chaque assiette ; ce procédé permet de servir plus chaud.

Préparation de la compote d'oignons

Éléments :

1,500 kg d'oignons blancs ; 100 grammes de beurre ; 1 décilitre de crème ; 3 centilitres de vinaigre de vin ; sel et poivre.

Méthode :

Émincer finement les oignons. Les étuver au beurre en cocotte en les assaisonnant légèrement de sel et de poivre. À mi-cuisson, ajouter le vinaigre, laisser cuire quelques minutes et incorporer la crème en remuant. À nouveau, laisser cuire à couvert pour terminer la cuisson.

Médaillons de veau à l'estragon

Éléments (pour 6 personnes) :

6 médaillons de 100 à 110 grammes taillés dans le filet mignon ou dans le filet de la longe ; 60 grammes de beurre ; 3 cuillerées à potage d'huile d'olive ; 1/2 verre de vin blanc sec ; un verre à boire ordinaire de bon jus de veau ; une branche d'estragon frais.

Temps de préparation : 15 à 18 minutes.

Méthode :

1º Mettre au feu dans un plat à sauter, assez grand pour contenir les médaillons côte à côte, la moitié du beurre et l'huile. Quand ce mélange est fumant, y saisir modérément les médaillons sur les deux faces assaisonnées de sel et de poivre, comme il est conseillé pour les côtes de veau et les escalopes. Cuire 10 à 12 minutes très doucement.

2º Enlever les médaillons et les réserver au chaud entre deux assiettes ; retirer le mélange de beurre et d'huile et le remplacer par le vin blanc ; le réduire des 2/3 et ajouter le jus de veau ; réduire à la quantité de jus nécessaire pour servir et retirer du feu aussitôt.

3º Remettre les médaillons dans le plat à sauter et les saupoudrer avec une forte cuillerée à café d'estragon haché. Couvrir et laisser infuser 5 minutes sans bouillir sur le côté du feu. L'ébullition durcirait la viande et dénaturerait le parfum de l'estragon.

4º Dresser les médaillons sur un plat rond et bien chaud ; disposer avec goût sur chacur

4 ou 5 feuilles d'estragon préalablement immergées une seconde dans l'eau bouillante pour les amollir; beurrer le jus avec le reste du beurre; s'assurer que l'assaisonnement est correct et en arroser les médaillons.

Médaillons de veau sautés chasseur

Éléments (pour 6 personnes) :

6 médaillons de préférence dans les filets; 100 grammes de champignons de couche très blancs; 50 grammes de beurre; 3 cuillerées à potage d'huile d'olive; une cuillerée de purée de tomates ou 2 tomates fraîches épluchées, pressées des semences et de l'eau de végétation, concassées; 1/2 verre de vin blanc; 2 décilitres de sauce espagnole ou demi-glace ou de bon jus de veau à défaut; 2 échalotes hachées; une forte pincée de cerfeuil; une de persil et une d'estragon hachés.

Temps de cuisson : 25 minutes.

Méthode :

1º Nettoyer, laver à deux eaux très rapidement, égoutter et éponger les champignons. Les émincer (couper en lames).

Ciseler finement les échalotes, préparer les tomates et tenir prêts à hacher (rassemblés en petits bouquets) le cerfeuil, le persil et l'estragon.

2º Aplatir très légèrement les médaillons de veau, les assaisonner de sel et de poivre; faire chauffer dans un plat à sauter l'huile et le tiers du beurre, y mettre les noisettes à rissoler côte à côte. A demi cuites, les retourner, terminer la cuisson puis les retirer et tenir au chaud. Cette opération nécessite 10 à 12 minutes.

3º Dans le beurre de cuisson des médaillons, mettre l'échalote à blondir; ajouter d'abord les champignons, les sauter à feu vif, puis le vin blanc, le réduire presque entièrement, enfin les tomates et la sauce ou le jus, laisser bouillir en réduisant un peu 5 minutes. Si le jus est employé, le lier avec un soupçon de fécule diluée avec un peu d'eau froide ou avec 1/2 noix de beurre manié.

4º Terminer la sauce, hors du feu, par l'addition des aromates hachés et du beurre, la goûter pour vérifier la correction de l'assaisonnement, verser dedans le jus qui s'est égoutté des médaillons pendant l'attente. Dresser ces derniers en couronne sur un plat rond et chaud et les napper des champignons et de la sauce. Parsemer dessus une prise de persil haché.

Paupiettes de veau

Les paupiettes sont des escalopes de veau coupées minces dans la noix et la sous-noix. Elles sont assaisonnées de sel, poivre et muscade; masquées d'une farce déterminée par l'appellation du mets; roulées comme des crêpes; enveloppées d'une barde de lard frais très mince et maintenues par un fil et braisées.

Éléments (pour 6 personnes) :

6 escalopes de veau de 100 grammes; 150 grammes de farce de veau; 125 grammes de champignons; 2 échalotes; quelques couennes de lard frais; une petite carotte; un oignon; 5 ou 6 branches de persil, une brindille de thym, 1/2 feuille de laurier (liées en bouquet); un verre de vin blanc sec; un verre de jus de veau ou de bouillon peu salé; 6 bardes de lard frais coupées minces; une pomme de terre; crème fraîche; muscade.

Temps de préparation et de cuisson : 2 heures.

Méthode :

1° La farce de veau.

a) Dénerver et piler finement 100 grammes de veau avec une pincée de sel, une prise de poivre frais moulu et une pointe de muscade râpée et relever dans une terrine.

b) Couper en tranches minces une pomme de terre moyenne cuite à l'eau, mettre dans une petite sauteuse, couvrir, juste à hauteur des pommes de terre, de lait chaud et faire bouillir 10 à 15 minutes, le temps de réduire le lait en partie pour obtenir une pâte un peu ferme. Verser dans le mortier à la place du veau et piler en pâte pendant que l'appareil est encore chaud ; ajouter le veau et 30 grammes de beurre frais, bien malaxer puis ajouter l'œuf. Mettre au point de consistance avec un peu de crème fraîche ou de sauce béchamel.

c) Passer la farce au tamis et bien la lisser à la spatule dans une terrine. Lui mélanger les champignons lavés et nettoyés, épongés, hachés très rapidement et cuits à feu vif avec l'échalote dans une sauteuse avec une noix de beurre noisette, terminer cette farce avec une cuillerée à café de persil haché, puis goûter.

2° Mise en train.

a) Aplatir les escalopes à 7 millimètres d'épaisseur, les saupoudrer d'un soupçon de sel fin, puis étendre sur chacune 1/6 de la farce, les rouler comme des crêpes, les envelopper d'une barde et maintenir avec quelques tours de fil.

b) Beurrer fortement une casserole haute, la chauffer, ajouter la carotte et l'oignon coupés en rondelles très minces ; les fondre et les faire blondir. Ensuite, poser dessus les couennes puis les paupiettes debout, à côté l'une de l'autre, et insérer, au milieu, le bouquet garni.

La casserole devra être choisie haute et de petite dimension, c'est-à-dire appropriée à la position des paupiettes.

c) Couvrir et mettre 15 minutes à four de chaleur moyenne pour provoquer l'évaporation et la condensation des substances liquides contenues dans la viande. En langage professionnel, on dit « faire suer la viande ».

Ajouter le vin blanc, le faire réduire presque complètement à feu vif, et le jus ou le bouillon de façon que la quantité de liquide arrive à la hauteur des paupiettes. Mettre en ébullition, couvrir d'un papier beurré et du couvercle et laisser mijoter au four pendant 1 heure 1/4.

Pendant la cuisson et à mesure que le jus réduira, arroser de plus en plus fréquemment.

3° Pour servir : dégager les paupiettes avec précaution, retirer le fil et les bardes, les disposer en couronne sur un plat rond et bien chaud avec, au milieu, la garniture choisie. Passer le jus au chinois et en arroser les paupiettes. Si ce jus n'était pas assez court, le réduire à la quantité nécessaire avant de le passer.

Les garnitures les plus spécialement indiquées pour accompagner les paupiettes sont champignons à la crème ou à la béchamel, concombres sautés au beurre, fondue de tomates, nouilles ou spaghetti à la milanaise, petites pommes de terre dauphine (servies à part, le jus les détremperait), pointes d'asperges ou petits pois à l'anglaise liés au beurre, fonds d'artichauts escalopés et sautés au beurre, purée de champignons, etc.

Poitrine de veau farcie et braisée

Éléments (pour 6 personnes) :

800 grammes de poitrine ; 125 grammes de maigre de porc ; 150 grammes de lard frais ; un gros oignon ; 125 grammes de champignons ; un œuf ; un verre à liqueur de cognac ; une cuillerée à café de persil et une forte pincée d'estragon (hachés) ; une prise de sel épicé ; la couenne du lard gras ; 125 grammes de jarret de veau ; une carotte moyenne ; 1/2 verre de vin blanc sec ; 1/2 litre de bouillon ou de jus de veau peu salé, de l'eau à défaut ; 100 grammes

de beurre ; un bouquet garni de persil, de thym et de laurier (un brin de chacun pour les deux derniers).

Temps de préparation et de cuisson : 3 heures 1/2.

Méthode :

1º Chauffer gros comme une noix de beurre dans une sauteuse et y faire cuire très doucement la moitié de l'oignon finement ciselé.

Nettoyer, laver rapidement et égoutter aussitôt les champignons ; les hacher et les jeter dans l'oignon cuit ; les sécher à feu vif 3 à 4 minutes ; les débarrasser dans une terrine.

2º Couper en dés le porc et le lard, les hacher séparément et les malaxer ensemble dans un mortier avec le sel épicé de façon à unifier les deux éléments en une farce fine.

Ce mélange peut être réalisé dans une terrine et avec une spatule, quand on ne possède pas de mortier, mais la liaison du maigre et du gras n'arrive jamais à être aussi totale.

Il est encore possible de recourir à de la chair à saucisse fine achetée toute faite chez le charcutier ; seulement on est moins certain des proportions à moins de la commander spécialement.

Réunir la farce obtenue, la duxelles (oignon et champignons hachés et cuits), l'œuf, le persil et l'estragon, le cognac. Travailler le tout avec la cuiller de bois afin d'obtenir un mélange parfait.

Vérifier l'assaisonnement en procédant au pochage d'un peu de farce (gros comme une noisette) ; goûter et compléter l'assaisonnement si besoin est.

3º Désosser la poitrine, la fendre dans l'épaisseur sans couper les extrémités ni le troisième côté de telle sorte qu'elle présente la forme d'une poche. Assaisonner l'intérieur d'une prise de sel épicé et y introduire la farce en une couche régulière, coudre l'ouverture avec du gros fil.

4º Faire rissoler légèrement dans une daubière la carotte et l'oignon coupés en rondelles minces, les os brisés menus avec un peu de beurre ; par-dessus, disposer la couenne détaillée en petits morceaux, le bouquet garni et, enfin, la poitrine enduite du restant du beurre ; mettre au four à chaleur moyenne pendant 15 minutes.

Mouiller d'abord avec le vin blanc, le réduire presque entièrement, puis avec le jus ou le bouillon peu salé de façon à effleurer le dessus de la viande. Faire bouillir, poser sur la poitrine un papier beurré, couvrir et laisser mijoter régulièrement pendant 2 heures au moins.

5º Au terme de ce temps, enlever le couvercle, le papier et les os. Le fond de braisage devra être réduit des 2/3, sinon pousser la réduction et pendant 20 minutes pratiquer de fréquents arrosages de la poitrine avec son jus. Cette dernière opération provoquera sur la surface un enduit brillant et de belle couleur doré foncé.

Dresser la poitrine sur un plat long, retirer le fil de la couture et arroser avec le fond passé au chinois fin.

Servir en même temps dans un légumier la garniture adoptée, c'est-à-dire pieds de céleri braisés et mijotés pendant le dernier temps de cuisson avec la poitrine ; choucroute braisée traitée de même avec, en surplus, quelques parures de foie gras ; laitues braisées, épinards, chicorée, oseille, petites carottes nouvelles glacées ; toutes purées de légumes frais ou secs, etc.

Tendron de veau

Le tendron est la partie extrême de la poitrine, celle où les côtes se réunissent. Les os ont plutôt l'aspect de morceaux de cartilage très gélatineux d'où son nom. Il est indispensable dans une blanquette de veau.

La manière la plus simple et délicieuse à la fois de l'accommoder est braisé. On le sert avec une garniture de légumes.

Tendron de veau braisé

1º Débiter un morceau de tendron de veau en morceaux de 120 grammes, ils seront plus épais que larges.

Chauffer du beurre dans un plat à sauter assez grand pour tenir les uns à côté des autres tous les tendrons, les colorer sur les deux faces à feu doux.

2º Les enlever et les tenir en réserve. A leur place faire revenir quelques rondelles de carottes et d'oignon. Assaisonner les tendrons de sel et de poivre et les ranger à plat sur la garniture. Couvrir et étuver au beurre et à four doux pendant 1 heure.

3º Après ce temps, mouiller avec 1/2 verre de vin blanc sec, réduire presque entièrement et ajouter du bon jus de veau peu salé à moitié de la hauteur des tendrons. Poursuivre la cuisson à découvert et au four pendant 1 heure en arrosant très souvent. Renouveler le mouillement quand cela est nécessaire.

Au terme de la cuisson, le fond (passé au chinois fin) des tendrons doit être court, de belle couleur blonde et épais comme un sirop. Les tendrons sont extrêmement moelleux.

Refroidis dans leur fond de cuisson qui prend en gelée, les tendrons forment un excellent plat froid que l'on sert avec des salades de légumes.

Jarret de veau à la ménagère

(photo page 204)

Éléments (pour 4 personnes) :

Un jarret de veau de lait d'1,500 kg environ ; 80 grammes de beurre ; 10 centilitres de vin blanc sec ; 2 décilitres de fond de veau ; 1 gros oignon taillé en gros dés ; 250 grammes de carottes nouvelles coupées en rondelles ; 2 tomates mûres, mondées et concassées ; un petit bouquet garni ; sel et poivre.

Méthode :

1º Assaisonner le jarret de veau avec sel et poivre. Dans une cocotte, de préférence ovale, le colorer au beurre sur toutes ses faces. Ensuite ajouter successivement l'oignon en dés, les carottes en rondelles et, après un léger rissolage, faire fondre les tomates concassées.

Mouiller avec le vin blanc sec et le fond de veau. Incorporer le bouquet garni et laisser cuire à couvert à four ou à feu doux durant 2 heures environ selon la quantité de veau.

2º Le jarret de veau est servi dans un plat creux entouré de ses légumes, nappé de son jus ; seul le bouquet garni est éliminé.

On peut accompagner cet excellent plat familial de nouilles fraîches au beurre.

Jarret de veau aux petits pois printaniers

1º Débiter un jarret de veau en rouelles de 6 centimètres d'épaisseur. Les assaisonner de sel fin et les faire dorer au beurre dans une sauteuse. Mouiller avec 1/2 verre de vin blanc sec, le réduire presque entièrement, ajouter un peu de bouillon peu salé ou d'eau à mi-hauteur des rouelles et cuire doucement à couvert pendant 2 heures.

2º Pour un jarret, prévoir 1/2 litre de petits pois, deux cœurs de laitue, une douzaine de petits oignons blancs.

Mélanger dans une casserole les petits pois, les cœurs de laitue coupés en julienne, les petits oignons, une prise de sel, 1/2 morceau de sucre, la grosseur de deux noix de beurre, bien malaxer et arroser de deux cuillerées à potage d'eau, compléter avec un minuscule bouquet garni ou une brindille de sarriette.

Faire bouillir à feu vif à couvert 15 minutes et réunir aux rouelles de jarret de veau, sans le bouquet garni. Poursuivre la cuisson de ces dernières une demi-heure en arrosant très souvent. Faire attention au fond qui doit être assez court tout en baignant cependant un peu les petits pois.

3º Vérifier l'assaisonnement et dresser dans un plat creux les rouelles entourant les petits pois enrobés du jus devenu sirupeux du jarret.

Blanquette de veau

Éléments (pour 6 personnes) :

800 grammes de veau bien blanc provenant par tiers du tendron, du haut des côtes et de l'épaule débités en gros cubes ; une carotte moyenne ; un oignon piqué d'un clou de girofle ; un bouquet de cinq branches de persil, d'une brindille de thym et d'une feuille de laurier ; 60 grammes de beurre ; 30 grammes de farine ; une douzaine de petits oignons ; 125 grammes de champignons ; 2 jaunes d'œufs ; un verre de crème fraîche ou de fleurette ; un quartier de citron ; sel, poivre et muscade.
Temps nécessaire : 2 heures 30.

Méthode :

Le veau est cuit dans un court-bouillon aromatisé, lequel est utilisé pour mouiller un roux. Ce mélange donne un velouté lié aux jaunes et à la crème.

Fricassée de veau à l'ancienne

Éléments (pour 6 personnes) :

Les mêmes que pour la recette de la blanquette de veau.

Méthode :

1º Chauffer le beurre dans un plat à sauter, ajouter les morceaux de veau assaisonnés de sel et de poivre, la carotte et l'oignon coupés en quartiers. Faire étuver doucement 15 à 20 minutes en remuant de temps à autre.

Saupoudrer ensuite avec la farine, bien mélanger et laisser cuire à feu doux 10 minutes comme un roux, sans colorer.

Mouiller juste à hauteur des morceaux de viande avec du bouillon blanc peu salé ou de l'eau ; dans cette dernière éventualité, saler légèrement. Mettre en ébullition en remuant pour assurer une liaison parfaite de la sauce et laisser bouillir très doucement au four ou sur le coin du fourneau pendant 2 heures avec le bouquet garni mis à ce moment.

2º Ébouillanter les petits oignons, les égoutter et les étuver au beurre dans une sauteuse jusqu'à cuisson complète. Ils doivent demeurer blancs, les surveiller attentivement.

Nettoyer les champignons, les laver rapidement dans deux eaux, les égoutter et les éponger. Couper les jambes et les mettre à mijoter dans la blanquette ; diviser les têtes en quartiers, les sauter deux minutes en plein feu dans un plat à sauter ou à la poêle avec la grosseur d'une noix de beurre, les assaisonner d'une prise de sel et presser dessus quelques gouttes de jus de citron. Faire cette dernière opération quand les oignons sont cuits, ce qui permet de leur adjoindre les champignons. Couvrir la casserole et réserver en attente.

3º Séparer les deux jaunes d'œufs des blancs, les mettre dans un bol avec 3 cuillerées à potage de bouillon blanc, de lait ou de fleurette, quelques parcelles de beurre frais, une pointe de muscade râpée ; bien mélanger.

4º Décantage de la fricassée : le ragoût étant cuit à point, le retirer du feu et, à l'aide de l'écumoire et d'une fourchette, changer les morceaux de viande de plat à sauter en retirant la garniture. Parsemer sur le veau la garniture de champignons et de petits oignons, couvrir et tenir au chaud.

5º Liaison de la sauce : remettre la sauce en plein feu et la réduire de moitié au moins, en la remuant constamment avec une spatule ; à réduction elle deviendra trop épaisse ; lui rendre une consistance normale par l'addition de crème fraîche, de fleurette ou de lait ; cet ordre correspondant à la finesse plus ou moins grande que l'on désire donner à ce mets exquis.

Placer ensuite le plat à sauter hors de l'ébullition et mélanger, peu à peu, le contenu d'une louche de sauce aux jaunes d'œufs en tournant rapidement avec un fouet à sauce dans le bol.

Exprimer le reste du jus de citron dans cette liaison et la verser, en filet, dans la totalité de la sauce qu'il est nécessaire de travailler avec un fouet sans arrêt pendant toute la durée de l'opération.

Quand cette dernière est accomplie avec rapidité, la sauce est encore presque bouillante suffisamment assez chaude par conséquent pour imprimer un début de cuisson aux jaunes sans détruire leurs propriétés liantes et onctueuses.

Si, pour une raison quelconque, le trop grand refroidissement de la sauce ne permettait plus cette association judicieuse par la chaleur des éléments en contact, jaunes et sauce il faudrait pousser le plat à sauter vers le feu pour réaliser, en remuant toujours avec le fouet ce début de cuisson, but qu'une main inexperte dépasse souvent ; alors, les jaunes durcissent en minuscules granules et ne jouent plus le rôle culinaire délicat auquel le praticien s'efforce de les soumettre.

On peut encore, terminaison suprême, jeter dans la sauce liée parfaitement, un petit morceau de beurre frais divisé en parcelles et l'incorporer au fouet. Vérifier l'assaisonnement

Passer la sauce à l'étamine en pressant légèrement les quartiers de carotte et d'oignon sur les morceaux de veau et leur garniture tenus très chauds ; bien mélanger avec précaution avec une spatule afin de bien enrober la viande de la sauce et servir accompagné de riz à la créole ou de pommes de terre cuites à l'anglaise sur assiettes brûlantes.

On sert également, dressés autour de la fricassée, soit des petits croûtons en forme de cœur faits en pain de mie et frits au beurre, soit des fleurons, petits motifs découpés en demi-lune avec un emporte-pièce cannelé dans une abaisse de pâte à galette feuilletée ou des parures de feuilletage et cuits bien croustillants au four.

Sauté de veau Marengo

Éléments (pour 6 personnes) :

800 grammes de veau choisi par tiers dans le tendron, le haut-de-côtes ou le collet et l'épaule une carotte ; 2 oignons moyens ; 2 gousses d'ail ; 50 grammes de beurre et 2 cuillerées à potage d'huile d'olive ; 1/2 verre de vin blanc sec ; 1/2 litre de jus de veau ou de bouillon peu salé d'eau à défaut ; 20 grammes de farine ; 500 grammes de tomates fraîches ou la contenance d'un verre ordinaire de purée de tomates ; 12 petits oignons ; 125 grammes de champignons de couche ; un bouquet garni : persil, thym et laurier, un fragment de chacun ; 6 croûtons de pain de mie taillés en cœur et frits au beurre ; une cuillerée à café de persil haché frais ; un quartier de citron.

Temps de préparation et de cuisson : 2 heures.

Méthode :

1º Mettre au feu, dans un plat à sauter, le beurre et l'huile ; quand le mélange est fumant, ajouter les morceaux de veau débités en gros cubes, la carotte et les oignons coupés en quartiers, assaisonnés de sel et de poivre frais moulu ; faire revenir assez vivement pour obtenir un bon rissolage.

A ce moment, saupoudrer la viande avec la farine, bien mélanger et laisser roussir légèrement ; ajouter l'ail écrasé, chauffer une seconde, le vin blanc, réduire des deux tiers ; puis ajouter la tomate en purée ou les tomates fraîches épluchées, pressées des semences, et concassées, le bouquet garni, le jus de veau, le bouillon ou l'eau juste à hauteur de la viande. En cas d'addition d'eau, saler légèrement. Faire bouillir en remuant avec la spatule, couvrir et faire mijoter à feu très doux sur le coin du fourneau, au four ou sur le gaz réglé bien bas pendant 1 heure.

2º Ébouillanter les oignons, sauf s'ils sont nouveaux, les égoutter et les éponger, les cuire bien dorés dans une sauteuse avec une noix de beurre.

Nettoyer les champignons, les laver soigneusement et très rapidement, les égoutter. Enlever les pédicules et les mettre dans le sauté. Couper les têtes en quartiers s'il s'agit de gros champignons, les tourner s'ils sont moyens. Ajouter les épluchures au sauté. Les laisser tels s'ils sont petits.

Préparer un second plat à sauter ou une casserole, y faire bien chauffer une noix de beurre, y jeter les champignons à feu vif, les remuer jusqu'à un début de rissolage, retirer du feu.

3º Le veau étant à moitié cuit, trier les morceaux de viande de la garniture et les ranger sur les champignons, parsemer dessus les oignons bien glacés (dorés). Laisser reposer la sauce quelques minutes, le temps que les parties grasses remontent à la surface afin de les enlever facilement. Ce dégraissage effectué, passer la sauce au chinois fin sur la viande en foulant énergiquement la garniture avec la spatule. Vérifier l'assaisonnement et remettre à mijoter jusqu'à cuisson complète, soit une vingtaine de minutes.

4º Pour servir, presser sur l'ensemble le jus du quartier de citron, dresser en timbale ou dans un plat creux, disposer les croûtons autour, persiller légèrement le dessus.

Pâté Pantin du maître Ferdinand Wernert

Éléments (pour 10 personnes) :

Pâte : 500 grammes de farine ; 15 grammes de sel ; 150 grammes de beurre ; un œuf ; décilitres d'eau environ suivant la qualité, c'est-à-dire le corps de la farine.

Garniture et farce : 500 grammes de noix de veau ; 180 grammes de filet de porc ; 00 grammes de lard gras frais ; 250 grammes de jambon cru et maigre ; 2 œufs ; 1 décilitre de cognac ; 20 grammes de sel épicé ; une prise de fleurs de thym et de laurier broyée en poudre.

Méthode :

1º La pâte : la faire la veille ; un repos de 12 heures lui fait perdre son élasticité, la tenir un peu ferme et lui donner quatre tours comme il est expliqué pour le feuilletage.

2º La garniture :

a) tailler sur la noix de veau 8 aiguillettes de 15 centimètres de long et d'1 centimètre 1/2 de côté ;

b) tailler, sur le lard gras, 2 grandes bardes de 20 centimètres de largeur et de 30 centimètres de longueur ou 4 de 15 centimètres et 8 lardons de même importance que les aiguillettes ;

c) couper le jambon dans les mêmes proportions de taille et de nombre. Réunir les aiguillettes et lardons dans un plat creux; les assaisonner de sel épicé, de thym et de laurier en poudre, les malaxer afin de bien les imprégner des épices et les arroser avec le cognac Laisser macérer; jusqu'au moment de les employer, les remuer de temps à autre.

3º La farce : diviser en gros dés le filet de porc, le reste du veau, du lard et du jambon assaisonner de sel épicé, de thym et de laurier, puis hacher finement à la machine ou au hachoir Piler ce hachis au mortier et le malaxer vigoureusement en lui incorporant les œufs battus et le cognac qui n'a pas été absorbé par la viande mise en marinade.

Si l'on ne dispose pas de machine ni de mortier, se contenter du hachoir ou d'un coupere et triturer le tout dans une terrine à la spatule.

Pour s'assurer que l'assaisonnement est correct, faire pocher une bille de farce dans un peu d'eau bouillante et la goûter.

4º La pâte : abaisser, c'est-à-dire étendre avec un rouleau à pâtisserie les trois quart de la pâte à laquelle les deux derniers tours viennent d'être donnés; l'allonger en forme de rectangle de 35 centimètres de large et 8 millimètres d'épaisseur, la poser sur une plaque à pâtisserie.

Placer au centre de l'abaisse une barde de lard, étaler dessus une couche de farce une couche d'aiguillettes de veau, de lard et de jambon alternés, une seconde couche de farce et ainsi de suite jusqu'à épuisement de la totalité des éléments en les répartissant d'une façon harmonieuse; mais il est nécessaire de terminer par une couche de farce que l'on recouvre, elle-même, de la seconde barde de lard.

Mouiller légèrement avec un linge humide ou un pinceau à pâtisserie le tour de la pâte relever et ramener sur la barde de lard supérieure les deux côtés longs du rectangle de façon qu'ils se rejoignent bord à bord; allonger au rouleau les deux extrémités de l'abaiss et les relever à leur tour sur le pâté humecté d'eau pour permettre la soudure qui est assuré par une légère pression des doigts.

Passer le pinceau ou le linge humide sur toute la surface du pâté et poser dessus un abaisse rectangulaire ayant ses dimensions exactes; au préalable, parer cette abaisse e ajustant au couteau sur tout le tour ce qui lui permettra de feuilleter pendant la cuisson.

Pincer avec la pince à pâtisserie, ou avec le pouce et l'index, le tour du pâté en obliquan l'instrument ou les doigts; dorer la surface de l'abaisse supérieure avec la valeur d'un cuillerée à potage d'œuf battu réservé à cette intention; décorer ladite surface par un je d'incisions superficielles pratiquées dans la pâte; faire enfin, avec la pointe d'un couteau deux ouvertures de un centimètre dans la ligne centrale de l'abaisse décorée et introduir dans chacune un petit morceau de papier beurré et roulé en cheminée pour l'évaporatio des éléments humides.

5º La cuisson : mettre à four chaud sans excès. Quand la coloration de la pâte est parfaite protéger le pâté en le recouvrant d'un papier blanc de bonne qualité, un peu mouillé et n dégageant pas de mauvaise odeur en chauffant, laquelle se communiquerait inévitablemen au pâté.

Temps de cuisson : 1 heure 1/4 environ.

Celle-ci se constate par le phénomène suivant : au bout d'une heure de séjour au fou observer qu'il se forme autour des deux cheminées un léger écoulement de jus qui, peu peu, parvient à se solidifier et à former glace de viande. Cette indication est infaillible.

Le pâté est prêt à servir chaud, tiède ou froid. A noter que chaud, le découpage e difficile.

Nota. — Cette formule peut être enrichie de truffes, foie gras, volaille ou gibier. Ell constitue l'une des plus remarquables conceptions gourmandes, où la cuisine et la pâtisser sont supérieurement associées.

rret de veau à la ménagère (p. 200)

Quenelles de veau au beurre

Éléments (pour 500 grammes de farce) :

250 grammes de noix ou sous-noix de veau ; 135 grammes de beurre ; 2 décilitres d'eau ; 100 grammes de farine tamisée ; 2 œufs ; 10 grammes de sel ; une prise de poivre ; une pointe de muscade râpée.

Méthode :

1º La panade : réunir dans une casserole l'eau, une prise de sel, 2 noix de beurre et faire bouillir. Ajouter la farine, hors du feu, en assurant un mélange bien homogène. Remettre à feu vif, remuer constamment et provoquer l'évaporation partielle de l'eau. La pâte se détache en bloc de la casserole quand elle est assez desséchée. Faire refroidir sur une assiette.

2º La farce : détailler le veau en dés et le hacher finement à la machine ou au hachoir. Mettre ce hachis dans un mortier, le piler vigoureusement, ajouter la panade froide, malaxer jusqu'à mélange complet, mettre le reste du beurre et continuer le travail au pilon jusqu'à l'unification totale des éléments. Leur adjoindre, à ce moment, sel, poivre et muscade puis, peu à peu, les œufs battus.

Mettre la farce sur un tamis fin, la fouler au pilon au-dessus d'une terrine où elle est recueillie. La travailler quelques instants à la spatule, la mettre au frais couverte d'un rond de papier blanc adhérent pour la protéger du contact de l'air jusqu'à l'utilisation.

3º Les quenelles : à l'aide d'une corne à pâtisserie ou d'une cuiller, introduire la farce dans une poche en toile munie d'une douille unie d'un demi-centimètre de diamètre. Fermer la poche et presser pour chasser la farce par la douille au-dessus d'un plat creux à rôtir. Régler les pressions successives pour tracer de petits bâtonnets de 8 centimètres de longueur, bien détachés les uns des autres par des intervalles de 5 centimètres.

15 minutes avant de les employer, les couvrir d'eau bouillante salée à point, pousser le plat à rôtir au feu de façon à provoquer un frémissement de l'eau.

La cuisson des quenelles se constate lorsqu'elles nagent franchement et qu'elles résistent à une légère pression du doigt.

Ces quenelles s'emploient dans certaines garnitures de vol-au-vent, de bouchées à la reine, etc. ; ou seules comme de petites entrées accompagnées de sauce, telle la sauce Mornay légère.

Nota. — Cet appareil peut être affiné par une addition de crème fraîche qui rend les quenelles beaucoup plus délicates. Dans ce cas la quantité de panade est diminuée, voire supprimée, celle des blancs d'œufs légèrement augmentée. Pour être sûr de la consistance des quenelles, il est sage alors de procéder à une épreuve en faisant pocher une petite noix de l'appareil avant de coucher les quenelles.

Le veau froid

Longe de veau, carré, filet, noix, fricandeau, rôtis, braisés ou poêlés, se servent froids de la même façon que les pièces de bœuf rôties.

Le mode de cuisson le mieux indiqué pour servir froid est le poêlage ; le fond, bien dégraissé et passé constitue la plus succulente gelée d'accompagnement qu'il ne faut jamais négliger.

Présenter avec une garniture de légumes froids, assaisonnés en salade, telle une macédoine de légumes liés avec de la sauce mayonnaise.

LE MOUTON
L'AGNEAU DE PRÉ-SALÉ
L'AGNEAU DE LAIT

Le mouton adulte a une chair rouge vif, dense, ferme et grasse. Les gigots sont charnus, la selle est large et grasse. La graisse est bien répartie, abondante, très blanche et dure.

L'agneau dit de pré-salé est le jeune mouton incomplètement développé; sa chair est beaucoup plus tendre et succulente que celle de l'animal adulte, elle est de couleur rouge pâle.

Il tire son nom des herbages incomparables situés en bordure de la Manche et de l'Océan dont les plus riches se trouvent dans la région de Coutances en Normandie.

L'agneau de lait est l'animal non encore sevré et qui n'a jamais brouté. Sa chair est rose pâle, presque blanche. L'agneau de Pauillac est le plus réputé.

Ce sont là les qualités essentielles et immédiatement visibles d'un bon mouton.

L'époque où la viande du mouton est le moins agréable est celle qui, en été, correspond à la période de la tonte. Le goût est fort et s'amplifie avec la cuisson.

Division

Agneau de lait, pré-salé, mouton, sont débités de la même manière.

Les parties les plus recherchées sont les gigots, la selle et les carrés.

Viennent ensuite l'épaule, la poitrine et le collet.

Enfin, les abats.

Les deux gigots accouplés se nomment double.

Les gigots et la selle forment le baron.

Double et baron sont des relevés de grands festins. Ils sont presque toujours servis rôtis.

La selle comprend les deux filets et, en dessous, protégés par les bavettes, les deux filets mignons. Débitée en sections de 3 à 4 centimètres d'épaisseur, elle fournit les mutton-chops, et les lamb-chops, les premiers coupés sur la demi-selle, les seconds sur la selle entière.

Les carrés se divisent en côtelettes couvertes et découvertes.

Toutes ces pièces sont traitées rôties, poêlées, pochées, sautées ou grillées selon la préparation et leur volume.

L'épaule peut être rôtie ou braisée. Elle est aussi l'élément principal des ragoûts.

Le collet est utilisé dans les ragoûts, ainsi que la poitrine dont on fait aussi quelques petites entrées variées.

L'agneau de lait peut, à la rigueur, être préparé comme le mouton; mais, en raison de particularité de sa chair, il est accommodé selon quelques recettes spéciales.

Gigot de mouton rôti

Pour faciliter le découpage, je recommande de désosser l'os du quasi.

Il est un excellent usage de piquer, plus ou moins selon le goût, le gigot de gousses d'ail, en évitant toutefois de transpercer les muscles à coups de pointe de couteau, mais en insérant l'ail entre les muscles du côté manche ou du côté quasi.

Placer le gigot dans un plat à rôtir garni d'une grille, l'enduire de beurre, l'assaisonner de sel fin et le remettre au four moyennement chaud.

Temps de cuisson : 20 minutes au kilo.

L'arroser fréquemment. Au terme de la cuisson, ajouter 6 cuillerées à potage d'eau chaude pour déglacer les sucs sans faire bouillir. Laisser reposer au chaud, à l'étuve par exemple, avant de servir.

Présenter le jus du gigot en saucière sans le dégraisser.

Si le gigot est très gras, il est préférable de le parer d'une partie de sa graisse avant la mise à rôtir.

Le gigot de mouton doit être rôti saignant, quoique atteint par la chaleur jusqu'à l'os.

Gigot de pré-salé rôti

Même traitement et temps de cuisson que le gigot de mouton.

Le gigot de mouton ou de pré-salé se fait rôtir également à la broche. Augmenter le temps de cuisson de 5 minutes par kilo.

Servir à part le jus recueilli dans la lèchefrite.

Les garnitures les mieux indiquées pour accompagner le gigot rôti sont : les haricots verts ou les haricots en grains ; la purée de pommes de terre ; les pommes de terre nouvelles rissolées et château ; les pommes de terre à la sarladaise, etc., ou tous légumes secs ou verts.

Gigot bouilli à l'anglaise

Parer le gigot, raccourcir l'os du manche, désosser le quasi et l'immerger en le couchant dans une braisière contenant suffisamment d'eau en pleine ébullition pour qu'il en soit entièrement recouvert après avoir été mis en place.

Mettre dans l'eau de cuisson 10 grammes de sel (soit une cuiller à potage rase de sel) par litre d'eau ; une douzaine de petites carottes, 4 navets et 4 oignons coupés en quartiers, l'un d'eux piqué d'un clou de girofle ; quelques branches de persil liées avec une feuille de laurier et un brin de thym ; 4 grosses pommes de terre un peu farineuses et une branche de céleri.

Dès que l'ébullition reprend, ranger la braisière sur le coin du fourneau et maintenir un simple frémissement. A partir de cet instant, calculer le temps de cuisson à raison de 30 minutes par kilo.

Pour servir, égoutter le gigot et le présenter seul sur un plat de service. L'accompagner d'une part, des carottes et des pommes de terre enlevées de la braisière (avec l'écumoire et d'infinies précautions) et mises dans un légumier ; d'autre part, des navets écrasés sur un plat avec un morceau de beurre, une prise de sel et une de poivre frais moulu ; servir en même temps une saucière de sauce au beurre à l'anglaise ainsi préparée :

Faire un roux avec 100 grammes de beurre, 60 grammes de farine, laisser blondir, mouiller avec la cuisson du gigot pour obtenir une sauce pas trop épaisse ; cuire doucement 10 minutes, passer et ajouter 2 à 3 cuillerées de câpres.

Gigot rôti aux haricots à la bretonne

Le gigot est rôti selon la méthode classique et il est servi accompagné de son jus sans être dégraissé, même s'il est nettement gras, et d'un légumier de haricots flageolets ou soissons ou suisses à la bretonne. Les haricots peuvent être présentés en purée.

Haricots à la bretonne

D'une part, cuire selon l'usage, des haricots flageolets ou blancs frais ou secs.

D'autre part, préparer par litre de haricots cuits, 2 décilitres de sauce bretonne à savoir : ciseler, finement, un oignon moyen, le cuire très doucement avec la grosseur d'une noix de beurre ou de jus gras de mouton. Lorsqu'il est blondi, y ajouter 1/2 verre ordinaire de vin blanc sec (réduire des deux tiers), un verre de sauce tomate réduite ou le double de tomates fraîches épluchées et pressées des semences. Faire mijoter 10 minutes. Avant de retirer du feu, adjoindre 2 gousses d'ail écrasées et une cuillerée à café de persil haché. Hors du feu, broyer au-dessus deux ou trois tours du moulin à poivre.

Égoutter les haricots et les mélanger avec cette sauce de façon à les lier mais très légèrement. Si le jus de mouton est très gras, la graisse en excès sera mise dans les haricots avec profit.

Remarque. — Lier les haricots ne veut pas dire leur donner la consistance d'une purée même mollette ; le jus ou la sauce doivent être à peine courts et liés comme un fond de braisage de veau. En plongeant la cuiller à légume dans un plat de haricots, le convive doit déposer dans son assiette un légume très juteux ; ce qui exclut deux extrêmes : sec ou baignant littéralement dans la cuisson.

Manières correctes de découper un gigot :

Assurer solidement le manche à gigot.

A. — Tenir le manche à gigot de la main gauche et la soulever légèrement, l'autre extrémité du gigot reposant sur le plat par le côté de la noix.

De la main droite, découper parallèlement à l'os la petite noix en poussant le tranchant devant soi. Les tranches seront minces. Quand l'os est atteint, mettre le gigot dans la position inverse et trancher la noix la lame dirigée de biais vers l'os.

B. — Le gigot est tenu comme précédemment, mais le tranchant du couteau est orienté vers le trancheur et dirigé perpendiculairement à l'os. L'opération s'effectue également en deux temps. Dans les deux cas, l'os doit être mis complètement à nu.

Important. — Le jus du gigot étant très gras, les assiettes de service doivent être brûlantes. Sans cette précaution essentielle, la graisse fige rapidement et fait perdre à ce mets exquis une grande partie de sa valeur gastronomique.

Double, baron et selle

Le traitement du double, du baron et de la selle est identique à celui du gigot. Les mêmes garnitures de légumes leur sont applicables.

L'à-point de cuisson de la selle est facile à contrôler.

Temps moyen : 20 minutes au kilo.

Contrôle. — Plonger une aiguille à brider dans la moelle épinière ; la laisser une minute, retirer et la mettre immédiatement en contact avec le dos de la main. Si l'aiguille est froide, la cuisson est insuffisante, si elle est fortement tiède, elle est à point (laisser reposer 10 minutes à l'étuve tempérée), si elle est nettement chaude, la selle est trop cuite.

Manière de découper une selle :

Préalablement à la mise au four, les bavettes ont été raccourcies et repliées sous la selle sur les filets mignons, et maintenues par quelques tours de ficelle.

A la sortie du four, la selle est posée sur un plat, le trancheur l'oriente, la coupe face à lui. Pratiquer une incision profonde, effleurant l'échine à droite et à gauche.

Le couteau à trancher est tenu à plat dans une position qui lui permet de couper de droite à gauche vers l'échine des aiguillettes minces et ayant toute la longueur de la selle. Quand un filet est débité, faire pivoter le plat pour trancher le second filet dans les mêmes conditions.

Ensuite, retourner la selle, dégager les bavettes et lever les filets mignons.

Les recommandations de chaleur faites pour le gigot s'imposent pour le baron et la selle.

Si le jus de cuisson est faiblement salé, un soupçon de sel marin broyé et parsemé sur la tranche donne une saveur encore plus agréable.

Le jus devant être servi très chaud, ne jamais en arroser en plein une tranche de mouton saignant ; en verser une cuillerée sur l'assiette et à côté de la tranche qui conservera une jolie couleur et toute sa saveur.

Selle d'agneau de pré-salé des gastronomes

Éléments (pour 12 personnes) :

Une selle pesant brut 5 livres ; 24 beaux marrons ; 12 truffes moyennes et régulières 12 rognons de coq ; 500 grammes de champignons de couche ; un verre à boire ordinaire de champagne brut ; un décilitre de cognac ; 150 grammes de beurre ; 4 décilitres de bo jus de veau peu salé ; 12 tartelettes en pâte sablée non sucrée ; 1/2 litre de bouillon blanc une branche de céleri ; une cuillerée à café de porto ou madère ; poivre de cayenne.

Méthode :

1º Parer la selle c'est-à-dire enlever la peau qui recouvre la couche de graisse forman couverture de la pièce et inciser cette couverture avec la pointe d'un couteau en dessinan un quadrillage — il s'agit de préparer la pénétration des calories — ; en dessous, retire les deux noix de graisse dans laquelle les rognons sont enfouis, rogner les deux bavette sur les filets mignons pour les protéger et donner une assise correcte à la selle. Mainteni avec 5 tours de ficelle peu serrés. La compression gêne la dilatation de la masse musculaire il faut laisser la pièce gonfler à l'aise.

2º Cuisson par le poêlage : placer dans le fond d'une braisière de dimension jus suffisante soit une grille, soit des os de veau brisés menu ce qui est mieux. Poser la sell dessus, la couverture apparente, l'assaisonner de sel et de poivre et l'arroser de beurr fondu ou de bonne graisse de veau ou de porc. Rôtir au four chaud, retourner trois fois terminer la cuisson en pratiquant de nombreux arrosages. La graisse de couverture donner à la selle une jolie couleur dorée.

La durée de la cuisson est calculée à raison de 18 minutes par kilo. Quand l'à-point e supposé, sonder la moelle épinière en introduisant à fond une aiguille à brider ; si, aprè une minute de séjour à l'intérieur, elle est tiède au contact du dos de la main, la pièce pe être retirée du four avec certitude et mise sur un plat à reposer 15 minutes à l'étuve tempéré

Verser dans la braisière 2 décilitres de jus de veau et laisser bouillir doucement 5 minute pour dissoudre (déglacer) les sucs solidifiés pendant le poêlage sur les os et l'ustensil

Passer à la passoire fine dans une petite casserole haute, après quelques instants d'attent enlever l'excès de graisse qui surnage.

Le goûter et le rectifier par addition de sel ou d'eau si besoin est.

3º La garniture.

Pendant que la selle rôtit dans la braisière, préparer la garniture. Pour diminuer l'ampleur des travaux culinaires au cours du service d'un grand dîner et apporter aux derniers détails plus d'attention et de minutie, il est indispensable d'assurer la veille ou très avant le service certaines préparations comme la cuisson dans un blanc des rognons de coq, le brossage des truffes et leur macération dans le cognac en vase bien clos, l'épluchage des marrons, le nettoyage des champignons et la confection des tartelettes ; de sorte que, durant le poêlage de la selle, la terminaison du travail comportera :

Cuisson des truffes :

Mettre, dans une petite casserole couvrant bien, les truffes crues entières, le champagne, le cognac de macération, une prise de sel et une pointe de poivre rouge de cayenne. Faire bouillir à feu vif 5 minutes. Retirer du feu, égoutter les truffes dans une timbale, les couvrir et les tenir au chaud.

Additionner le champagne de 4 cuillerées à potage de jus de veau et réduire à la contenance de 3 cuillerées ; remettre les truffes et les enrober en les roulant dans ce jus court qui sera absorbé en totalité.

Traitement des rognons :

Les rognons de coqs piqués une fois avec la pointe d'une aiguille pour empêcher leur éclatement, ont été pochés dans un blanc composé d'un quart de litre de bouillon blanc ou d'eau salée à point, d'une demi-cuillerée à potage de farine, d'une demi-cuillerée à café de vinaigre ou le jus d'un quartier de citron. Plonger les rognons, bien dégorgés à l'eau fraîche, dans le blanc bouillant et retirer la casserole sur le coin du feu sans bouillir. Temps de pochage : 5 minutes.

Réduire presque à glace un décilitre de jus de veau, égoutter les rognons et les rouler avec précaution dans cette réduction, laquelle peut être aromatisée, hors du feu, avec une cuillerée à café de porto ou de madère.

Préparation des marrons :

Décortiqués, puis épluchés à la suite d'un séjour de 5 à 6 minutes au four chaud ou plongés 2 minutes dans une friture bien chaude, ou encore ébouillantés, les marrons sont cuits dans le bouillon blanc avec une branche de céleri.

Faire bouillir environ 20 minutes très doucement pour les obtenir bien entiers, et cuits un peu fermes.

Quand ils sont à point, les égoutter et les rissoler (blondir comme des petits oignons glacés) avec un peu de beurre dans un plat à sauter assez grand pour qu'ils portent tous sur le fond de l'ustensile.

Les champignons :

Faire une purée de champignons.

Les tartelettes :

Les tartelettes ont été foncées dans des petits moules, avec de la pâte sablée non sucrée : les cuire entre deux moules pour les maintenir en forme et les garnir de purée de champignons.

Dressage :

La selle est placée sur un plat long assez grand pour contenir la garniture autour de la pièce sans déborder sur la bordure, laquelle doit rester nette.

Disposer autour, en alternant, une tartelette garnie de purée de champignons et d'un rognon de coq, puis une truffe et deux marrons.

Arroser la selle d'une cuillerée ou deux de son jus de poêlage et servir le reste brûlant dans une saucière chaude.

Service :

Pour faciliter et écourter le service, la selle peut être tranchée à la cuisine, les aiguillettes sont remises à leur place et les filets reformés avec soin.

Ne pas oublier de poser sur la table, au moment de servir, des assiettes très chaudes.

Carré d'agneau de pré-salé ou filet rôti

Le carré comprend la totalité des côtes de noix, celles qui sont couvertes. Il doit être raccourci à la longueur ordinaire des côtelettes et l'extrémité de chaque manche (os de côte) dégagée. Les os de l'échine doivent être supprimés pour faciliter le découpage, la peau de couverture de la couche de graisse est également enlevée.

Temps de cuisson à four très chaud : 12 à 15 minutes par kilo.

Le filet est constitué par la moitié de la selle fendue dans le sens de la longueur par le milieu de la moelle épinière.

Pour le rôtir, enlever la peau de couverture ; raccourcir la bavette, le désosser entièrement ; assaisonner l'intérieur de sel et de poivre et le remettre dans sa forme normale ; le maintenir avec quelques tours de ficelle.

Temps de cuisson à four très chaud, comme le carré : 15 minutes par kilo.

Pour servir, retirer la graisse en grande partie ; déglacer avec un peu de bouillon, de jus de veau ou d'eau pour dissoudre les sucs solidifiés et attachés au plat à rôtir et présenter le jus du rôti en saucière avec la garniture choisie.

Toutes les garnitures du gigot, de la selle et des côtelettes conviennent au carré et au filet rôtis.

Nota. — Cuire le filet sans être désossé est préférable quant à la saveur, toutefois le découpage est rendu plus difficile.

Filet d'agneau de pré-salé Parmentier

Parer et désosser le filet, le mettre à rôtir au beurre dans un plat assez grand. Dès qu'il est bien doré, l'entourer de 2 grosses pommes de terre taillées en dés de 2 centimètres de côté, lavés (pour enlever la fécule et empêcher qu'ils se collent les uns aux autres) et soigneusement épongés. Saupoudrer d'une prise de sel. Continuer la cuisson à four bien chaud en remuant de temps à autre les pommes de terre. Arroser souvent le filet.

Pour servir, dresser le filet sur un plat chaud et long, les pommes de terre aux extrémités en bouquet ; parsemer sur ces dernières une pincée de persil haché.

Déglacer le plat à rôtir avec deux cuillerées à potage de jus de veau et en arroser le filet.

Division du carré, du filet de mouton ou d'agneau de pré-salé

Le carré se détaille en côtelettes premières, basses-côtes et côtes découvertes.

Le filet de mouton, débité en tranches de 5 centimètres, donne les mutton-chops ou côtelettes de mouton anglaises, la bavette attenante est assaisonnée de sel et de poivre, roulée sur elle-même vers l'intérieur et fixée avec une brochette.

Le filet d'agneau coupé semblablement produit les lamb-chops ou côtelettes d'agneau.

Le mode de cuisson préférable des côtelettes, des mutton-chops et des lamb-chops est grillé.

Quand la pièce est presque cuite à point, présenter au foyer incandescent le dos gras de la côtelette, du mutton-chop ou du lamb-chop afin de le faire bien griller. Enlever la brochette des chops et présenter au gril l'intérieur de la bavette pour la saisir.

Laisser reposer au chaud quelques minutes, servir accompagné d'un bouquet de cresson, les tiges très écourtées et bien rassemblées pour les dissimuler dans le dressage et d'un légume comme garniture.

Tous les légumes peuvent être servis comme accompagnement du mouton ou de l'agneau grillé ou sauté.

Toutefois, ce sont les légumes verts liés au beurre qui sont généralement préférés : haricots verts, petits pois, flageolets, pointes d'asperges, fonds d'artichauts ou les pommes de terre traitées par la friture : pommes soufflées, Pont-Neuf, allumettes, mignonnettes, paille, chips, etc., ou en purée.

Côtelettes d'agneau à la parisienne

Griller les côtelettes, les dresser garnies de tomates et de champignons grillés.

Les tomates grillées :

Si elles sont grosses, les couper en deux parties par le travers ; si elles sont moyennes, enlever le dessus avec le pédoncule. Dans les deux cas, les presser avec précaution pour chasser l'eau de végétation avec les graines.

Les assaisonner de sel et de poivre à l'intérieur, les enduire d'huile ou de beurre fondu, et les poser sur le gril très chaud. Les retourner à mi-cuisson.

Les champignons grillés :

Ils doivent être gros et réguliers ; enlever le pédoncule, les laver, les essuyer, les enduire d'huile ou de beurre fondu, les assaisonner et les poser sur le gril, côté dessous d'abord, à feu doux.

Retourner à mi-cuisson et mettre, dans la cavité de la jambe, une noisette de beurre qui pénétrera le champignon pendant la seconde partie de la cuisson.

Dresser les côtelettes en couronne en les faisant se chevaucher, mettre au centre un bouquet de cresson et, autour, en les alternant, les champignons et les tomates.

Nota. — Les jambes des champignons sont utilisées pour faire une duxelles.

Côtelettes d'agneau panées, sautées ou grillées

1º *Sautées.* — Tremper les côtelettes (basses-côtes ou bouchères) dans un œuf battu et assaisonné, puis dans la mie de pain rassis émiettée en chapelure. Presser légèrement sur cette dernière pour la faire adhérer.

Chauffer dans un sautoir du beurre clarifié, y placer les côtelettes bien à plat et les cuire doucement de telle sorte que la coloration de la chapelure et la cuisson des côtelettes soient bien coordonnées. Quand les côtelettes sont une première fois retournées, les saupoudrer d'une prise de sel fin, renouveler cette opération sur la deuxième face, après cuisson.

2º *Grillées.* — Badigeonner des côtelettes (basses-côtes ou bouchères) avec de l'huile ou du beurre fondu, les assaisonner ensuite et les saupoudrer de chapelure fine, blanche ou très blonde. Les arroser à nouveau de quelques gouttes de beurre fondu, les poser sur le gril brûlant et les cuire à feu doux : il suffit à ce moment d'écarter légèrement la braise ou de rendre le foyer moins ardent par un réglage approprié.

Accompagnement. — Côtelettes sautées : fine purée de pommes de terre ou de pois frais.

Côtelettes grillées : pommes de terre frites dites « mignonnettes ».

Côtelettes de mouton sautées aux cèpes

Chauffer deux cuillerées à potage d'huile d'olive dans un plat à sauter ; lorsqu'elle est fumante, y placer bien à plat, côte à côte, 6 côtelettes de mouton parées, légèrement aplaties et assaisonnées.

A mi-cuisson, les retourner et poursuivre celle-ci.

Les dresser en couronne sur plat rond et chaud avec papillote au bout des manches. Garnir le centre avec des cèpes sautés à l'huile et au beurre (en quantité égale). Les faire bien rissoler et, à la dernière seconde, compléter l'assaisonnement avec une pincée de persil haché, une pointe d'ail râpé et une prise de poivre frais moulu.

Déglacer le plat à sauter avec deux cuillerées à potage de vin blanc sec (le réduire) et autant de sauce tomate très légère.

Hors du feu, ajouter une noix de beurre frais et en arroser les côtelettes.

Côtelettes de mouton à la Champvallon

Éléments (pour 6 personnes) :

6 côtelettes découvertes ; 60 grammes de beurre ; 2 gros oignons ; 6 pommes de terre à chair jaune et de grosseur moyenne ; 2 gousses d'ail ; un bouquet de quelques queues de persil liées avec une brindille de thym et 1/2 feuille de laurier ; 1/2 litre de bouillon ou de jus de veau blanc.

Temps nécessaire : 1 heure 1/2.

Méthode :

1º Dans un plat à sauter pouvant contenir les côtelettes à plat côte à côte, chauffer le beurre. Lorsqu'il grésille, y placer les côtelettes les unes à côté des autres, saupoudrer chacune d'une prise de sel et d'un soupçon de poivre ; faire rissoler sans brusquerie afin d'éviter au beurre de brûler, puis les retourner, assaisonner le deuxième côté et rissoler de même.

2º Enlever les côtelettes et les disposer à plat dans un plat en terre allant au four et dont l'intérieur a été frotté avec une gousse d'ail.

Remplacer les côtelettes dans le plat à sauter par les oignons coupés en fine julienne. Les faire blondir en les remuant fréquemment, les mouiller avec la moitié du bouillon ou du jus de veau, laisser bouillir 5 minutes et verser sur les côtelettes en étalant l'oignon sur ces dernières. Si les côtelettes n'étaient pas mouillées juste à hauteur, ajouter le bouillon nécessaire. Mettre en ébullition, insérer le bouquet de persil parmi les côtelettes, couvrir et cuire 30 minutes à four assez chaud.

3º Couper en rondelles minces (émincer) les pommes de terre épluchées, lavées et essuyées ; en recouvrir les côtelettes au terme de la première période de 30 minutes de cuisson ; ajouter le reste du bouillon, faire bouillir et poursuivre la cuisson à four chaud et à couvert pendant 20 minutes.

4º Ces 20 minutes écoulées, enlever le couvercle, parsemer le reste d'ail râpé sur les pommes de terre puis arroser avec le jus. Continuer de cuire ainsi au four pendant 20 minutes en arrosant très souvent avec le fond, de plus en plus réduit, et légèrement épais. La cuisson terminée, ce fond doit être en grande partie absorbé par la viande et les pommes de terre devenues très moelleuses ; le dessus des légumes est recouvert d'une surface gratinée de belle couleur doré foncé.

Saupoudrer d'une pincée de persil haché et servir dans le plat de cuisson.

Côtelettes de mouton Pompadour

Faire sauter les côtelettes, quand elles sont cuites à point, les dresser en turban sur un plat rond et bien chaud et mettre une papillote à chaque manche.

Disposer au centre une pyramide de croquettes de pommes de terre roulées en boules de la grosseur d'une noix et frites au moment de servir (voir ci-dessous).

Mettre autour des côtelettes, en couronne, un par convive, des fonds d'artichauts préalablement cuits dans un blanc et étuvés au beurre 15 minutes.

Les garnir d'une purée de lentilles, ou autres légumes frais ou secs, bien beurrée. Déglacer le plat à sauter avec quelques cuillerées de jus de veau, ou demi-glace, ou sauce Périgueux; parfumer, hors du feu, au madère et servir à part, en saucière.

Appareil à croquettes de pommes de terre

Éléments :

500 grammes de pommes de terre; 4 jaunes d'œufs et un œuf entier; mie de pain en chapelure; sel et muscade; 100 grammes de beurre.

Méthode :

1º Peler les pommes de terre, les cuire à petite ébullition à l'eau salée à point, jusqu'au moment où la pulpe cède à la pression du doigt. Ne pas attendre qu'elles éclatent ni qu'elles se désagrègent.

Les égoutter complètement, les remettre dans la casserole de cuisson, tenir quelques minutes sur le coin du fourneau pour provoquer l'évaporation de l'humidité.

2º Les renverser sur un tamis de fer ou de crin et les fouler avec le pilon à purée. Le tamisage de la pulpe doit être fait par pression et non en donnant un mouvement de rotation au pilon, qui corde la pulpe et la rend élastique.

Recueillir la pulpe brûlante dans une casserole et la malaxer vigoureusement avec le beurre à l'aide d'une spatule. Ainsi travaillée, elle devient blanche; y incorporer les jaunes d'œufs et une pointe de muscade. Vérifier l'assaisonnement en sel.

3º Étaler la composition sur un plat beurré, beurrer le dessus pour préserver du hâle et laisser refroidir. Diviser en petites noix, les rouler sur la table saupoudrée d'un nuage de farine, les tremper dans l'œuf battu, puis dans la chapelure de mie de pain en faisant bien adhérer cette dernière.

Les plonger quelques minutes, jusqu'à rissolage, dans la friture bien chaude. Égoutter, l'extérieur doit être croustillant. Dresser et servir.

Noisettes de pré-salé à la dauphine

Préparer des noisettes en débitant la noix d'un filet de pré-salé en sections de 4 centimètres d'épaisseur. Les parer des parties musculaires nerveuses, les aplatir légèrement et les sauter au beurre dans un plat à sauter. Les assaisonner sur les deux faces pendant la cuisson dont l'à-point est rosé.

Les dresser en rosace sur plat rond assez grand et sur petits croûtons en pain de mie (de même dimension et de un centimètre d'épaisseur), frits au beurre.

Mettre autour, comme un rang de grosses perles, des croquettes de pommes de terre dauphine.

Déglacer le plat à sauter avec deux cuillerées de vin blanc sec, le réduire presque totalement, puis ajouter un demi-verre de bon jus de veau, réduire également d'un tiers et beurrer, hors du feu; en arroser très modérément les noisettes. Servir le surplus du jus dans une saucière.

Appareil à pommes de terre dauphine :

Mélanger 2 parties d'appareil à croquettes de pommes de terre et une partie de pâte à beignets soufflés sans sucre.

Diviser le mélange et faire de gros boudins roulés sur une table très légèrement farinée, les sectionner en morceaux ayant le volume d'une grosse noix. Façonner chaque morceau en imitant un petit œuf et le tremper dans l'œuf battu avec sel, poivre et un filet d'huile, puis dans de la mie de pain en chapelure. Bien l'assujettir en roulant chaque croquette sous les doigts.

Ranger les croquettes sur la grille de la bassine à friture et les plonger, d'un seul coup, dans la friture fumante 7 à 8 minutes.

Agiter doucement la bassine pour provoquer le déplacement des croquettes dans la graisse ou l'huile.

Les égoutter sur un linge, saupoudrer d'une prise de sel et dresser.

Épaule d'agneau de pré-salé rôtie

La chair de l'épaule étant nerveuse, seule celle de pré-salé peut être rôtie. L'épaule de mouton doit être braisée ou traitée en ragoût.

L'épaule d'agneau peut être rôtie désossée ou non. Si elle est désossée, on fait enlever par le boucher la palette, puis, sans ouvrir l'épaule, l'os central facile à dégager ; enfin, l'os de la jambe que l'on scie à proximité du moignon, lequel subsiste.

Assaisonner de sel et de poivre l'intérieur, rouler en galantine et ficeler l'épaule dans le prolongement du moignon qui tient lieu de manche comme dans un gigot.

Toutefois, pour donner plus de succulence à une telle pièce rôtie, nous conseillons de ne pas la désosser et de la cuire telle. Évidemment, le découpage n'en est pas facilité ; aussi ce mode de préparation ne peut convenir que pour une table familiale ou chaque fois qu'une épaule entière correspond au nombre de convives d'un même dîner.

Placer l'épaule sur la grille d'un plat à rôtir ; l'assaisonner et l'arroser de beurre fondu. Cuire à four bien chaud, pratiquer de fréquents arrosages. Avoir soin de protéger le fond du plat pour éviter aux sucs de la viande de brûler.

Temps de cuisson : 10 à 12 minutes par kilo.

Déglacer le plat à rôtir avec 3 ou 4 cuillerées à potage de bouillon ou d'eau. Servir ce jus, dont l'assaisonnement sera vérifié, sans le dégraisser.

Épaule de pré-salé boulangère

Éléments (pour une épaule) :

Une épaule désossée ou non ; 60 grammes de beurre ; 3 oignons moyens ; 4 grosses pommes de terre de Hollande.

Méthode :

1° Préparer l'épaule comme pour rôtir et la faire colorer rapidement à four bien chaud dans un plat en terre allant au four et dans lequel elle tient à l'aise, sans excès cependant.

2° Peler les oignons et les pommes de terre, les essuyer et couper les premiers en fine julienne, les secondes en rondelles minces (émincer) et les saupoudrer d'une pincée de sel.

3° Enlever l'épaule, étaler dans le fond du plat les oignons, puis les pommes de terre en une couche assez mince, replacer l'épaule arrosée de beurre fondu et poursuivre la cuisson à point et à four chaud.

Servir dans le plat. Avoir soin de détacher les ficelles si l'épaule est désossée.

Nota. — Oignons et pommes de terre rissoleront légèrement et s'imprégneront du beurre d'une part et du jus de l'agneau d'autre part. Le fait que la garniture soit un peu attachée au plat ne constitue pas une faute, il suffit de la décoller avec la cuiller de service en servant les convives.

Épaule de mouton braisée aux navets

Éléments :

Une épaule de mouton désossée, assaisonnée et ficelée ; 15 petits oignons ; 500 grammes de navets ; 50 grammes de beurre ; un bouquet garni ; une gousse d'ail ; 1/2 litre de bouillon peu salé ; un verre de vin blanc sec.

Méthode :

Faire chauffer le beurre dans une cocotte ovale, y faire rissoler, doucement, les oignons, les enlever, mettre dans le même beurre les navets, les saupoudrer d'une pincée de sucre en poudre et les faire colorer. Les réserver ensuite avec les oignons.

Les navets auront été épluchés épais, coupés en quartiers oblongs et parés comme de grosses noix.

Mettre l'épaule dans la cocotte, la faire rissoler ; mouiller avec le vin blanc, le réduire presque totalement, ajouter le bouillon jusqu'aux 3/4 de l'épaule. Compléter avec le bouquet garni, faire bouillir et cuire à couvert, à four chaud, pendant 2 heures.

Accélérer le rythme des arrosages à mesure que le fond de braisage réduit.

Après 2 heures de braisage, entourer l'épaule avec les oignons et les navets. Si le fond est devenu insuffisant pour baigner cette garniture, allonger avec un peu de bouillon ou d'eau pour éviter un excès de sel.

Laisser mijoter, à couvert, 25 à 30 minutes. Arroser souvent.

Servir l'épaule sur un plat creux, entourée de sa garniture et arrosée du fond de braisage dont la quantité doit être juste nécessaire pour assurer le service de la pièce.

Épaule de mouton farcie à la mode du Berry

Éléments :

Épaule de mouton désossée.

Farce : 250 grammes de chair à saucisse très fine ; un oignon moyen ciselé ; une cuillerée à café de persil haché ; une gousse d'ail écrasée ; 40 grammes de mie de pain trempée dans du bouillon ; un œuf ; sel, poivre, épices.

Garniture : 3 blancs de poireaux et 2 branches de céleri ; un bouquet garni ; un oignon piqué d'un clou de girofle ; 2 carottes moyennes ; 500 grammes de céleri-rave ; 3 grosses pommes de terre de Hollande ; 100 grammes de beurre.

Méthode :

1º *Farce :* réunir dans une terrine chair à saucisse, ail râpé, œuf, persil haché, mie de pain pressée et condiments, dont l'oignon préalablement fondu au beurre. Bien mélanger le tout et l'étendre sur l'épaule à la place des os. Rouler et ficeler cette dernière de façon à bien enfermer la farce.

2º Placer l'épaule dans une daubière ou cocotte ovale ; la couvrir d'eau juste à hauteur, saler à raison de 10 grammes au litre, c'est-à-dire à point.

Mettre en ébullition et ajouter la garniture : poireau, branches de céleri, bouquet garni, oignon piqué et carottes.

Cuire doucement 1 heure 1/4; après ce temps, entourer l'épaule du céleri-rave coupé en quartiers; laisser mijoter encore 25 minutes et terminer par l'addition des pommes de terre.

Quand ces dernières sont cuites (les tenir plutôt fermes), égoutter tous les légumes et les passer au tamis. Recueillir cette purée dans un sautoir et la sécher sur un feu ardent en la remuant constamment à la spatule. Lorsqu'elle est assez consistante, la terminer, hors du feu, avec le beurre frais. La saler convenablement et moudre dessus 4 ou 5 grains de poivre. Mettre au point, si besoin est, avec quelques cuillerées de cuisson.

Pour servir, dresser l'épaule sur un plat long, la déficeler et l'arroser d'un peu de sa cuisson. L'accompagner d'une saucière de jus de cuisson et de la purée de légumes présentée dans un légumier.

Poitrine ou épigrammes d'agneau

Éléments (pour 6 personnes) :

500 grammes de poitrine et 6 côtelettes d'agneau; un œuf; 125 grammes de mie de pain en chapelure; 30 grammes de beurre fondu; un verre de vin blanc sec (2 décilitres); un oignon; une carotte; un bouquet garni.

Méthode :

1º Réunir dans une sauteuse la poitrine, le vin blanc, les légumes coupés en rondelles minces et le bouquet garni. Ajouter assez d'eau pour couvrir le tout à hauteur. Saler normalement et mettre en ébullition. Cuire doucement, à couvert, 40 minutes.

Avant que ce temps soit totalement écoulé, vérifier la cuisson qui se constate quand les os se détachent sans effort de la chair.

Égoutter alors la poitrine et la placer à plat dans un récipient. Enlever les os et mettre la poitrine sur la moitié d'un torchon et replier par-dessus l'autre moitié. Poser sur le tout une plaque à pâtisserie ou une planchette, puis un poids de 1 kilo. Laisser refroidir sous cette charge.

2º Après refroidissement complet, dégager la poitrine et la diviser en dents de loup du volume d'une côtelette de mouton, à raison d'une par convive.

Tremper ces morceaux d'abord dans un œuf battu avec un filet d'huile et une prise de sel, puis dans de la mie de pain en chapelure. Presser celle-ci avec le plat d'une lame de couteau pour qu'elle adhère parfaitement.

Paner de même les côtelettes légèrement aplaties, puis les assaisonner ou les arroser de beurre fondu et les tremper ensuite dans de la mie de pain.

Arroser de beurre fondu, épigrammes et côtelettes, et faire griller à feu très doux.

Dresser en couronne sur plat rond en alternant côtelettes et épigrammes.

Mettre au centre, en pyramide, une garniture de jardinière ou de petits pois, pointes d'asperges, purée de légumes, chicorées braisées, etc.

Ragoûts, sautés et navarin

La poitrine, le collet, les basses-côtes et l'épaule sont les parties du mouton ou de l'agneau qui, en mélange, conviennent pour confectionner les ragoûts, les sautés et le navarin.

Navarin

(Recette classique)

Éléments (pour 6 personnes) :

800 grammes de mouton, poitrine, collet, basses-côtes et épaule par quart.

L'épaule et les basses-côtes sont désossées et coupées en morceaux de 60 grammes et parés pour certains d'entre eux.

La poitrine et le collet sont débités de même sans être désossés.

2 cuillerées à potage de farine ; 2 cuillerées à potage de purée de tomates ou 3 tomates fraîches ; 2 gousses d'ail ; un bouquet garni ; 125 grammes de lard de poitrine maigre ; 24 petits oignons ; 400 grammes de petites pommes de terre ; un gros oignon ; une carotte moyenne.

Méthode :

1º Faire rissoler dans un peu de graisse fumante ou de beurre très chaud, dans un plat à sauter, le mouton avec le gros oignon et la carotte coupés en quartiers, le tout assaisonné de sel et de poivre.

Quand la viande est bien rissolée, égoutter une partie de la graisse, saupoudrer le mouton d'une pincée de sucre en poudre, remuer à feu vif une minute, juste le temps de permettre au sucre de caraméliser — il donnera au navarin une jolie couleur —, ajouter la farine, mélanger et laisser blondir quelques instants.

Jeter sur la viande l'ail écrasé, remuer en chauffant quelques secondes et mouiller avec de l'eau juste à hauteur de la viande. Compléter avec la purée de tomates ou les tomates fraîches et le bouquet garni.

Faire bouillir et cuire lentement et régulièrement au four, à couvert, pendant une heure.

2º Après ce temps de cuisson, renverser la viande sur un tamis placé au-dessus d'un récipient. Trier les morceaux, les séparer des os détachés ou débris de peau et de la garniture de légumes, les mettre dans un plat à sauter lavé. Éparpiller dessus les pommes de terre épluchées et, si elles sont trop grosses, les couper et les parer au volume d'un petit œuf, les oignons rissolés et glacés avec le lard de poitrine taillé en lardons, ébouillanté et revenu.

Dégraisser la sauce qui a eu le temps de reposer pendant cette préparation, la goûter et mettre l'assaisonnement au point ; la verser sur la viande et les pommes de terre ; si elle était un peu courte, l'allonger avec un peu d'eau.

Faire bouillir à nouveau, couvrir et cuire lentement au four pendant une heure.

Pour servir, dresser sur plat rond.

Ragoût de mouton printanier

Ce ragoût n'est autre que le navarin. Seule, la garniture diffère.

Procéder exactement comme au paragraphe 1 de la recette du navarin et garnir des légumes nouveaux suivants :

12 petits oignons rissolés et glacés, une vingtaine de morceaux de rouge de carottes taillés de la forme et de la dimension de grosses olives, autant de navets, le tout étuvé au beurre 15 minutes, une vingtaine de petites pommes de terre.

Mouiller avec la sauce, faire bouillir et cuire au four pendant 25 minutes ; ajouter à ce moment un verre de petits pois fraîchement écossés et une bonne poignée de haricots verts, coupés en losanges de 4 centimètres de longueur.

Poursuivre la cuisson lentement au four pendant 30 minutes.

Dresser en timbale, saupoudrer de persil haché avec un soupçon de cerfeuil.

Cary de mouton aux reinettes

Éléments (pour 6 personnes) :

1,500 kg d'épaule de mouton, de poitrine, de collet et de basses-côtes (une partie de chaque). Désosser l'épaule et les basses-côtes et couper le tout en morceaux de 60 grammes environ ; 2 cuillerées à potage de saindoux ou beurre ; un gros oignon haché ; 10 grammes de cary ; 2 cuillerées à potage de farine ; un bouquet garni (persil, brindille de thym, fragment de feuille de laurier); 200 grammes de pommes de reinette; une banane; un décilitre de crème fraîche; 150 grammes de riz.

Méthode :

1º Chauffer le saindoux ou le beurre dans un plat à sauter et y saisir la viande préalablement assaisonnée de sel, de poivre et de la poudre de cary; le tout bien mélangé afin d'en imprégner tous les morceaux.

Quand le mouton est à demi rissolé, parsemer dessus l'oignon haché et poursuivre le rissolage en remuant souvent. Dès que l'oignon est un peu coloré, saupoudrer l'ensemble avec la farine, remuer encore pour en enrober la viande et faire roussir légèrement.

Faire attention de ne pas brûler l'oignon au cours de cette dernière opération.

Mouiller avec de l'eau juste à hauteur de la viande, ajouter le bouquet garni, mettre à ébullition en agitant le ragoût avec une spatule. Cuire lentement à four moyen pendant 2 heures 1/2.

2º Peler les pommes de reinette, les diviser en gros quartiers, enlever les pépins et la membrane qui les enveloppe.

Peler la banane et la couper en 3 tronçons.

Faire rissoler les pommes épluchées et divisées en quartiers ainsi que la banane, et cuire au beurre dans un plat à sauter assez grand pour contenir le ragoût. Retirer ce dernier du four, trier les morceaux de viande, et les mettre au fur et à mesure avec les reinettes et la banane.

Dégraisser la sauce alors qu'elle est reposée et la réduire d'un tiers, la rétablir à consistance normale et la lier par l'addition de la crème fraîche. Vérifier l'assaisonnement et passer la sauce au chinois fin sur la viande.

Agiter le plat à sauter en un mouvement de rotation afin que la viande et la garniture s'enrobent pleinement de la sauce qui ne devra pas être trop courte pour assaisonner le riz à l'indienne servi comme accompagnement.

3º Servir dans un plat creux avec, à part, un légumier de riz à l'indienne.

Nota. — L'eau de mouillement peut être remplacée avantageusement par du lait de noix de coco.

Ce lait s'obtient en râpant la pulpe de noix de coco fraîche ou sèche. La pulpe râpée ou pilée au mortier, est mise à macérer 1 heure dans la quantité d'eau tiède nécessaire au mouillement.

Verser eau et pulpe dans un torchon ou étamine tendu au-dessus d'un récipient et presser fortement pour extraire le lait.

Ragoût de mouton à l'irlandaise (Irish stew)

Éléments (pour 6 personnes) :

1,500 kg d'épaule, de poitrine, de basses-côtes et de collet de mouton (une partie de chaque); 3 gros oignons; 3 grosses pommes de terre farineuses; 12 petites pommes de terre de Hollande; un bouquet garni (queues de persil, thym et laurier, un fragment); sel, poivre et eau; 12 petits oignons; 2 branches de céleri (le blanc); une pincée de sauge broyée.

Temps nécessaire : 2 heures 1/2.

Méthode :

1º Désosser l'épaule et les basses-côtes, les couper ainsi que la poitrine et le collet en morceaux de 60 grammes environ.

Peler les grosses pommes de terre, les diviser en 4 quartiers et détailler ceux-ci en tranches minces.

Éplucher les oignons et les ciseler finement. Les mettre sur une assiette avec le bouquet garni.

2º Dans une sauteuse assez grande pour contenir le ragoût, parsemer un tiers de l'oignon ciselé finement et un tiers des pommes de terre émincées. Ranger sur cette couche la moitié des morceaux de mouton. Assaisonner avec sel et poivre frais moulu. Mettre le bouquet garni, puis répandre sur la viande le 2e tiers de l'oignon et le 2e tiers des pommes de terre. Recouvrir avec le reste de la viande, l'assaisonner de sel et de poivre et achever avec le 3e tiers d'oignon et de pommes de terre. Forcer en poivre frais, ce ragoût doit être un peu relevé. Couvrir d'eau chaude juste à hauteur de la viande et des légumes. Faire bouillir, mettre le couvercle et cuire au four régulièrement et lentement pendant 1 heure 1/2.

3º Éplucher les pommes de terre de Hollande, si elles ne sont pas très petites, comme de grosses noix, les couper en deux parties dans le sens de la longueur et enlever les angles pour leur donner la forme d'olives allongées. Les tenir dans l'eau froide en attendant de les ajouter dans le ragoût.

4º Après 1 heure 1/2 de cuisson, le ragoût est prêt à être terminé. Le sortir du four ; pommes de terre et oignons doivent être totalement désagrégés. Si quelques morceaux subsistent, les écraser sur l'écumoire.

Mettre les petits oignons, le céleri coupé en bâtonnets et les pommes de terre ; les enfoncer dans le coulis du ragoût, saupoudrer avec la pincée de sauge. Si ce coulis est un peu épais par suite d'une trop grande réduction ou de la composition plus ou moins farineuse des pommes de terre, l'allonger avec quelques centilitres d'eau chaude.

Faire bouillir, vérifier l'assaisonnement, poser sur le ragoût un papier blanc beurré et coupé de la dimension de la sauteuse, couvrir et poursuivre la cuisson au four, très doucement, pendant 45 minutes.

Nota. — On peut procéder par décantage en triant les morceaux de viande, lesquels sont remis dans la sauteuse rincée. On passe dessus le fond au tamis, en foulant les légumes au pilon. Le coulis obtenu est plus régulier. Ce mode n'ajoute rien à la saveur.

5º Sonder les pommes de terre de garniture après 3/4 d'heure du 2e temps de cuisson et, si elles sont cuites à point, servir dans un plat creux et très chaud, parsemer dessus une pincée de persil haché.

Les assiettes mises sur table devront être également bien chaudes et le ragoût servi brûlant.

Baron, gigot, carré ou quartier d'agneau de lait rôti et persillé

La chair de l'agneau de lait a peu de saveur, la préparation doit y suppléer.
Rôti et persillé : c'est, selon nous, la meilleure formule.

Méthode :

Placer la pièce, préalablement assaisonnée de sel et de poivre, dans un plat à rôtir muni d'une grille. L'arroser copieusement de beurre fondu et mettre au four de chaleur moyenne. Pendant qu'elle rôtit, la pièce doit être arrosée plusieurs fois de son beurre de cuisson.

D'autre part, préparer un hachis composé d'une cuillerée à potage de persil, de deux cuillerées de mie de pain émiettée en chapelure et gros comme un pois d'ail.

Cinq minutes avant la fin de la cuisson qui demande au total 20 minutes, parsemer ce hachis sur le dessus de la pièce, l'arroser de beurre fondu et pousser à chaleur plus vive afin que la mie de pain blondisse.

Servir très chaud, arrosé du beurre de cuisson.
Présenter, à part, un légumier de pommes de terre sautées et persillées.

Sauté d'agneau de lait printanier

D'une part, cuire séparément des légumes nouveaux : carottes, navets, petits oignons, petits pois et haricots verts.

Les carottes et les navets tournés en olives ou émincés seront cuits, selon la formule, « glacés », les petits pois seront préparés à la française ou à l'anglaise et les haricots verts cuits à l'eau.

D'autre part, détailler en morceaux de 100 à 120 grammes un quartier d'agneau et les faire sauter au beurre dans une sauteuse au fond de laquelle ils sont disposés bien à plat.

Assaisonner de sel et de poivre, cuire doucement à couvert et retourner les morceaux quand ils sont bien dorés ; assaisonner de nouveau.

Lorsqu'ils sont cuits à point, les dresser sur un plat rond ; rouler dans le beurre de cuisson les légumes de garniture, ajouter deux ou trois cuillerées à potage de bon jus de veau, donner un bouillon, verser sur l'agneau et servir.

L'AGNEAU ET LE MOUTON FROIDS

Carré, gigot, baron, selle, épaule

Toutes ces pièces se servent froides après avoir été rôties, accompagnées de gelée, d'une salade de légumes, d'une salade verte, ou de condiments (cornichons, etc.) et d'une sauce froide.

LE PORC

La chair du porc est grasse, ferme et presque blanche par suite de la saignée totale au moyen de laquelle le porc est généralement mis à mort. Elle est de digestion difficile, mais, par contre, très assimilable. Elle constitue un aliment très riche pour les jeunes enfants.

D'une manière générale, quand la viande est rouge, flasque et peu grasse, il s'agit d'un animal vieux ou médiocre, ou venant d'un mauvais élevage. Il faut renoncer catégoriquement à l'achat, surtout s'il est destiné à la salaison, ce qui est souvent le cas pour de nombreuses parties de l'animal. A l'état frais, les morceaux les plus utilisés sont l'échine, le filet, les côtelettes, le jambon. Le plat de côtes, la poitrine, les jambonneaux se mettent au saloir ou 3 jours et deviennent le petit salé.

Le porc donne, au surplus, son sang, sa graisse, ses intestins, son estomac, ses pieds, la tête, son foie, sa peau, qui donnent naissance au boudin, aux saucisses, au saucisson cuit u cru, au cervelas, aux pieds panés ou truffés, aux andouillettes, au pâté de foie, au pâté de tête, hure, etc.

Le jambon

Salaison :

La période la mieux indiquée, pour saler un jambon, est la saison froide (15 décembre-5 janvier). C'est aussi l'époque où les porcs sont généralement gras à souhait, surtout s'ils ont engraissés avec du maïs, des châtaignes, des pommes de terre et des farines diluées avec du laitage.

La bête est tuée par saignée et par température froide et sèche, bien refroidie pendant les heures, puis dépecée.

Le jambon est coupé à la naissance de la colonne vertébrale et au ras du dessus du genou. Désosser la partie d'os du quasi, sous lequel les mouches logent aisément leurs œufs pendant la durée de la conservation, d'où naissance de petits vers et une certaine altération dès l'été.

L'épaule peut être traitée en même temps et de la même manière.

Préparation du sel :

Opérer par temps sec. Mélanger dans une terrine très propre 250 grammes de sel

marin finement broyé avec un rouleau à pâtisserie ou un litre par exemple, 125 gramm
de cassonade blonde, 50 grammes de salpêtre.

Salaison :

1er temps : poser le jambon, la couenne en dessous, sur une table très propre. Tenir
crosse de la main gauche, et, de la main droite, pleine de la composition salée, masser
jambon d'un mouvement continu de va-et-vient pour faire pénétrer partout les sels dans
chair. Opérer de même sur la couenne, puis recommencer sur la partie tranchée à vif et s
les autres faces jusqu'à épuisement complet de la composition.

De cette préparation préliminaire dépend la jolie couleur rose du jambon. Elle a do
une grande importance ; la peine et le temps consacrés sont toujours payés par la réussi

2e temps : coucher le jambon, la couenne en dessous, dans un saloir en bois ou en gr
et dont la propreté a été minutieusement constatée. Les dimensions de cet ustensile sero
proportionnées au volume du jambon pour éviter une consommation inutile de sel.

Couvrir le jambon avec 500 grammes de sel marin. Recouvrir le saloir d'un torch
et de son couvercle. Laisser ainsi 2 jours et retourner le jambon en y touchant le moins po
sible. Le couvrir, à nouveau, avec 500 grammes de sel marin. Laisser encore 2 jours.

Au bout de ce temps, retirer le jambon, le réserver sur un plat au frais recouvert d'
torchon. Vider le contenu du saloir dans une casserole très propre et ajouter 2 litres d'e
froide, 125 grammes de sucre, 2 feuilles de laurier, une forte branche de thym, une de romar
4 feuilles de sauge, 25 grains de poivre, autant de coriandre, 6 clous de girofle, 12 baies
genévrier, un pied de persil avec sa racine bien lavée, 5 grammes de cannelle en écorc
une pincée de marjolaine, de muscade, de sarriette, de macis et de cumin.

Faire bouillir trois minutes. Retirer du feu. Couvrir et laisser refroidir.

Remettre le jambon dans le saloir et verser la saumure préparée, bien refroidie et pa
sée dans un linge.

La quantité de saumure indiquée doit suffire pour permettre au jambon de baigr
entièrement si le saloir a été choisi de dimension convenable.

Retourner le jambon tous les deux jours à l'aide d'une fourchette spéciale. Jamais av
les doigts.

Si le jambon ne baigne pas entièrement, il faudra le retourner chaque jour.

La durée de salaison pour un jambon provenant d'un porc de 90 à 100 kilos est de
jours.

Si le jambon n'est pas destiné à être conservé plusieurs mois, cette durée peut être dir
nuée de moitié ; à la condition de le consommer cuit dès la sortie du saloir et sans être dessa

Le fumage :

Le jambon salé peut être conservé fumé ou non. Dans les deux cas, il doit être séch
suspendu dans un endroit sec et aéré.

Le fumage s'effectue dans une cheminée. Le jambon y est suspendu assez haut et
brûle en dessous des plantes et des branches vertes d'essences aromatiques et résineuse
chêne, laurier, genévrier, genêts, sarments, etc.

Après 6 mois de séchage, le jambon coupé en tranches très minces peut être consom
cru.

On peut le servir cuit à tout moment dès qu'il est sorti de la saumure après un séjour
20 jours. Il est toutefois nécessaire de le soumettre à un trempage de 6 à 12 heures selon
durée du séchage. Plus il est séché, plus la chair se concentre, plus elle se sale.

La cuisson :

Peser le jambon trempé. Bien le brosser et le laver à l'eau froide ; le mettre dans u
marmite ou une daubière et le recouvrir entièrement d'eau froide. Il doit baigner. Ajou
une forte poignée de foin sec lié en fagot.

Faire bouillir et retirer le récipient sur le coin du fourneau où il sera maintenu à une température très voisine de l'ébullition. Le pochage doit s'effectuer à 80° pendant une durée calculée à raison de 20 minutes par livre.

Laisser le jambon refroidir complètement dans la cuisson, sauf s'il est servi chaud ; il est alors égoutté et traité selon les méthodes ci-après :

Présentation :

Formule a) : Enlever la couenne et le parer de l'excès de graisse qui sera utilisée pour accommoder choux et choucroute, le saupoudrer avec du sucre glace et le mettre au four très chaud ou sous la salamandre au gaz ou à l'électricité. Cette opération doit être conduite assez rapidement, le sucre fond, caramélise et revêt la couche de graisse du jambon d'un enduit ambré blond et brillant. La pièce, dont l'aspect est plus appétissant, devient plus savoureuse.

Formule b) : Glaçage par le braisage.

30 minutes avant que le jambon en cuisson ne soit complètement poché, le retirer, enlever la couenne, le parer de l'excès de graisse, et le mettre dans une braisière d'une juste contenance. L'arroser avec un demi-litre de madère, porto, frontignan, banyuls, xérès ou marsala.

Placer la braisière couverte au four et l'y laisser environ une petite heure.

Arroser fréquemment. Le jambon est alors saupoudré de sucre glace et traité comme il est expliqué ci-dessus.

Les jambons chauds sont généralement servis accompagnés d'une garniture de légumes et d'une sauce madère ou demi-glace parfumée avec le vin du fond de braisage bien dégraissé.

Parmi les légumes les mieux indiqués, signalons : la choucroute à la strasbourgeoise ; les épinards à la florentine ; les endives à la flamande ; les céleris braisés ; les concombres à la Mornay ; la jardinière ; les nouilles à l'alsacienne ; les petits pois à la Clamart ; les laitues braisées, etc.

Chausson Lucas-Carton

Éléments (pour 4 à 5 personnes) :

500 grammes de pâte à brioche ; 300 grammes de jambon braisé prélevé sur la partie proche de la crosse plus gélatineuse et moelleuse et en lui laissant quelques légères parties grasses adhérentes ; 125 grammes de champignons de couche fermes et blancs ; 125 grammes de foie gras frais ; une belle truffe fraîche ; un décilitre de sauce demi-glace bien dépouillée, parfumée, hors du feu, au porto et légèrement beurrée ; un œuf ; épices.

Méthode :

Abaisser la pâte en lui donnant une forme ovale et 6 à 7 millimètres d'épaisseur, la piquer de nombreuses fois avec une fourchette ; répartir, en alternant, sur une moitié (l'autre moitié restant libre pour être repliée comme couverture) le jambon divisé en quelques morceaux, la truffe coupée en lames épaisses et chauffées au beurre dans un plat à sauter, le foie gras détaillé en 2 ou 3 escalopes raidies dans le même beurre, les champignons émincés et jetés dans le plat à sauter à la suite du foie gras ; sauter rapidement et mouiller avec 2 cuillerées à potage de porto, réduire presque totalement et, hors du feu, beurrer avec gros comme une noix de beurre frais.

Pendant ces différentes opérations, truffe, foie gras et champignons seront assaisonnés d'une prise de sel, de poivre frais moulu et d'une pointe imperceptible de macis.

Replier sur le jambon et sur les éléments d'accompagnement la partie de l'abaisse demeurée libre, dont le bord a été au préalable humecté d'œuf battu ; bien souder par une légère pression des doigts et rouler, en torsade, le bord inférieur sur celui qui lui est superposé

Le chausson a alors la forme d'une demi-lune. Le poser sur une tourtière à pâtisserie. Le dorer avec un pinceau trempé dans l'œuf battu.

Le décorer avec de petits motifs en pâte à brioche détaillés en forme de losange, marqués de nervures avec le dos d'un couteau et disposés comme des feuillages ; dorer ces motifs et cuire à four assez chaud.

Servir à la sortie du four ce mets qui embaume, l'accompagner d'une saucière de demi-glace bien dépouillée et réduite, puis parfumée hors du feu au porto et beurrée. Relever d'une pointe de poivre blanc frais moulu.

Les propriétés corsées de cette sauce doivent être harmonieusement atténuées par la richesse et le parfum du porto et la fraîcheur du beurre incorporés hors du feu, l'un et l'autre crus, 3 cuillerées à café suffisent par convive.

Nota. — Ce chausson exquis peut être fait avec une pâte à galette feuilletée.

Il peut être servi tel comme hors-d'œuvre chaud, ou comme grande entrée accompagnée de morilles sautées au beurre, liées à la crème fraîche et parfumées au porto.

Jambon chaud garni de légumes divers

Le jambon poché et refroidi est très souvent servi réchauffé avec une garniture de légumes, du jus lié ou une sauce brune.

Dans ce cas, nous conseillons de procéder de la façon suivante pour éviter des déceptions qui seraient à peu près certaines.

Préparer la garniture de légumes choisis, la dresser très chaude sur un plat également très chaud. Couper les tranches de jambon aussi minces que possible — il vaut mieux servir plusieurs tranches par convive, le jambon tranché épais n'est pas savoureux à manger — et les poser bien étendues sur les légumes très chauds, recouvrir d'une cloche ou d'un plat creux et servir. La chaleur des légumes concentrée sous ce couvercle improvisé est suffisante pour tempérer le jambon.

Avoir le plus grand soin de placer une assiette bien chaude devant chaque convive.

Le jambon, ainsi servi, est presque toujours accompagné d'une petite sauce demi-glace ou jus de veau lié et aromatisé au madère, xérès, porto, etc.

Mousse froide de jambon

Éléments :

500 grammes de jambon cuit et maigre de desserte conviennent très bien ; un verre (2 décilitres) de sauce velouté ; 4 décilitres de crème fraîche et épaisse ; un verre de gelée au madère très blonde.

Méthode :

Débiter le jambon en menus morceaux et le piler finement au mortier. Quand il est parfaitement broyé, ajouter peu à peu le velouté très froid.

Réunir 'cette purée sur un tamis fin, de crin si possible, et la fouler au pilon dans une terrine. Mettre ensuite cette dernière dans de la glace broyée en neige, puis travailler vigoureusement la purée à la spatule, en lui incorporant, petit à petit, d'abord les deux tiers de la gelée mi-fondue, enfin la crème fouettée à moitié. Vérifier l'assaisonnement avant d'ajouter la crème.

Choisir un moule de dimension proportionnée à la quantité de mousse, verser dedans le reste de la gelée fondue et en chemiser le moule en le faisant pivoter sur un lit de glace qui active la solidification de la gelée.

Garnir l'intérieur du moule avec la mousse et mettre au froid à reposer.

Pour démouler sur un plat d'argent extrêmement net, tremper le moule une seconde dans de l'eau chaude, l'essuyer pour éviter que des goutelettes ne maculent le plat, retourner celui-ci sur le moule et, d'un mouvement brusque, replacer le plat et le moule dans leur position normale. Il ne restera plus qu'à enlever le moule. La mousse apparaît rose sous la couche lustrée et transparente de la gelée. Servir aussitôt.

Jambon au foin

(photo page 236)

Éléments :

1 jambon fumé de 3 kilos ayant subi une légère saumure ; 250 grammes d'excellent foin frais ou séché ; 1 branche de thym ; 2 feuilles de laurier ; 6 clous de girofle ; 10 baies de genièvre.

Méthode :

La veille de son emploi, mettre à dessaler le jambon à l'eau fraîche après lui avoir scié la crosse et retiré l'os du quasi.

Le placer ensuite dans une marmite, l'immerger complètement à l'eau froide, ajouter le foin et les aromates.

Mettre la marmite sur le feu sans faire bouillir, maintenir une température constante de 80 à 90° (en principe on compte une demi-heure de pochage par kilo de jambon).

Enlever la couenne une fois que le jambon est cuit.

Le jambon au foin peut être servi aussi bien chaud que froid.

Andouillettes et andouilles, boudins blanc et noir, saucisses

Toutes ces préparations sont généralement achetées prêtes à consommer chez les charcutiers.

L'accommodement culinaire est presque toujours sommaire. Il se borne à la grillade ou à la méthode dite sautée.

L'accompagnement : purée de pommes de terre, purée de pois frais ou secs, purée de lentilles ou haricots blancs ; légumes frais ou secs divers ; pommes de terre sautées, riz assaisonné de diverses manières ; chou-fleur, chou vert, choux de Bruxelles, laitues ou céleris braisés, etc.

Andouilles sautées aux oignons

D'une part, couper en julienne un oignon moyen par convive et le cuire doucement à la poêle dans un peu de beurre.

D'autre part, diviser un morceau d'andouille en tranches épaisses d'un centimètre et les faire rissoler à la poêle. Quand ce rissolage est au point, jeter les rouelles d'andouille dans les oignons, pousser le tout 2 minutes à feu vif, relever d'une pincée de poivre frais moulu, d'un filet de vinaigre versé dans la poêle très chaude et, hors du feu, terminer avec une pincée de persil frais haché. Servir très chaud avec pommes de terre sautées ou frites.

Boudins blancs grillés purée mousseline

Plonger dans de l'eau bouillante des boudins blancs de porc ou de volaille. Placer l'ustensile aussitôt sur le coin du fourneau de façon à arrêter l'ébullition et à maintenir une température voisine de 95°. Laisser pocher ainsi 12 minutes.

Égoutter et mettre à refroidir.

Piquer chaque boudin avec une épingle ; l'envelopper d'un papier blanc beurré et le poser sur le gril. Faire griller à petit feu.

Servir accompagné d'une purée mousseline.

Boudins noirs aux pommes reinettes

Par convive, un morceau de boudin et une belle reinette.

1° Éplucher la reinette, enlever les pépins, la couper en gros quartiers et les faire cuire au beurre dans une poêle en poussant jusqu'au rissolage quand l'on constate que la cuisson est presque à point.

Les condimenter d'un soupçon de sel fin et d'une pointe imperceptible de cannelle broyée.

2° Faire rissoler au beurre, dans une poêle, le boudin ciselé de quelques incisions superficielles pour faciliter la pénétration de la chaleur. Quand le boudin est bien grillé, l'entourer avec les quartiers de pommes et laisser mijoter ainsi quatre à cinq minutes pour que les éléments en contact s'imprègnent l'un de l'autre.

3° Servir bien chaud.

Saucisses au vin blanc

Éléments (par personne) :

2 saucisses longues, une cuillerée à potage de vin blanc sec ; une cuillerée de jus de veau une pincée de farine ; deux noix de beurre ; une tranche de pain.

Temps nécessaire : 15 minutes.

Méthode :

Beurrer grassement un plat à sauter ou un plat creux, y ranger les saucisses, les arrose de beurre fondu et mettre au four doux pour les pocher lentement.

Tailler pour chaque personne une tranche de 7 à 8 millimètres d'épaisseur de pain de fantaisie, la beurrer et la faire dorer au four.

Retirer les saucisses du plat à sauter et les tenir au chaud, verser à leur place le vin blanc le réduire presque entièrement, ajouter le jus de veau et le lier avec la farine maniée ave une parcelle de beurre cru. Donner juste un bouillon.

Ranger les tranches de pain grillé sur un plat chaud, disposer les saucisses par coupl dessus et arroser le tout de la sauce, beurrée hors du feu à la dernière minute.

Côtes de porc

Les côtes de porc doivent être coupées d'au moins 2 à 3 centimètres d'épaisseur. Plu minces, elles sèchent à la cuisson. Elles sont servies grillées ou sautées.

Grillées. — Avant de les poser sur le gril, avoir soin de les enduire de beurre ou de sain doux fondu, les assaisonner de sel et de poivre et les saupoudrer de chapelure blonde. Le griller à petit feu.

Sautées. — Les cuire à feu doux à la casserole. Elles rissolent doucement et ne sèchent pas.

Utiliser le déglaçage pour finir la sauce d'accompagnement, généralement une sauce piquante, Robert ou charcutière et, comme garniture de légumes : purée de pommes de terre ; pommes dauphine ; pommes de terre sautées ; marmelade de pommes reinettes, etc.

Échine de porc, petit salé d'échine aux choux farcis

Pendant la saison froide, saler à demi un morceau d'échine. Le frotter vigoureusement avec du sel marin broyé et épicé. Le poser sur un plat et le recouvrir de sel marin. Le lendemain, le dégager du sel et recommencer à le frotter à nouveau avec du sel fin épicé. Le mettre ensuite dans un pot en terre très propre avec une branche de thym et une feuille de laurier, une cuillerée à potage de sucre et le couvrir entièrement de sel. Couvrir d'un torchon et ranger dans un endroit frais.

Laisser ainsi 8 jours ; si le sel en fondant ne baigne pas entièrement la pièce, retourner cette dernière chaque jour avec une fourchette. Ne pas y toucher avec les doigts.

Le délai écoulé, égoutter la pièce, la laver et la mettre en cuisson à l'eau froide mise doucement en ébullition ; garnir avec une carotte coupée en quatre et un gros oignon piqué d'un clou de girofle. Cuire en observant les recommandations de temps et de méthode faites pour le pochage d'un jambon.

Servir sur un plat rond entouré de choux farcis façonnés de la grosseur d'une pomme. Accompagner, à part, de pommes de terre cuites à l'anglaise et d'une saucière contenant un peu de bouillon du petit salé.

Carré et filet de porc frais

Nous indiquons deux méthodes également recommandables pour cuire un carré ou un filet de porc frais.

Méthode a). — Ne pas désosser le carré, mais faire donner un trait de scie, tous les 3 centimètres, sur l'os de l'échine, pour faciliter le découpage. Deux heures avant de mettre à rôtir, l'assaisonner de sel et poivre.

Le placer sur un plat à rôtir en métal ou en terre, l'arroser de saindoux fondu et le mettre au four à bonne chaleur. Arroser et retourner fréquemment jusqu'à cuisson complète. Le porc cuit saignant est indigeste.

Temps de cuisson : 25 à 30 minutes par kilo suivant l'épaisseur de la pièce.

Méthode b). — Procéder à la préparation indiquée au premier alinéa de la *méthode a* et mettre le carré dans une marmite ou daubière avec carottes, oignon piqué de deux clous de girofle, une tête d'ail, deux blancs de poireaux, une branche de céleri comme il est pratiqué pour un pot-au-feu. Mouiller avec de l'eau froide en couvrant de deux doigts au-dessus de la hauteur.

Saler à raison de 10 grammes de sel par litre d'eau, c'est-à-dire à point. Mettre à ébullition, écumer et ranger sur le coin du feu pour poursuivre le pochage très lentement à 80°, c'est-à-dire sans ébullition.

Nota. — Si le bouillon de cuisson ne reçoit pas une utilisation en raison de sa sapidité, mettre le carré de porc en cuisson en le plongeant dans cette dernière en pleine ébullition.

Temps de cuisson identique à l'autre méthode.

Quand le carré est poché à point, l'égoutter et le mettre dans un plat à rôtir où fume du saindoux (2 ou 3 cuillerées) ; l'en arroser et le mettre au four très chaud pour le faire rissoler rapidement.

Servir avec sauce Robert ou piquante, ou avec une cuillerée de jus de veau additionné très légèrement de graisse utilisée pour faire rissoler le morceau de porc.

Choucroute à la strasbourgeoise

Éléments (pour 6 personnes) :

2 kilos de choucroute bien blanche ; 1 kilo de carré de porc fumé ; 500 grammes de lard fumé d'Alsace ; un jambonneau coupé sur un jambon cru ; autant de tranches de jambon poché et autant de saucisses de Strasbourg qu'il y a de convives ; 4 grandes bardes de lard tranchées minces ; sel, poivre, baies de genévrier ; une grosse carotte ; un gros oignon piqué d'un clou de girofle ; un saucisson ; deux verres de vin blanc d'Alsace ou de vin blanc sec ; un litre de bouillon non coloré ; 200 grammes de graisse d'oie ou de saindoux.

Méthode :

1º Trois heures avant de mettre la choucroute en cuisson, la faire tremper, la laver, l'égoutter et la presser vigoureusement par poignées pour en extraire l'eau. Éparpiller sur un linge les pelotes de choucroute formées sous la pression. Moudre au-dessus avec le moulin quelques grains de poivre et mélanger.

2º Ébouillanter le lard, l'égoutter et rafraîchir le tour en le parant légèrement.

3º Chemiser les parois et le fond d'une casserole haute ou d'une daubière avec les bardes. Mettre 1/3 de la choucroute et, dessus, la moitié de la garniture : carotte coupée, bouquet garni, les baies dans un sachet et le tiers de la graisse ; ajouter le second tiers de la choucroute, puis le reste de la garniture et le deuxième tiers de la graisse ; ensuite, poser le lard, la crosse de jambon, le carré de porc et le saucisson piqué avec une épingle, et enfin le reste de la choucroute et de la graisse étendues sur le tout.

Mouiller avec le vin blanc et le bouillon de façon suffisante pour que le liquide baigne la choucroute en parvenant au niveau supérieur.

Faire bouillir, couvrir d'un papier blanc graissé, puis du couvercle. Mettre à four chaud. La cuisson doit être lente et continue alors que le liquide réduit presque totalement.

4º Après 35 minutes de cuisson, retirer avec précaution le saucisson ; au bout d'une heure, le lard ; après 1 heure 1/2, le carré et les tenir en réserve.

5º Vingt minutes avant de servir, mettre les saucisses à l'eau bouillante et les pocher 10 minutes sans bouillir.

6º Sortir la choucroute du four, enlever le papier, poser sur la choucroute le lard, le saucisson, les saucisses.

Couvrir et laisser reposer ainsi 10 minutes.

Dressage :

Dégager de la choucroute et mettre au chaud, sur un plat et à couvert, tous les éléments d'accompagnement, y compris, cette fois, le jambonneau.

Retirer les légumes et remuer la choucroute à l'aide d'une fourchette.

La dresser en dôme sur un plat long assez vaste. Faire se chevaucher les tranches de jambon en ligne sur la choucroute et alternées avec des tranches de lard, des rondelles épaisses de saucisson et des tranches de jambonneau ; enfin, les saucisses pour cerner le tout, en bordure du plat.

Présenter, à part, un légumier de purée de pommes de terre bien crémeuse ou de pommes à l'anglaise.

Ce mets doit être servi brûlant sur assiettes très chaudes.

Porc rôti froid avec salade de chou vert ou rouge

Qu'il provienne d'une desserte ou d'un rôti traité spécialement, le porc froid doit être découpé en tranches minces peu de temps avant d'être servi.

Le dresser sur un plat rond, en couronne, en faisant se chevaucher les tranches. Décorer avec des motifs de cornichons.

Servir comme accompagnement une salade de chou vert — le cœur dur et blanc — ou de chou rouge, taillé en julienne fine et confit au vinaigre bouillant. Y mélanger, un peu avant de servir, quelques pommes douces émincées.

Le porc froid peut être également servi avec une salade de légumes : pommes de terre, chou-fleur, haricots verts ou en grains, jardinière, etc., ou cornichons, câpres, etc.

Toutes les sauces froides à base de mayonnaise sont les mieux indiquées.

RECETTES DE CHARCUTERIE FAMILIALE

Rillettes de porc

1º Choisir une poitrine fraîche de porc, enlever les côtes, les os, les tendrons et la couenne. La frotter vigoureusement de tous côtés avec 100 grammes de sel marin broyé fin et épicé avec laurier, thym, macis, cannelle, sarriette, sauge, marjolaine, basilic, muscade, girofle et poivre. Envelopper dans un torchon et laisser les chairs s'imprégner pendant 2 heures.

2º Couper la poitrine en carrés de 3 centimètres de côté. Faire fondre 75 grammes de panne dans une casserole, ajouter les morceaux de viande, les frire très doucement en veillant à ce qu'ils soient légèrement rissolés de tous côtés afin d'en retirer une belle graisse limpide et blanche.

Retirer avec l'écumoire les lardons devenus des rillons bien blonds ; verser la graisse dans un récipient en attente, hacher les rillons et les remettre dans la casserole où ils ont frit avec un verre d'eau fraîche. Cuire ainsi très lentement pendant 7 à 8 heures en remuant continuellement et en maintenant l'humidité par le renouvellement de l'eau au fur et à mesure de l'évaporation.

3º Arrivé à ce point de la cuisson, la réduction de l'eau doit être totale ; retirer du feu et compléter l'assaisonnement avec 5 grammes de paprika ; incorporer à la purée de rillons la graisse égouttée, en mélangeant jusqu'à complet refroidissement pour obtenir une masse fine et onctueuse qui laisse au palais la sensation de bien cuit, de fondu, qualités obtenues grâce à la lenteur de la cuisson.

4º Diviser les rillettes en les mettant dans des pots de faïence de contenance moyenne, 1/2 litre par exemple ; bien les tasser pour éviter de laisser subsister des poches d'air et les recouvrir avec une couche d'un centimètre d'épaisseur de panne ou de saindoux bien cuit.

Pour assurer une conservation plus certaine pour une durée assez longue, procéder, après la mise en pot, à un chauffage au bain-marie pendant 25 minutes. Pendant le refroidissement, il est nécessaire de remuer fréquemment la masse contenue dans chaque pot pour lui donner une parfaite homogénéité.

Recouvrir ensuite de graisse et d'un papier d'étain.

Fromage de tête de porc

Éléments :

Une petite tête pèse environ de 3 à 4 kilos, ajouter 500 grammes de couennes fraîches, 2 grosses carottes, 2 gros oignons piqués d'un clou de girofle, un fort bouquet garni (persil, thym, laurier), sel, poivre, épices et une petite tête d'ail.

Méthode :

1° Flamber et gratter soigneusement la tête, enlever la cervelle et la langue, puis la partager en deux. Couper encore en deux parties les deux moitiés de tête. Les frotter ainsi que la langue en tous sens avec du sel marin broyé fin et épicé.

Répéter cette dernière opération à 5 reprises et mettre les morceaux, la langue et les couennes dans une terrine. Saupoudrer d'une légère couche de sel, couvrir avec un torchon et laisser ainsi 4 jours en salage dans un endroit frais.

2° Après ce temps, retirer le tout de la terrine et du sel ; bien essuyer chaque morceau. Les ranger avec la langue, les couennes, les carottes, les oignons, l'ail épluchés et le bouquet dans une casserole assez grande de façon à laisser le moins possible d'espaces vides, et mouiller d'eau en couvrant à hauteur.

Faire bouillir lentement et enlever l'écume au fur et à mesure qu'elle monte à la surface. Placer la casserole sur le coin du fourneau et cuire, à couvert, pendant 3 heures. L'ébullition doit être conduite à un simple frémissement.

3° La cuisson achevée, égoutter dans un plat les morceaux de tête, la langue et les couennes. Laisser tiédir, puis enlever tous les os. Réserver la partie plate des oreilles. Couper la viande, la langue et la partie épaisse des oreilles en dés de 2 centimètres de côté et les réunir dans une terrine.

Vérifier la salaison de la viande et la mettre au point si nécessaire par une addition raisonnée de sel fin. Relever avec quelques tours du moulin à poivre et ajouter 2 décilitres de la cuisson passée au chinois et préalablement goûtée. Bien mélanger le tout.

4° Tapisser avec les couennes une terrine ou un récipient tel un saladier, en tout cas, toujours un peu évasé pour permettre le démoulage. Verser d'abord 1/3 du mélange de viande et de cuisson ; étendre dessus la moitié des parties plates des oreilles, puis un deuxième tiers et l'autre moitié des oreilles ; terminer par le troisième tiers de la viande.

Recouvrir avec un rond de papier blanc ou une feuille d'étain et une planchette ajustée. Poser sur cette dernière un poids d'un demi-kilo.

Laisser refroidir ainsi 24 heures.

Pour le servir, le fromage peut être présenté démoulé ou en terrine.

Nous conseillons de le laisser en terrine s'il n'est pas destiné à être consommé en un service ; de cette manière, le tour ne séchera pas et il suffira de protéger la coupe avec une feuille d'étain.

Pâté de foie de porc

Éléments :

500 grammes de foie de porc ; 250 grammes de viande maigre de porc ou de veau parfaitement dénervée ; 250 grammes de gras de jambon ou de lard gras frais ; 250 grammes de mie de pain trempée dans du lait ; 50 grammes de sel fin ; une pincée d'épices ; 4 bardes de lard frais ; une feuille de laurier ; une brindille de thym ; 2 échalotes ; un oignon moyen ; 3 œufs frais ; un verre à liqueur de cognac ; une cuillerée à potage de persil haché.

Méthode :

1º Couper en dés de 2 centimètres de côté le lard, le maigre de porc ou de veau et le foie. Placer chacun de ces éléments sur un plat et les assaisonner avec la totalité du sel et des épices.

2º Ciseler finement l'échalote et l'oignon. Faire fondre très partiellement le lard dans un plat à sauter ou dans une poêle. Le rissoler un peu, y ajouter à feu vif le foie, le sauter et dès qu'il est raidi, le saupoudrer de l'oignon et de l'échalote ciselés, sauter encore quelques secondes, puis mettre la viande, la raidir rapidement, retirer du feu et arroser avec le cognac. Mélanger le temps de dissoudre (déglacer) les sucs des éléments en traitement et attachés au plat à sauter ; vider le tout dans une terrine. Laisser refroidir.

3º Hacher le tout, soit au hachoir, soit à la machine à hacher, pas trop finement. Ajouter la mie de pain, trempée au lait et fortement pressée pour en exprimer tout le liquide, le persil haché, les 3 œufs débarrassés du germe qui, laissé, provoquerait dans la masse un point blanc coagulé. Travailler le mélange à la spatule afin de le rendre très unifié.

Vérifier l'assaisonnement par la dégustation d'une petite boulette du mélange pochée à l'eau bouillante et au four. Mettre au point si cela est nécessaire par l'augmentation raisonnée du sel et des épices.

4º Tapisser le fond et les côtés d'une terrine à pâté avec 3 bardes de lard ; remplir avec le hachis et couvrir avec la quatrième barde. Mettre sur celle-ci la feuille de laurier et la branche de thym. Poser le couvercle et le souder avec un cordon de pâte mollette composée d'eau et de farine.

Nota. — La terrine devra être choisie de dimension juste suffisante afin d'être remplie par le hachis.

5º *La cuisson.* — Placer la terrine dans un plat à rôtir garni d'eau chaude dont la quantité sera entretenue par des appoints d'eau bouillante pendant la cuisson.
Mettre au four à chaleur modérée pendant 1 heure environ.
L'à-point de cuisson se constate :
a) Par la graisse qui monte à la surface, trouble au début et claire quand le pâté est cuit à point.
b) En se clarifiant la graisse dépose sur le bord de la terrine le jus qu'elle véhicule. Quand ce jus se transforme en glace de viande, le pâté est à point.
c) Par un sondage de la masse à l'aide d'une fine aiguille à brider les petits gibiers. L'aiguille, retirée après deux minutes, doit être franchement chaude au contact du dessus de la main si le pâté est parfaitement cuit.

Le sortir alors du four et enlever le couvercle ; laisser refroidir 1/4 d'heure et le presser avec une planchette ajustée supportant un poids de 500 grammes environ. Laisser refroidir ensuite totalement sous cette pression qui doit être réglée intelligemment ; c'est-à-dire qu'il faut considérer que la mise sous pression a pour but d'associer intimement, pendant le refroidissement, tous les éléments dont la terrine est composée, sans, cependant, en chasser les parties grasses encore liquides.

S'il y a absence de pression, le pâté se brise au découpage ; s'il y a excès de pression, la graisse est exprimée de la masse qui devient sèche et perd toutes ses qualités savoureuses et son onctuosité.

6º Pour servir, la terrine sera lavée et présentée sur un plat long garni d'une serviette. Couper sur table en tranches d'un demi-centimètre d'épaisseur.

LA TRIPERIE

Ce mot désigne :

Chez le bœuf : *le foie, le cœur, le mou, la langue, les rognons, la cervelle, la moelle épinière dite « amourette » et les joues d'une part, les pieds et la panse d'autre part.*

Chez le veau : *le foie, le cœur, le mou, les rognons, l'amourette, le ris, la fraise, la tête, les pieds et la cervelle.*

Chez le mouton et l'agneau : *les rognons, le foie, la cervelle, la langue, le ris et les pieds.*

Chez le porc : *le foie, les rognons, la cervelle, les pieds, la tête, le sang, l'estomac et les boyaux.*

La plupart des préparations culinaires s'appliquent indifféremment à ces différentes parties, qu'elles proviennent de l'un ou l'autre de ces quatre animaux. C'est le cas pour le foie, le cœur, le mou, les rognons, l'amourette et la cervelle.

Certaines comme le ris, la langue, reçoivent des traitements appropriés à leur volume. Les pieds sont spécialement accommodés suivant qu'ils appartiennent au bœuf, au veau, au mouton, au porc. Il en est de même de la panse, de l'estomac, de la fressure, de la fraise et de la tête.

Le sang et les boyaux du porc sont surtout utilisés pour la charcuterie.

Amourette de bœuf ou de veau

(moelle épinière)

Celle de veau est plus fine que celle de bœuf.

Méthode :

La faire dégorger au moins 12 heures à l'eau fraîche plusieurs fois renouvelée. Enlever la membrane et les nerfs qui l'enveloppent en prenant soin de ne pas écraser la matière semblable à celle de la cervelle.

La faire pocher 5 minutes dans un court-bouillon composé d'eau salée à point, d'une cuillerée à potage de vinaigre par litre d'eau, d'une brindille de thym et de laurier. Mettre à l'eau froide puis en ébullition doucement, refroidir et conserver dans la cuisson. L'amourette s'utilise comme la cervelle.

Cervelle de mouton, de veau, de porc

Faire dégorger au moins 12 heures à l'eau froide fréquemment renouvelée. Débarrasser des membranes et des filets de sang coagulé qui l'enveloppent et la mettre à tremper à nouveau pour l'obtenir très blanche.

Sauf pour les préparations culinaires où la cervelle est utilisée crue, la pocher dans un court-bouillon composé de 1 litre d'eau, 10 grammes de sel, une cuillerée à potage de vinaigre ou le jus d'un demi-citron, 1/2 feuille de laurier, une brindille de thym, une carotte et un oignon moyens émincés, cuit préalablement 25 minutes, refroidi et passé.

Mettre en cuisson dans le court-bouillon froid, faire bouillir doucement, écumer et pocher sans bouillir sur le coin du fourneau 10 à 15 minutes suivant grosseur.

Si la cervelle n'est pas accommodée immédiatement, la conserver dans le court-bouillon.

Cervelle au beurre noir ou noisette

La cervelle étant pochée et chaude, la détailler en tranches d'un centimètre d'épaisseur, les disposer à plat sur un plat chaud, les assaisonner d'une prise de sel fin, d'un soupçon de poivre frais moulu et d'une pincée de persil frais haché ; arroser de beurre noir (dès qu'il atteint une couleur brune) ou de beurre noisette cuit dans une poêle au moment de servir.

Dans la poêle brûlante (débarrassée du beurre), ajouter un filet de vinaigre et le verser rapidement sur la cervelle.

Cervelle à la meunière

Utiliser une cervelle crue dégorgée et dénervée. La diviser en escalopes d'un centimètre d'épaisseur, les assaisonner avec sel et poivre ; puis les fariner.

D'autre part, faire chauffer dans une poêle ou dans une sauteuse deux noix de beurre et y saisir les escalopes, les rissoler des deux côtés et cuire doucement 5 minutes.

Les dresser sur un plat chaud, presser dessus un quartier de citron, les parsemer de persil haché et les arroser du beurre de cuisson allongé avec un peu de beurre si nécessaire.

Beignets de cervelle sauce tomate ou Orly

Éplucher une cervelle cuite au court-bouillon et la détailler en gros cubes ou en escalopes. Les mettre à mariner, les saler, les poivrer ; les tremper dans de la pâte à frire légère et les plonger, au fur et à mesure, en grande friture brûlante.

Quand la pâte est sèche et bien dorée, égoutter les beignets, les éponger, les saupoudrer d'une prise de sel et les dresser en pyramide sur un plat rond garni d'une serviette pliée.

Surmonter la pyramide d'un bouquet de persil jeté une seconde dans la friture chaude et ajouter au pied deux moitiés de citron.

Servir à part une saucière de sauce tomate.

Les ris d'agneau peuvent être préparés de la même façon.

Cervelle sautée à la niçoise

Procéder comme pour la cervelle à la meunière. Dresser les escalopes en couronne sur un plat rond bien chaud et les recouvrir d'une fondue de tomates à la provençale.

Fondue de tomates à la provençale

Une grosse tomate bien mûre par personne, épluchée, pressée des semences et de l'eau de végétation, concassée et jetée dans une sauteuse où une cuillerée à potage d'huile d'olive est fumante. Assaisonner de sel fin et de poivre frais moulu. Cuire 10 minutes. A ce moment, ajouter 1/2 gousse d'ail bien broyée, une pincée de persil haché avec une feuille d'estragon et 6 ou 8 petites olives noires du littoral évidées de leur noyau. Chauffer deux ou trois secondes, puis incorporer, hors du feu, une noix de beurre frais. Vérifier l'assaisonnement de cette fondue qui doit être un peu consistante et laisser au palais une agréable impression de fruits et de beurre frais. Tenir la saveur un peu relevée.

Le foie

Le foie de bœuf est souvent nerveux, toujours médiocre ; le foie de porc est généralement employé dans les terrines et pâtés ; le foie de mouton s'accommode avec la fressure ; seul le foie de veau a une véritable valeur culinaire.

Foie de veau à l'étuvée

(spécialité bourguignonne)

Éléments (pour 6 personnes) :

1,500 kg de foie choisi dans la partie épaisse ; un morceau de toilette de veau ou de porc ; 20 gros lardons gras à piquer (lard frais) ; 300 grammes de rouge de carotte ; 150 grammes d'oignons ; un bouquet garni ; 2 gousses d'ail ; 30 grammes de beurre ; la couenne du lard ; sel et poivre ; un verre à liqueur de cognac.

Méthode :

1º Préparer les lardons en les coupant de la grosseur d'une règle et de la longueur du morceau de foie, les mettre sur une assiette, les assaisonner de sel, poivre, une pincée de persil haché et une prise d'épices. Bien mélanger. Laisser macérer 15 minutes et les introduire, avec la lardoire, dans le foie à la manière d'un bœuf à la mode.

Assaisonner le foie de sel, poivre et épices et l'envelopper dans la toilette. Assujettir cette dernière au moyen de quelques tours de ficelle.

2º Dans une cocotte, un poêlon en terre ou une terrine à tripes de dimensions assez justes, faire chauffer le beurre et y faire revenir le foie qui doit être un peu saisi pour éviter qu'il ne rende du jus et bouille. Le retourner avec une écumoire afin de ne pas le piquer et le faire rissoler sur toutes les faces.

3º Quand la crépine (toilette) est bien dorée, ajouter autour du foie les oignons épluchés et coupés en quatre, les carottes grattées, lavées, divisées en quatre transversalement et débarrassées du cœur fort et dur quand ce légume n'est pas printanier ; le bouquet garni composé d'une dizaine de branches de persil, d'une brindille de thym et d'une demi-feuille de laurier et des 2 gousses d'ail, le tout préalablement saupoudré d'une pincée de sel et d'une prise de poivre. Tasser un peu tous ces condiments et poser le couvercle qui doit être hermétique.

Chauffer doucement : quand, de l'intérieur, parvient un léger bruissement de friture, mettre la cocotte à four de chaleur douce.

On peut se passer de four en étuvant sur le fourneau ou sur un foyer de braise pas tro[p]
ardent. Dans ce cas, on utilise un couvercle profond que l'on garnit également de braise rouge[.]

Ce procédé constitue l'ancienne et la meilleure façon de cuire à l'étuvée.

Maintenir ainsi en cuisson pendant 3 heures.

A mi-cuisson, ajouter le cognac.

La cocotte étant bien close, l'échappement de la vapeur est rendu impossible d'autar[t]
plus que, traité à chaleur douce, il n'y a pour ainsi dire pas de réduction des sucs que l[a]
viande et les légumes ont perdus par sudation. Quand la cuisson sera terminée, le foie baigner[a]
à mi-hauteur dans son jus.

4° Pour servir, poser le morceau de foie sur un plat et enlever les ficelles et les vestige[s]
de la crépine. Retirer les légumes et les passer au tamis, le bouquet garni excepté. Recueilli[r]
cette purée dans une petite casserole. Dégraisser le jus de cuisson. Mélanger la purée et l[e]
jus jusqu'à consistance d'un coulis léger (une sauce tomate par exemple).

Quand l'étuvée a été parfaitement conduite, la purée doit absorber la totalité du jus pou[r]
être à point.

Verser entièrement ce coulis sur le morceau de foie et servir bien chaud.

Nota. — Ce mets, servi froid, est exquis. Dans ce cas, le faire refroidir sous le coulis qu[e]
l'on enlève avant de découper.

Brochettes de foie de veau

Éléments :

500 grammes de foie de veau ; 200 grammes de lard salé de poitrine maigre ; 300 gramme[s]
de gros champignons très blancs ; une cuillerée de persil haché ; 30 grammes de beurre [;]
2 échalotes ; 2 cuillerées de chapelure fine ; 4 d'huile ou de graisse de volaille ; 2 cuillerée[s]
de purée de tomates ; 2 de vin blanc sec ; 1 verre de jus de veau ; 30 grammes de beurr[e]
manié (en plus des 30 grammes indiqués).

Méthode :

1° *Les champignons :*

Nettoyer les champignons, les laver, détacher les jambes, raser le côté bombé de la têt[e]
et celui où se trouve enclavée la jambe. Hacher jambes et parures très fin et jeter ce hachi[s]
dans une sauteuse où les échalotes ciselées finement se trouvent préalablement fondue[s]
au beurre. Sécher à bon feu rapidement.

Mouiller avec deux cuillerées à potage de vin blanc sec, réduire presque totalemen[t]
ajouter deux cuillerées de purée de tomates et un verre à boire ordinaire de bon jus de veau[.]
Réduire d'un tiers et lier avec quelques noisettes de beurre manié composé de 25 gramme[s]
de beurre et d'une cuillerée à café de farine bien mélangés à la fourchette.

Dès que le beurre manié est dissous par quelques bouillons de la sauce, la retirer du fe[u]
et vérifier l'assaisonnement, ajouter le persil haché.

2° *Le lard :*

Enlever la couenne et diviser le lard en carrés de 3 centimètres 1/2 de côté et 8 milli[-]
mètres d'épaisseur. Les mettre dans l'eau froide et porter à ébullition. Les ébouillanter pendan[t]
5 minutes et les égoutter.

3° *Le foie :*

Le partager en tranches épaisses de manière à le détailler en carrés de 4 centimètre[s]
de côté et de 2 centimètres d'épaisseur.

4° Cuisson préliminaire :

Chauffer l'huile dans une poêle ; dès qu'elle est fumante, y jeter d'abord les champignons réservés et coupés en rouelles de 7 à 8 millimètres d'épaisseur. Les saisir, les assaisonner d'une prise de sel, les sauter en plein feu une minute et les recueillir sur une assiette sans huile.

Réchauffer cette dernière, y saisir les carrés de foie, les assaisonner de sel et poivre, les sauter en plein feu juste le temps de les raidir et les égoutter sur une assiette.

Opérer de même pour les carrés de lard en les faisant un peu rissoler.

5° Les brochettes :

Réunir dans un récipient les carrés de foie et le lard, les rouelles de champignons et la sauce préparée avec les jambes de champignons (duxelles). Bien mélanger de façon à parfaitement enrober de sauce viande et champignons.

Sur des brochettes en métal, enfiler un carré de foie, un de lard et une rouelle de champignon, renouveler l'opération en terminant par un carré de foie.

Rouler chaque brochette dans de la mie de pain émiettée en chapelure et réserver sur une assiette.

6° Cuisson sur le gril :

15 minutes avant de servir, asperger les brochettes de beurre fondu et les poser sur le gril bien chaud au-dessus d'un foyer pas trop ardent. Les retourner sur les quatre faces aussitôt que la chapelure est bien dorée. Servir avec la brochette et accompagner d'une saucière de sauce tomate ou de beurre maître d'hôtel.

Foie de veau grillé Bercy

Éléments (pour 6 personnes) :

6 tranches de foie de 110 grammes d'un centimètre 1/2 d'épaisseur ; 100 grammes de moelle de bœuf bien dégorgée ; une échalote ciselée finement ; 1/2 verre de vin blanc sec ; 50 grammes de beurre ; une cuillerée à potage rase de farine ; une cuillerée à café de persil haché ; 1/2 citron ; 120 grammes de beurre manié ; 1/2 verre de jus de veau.

Méthode :

1° Badigeonner de beurre fondu les tranches de foie ; les assaisonner de sel fin et de poivre et fariner. Secouer l'excès de farine, asperger chaque tranche de quelques gouttes de beurre fondu et poser sur le gril bien chaud au-dessus d'un foyer incandescent (braise ou autre combustible).

Après deux minutes, déplacer chaque tranche d'un quart de cercle. Les barreaux du gril marqueront une empreinte quadrillée. Deux minutes encore, puis retourner les tranches. Opérer de même. Enlever les tranches du gril et les poser sur un plat de service. Recouvrir une cloche, tenir au chaud et laisser reposer.

2° Couper la moelle en rondelles de 3 millimètres d'épaisseur avec un couteau trempé dans l'eau très chaude. Les mettre dans une casserole d'eau bouillante salée à point et faire pocher 5 minutes sans bouillir.

3° Faire chauffer une noix de beurre dans une petite sauteuse, ajouter l'échalote, la cuire doucement sans rissoler, mouiller d'abord avec le vin blanc, réduire à 2 ou 3 cuillerées, puis ajouter 1/2 verre de bon jus de veau et réduire encore de moitié. Mettre 100 grammes de beurre manié avec une cuillerée à potage rase de farine (20 grammes), puis la moelle bien égouttée, une pincée de sel, une prise de poivre, une cuillerée à café de persil haché, le jus d'un quartier de citron.

239

Chauffer doucement en roulant la casserole sur le fourneau afin d'assurer la liaison des éléments à mesure de la fonte du beurre.

4º Enlever du plat le jus égoutté du foie, le mettre dans la sauce et la répandre sur les tranches. Saupoudrer de persil haché et servir avec un légumier de pommes de terre cuites à l'anglaise.

Foie de veau sauté à la lyonnaise

Éléments (pour 6 personnes) :

6 tranches de foie de veau; 4 gros oignons; 30 grammes de beurre; une cuillerée à potage de vinaigre; persil haché.

Méthode :

1º Faire chauffer la moitié du beurre dans un plat à sauter ou dans une poêle; pendant ce temps, assaisonner de sel fin et de poivre frais moulu les tranches de foie; les fariner secouer l'excès de farine et les saisir dans le beurre quand celui-ci a pris une couleur noisette. Cuire à feu assez vif deux minutes, retourner les tranches, même temps de cuisson et les dresser sur un plat de service. Couvrir et tenir au chaud.

2º Mettre l'autre moitié du beurre dans le plat à sauter utilisé; dès qu'il est bien chaud ajouter les oignons coupés en fine julienne ou ciselés très menu, les cuire à feu modéré e les faire blondir peu à peu en les remuant presque constamment. Quand l'oignon est bien fondu, terminer par l'addition du vinaigre, sans faire bouillir, et du jus égoutté du foie dan le plat de service. Agiter le plat sur le fourneau jusqu'à dissolution des sucs attachés au fond de l'ustensile et arroser les tranches avec les oignons et le jus. Saupoudrer de persil haché

Nota. — Le foie de porc peut être traité de la même façon.

Gras-double de bœuf

Le gras-double ou panse de bœuf s'achète généralement cuit. Dans le cas contraire le tremper dans l'eau, le brosser soigneusement, le laver encore et l'échauder (ébouillanter à grande eau 25 minutes.

L'égoutter, le rafraîchir, le racler au couteau pour faire disparaître toutes traces d'adhé rences et d'odeur.

Le cuire ensuite pendant 6 heures à petite ébullition dans l'eau salée à raison de 10 gram mes de sel par litre; garnir la cuisson de deux carottes coupées, de deux oignons piqué d'un clou de girofle, d'un bouquet garni forcé en thym et laurier et d'une tête d'ail.

Après ce temps, retirer du feu, laisser refroidir dans la cuisson, puis égoutter. En fair un rouleau et réserver au frais jusqu'à l'utilisation.

Gras-double à la lyonnaise

Éléments (pour 6 personnes) :

700 grammes de gras-double; 4 gros oignons; 30 grammes de beurre; 4 cuillerées potage d'huile; une cuillerée à café de vinaigre; une forte pincée de persil haché.

Méthode :

1º Émincer les oignons en julienne fine; chauffer l'huile dans une poêle assez grand afin que le gras-double y soit bien étendu. Dès que l'huile est fumante, y joindre les oignons et les cuire doucement en les remuant souvent. Vers la fin de la cuisson, les pousser au feu pour obtenir un bon rissolage.

Égoutter les oignons sur une assiette en laissant l'huile dans la poêle et ajouter le beurre.

2º Couper le gras-double en grosse julienne de 5 à 6 millimètres d'épaisseur. Faire chauffer le mélange d'huile et de beurre et y saisir le gras-double. En goûter un morceau pour estimer si un appoint de sel est nécessaire et condimenter en conséquence. Forcer un peu en poivre frais moulu. Sauter le gras-double à feu vif et le rissoler légèrement. Lorsqu'il est de couleur blonde, mettre l'oignon cuit, sauter plusieurs fois pour assurer un mélange parfait et finir par l'addition du persil haché.

Dresser le gras-double dans une timbale et verser, à sa place, dans la poêle brûlante, le vinaigre et en arroser aussitôt le gras-double. Encore une pincée de persil frais et servir sur des assiettes très chaudes.

Langue de bœuf, de mouton

La langue de bœuf est servie fraîche ou salée (langue écarlate). Elle doit toujours être dégorgée 2 ou 3 heures à l'eau fraîche, débarrassée des parties non comestibles et de la peau qui la recouvre. Cette dernière s'enlève aisément à la suite d'une préparation de la langue ou mieux mise au feu dans une marmite d'eau froide portée jusqu'à l'ébullition et bouillie 20 minutes. Égoutter puis dépouiller.

Ensuite, placer la langue dans un récipient et, dès qu'elle est froide, la recouvrir d'une forte poignée de sel marin ; laisser macérer ainsi 24 heures avant le traitement choisi. La retourner de temps à autre quand le sel commence à fondre.

Langue de bœuf braisée à la bourgeoise

Procéder comme il est indiqué pour le bœuf à la mode, mais au lieu de larder la langue, l'envelopper dans une ou plusieurs bardes de lard.

Langues de mouton[1] à la purée de lentilles

Éléments (pour 6 personnes) :

6 langues ; une carotte et un oignon moyens ; 80 grammes de couenne de lard ; un bouquet garni (persil, thym, laurier, un brin de chacun quant aux deux derniers) ; un verre ordinaire de vin blanc sec ; 1/2 litre de bouillon ou de jus de veau peu salé.

1/2 litre de lentilles ; un oignon piqué d'un clou de girofle ; une petite carotte ; 150 grammes de lard de poitrine salé ; un petit bouquet garni ; 1/2 tête d'ail ; 30 grammes de beurre.

Temps nécessaire : 2 heures 1/2.

Méthode :

1º Faire dégorger les langues à l'eau fraîche plusieurs fois renouvelée, pendant 2 heures.

Trier les lentilles, pour enlever pierres ou autres déchets, les laver et les mettre à tremper à l'eau tiède pendant 2 heures.

---

1. Se servent froides accompagnées de sauce mayonnaise ou dérivée, tartare par exemple.

2º *Préparation des langues.* — Les placer dans une casserole, les couvrir d'eau froide et faire bouillir pendant 8 minutes. Les retirer à l'écumoire et les plonger dans un récipient d'eau froide. Quand elles sont bien froides, les égoutter, sectionner le cornet et les dépouiller. Les réserver sur une assiette.

3º *Blanchissage des lentilles.* — Les égoutter, les mettre dans une casserole, les mouiller amplement, faire bouillir lentement 5 minutes et les égoutter à nouveau.

4º *Braisage des langues.* — Prendre une sauteuse juste assez grande pour contenir les langues rangées les unes à côté des autres. Y faire fondre quelques lardons de lard gras, puis rissoler la carotte et l'oignon coupés en rouelles, les égoutter et enfin ajouter les langues.

Retirer ces dernières, répartir les rouelles de carotte et d'oignon dans le fond de la sauteuse, ajouter le bouquet garni, les couennes ébouillantées, puis les langues.

Mouiller d'abord avec le vin blanc, faire réduire doucement aux deux tiers, ensuite avec le bouillon juste à hauteur.

Placer sur les langues un papier beurré et taillé de dimension, couvrir et cuire au four à chaleur douce pendant 2 heures.

5º *Cuisson des lentilles.* — Mettre dans une casserole suffisamment d'eau pour que les lentilles puissent y baigner sans excès. Ajouter du sel à raison de 5 grammes au litre d'eau, l'oignon piqué, la carotte coupée en deux parties, une demi-tête d'ail, le bouquet garni et le lard sans la couenne, cette dernière ayant été utilisée pour braiser les langues. Faire prendre l'ébullition, y verser les lentilles blanchies, écumer, placer sur le coin du fourneau et cuire à tout petits bouillons 1 h. 45 à 2 heures.

Mise en purée. — Quand les lentilles sont très cuites, les égoutter, enlever la garniture et les passer brûlantes au tamis fin. A demi refroidis, les féculents se tamisent difficilement. Recueillir la purée dans une casserole, la réduire à feu vif en la travaillant à la spatule. Elle épaissira ; la remettre à consistance normale par une addition du fond de braisage des langues. Beurrer hors du feu, broyer dessus quelques grains de poivre et ne plus laisser bouillir.

6º *Le dressage.* — Les langues étant cuites à point doivent se trouver dans un fond assez court par suite de la réduction du mouillement pendant le braisage.

Au dernier moment, les découvrir, les arroser copieusement avec leur jus et les exposer à la chaleur plus vive du four. Le jus se caramélise légèrement et enveloppe les langues d'un enduit brillant. Un joli et savoureux glaçage est ainsi provoqué.

Disposer la purée de lentilles en dôme au centre d'un plat rond et creux, puis les langues, la pointe en haut et le côté glacé apparent.

Arroser chaque langue d'une petite cuillerée de fond de braisage passé au chinois.

Placer en couronne au pied des langues une tranche de lard de poitrine divisée en 6 parties.

Servir à part, en saucière, le reste du jus préalablement goûté.

Rognons de veau ou de mouton

Les rognons de mouton, de veau et de porc ne doivent pas bouillir pendant la cuisson qui aura toujours lieu, grillée, sautée ou poêlée, presque au moment de servir, d'une manière très rapide et à feu vif.

Le principe sera invariablement le même.

Grillés, les rognons seront posés ouverts sur le gril déjà très chaud au-dessus d'un foyer mi-incandescent.

Sautés, ils seront jetés dans une sauteuse assez grande, sans excès, pour que les morceaux de rognons reposent tous sur le fond de l'ustensile afin d'y être saisis au premier contact avec le beurre grésillant.

Poêlés, ce mode de traitement s'applique surtout aux rognons de veau ; ils seront placés dans une cocotte en terre ou en métal brûlant et où le beurre très chaud les saisira.

Le degré de cuisson ne sera pas poussé, les rognons seraient secs ; l'à-point parfait est rosé pour les rognons de mouton, blond pour ceux de veau et de porc.

Rognons sautés au madère

Éléments :

Deux rognons de mouton par personne ou 1/2 rognon de veau ; 40 grammes de beurre ; 1 décilitre de sauce espagnole ou demi-glace ou de jus de veau ; 1/2 verre de madère ; 1 pincée de fécule ; sel ; poivre.

Méthode :

Couper les rognons de mouton en deux parties, dans le sens de la longueur, enlever la peau et diviser chaque moitié en deux et de biais.

Le rognon de veau se taille en gros dés.

Débarrasser l'un et l'autre des filaments nerveux et gras.

Assaisonner sur une assiette, de sel et de poivre frais moulu.

Faire chauffer gros comme une noix de beurre dans une sauteuse ; dès qu'il chante, y saisir les rognons, les sauter rapidement à feu vif ; pendant cette opération ne pas laisser bouillir, ce qui durcirait les rognons. Les colorer légèrement et les mettre sur une assiette.

Verser dans la sauteuse un demi-verre de madère, le réduire de moitié, ajouter un décilitre de sauce brune : sauce espagnole ou demi-glace. Faire bouillir 2 minutes, beurrer hors du feu avec 20 grammes de beurre frais et les lier avec cette sauce. Servir en timbale bien chaude. A défaut de cette sauce espagnole ou demi-glace, suppléer par du jus de veau peu salé, le réduire de moitié et le lier avec une pincée de fécule ou la grosseur d'une belle noisette de beurre cru manié avec une quantité égale de farine.

Rognons sautés aux champignons

Traiter les rognons comme il est indiqué ci-dessus mais en remplaçant le madère par du vin blanc, puis, dans le beurre de cuisson des rognons, faire sauter, par personne, quatre champignons coupés en quartiers avec une prise de sel fin, les réunir aux rognons et terminer la sauce et la liaison comme il est conseillé pour les rognons sautés au madère.

Rognons de mouton grillés

Éléments (pour 6 personnes) :

12 rognons ; 6 brochettes en métal ; 100 grammes de beurre maître d'hôtel.
Temps nécessaire : 15 minutes.

Méthode :

Fendre les rognons dans le sens de la longueur et aux deux tiers, enlever la peau mince qui les enveloppe, les ouvrir et les embrocher, la brochette formant croix par rapport à la coupe du rognon, les badigeonner de beurre fondu, les assaisonner de sel et de poivre, et les poser sur le gril bien chaud et au-dessus d'un foyer mi-ardent. Les retourner après trois minutes. Les cuire légèrement rosés.

Les dresser sur un plat long et chaud, placer sur le centre de chaque rognon une cuillerée à café de beurre maître d'hôtel et, aux extrémités du plat, la garniture choisie.

Généralement des pommes de terre traitées par la friture : paille, Pont-Neuf, soufflées, allumettes, etc.

Rognons de mouton grillés vert-pré

Grillés et dressés comme il est indiqué dans la recette des rognons de mouton grillés, garnis à l'une des extrémités du plat de pommes paille et de l'autre d'un bouquet de cresson.

Rognons de veau ou de mouton au riz pilaf

Éléments (pour 6 personnes) :

6 rognons de mouton ou 3 de veau ; 500 grammes de riz Caroline, Patna ou autre, mais de belle qualité ; 150 grammes de beurre ; 2 gros oignons ; un litre de bouillon ou de jus non coloré ; sel et poivre ; persil haché ; sauce madère.

Méthode :

1º Faire chauffer dans une sauteuse les deux tiers du beurre ; lorsqu'il chante, y mettre les oignons ciselés finement et les cuire doucement sans les laisser colorer. Quand l'oignon est bien fondu, ajouter le riz préalablement lavé à plusieurs eaux jusqu'à ce que la dernière ne soit plus troublée.

Ce lavage est la seule condition d'éviction des odeurs désagréables de poussière ou de sac.

Remuer le riz à chaleur douce, jusqu'à ce qu'il soit parfaitement imprégné du beurre.

Mouiller avec le bouillon ou jus blanc.

Cuire au four, à couvert, sans remuer, 18 à 20 minutes.

·Retirer du four, diviser le reste du beurre en parcelles de la grosseur d'une noisette, les parsemer sur le riz et le lui incorporer en l'égrainant minutieusement avec une fourchette.

2º Pendant la cuisson du riz, faire sauter les rognons, dépouillés, dénervés et escalopés, suivant la formule des rognons sautés au madère.

3º *Le dressage*. — Mettre le riz dans un moule à savarin — moule évidé au centre — et le démouler sur un plat rond. Au centre de ce turban, dresser les rognons sautés et les saupoudrer d'une pincée de persil haché. Verser la sauce madère en cordon autour du riz.

Nota. — Le riz ainsi préparé peut subir d'excellentes variantes par l'addition de certains condiments ou garnitures qui se trouvent indiqués au chapitre consacré au riz.

Rognons de veau à la moutarde

Éléments (pour 6 personnes) :

3 rognons ; un verre à liqueur de cognac ou de fine champagne ; 4 cuillerées à potage de crème fraîche et épaisse ; une cuillerée à café de moutarde de Dijon ; un quartier de citron 100 grammes de beurre ; une échalote ; une pincée de persil haché ; sel et poivre.

Temps nécessaire : 20 minutes.

Méthode :

1º Dépouiller, dégraisser et assaisonner de sel et de poivre frais moulu les rognons.

2º Ciseler finement l'échalote et la cuire, sans rissoler, avec une noix de beurre dans une petite sauteuse.

Chauffer fortement 50 grammes de beurre dans une cocotte en terre, y faire rissoler vivement les rognons de tous côtés. Mettre au four bien chaud 12 minutes et retirer, alors que les rognons sont encore franchement rosés.

3º Placer les rognons sur un plat, les couper en rouelles de 5 millimètres d'épaisseur, les remettre dans la cocotte, les arroser avec les deux tiers du cognac, les flamber en les remuant.

Les enlever de la cocotte et les joindre à l'échalote dans la sauteuse. Les couvrir et tenir au chaud.

La cocotte étant toujours brûlante, y verser la crème, la réduire de moitié, puis, hors du feu, condimenter avec la moutarde et quelques tours de moulin à poivre frais. La moutarde ne doit pas bouillir.

Renverser dans la cocotte le contenu de la sauteuse : rognons, échalote et le jus égoutté ; diviser dessus en parcelles le reste du beurre frais, y éparpiller le persil haché, puis le restant de cognac, et mélanger le tout de façon à enrober parfaitement de sauce bien liée les morceaux de rognons.

Vérifier l'à-point de sel et servir sur des assiettes de service bien chaudes.

Le poêlage des rognons doit être conduit jusqu'à mi-cuisson, si celle-ci est terminée par le flambage (facultatif).

Ris de veau

Le ris de veau n'est pas un mets courant en raison de son prix presque toujours élevé. Il appartient indiscutablement à la cuisine riche dont il est l'un des plus délicats attributs.

La préparation préliminaire ne varie pas : le faire dégorger pendant 5 ou 6 heures à l'eau fraîche renouvelée plusieurs fois.

L'échauder ensuite en le baignant dans une casserole d'eau froide chauffée doucement jusqu'à l'ébullition, le remuer de temps à autre avec une cuiller de bois, raidir simplement l'épiderme, l'égoutter et le rafraîchir à grande eau.

Le parer, c'est-à-dire séparer la noix (partie arrondie) de la gorge (partie allongée) et enlever les filaments gras et les cartilages.

A partir de ce moment, la préparation est différente selon la destination culinaire du ris de veau.

Ris de veau aux écrevisses et aux pois gourmands

Éléments (pour 6 personnes) :

6 ris de veau de lait ; 400 grammes de queues d'écrevisses décortiquées ; 600 grammes de pois gourmands ; 100 grammes de champignons ; 20 grammes de truffes ; 50 grammes de carottes ; 50 grammes d'oignons ; 1 bouquet garni ; 100 grammes de beurre ; 1/2 litre de crème ; 1/2 litre de fond blanc ; 1 décilitre de vermouth ; 1 décilitre de vin blanc sec.

Méthode :

1º Mettre à dégorger les ris de veau à l'eau fraîche durant 24 heures. Les faire blanchir rapidement, les rafraîchir et les parer.

2º Faire suer au beurre dans une casserole oignons et carottes émincés. Placer dessus les ris de veau qui auront été au préalable dénervés. Mouiller avec le vermouth, vin blanc, et fond blanc. Assaisonner. Après avoir mis le bouquet garni, couvrir et laisser cuire très lentement pendant 20 à 30 minutes.

3º Retirer les ris de veau. Passer le fond de cuisson au chinois. Laisser réduire presque à glace.

Ajouter la crème, les champignons. Laisser réduire à nouveau jusqu'à épaississement, c'est-à-dire jusqu'à l'obtention d'une sauce onctueuse.

La sauce étant mise au point, incorporer les ris de veau ainsi que les queues d'écrevisses décortiquées et les truffes en julienne.

4° Les pois gourmands ayant été cuits à l'eau salée, sautés au beurre et assaisonnés, les mettre dans un plat creux. Ranger dessus les ris de veau en les nappant copieusement de la sauce dans laquelle il y a les queues d'écrevisses, les truffes et les champignons.

Servir sur assiette chaude sans plus tarder.

On peut remplacer les pois gourmands par des épinards en branches au beurre.

Ris de veau poêlé

Le ris est dégorgé, échaudé et paré. Le mettre sur un plat entre les deux plis d'un torchon, poser dessus une planchette, puis sur celle-ci un poids de 2 kilos. Maintenir sous cette presse pendant une heure au moins.

Le piquer ensuite de plusieurs rangées de fins lardons de lard gras frais comme il est expliqué pour un filet de bœuf.

Utiliser pour cela une petite aiguille à piquer.

Méthode :

Choisir un plat à sauter de dimensions juste suffisantes pour contenir le ris. Beurrer grassement le fond et y éparpiller un gros oignon et une carotte moyenne coupés en rondelles minces.

Chauffer doucement sur le coin du fourneau jusqu'au moment où ces condiments commenceront à rissoler légèrement.

Éparpiller dans le plat à sauter la couenne du lard à piquer coupée en morceaux et y disposer, le piquage dessus, la noix et la gorge du ris, saupoudrées d'une pincée de sel fin.

Compléter en remplissant les vides autour du ris par les parures du ris et un minuscule bouquet garni.

Arroser de beurre fondu et cuire à four de chaleur modérée 25 à 30 minutes, suivant la grosseur.

Il est indispensable de pratiquer de fréquents arrosages avec le beurre de cuisson et le jus qui s'échappe peu à peu du ris.

Si la réduction de ce jus s'effectue trop rapidement, procéder à l'addition de quelques cuillerées de bon jus de veau et couvrir le plat à sauter.

A mesure que la cuisson s'avance et que les opérations d'arrosage sont plus fréquentes, le jus devenu sirupeux caramélise à la surface du ris et le recouvre d'un enduit savoureux et d'une belle couleur dorée et brillante. La cuisson est terminée à découvert pour obtenir ce beau glaçage.

Le ris étant cuit à point ne doit pas présenter de symptômes de dissociation : la chair doit demeurer bien rassemblée et se prêter sans écrasement au découpage.

Pour servir, dresser la gorge et la noix sur deux croûtons de pain frits au beurre disposés sur un plat rond et chaud ; arroser le ris avec une seule cuillerée du jus de cuisson passé au chinois fin. Un arrosage plus abondant détremperait les croûtons sans profit.

Présenter le complément du jus dans une saucière chaude.

Si le poêlage a été soigneusement conduit, le jus doit être assez court, quoique en quantité suffisante pour le service du ris, très blond, grassouillet et naturellement très légèrement lié. Il est, à lui seul, un véritable délice.

Accompagner d'un légume : petits pois à la française ou au beurre ; pointes d'asperges liées à la crème ; champignons, cèpes, morilles, girolles ; épinards ; haricots verts ; légumes braisés ; laitues, endives, céleris ; purées de légumes diverses ; truffes ; riz pilaf ; pâtes ; tomates fondues ou sautées, etc. ; ou encore d'une garniture financière, à la Godart, à la Nantua, périgourdine, etc.

Ris de veau braisé à blanc

Le braisage à blanc du ris de veau procède du même traitement que le poêlage, mais sans rissolage préalable des condiments ; la cuisson est conduite à four très doux et à couvert.

Ce mode est utilisé quand les ris sont accompagnés d'une garniture liée avec une sauce blanche : velouté, crème, béchamel, ou s'ils sont destinés à être servis comme garniture de vol-au-vent, timbale, bouchées, etc., saucés à blanc.

Ris de veau grillé maréchal

Éléments (pour 6 personnes) :

Un beau ris de veau de 800 à 900 grammes ; 12 petits fonds d'artichauts ; 6 truffes moyennes ; une botte de pointes d'asperges vertes ; 150 grammes de beurre ; un verre à liqueur de fine champagne ou cognac ; un décilitre de purée de champignons.

Méthode :

1º Dégorger, échauder, rafraîchir, parer et presser la noix et la gorge du ris.

2º Cuire dans un blanc 12 petits fonds d'artichauts, les égoutter et les faire étuver dans une sauteuse et au beurre. Assaisonner de sel et poivre.

3º Cuire à grande eau, à feu vif, les pointes d'asperges, les pointes liées en petits bouquets, la partie tendre des tiges divisées en dés. Égoutter, étuver au beurre dans une sauteuse, enlever les bouquets de pointes, les mettre sur une assiette et lier le reste hors du feu, avec une noix de beurre frais. Assaisonner de sel et de poivre.

4º Couper les truffes en escalopes épaisses, les sauter rapidement au beurre très chaud. Assaisonner de sel et de poivre. Mouiller avec la fine champagne et réduire presque en totalité. Beurrer, hors du feu, avec une noix de beurre frais.

5º Pendant ces diverses préparations, fendre en deux parties les deux pièces du ris, les badigeonner de beurre, les assaisonner de sel fin et les faire griller à feu doux.

6º Les dresser sur un plat rond et chaud en les disposant en croix ; entre chaque branche de la croix, mettre en ligne 3 fonds d'artichauts, garnir ceux du centre d'escalopes de truffes, ceux du tour de dés d'asperges surmontés de pointes et ceux placés à l'intérieur de la croix de purée de champignons. Arroser les ris avec une cuillerée de beurre fondu.

Escalopes de ris de veau sautées

Le ris ayant subi les préparations préliminaires, l'escaloper en 3 ou 4 rouelles, les assaisonner de sel fin et de poivre, les fariner sans excès et les sauter au beurre très chaud dans un plat à sauter comme il est pratiqué pour les escalopes de veau.

Les dresser en couronne sur un plat rond avec, au centre, une garniture de légumes ; dissoudre, avec deux cuillerées à potage de jus de veau, les sucs de viande attachés au fond du plat à sauter et en arroser, avec le beurre de cuisson, les tranches de ris.

Tête de veau

Éléments (pour 12 personnes) :

1 tête de veau de lait entière, non désossée ; 10 litres d'eau ; 50 grammes de farine ; 1 verre de vinaigre blanc ; 1 citron ; 2 carottes ; 2 oignons moyens ; 1 tête d'ail ; 4 clous de girofle ; 1 bouquet garni ; sel, poivre.

Méthode :

1º Parer et nettoyer la tête de veau. La mettre à dégorger 24 heures à l'eau très fraîche. L'égoutter et citronner toutes les parties : museau, joues, oreilles, etc.

2º Préparer une cuisson appelée « blanc ». Pour cela, dans une grande marmite, mettre dix litres d'eau ; délayer la farine et l'ajouter ainsi que tous les ingrédients, vinaigre, carottes, oignons cloutés de girofle, tête d'ail, bouquet garni, sel et poivre.

3º Plonger la tête de veau dans cette cuisson richement aromatisée.

Faire prendre l'ébullition. La durée de cuisson est de 2 heures environ à petit feu. Écumer régulièrement durant cette opération.

La tête de veau est présentée entière et découpée devant les convives.

On l'accompagne pour la déguster de sauces différentes : vinaigrette, verte, gribiche, tartare, rémoulade, etc.

Pieds de mouton

Les pieds de mouton s'achètent généralement échaudés. Les traitements préliminaires et complémentaires consistent à les flamber, à détacher avec la pointe d'un couteau le petit bouquet laineux qui subsiste entre les deux sabots.

La cuisson se pratique exactement comme pour la tête et les pieds de veau, c'est-à-dire dans un blanc marqué un peu plus léger en farine. Y mettre les pieds quand cette cuisson blanche entre en ébullition.

Ranger le récipient sur le coin du fourneau et régler l'ébullition à un simple frémissement. Cuire ainsi de 2 heures 1/2 à 3 heures.

Les pieds sont bien cuits quand l'os principal (le canon) se détache de la peau sans résistance et sans la détériorer.

Laisser tiédir les pieds dans la cuisson et les égoutter sur un tamis.

Procéder au tri de ceux provenant de vieux animaux et dont la cuisson est insuffisante. Les remettre à cuire.

Dégager à chaud le canon sans endommager le pied et remettre au fur et à mesure dans une terrine contenant la cuisson blanche passée au chinois.

Réservée dans un endroit frais, la cuisson prendra en gelée et assurera la conservation pendant plusieurs jours.

Pieds de mouton à la poulette

Prévoir par personne 4 ou 5 pieds, 60 grammes de champignons de couche, fermes et bien blancs, une pincée de persil haché et deux décilitres (un verre à boire ordinaire) de sauce poulette.

Méthode :

Les pieds de mouton étant cuits suivant la méthode, les tiédir dans un peu de cuisson, les égoutter sur une assiette et retirer les os menus en évitant, autant que possible, de déformer le pied.

Remettre dans la cuisson, chauffer jusqu'à l'ébullition, ils sont prêts à être accommodés.

Préparation et cuisson des champignons :

Nettoyer la base terreuse des pédicules, laver les champignons à deux eaux sans les laisser séjourner dans l'eau. Faire rapidement cette opération pour éviter qu'ils ne s'ouvrent et ne brunissent ; les égoutter.

Trancher les pédicules au ras des têtes et tourner ces dernières.

Tourner un champignon c'est le peler de telle sorte que lorsque ce travail est accompli adroitement, il semble avoir été exécuté au tour. On tourne encore en enlevant la pelure en menus copeaux, en imprimant au couteau d'office avec la main droite, un mouvement amorcé sur le point culminant de la tête, poursuivi en un quart de cercle et terminé sur le bord ; la main gauche, présentant le champignon à la lame, le faisant évoluer dans le sens contraire. Le champignon est alors décoré d'une fine rosace.

Recueillir les pelures qui seront utilisées.

A mesure que les champignons sont tournés ou pelés, les jeter dans une cuisson bouillante composée de 4 cuillerées d'eau, 15 grammes de beurre, le jus d'un quartier de citron, une prise de sel (pour 150 grammes de champignons).

Quand les champignons s'y trouvent tous réunis, couvrir la casserole, mettre en plein feu à bouillir 3 minutes ; débarrasser dans une terrine et recouvrir avec un papier beurré et coupé de dimension pour qu'il porte sur les champignons.

Sauce poulette :

Éléments (pour 1 litre de sauce) :

150 grammes de beurre ; 60 grammes de farine ; un litre de bouillon blanc ; la cuisson des champignons et les pelures ; 4 jaunes d'œufs ; un quartier de citron ; quelques branches de persil ; muscade.

Méthode :

1º Faire fondre le beurre dans une casserole d'un litre et demi à deux litres de contenance. Quand le beurre mousse, y ajouter la farine, mélanger et cuire très lentement, sans laisser colorer, pendant 10 minutes.

Remuer souvent avec une spatule.

2º Laisser refroidir puis incorporer, peu à peu, au roux obtenu, le bouillon bouillant et en grande partie de la cuisson des champignons. Le mélange s'effectue avec un fouet en ajoutant le liquide à mesure de l'épaississement de la sauce, pour éviter les grumeaux. Dès que l'ébullition est obtenue, adjoindre les pelures de champignons, ranger sur le coin du fourneau et cuire à très faibles bouillons pendant 30 minutes. De temps à autre, enlever la peau et les impuretés qu'elle contient qui sont rejetées à l'opposé du centre d'ébullition.

Nota. — Une quantité égale de sauce velouté peut dispenser de préparer la sauce ci-dessus.

3º Passer la sauce au chinois fin dans un plat à sauter, et, hors du feu, la lier aux jaunes d'œufs.

Ceux-ci préalablement clarifiés soigneusement et débarrassés du germe, sont mis dans un bol avec quelques cuillerées de la cuisson de champignons réservée, une douzaine de noisettes de beurre frais et une pointe de muscade râpée. Mélanger cette composition en versant dans le bol, petit à petit pour ne pas durcir brusquement les jaunes, une louche de sauce presque bouillante. Quand le mélange est bien homogène, le verser en un gros filet dans la totalité de la sauce fouettée vigoureusement. Chauffer sans brusquerie jusqu'au moment où l'on constate que l'ébullition est sur le point de se manifester.

Retirer du feu et beurrer plus ou moins richement.

Vérifier l'assaisonnement.

Terminaison des pieds à la poulette :

Les pieds, égouttés de leur cuisson bouillante et épongés dans un linge, sont mis dans une sauteuse ; éparpiller dessus les champignons et les pédicules réchauffés dans un peu de leur cuisson et bien égouttés, puis les saucer avec 1 décilitre 1/2 de sauce (3 verres ordinaires) pour 5 pieds ; presser dessus le quartier de citron.

Sauter le tout ensemble pour enrober les pieds et les champignons et quand l'unité du mélange est réalisée, le verser dans une timbale bien chaude. Saupoudrer avec une pincée de persil haché et servir sur assiettes très chaudes.

Pieds de mouton sauce rémoulade

Les pieds de mouton ayant été très cuits dans un blanc sont égouttés avec soin et complètement désossés et liés avec de la sauce rémoulade fortement moutardée et condimentée avec de l'oignon cru finement ciselé.

Dresser dans une jatte, saupoudrer de cerfeuil et de persil hachés.

Pieds de porc

Les pieds de porc peuvent être préparés comme les pieds de veau et braisés comme les pieds de mouton.

On les accommode cependant plus généralement selon une formule qui leur est particulière et qui en fait un mets exquis.

Pieds de porc grillés sauce rémoulade

Méthode :

Choisir les pieds de devant, supérieurs à ceux de derrière. Les flamber ou les échauder, les racler.

Rouler chaque pied dans une bandelette de toile maintenue fortement par un tour de ficelle pour éviter une déformation qui serait certaine pendant la cuisson très poussée.

Les ranger dans une daubière, les recouvrir à hauteur d'eau froide et ajouter une garniture exactement comme celle d'un pot-au-feu, avec en surplus un litre de vin blanc sec par 10 litres d'eau. Saler à point.

Faire bouillir, écumer et laisser mijoter à couvert très doucement, soit au four, soit sur le coin du fourneau pendant 10 heures.

Maintenir le niveau du bouillon afin que les pieds baignent constamment.

Refroidir dans la cuisson, les égoutter et enlever les bandelettes. Les rouler dans du beurre fondu en pommade, puis dans de la mie de pain rassis fraîchement émiettée en chapelure.

Pour les servir, les asperger de beurre fondu et les griller doucement sur un feu de braise.

Les accompagner d'un légumier de pommes de terre sautées à cru ou de purée mousseline et d'une saucière de sauce rémoulade. Servir sur assiettes très chaudes.

Pieds de porc grillés sauce béarnaise

Même procédé et garniture que les pieds de porc sauce rémoulade. Remplacer la sauce rémoulade par la sauce béarnaise.

LES VOLAILLES

Cette partie s'applique à un ensemble qui embrasse les dindes et les pintades, les canards et les oies, les pigeons, puis les poulets, qui forment le groupe le plus important avec les poulardes et les chapons, les poulets dits « à la reine », les poulets de grain et les poussins.

Ces sujets de la basse-cour sont succulents lorsqu'ils sont servis rôtis.

Les poulardes et les chapons s'inscrivent sur un menu comme relevés de grande classe. Les poulets à la reine accommodés en « sauté » de préférence, forment une entrée remarquable. Les poulets de grain et les poussins sont les mieux indiqués pour être rôtis à la cocotte ou pour être traités sur le gril (grillés).

Leurs abats : ailerons, cou, gésier sont utilisés comme petites entrées ; le foie, les crêtes et les rognons entrent dans certaines garnitures.

Poulardes et chapons se font rôtir, pocher ou poêler. Ils prennent le premier rang du groupe en raison des méthodes et des soins particuliers d'élevage dont ils sont l'objet.

Leur poids atteint 1,800 kg à 3 kilos, quelquefois plus.

Ils se distinguent par leur volume, leur blancheur et la finesse du grain de l'épiderme ; le cou et les pattes sont grosses, le bréchet encore croquant est flexible à son extrémité.

Ces caractéristiques s'appliquent à toutes les volailles jeunes ; les vieilles se reconnaissant à la minceur du cou, aux éperons allongés.

Rôtis, pochés ou poêlés, la préparation des poulardes et des chapons est la même.

Les vider, les flamber, enlever les canons des plumes enfouis dans l'épiderme et les brider.

Il existe deux manières de brider une volaille, selon qu'elle est destinée à être rôtie, pochée ou poêlée.

Dans les deux premiers cas, les pattes, flambées ou ébouillantées puis dépouillées, les ergots raccourcis, sont laissées dans le prolongement des cuisses, bien collées au ventre par la bride.

Dans le troisième cas, elles sont parées de même, repliées sur les cuisses et les articulations, dont le nerf extérieur est sectionné, puis introduites dans le ventre incisé à cet effet, sur les flancs. Les pattes se trouvent alors appliquées sur les cuisses et encadrent les deux filets de l'estomac.

Si la volaille est destinée à être pochée, frotter l'estomac avec un quartier de citron pour maintenir la blancheur et recouvrir aussitôt d'une barde de lard gras frais.

Si la volaille est cloutée de truffes, il est nécessaire, pour faciliter cette opération, de raffermir les chairs, en plongeant l'estomac et les cuisses quelques secondes dans du bouillon ou du fond blanc bouillant.

Les poussins sont à point pour paraître sur un menu quand ils ont de sept à dix semaines. Ils sont généralement rôtis ou grillés.

Le poulet de grain mérite cette appellation à l'âge de quatre ou cinq mois. On le traite surtout à la cocotte, sur le gril ou rôti, quelquefois sauté.

Le poulet « à la reine » est un poulet soumis à l'engraissement forcé et qui est à mi-chemin entre le poulet de grain et la poularde. Il fournit les suprêmes de volaille et est plus particulièrement accommodé en sauté. On le fait cependant rôtir, à la cocotte, ou poêler.

Poularde de Bresse truffée rôtie

Éléments (pour 6 à 8 personnes) :

Une poularde d'1,800 kg qui, vidée, pèsera 1,400 kg environ; 500 grammes de panne très fraîche; 125 grammes de foie gras cru (à défaut, mettre 625 grammes de panne au lieu de 500); 550 grammes de truffes (poids brut) lesquelles une fois brossées et lavées perdront au moins 100 grammes; 20 grammes de sel fin; 3 grains de poivre; 2 grammes d'épices; un verre à liqueur de cognac; un verre à liqueur de madère; 2 cuillerées à potage d'huile; une brindille de thym, 1/2 feuille de laurier; 2 bardes de lard frais.

Méthode :

1° Trois ou quatre jours avant de cuire la poularde, la farcir.

Les truffes ayant été brossées et lavées avec le plus grand soin, les peler très finement et recueillir les pelures. Prélever sur les plus belles truffes une douzaine de lames assez épaisses, les mettre dans un bol et les arroser avec une cuillerée à potage au moins de madère; elles doivent baigner légèrement.

Couper en quartiers assez épais le reste des truffes et les faire macérer avec le cognac, le madère, l'huile, le thym, le laurier, une prise de sel, quelques tours du moulin à poivre et une pointe d'épices.

Diviser la panne en parcelles, enlever les petites membranes qui l'enveloppent et la piler au mortier. Quand elle est totalement broyée, ajouter le foie gras et transformer le tout en une pâte fine. La déposer dans une terrine et placer celle-ci dans un endroit modérément chaud pour amollir la panne afin de la passer plus facilement au tamis fin.

Cette dernière opération accomplie, réunir dans la terrine la panne, les quartiers de truffes, les pelures finement hachées et le reste de l'assaisonnement de macération. Enlever le thym et le laurier et malaxer le tout pour obtenir un mélange parfait.

2° La poularde doit être, pour cet apprêt, vidée entièrement par la gorge. Soulever la peau de l'estomac et glisser entre peau et chair les lames des truffes réservées. Introduire la farce dans la poularde, rabattre la peau du cou sur l'orifice, la brider et la barder.

La tenir dans un endroit froid jusqu'à la mise en cuisson.

3° Pour rôtir la poularde, la rouler dans un papier blanc beurré pour la protéger.

La placer sur un plat à rôtir, surélevée sur une grille pour qu'elle ne repose pas dans la panne fondue. L'arroser de beurre ou de graisse de volaille et la mettre à four de chaleur moyenne.

La cuisson doit être lente, rigoureusement égale, et sans arroser la poularde qu'il faut retourner de temps en temps. Temps de cuisson : 1 heure 30. (Il s'agit d'une volaille dont l'intérieur est bourré d'une farce crue.)

10 minutes avant le terme de la cuisson, enlever le papier et la barde et laisser prendre une jolie couleur doré clair mais sans rissolage et cette fois en arrosant avec la panne fondue provenant de la farce.

Contrôler l'à-point de la cuisson en piquant avec une aiguille à brider le pilon à l'endroit le plus épais. Si le jus apparaît blanc et clair, la cuisson est parfaite ; si le jus est rosé, laisser reposer quelques instants à chaleur douce en protégeant les filets avec la barde enlevée.

4º Servir avec le jus de la poularde, dégraissé en partie.

Cette graisse de panne parfumée sera utilisée dans de nombreuses préparations culinaires.

Poularde poêlée châtelaine

Éléments (pour 6 à 8 personnes) :

Une poularde d'1,800 kg, soit 1,400 kg net ; une cinquantaine de marrons ; 60 grammes de beurre ; 4 décilitres de bouillon ou jus de veau ; 1 branche de céleri.

Méthode :

1º Mettre la poularde préalablement préparée, assaisonnée intérieurement et extérieurement, bridée et bardée, dans une casserole où chauffe 30 grammes de beurre.

Cuire à four de chaleur douce ou sur le coin du fourneau à couvert.

Surveiller la marche du poêlage et tenir la poularde sur les cuisses, surtout sur le dos et le moins possible sur l'estomac.

L'évaporation étant presque nulle, un jus court, grassouillet et doré, se formera au fond de l'ustensile.

2º Éplucher les marrons après les avoir légèrement grillés ou frits, les pocher dans un peu de bouillon ou jus de veau non coloré. Condimenter avec une menue branche de céleri.

3º 15 minutes avant la fin de la cuisson de la poularde, enlever la barde et la bride, disposer les marrons pochés un peu fermes autour de la volaille.

Laisser mijoter à découvert. Arroser souvent avec précaution pour éviter de briser les marrons. L'estomac de la poularde blondira légèrement.

4º La dresser sur un plat long et disposer autour, comme un collier de grosses perles, les marrons. Arroser avec le jus de la pièce.

Poularde au gros sel

La poularde étant vidée, flambée, bridée, la mettre dans une casserole de dimensions appropriées pour la contenir juste. Ajouter 10 carottes nouvelles, taillées en forme d'olive, 10 petits navets parés de même, 10 petits oignons blancs et 6 blancs de poireaux coupés en ronçons de 6 centimètres.

Mouiller à hauteur avec du bouillon ou du jus de veau non coloré ; faire bouillir, écumer et laisser pocher à couvert et à tout petit feu.

Égoutter la poularde et la dresser sur un plat rond en disposant autour, par bouquets, les légumes de la garniture.

Servir à part une saucière du court-bouillon qui, si le récipient utilisé pour le pochage a été choisi de dimensions réduites, sera d'autant plus savoureux que la quantité en aura été limitée.

Joindre un ravier de gros sel marin.

Poularde pochée à l'estragon et au riz

Pocher une poularde comme pour la poularde au gros sel, mais en diminuant des deux tiers la garniture de légumes.

La dresser sur un plat rond avec à part :

1º une saucière de court-bouillon dans lequel une cuillerée à café de tapioca aura été très cuit, au point qu'il se trouvera entièrement dissous. Faire infuser dans ce court-bouillon très légèrement lié par le tapioca quelques feuilles d'estragon ; le passer au linge.

2º un légumier de riz pilaf.

Poularde de Bresse au riz sauce suprême

1º *La poularde.* — La parer et la pocher suivant les principes énoncés aux recettes précédentes (voir poularde au gros sel). Le fond de cuisson doit être court : 1 litre 1/4 environ, et garni d'une carotte moyenne, d'un oignon piqué d'un clou de girofle et d'un bouquet de persil, thym et laurier, un brin de chacun.

2º *Le riz.* — Trier 200 grammes de riz, le laver à l'eau froide renouvelée plusieurs fois jusqu'à complète limpidité ; le mettre dans une casserole, le mouiller largement avec de l'eau froide et le faire bouillir 5 minutes en le remuant de temps à autre ; l'égoutter, le laver à nouveau dans de l'eau tiède pour enlever la matière amylacée qui provoque l'agglutination des grains au cours de la cuisson.

Le verser dans la casserole, ajouter 6 décilitres du fond de pochage de la poularde quand celle-ci est aux trois quarts cuite, et 50 grammes de beurre, mettre en ébullition, couvrir et cuire à four chaud pendant 15 minutes.

Aussitôt cuit, égrener le riz avec une fourchette en lui incorporant 40 grammes de beurre frais.

3º *La sauce.* — Faire fondre dans une casserole 20 grammes de beurre, lui mélanger 15 grammes de farine (une cuillerée à potage rase), cuire 10 minutes sans colorer.

Laisser refroidir, puis délayer peu à peu avec 3 décilitres du fond de pochage de la poularde très chaud. Faire bouillir en remuant avec un fouet à sauce jusqu'au moment où l'ébullition se manifeste ; cuire 10 minutes très doucement.

Passer la sauce au chinois fin ou à l'étamine dans un plat à sauter, mettre en plein feu et réduire de moitié en remuant avec la spatule à sauce. La sauce sera trop épaisse, rétablir à consistance normale en lui additionnant de la crème fraîche épaisse, environ 1 décilitre. Condimenter, hors du feu, avec une 1/2 cuillerée à café de jus de citron et une pointe de muscade râpée. Vérifier l'assaisonnement et terminer en incorporant 50 grammes de beurre frais. La sauce doit être très blanche et crémeuse.

4º *Pour dresser.*

1re méthode : disposer le riz sur un plat long à la manière d'un socle ; y placer la poularde, débarrassée de la barde et de la bride, l'estomac apparent ; recouvrir ce dernier d'une nappe de sauce préparée.

Servir le reste de la sauce dans une saucière.

2e méthode : présenter la poularde nue sur le plat de service, la barde et la bride enlevées. L'arroser d'une cuillerée de fond de pochage.

Servir à part le riz dans un légumier, la sauce suprême dans une saucière.

Poularde pochée princesse

Même recette que la poularde au riz sauce suprême, le riz en moins.

Ajouter dans la sauce suprême des lames ou des quartiers de truffes étuvés au beurre et mis avec leur beurre dans la sauce. Si des truffes de conserves sont utilisées, mettre dans la sauce le jus contenu dans la boîte.

Dresser comme ci-dessus en disposant, autour de la poularde, des fonds d'artichauts cuits dans un blanc et étuvés au beurre, puis garnis de pointes d'asperges cuites à l'anglaise et liées au beurre ou avec une cuillerée de sauce suprême.

Suprêmes de volaille, filets et côtelettes de volaille

Ces dénominations utilisées pour les besoins de la littérature culinaire n'ont rien de commun avec l'anatomie animale. Elles sont, ici, synonymes et indiquent la même partie d'une volaille, celle qui est communément appelée « l'aile », « le blanc » ou « l'estomac », alors qu'il s'agit en réalité des tissus charnus et tendres qui recouvrent, à droite et à gauche, le bréchet. *Suprême* s'emploie surtout pour la poularde ; *filet* et *côtelette* pour le poulet à la reine et le gros poulet de grain.

Quelle que soit l'appellation, cette partie, qui est la plus en chair, est levée, c'est-à-dire détachée de la carcasse moyennant trois opérations : 1º d'une part, suppression de l'aileron, d'autre part, de la peau qui recouvre l'estomac ; 2º pratiquer une incision profonde en pleine chair jusqu'à l'os de la carcasse, en longeant à vif celui du bréchet à droite et à gauche ; 3º engager la lame d'un couteau dans l'articulation de l'aile, puis, en rasant la carcasse, détacher d'une seule pièce, filet et filet mignon, c'est-à-dire toute la partie charnue ; l'ossature doit apparaître à blanc, sans adhérence de chair si l'opération a été adroitement pratiquée.

Les suprêmes provenant d'une belle poularde sont divisés en trois parties : le filet mignon qui se sépare visiblement et le filet coupé en deux ou trois parties dans le biais de la pièce pour obtenir des morceaux en forme de cœur ; les aplatir légèrement.

Les filets prélevés sur un poulet à la reine ou un gros poulet de grain restent entiers, sans peau ni os.

Les côtelettes ont la seule particularité de conserver l'os du moignon de l'aile.

On qualifie de côtelette les hachis de volaille crue, ou les salpicons liés et reformés à l'image d'une côtelette.

En raison de l'extrême finesse de cette partie d'une volaille, les trois modes de traitement de base sont uniformes.

a) Assaisonner la pièce de sel fin et de poivre ; la fariner en ayant soin de secouer l'excès de farine. Les ranger côte à côte, sans les serrer, dans un plat à sauter contenant un peu de beurre très chaud. Les saisir et les faire blondir rapidement des deux côtés, sans coup de feu cependant.

b) Les tremper dans du beurre simplement fondu, les assaisonner de sel et de poivre des deux côtés, les ranger dans un plat à sauter grassement beurré, presser dessus quelques gouttes de citron, couvrir et mettre ainsi de 5 à 8 minutes suivant la grosseur, à four bien chaud.

c) Les tremper dans du beurre fondu, les assaisonner, les rouler dans de la mie de pain émiettée en chapelure, les asperger de quelques gouttes de beurre ou de graisse de volaille fondue, et les griller sur un feu de braise à demi incandescent.

Il est important de ne mettre les suprêmes en cuisson que quelques minutes avant de servir. Ce mets ne souffre pas l'attente. De plus, il ne doit jamais bouillir.

Cette façon de servir la volaille n'est pas dispendieuse comme on peut le supposer. Les carcasses sont utilisées pour marquer ou enrichir des consommés ou des potages ; les abattis et le dos sont traités en sautés, ragoûts ; les cuisses peuvent être grillées ou pochées ou transformées en salpicons pour garnitures diverses ou petites entrées, telles que côtelettes, rissoles, croquettes, etc.

Poularde de Bresse truffée mère Brazier

(photo page 268)

Éléments (pour 4 personnes) :

Une poularde de Bresse d'1,600 à 2 kilos ; 8 belles lames de truffes ; 4 blancs de poireaux ; 200 grammes de carottes nouvelles ; 150 grammes de navets blancs ; 1 branche de céleri ; 1 oignon moyen clouté de girofles ; 1/2 citron ; sel, poivre.

Méthode :

La poularde ayant subi la toilette d'usage, c'est-à-dire plumée, flambée et vidée, la truffer en glissant sous la peau de belles lames de truffes (4 sur l'ensemble de la poitrine et 2 sur chaque cuisse). Ensuite citronner la volaille sur toutes les parties du corps ; la brider en entrée.

Mettre 4 litres d'eau dans une marmite. Saler et poivrer judicieusement. Ajouter l'oignon clouté, les blancs de poireaux, les carottes, les navets et la branche de céleri.

Faire prendre l'ébullition sur le feu. Plonger la volaille. Laisser la marmite sur le coin du feu de façon qu'un léger frémissement se produise.

La cuisson doit se faire par pochage sans précipitation. On compte 30 à 40 minutes pour une volaille d'1,800 kg.

On sert la volaille avec son bouillon et les légumes : carottes, navets, poireaux et une garniture de riz pilaf. Gros sel comme condiment.

Volaille de Bresse sautée au vinaigre

Éléments (pour 4 personnes) :

Une volaille d'1,500 kg, vidée et coupée en 8 ; 4 échalotes ; 150 grammes de beurre ; 1/4 de litre de bon vinaigre de vin.

Méthode :

Faire chauffer 100 grammes de beurre dans un plat à sauter de grandeur appropriée à tenir juste les morceaux.

Assaisonner les morceaux avec sel et poivre, les faire colorer légèrement. Le beurre doit conserver toute sa couleur blonde.

Couvrir et poursuivre la cuisson à four chaud, sans excès, une vingtaine de minutes.

Cuits à point, les morceaux de volaille sont réunis sur un plat, couverts et tenus au chaud.

Faire revenir à blanc 4 échalotes hachées dans le beurre du plat à sauter. Déglacer avec le vinaigre de vin. Faire réduire de moitié et monter cette sauce avec 50 grammes de beurre. Verser la sauce sur les morceaux de poulet qui doivent être soigneusement nappés.

Poularde de Bresse truffée en vessie Joannes Nandron

Éléments (pour 4 personnes) :

Une volaille de Bresse d'1,800 kg environ ; une vessie de porc dégorgée à l'eau salée et vinaigrée ; 200 grammes de mousse de veau ; 8 belles lames de truffes ; madère, sel, poivre.

50 grammes de carottes
50 grammes de navets) tournés à la petite cuiller à légumes et cuits.
50 grammes de céleri-rave

50 grammes de petits pois reverdis ; 50 grammes de haricots verts cuits et coupés en petits bâtonnets ; 1 blanc de poireau cuit.

10 litres de bouillon blanc de volaille.

On peut ajouter aux ingrédients 50 grammes de truffes et foie gras coupés en dés ainsi que le foie de volaille.

Méthode :

1º La volaille étant minutieusement vidée, la désosser par le dos en laissant adhérer les os des ailes et des cuisses.

Glisser sous l'épiderme les lames de truffes de façon que la poularde soit truffée sur la poitrine et les cuisses.

2º La garnir avec tous les ingrédients énumérés plus haut, ceux-ci auront été au préalable cuits, assaisonnés et mélangés à la mousse de veau ; le poireau sera mis dans le centre.

Refermer la volaille en la cousant et en la bridant pour lui redonner sa forme initiale.

3º Après avoir retourné la vessie, mettre à l'intérieur la poularde ainsi farcie en adjoignant une pincée de sel, poivre et quelques centilitres de madère.

Ceci étant fait, fermer hermétiquement la vessie avec deux tours de ficelle.

4º Pour la cuisson, plonger la poularde en vessie dans une marmite, dans laquelle on aura mis 10 litres de bouillon blanc de volaille préparé avec les abats et carcasse de la poularde désossée.

La cuisson doit se faire par pochage, sans ébullition, par simple frémissement du liquide, durant 1 heure 30 environ.

5º Présenter la poularde sur un plat, l'extraire de la vessie devant les convives.

La découper en séparant les ailes et les cuisses. Pour servir, distribuer à chacun un morceau agrémenté de la délicieuse garniture dont la volaille était farcie.

Facultatif : on peut accompagner la poularde en vessie d'une excellente sauce suprême et de riz pilaf.

Mousse de veau : malaxer au mixer 120 grammes de veau pris dans le filet mignon, saler, poivrer. Recueillir la chair dans un bol. Sur glace incorporer en faisant le mélange à la spatule en bois, 80 grammes de crème double. Rectifier l'assaisonnement.

Suprêmes de volaille Françoise

Éléments (proportions pour 1 personne) :

Un suprême ; 100 grammes de pointes d'asperges vertes ; 50 grammes de beurre ; 2 cuillerées à potage de crème, muscade.

Méthode :

1º Jeter dans de l'eau salée à point et bouillante les pointes d'asperges réunies en petits bottillons et la partie tendre des tiges divisées en tronçons d'un centimètre. Aussitôt cuites, les égoutter et les mettre à étuver dans une sauteuse avec un peu de beurre. Assaisonner d'une prise de sel. Au moment de dresser, enlever les bottillons sur une assiette chaude et lier les pointes avec une noix de beurre frais.

Délier les bottillons, et les arroser avec une cuillerée à café de beurre fondu en pommade.

2º 10 minutes avant de servir, assaisonner les suprêmes de sel fin, et de poivre frais moulu, les fariner légèrement et les ranger bien à plat dans une sauteuse de dimensions proportionnées, dans laquelle grésille gros comme deux noix de beurre. Arroser les suprêmes de beurre fondu, couvrir hermétiquement l'ustensile et cuire à four très chaud. Temps : 5 minutes suivant le volume des suprêmes.

3º Dresser en monticule, au centre d'un plat rond et chaud, les tronçons d'asperges surmontés des bottillons de pointes. Disposer les suprêmes autour. Les napper avec le déglaçage à la crème fraîche du fond de cuisson des suprêmes.

Nota. — Le déglaçage s'effectue de la manière suivante :

Les suprêmes viennent d'être dressés. Verser la crème fraîche dans la sauteuse, faire bouillir rapidement, assaisonner avec une prise de sel, un tour du moulin à poivre et une pointe de muscade râpée. Après quelques bouillons, la crème liquéfiée au contact de la chaleur, réduit légèrement et épaissit. A ce moment, la retirer du feu et terminer, sans laisser bouillir, en lui incorporant 30 grammes de beurre frais. Vérifier l'assaisonnement et saucer les suprêmes.

Suprêmes de volaille Antonin Carême

Préparer pour quatre personnes une garniture de pommes de terre Anna du diamètre d'une assiette à dessert et mélangées de truffes taillées en grosse julienne et crues, à raison d'une truffe moyenne par convive. L'épaisseur de la pomme Anna sera de 3 centimètres au maximum.

D'autre part, faire 5 incisions sur la surface de quatre suprêmes de volaille et y insérer des quartiers de truffes crues. Les assaisonner de sel et poivre et les cuire selon les indications données à la recette précédente.

Pour dresser, démouler sur un plat rond et chaud la pomme Anna ; disposer dessus les quatre suprêmes ; déglacer avec un décilitre de porto et quatre cuillerées à potage de crème fraîche, réduire de moitié. Terminer, hors du feu, avec une noix de beurre frais. Arroser les suprêmes de trois ou quatre cuillerées de beurre cuit couleur noisette.

Servir à part, en saucière, la sauce assez courte produite par le déglaçage.

Côtelettes de volaille, volailles sautées ou fricassées, poulets sautés

La volaille la mieux indiquée pour ces préparations est le poulet à la reine, bien en chair et tendre.

Le mode de découpage est traditionnel et rationnel.

1º Détacher d'abord les membres inférieurs, cuisses et pilons, d'une seule pièce, supprimer le fémur en le brisant près de son articulation avec le tibia que l'on raccourcit au ras de l'articulation de la patte. Débarrasser les pattes de cette articulation et des ongles, les griller ou les ébouillanter une seconde et les dépouiller en les frottant chaudes avec un torchon.

2º Couper l'aileron à l'articulation, lever l'aile en introduisant la lame d'un couteau dans la jointure de la deuxième articulation située à la naissance du cou ; le poulet étant tenu de la main gauche sur la cuisse, trancher net jusqu'à la cuisse en entamant d'un tiers l'estomac.

3º L'estomac et le dos sont alors sectionnés d'un coup net porté, avec la feuille ou le couperet, en plein flanc. Le bréchet garni des blancs est ainsi séparé de la carcasse que l'on divise en deux morceaux par le travers. Rogner franchement les petits os qui gêneraient le dressage. Ainsi débité, un poulet se trouve coupé en sept morceaux, non compris le cou ni les abats.

Méthode :

La méthode de préparation est invariable quelle que soit la sauce ou la garniture.

1º Choisir un plat à sauter de grandeur appropriée à la surface recouverte par les morceaux de poulet disposés les uns à côté des autres sans trop les serrer. C'est dire que cet ustensile ne doit être ni trop grand ni trop petit.

Faire chauffer dedans 50 grammes de beurre ou 25 grammes de beurre et 2 cuillerées à potage d'huile.

Dans le beurre grésillant, ranger les morceaux, les assaisonner de sel et poivre et les faire colorer légèrement (doré clair) des deux côtés. Le beurre doit conserver sa couleur blonde, la marche du demi-rissolage doit être attentivement surveillée.

Couvrir et poursuivre la cuisson à four chaud sans excès.

Les ailes et le blanc sont retirés après 8 à 10 minutes de cuisson. Les cuisses, plus épaisses et plus fermes, y sont maintenues 5 à 8 minutes de plus.

Cuits à point, les morceaux sont réunis sur un plat, couverts et tenus au chaud.

2º L'opération de déglaçage du plat à sauter va être alors commencée.

Pendant la cuisson, les sucs provenant des chairs se sont attachés, presque solidifiés, au fond de l'ustensile où ils forment des particules de glace blonde de volaille. Il faut les dissoudre pour les utiliser comme fond de sauce particulièrement caractérisé et savoureux.

Égoutter d'abord en grande partie le corps gras utilisé pour faire revenir la volaille ; verser dans le plat à sauter un liquide déterminé par la recette choisie : vin, alcool, cuisson de champignon, jus de volaille ou de veau, etc. Réduire dans les proportions indiquées aux formules et ajouter sauce ou fond.

Y faire mijoter, pendant 3 ou 4 minutes, les morceaux de carcasse, les pattes, le cou, les ailerons, le gésier, les cuisses, puis, sans laisser bouillir, ajouter les ailes et l'estomac.

3º Le dressage a lieu ensuite sur un plat long ou rond, très chaud, dans l'ordre suivant : les carcasses au milieu ; à droite et à gauche, les pattes et les ailerons ; aux extrémités, le cou et le gésier (le foie est réservé pour des préparations de garnitures ou entrées) ; dessus, l'estomac, puis les cuisses en croisant les moignons, et pour terminer, les ailes.

La sauce, mise à point, est ensuite versée sur le poulet qui en est soigneusement nappé.

Nota. — Si le poulet doit être cuit à blanc, le procédé est identique, la coloration en moins. Les chairs sont raidies au beurre chaud et la cuisson est poursuivie à four doux et à couvert. Le déglaçage s'effectue dans les mêmes conditions, mais généralement avec de la crème fraîche, de la sauce velouté ou sauce allemande, ou sauce béchamel.

Poulet sauté aux champignons

1º Voir préparation, mode de cuisson et de dressage des poulets sautés.

Le poulet étant cuit et retiré du plat à sauter, ce dernier est prêt à être déglacé.

2º Ajouter une cuillerée à potage d'huile ou une noix de beurre, faire chauffer et y jeter 150 grammes de champignons de couche, nettoyés, lavés sans séjourner dans l'eau et coupés en lames minces (émincés). Les sauter rapidement en plein feu et dès que l'eau de végétation est totalement évaporée, les saupoudrer avec une cuillerée à potage rase de farine, les assaisonner de sel et de poivre, mélanger et faire roussir légèrement. Mouiller avec 1/2 verre ordinaire de vin blanc sec, le réduire de moitié, ajouter un verre de jus de veau, ou, à défaut, de bouillon et deux cuillerées à potage de purée de tomates. Diluer avec soin la farine.

Faire bouillir 5 minutes, ajouter les morceaux de carcasses et les cuisses, faire mijoter encore 5 minutes ; retirer du feu, et, hors d'ébullition, y réunir l'estomac et les ailes ; rouler le tout ensemble dans la sauce et les champignons ; dresser.

3º Le dressage terminé, mettre la sauce au point en la réduisant si elle est un peu longue, vérifier l'assaisonnement et terminer la sauce par l'addition de 30 grammes de beurre frais ; bien vanner et ne pas faire bouillir.

Saupoudrer avec une pincée de persil haché.

Nota. — Si l'on dispose de sauce espagnole ou demi-glace, utiliser une de ces sauces comme fond de mouillement et ne pas mettre la farine indiquée.

Poulet sauté chasseur

Procéder comme pour le poulet sauté aux champignons en ajoutant :

a) Avant de saupoudrer de farine, une cuillerée à café d'échalote hachée finement.

b) Avant le vin blanc, un verre à liqueur de cognac ; le faire flamber deux secondes et étouffer la flamme avec le couvercle de l'ustensile.

c) Avec le fond de mouillement, une belle tomate bien mûre, épluchée, pressée des semences, puis hachée grossièrement.

d) Avec l'addition de beurre, une demi-cuillerée à café d'estragon et de cerfeuil hachés.

Nota. — La farine peut être supprimée avec avantage, quand on dispose de sauce brune espagnole ou demi-glace bien dépouillée. Ces sauces remplacent le fond de mouillement indiqué avec l'emploi de la farine comme agent de liaison.

Volaille de Bresse aux écrevisses

Éléments (pour 4 personnes) :

1 volaille de Bresse d'1,400 kg ; 24 pièces d'écrevisses traitées à la bordelaise ; 60 g de beurre fin ; 2 centilitres de cognac ; 2 décilitres de vin blanc sec ; 50 g d'échalotes et 50 g de rouge de carottes coupés en fine mirepoix ; 100 g de tomates concassées ; 1 gousse d'ail écrasée ; persil ; estragon ; sel ; poivre du moulin.

Méthode :

Après avoir flambé et vidé la volaille, la découper en 8 morceaux (selon les principes du poulet à sauter).

D'autre part, préparer les écrevisses à la bordelaise, décortiquer 20 queues d'écrevisses et réserver la sauce.

1º Dans une casserole basse à fond épais appelée sauteuse, faire chauffer 40 g de beurre. Dès que celui-ci est chaud, mettre les morceaux de volaille qui auront été au préalable assaisonnés de sel et de poivre.

2º Faire dorer légèrement les morceaux en les retournant pour assurer une coloration égale.

Additionner la mirepoix composée d'échalotes et de rouge de carottes coupés en fins petits dés. Couvrir ensuite la casserole, la mettre au four ou sur feu doux pour assurer une demi cuisson, durant 15 minutes environ.

3º Faire pincer légèrement le jus, le dégraisser s'il y a lieu. Déglacer avec le cognac et le vin blanc. Laisser réduire légèrement et ajouter la tomate concassée et la gousse d'ail écrasée. Terminer la cuisson, la casserole couverte.

4º Les morceaux de volaille étant cuits les retirer sur un plat.

Faire réduire à nouveau légèrement la cuisson, ajouter la sauce des écrevisses à la bordelaise.

Faire bouillir quelques minutes. Lier la sauce avec une bonne noix de beurre ou 2 cuillerées de crème double.

5º Pour terminer remettre les morceaux de volaille dans la sauce obtenue, ainsi que les 20 queues d'écrevisses décortiquées.

Pour « marier » les saveurs laisser mijoter quelques instants, au besoin rectifier l'assaisonnement.

Pour servir on dresse les morceaux de volaille sur un plat creux nappés de leur sauce et parsemés de persil et estragon finement hachés.

Pour la présentation, mettre en garniture 4 belles écrevisses troussées.

Poulet sauté aux morilles ou aux cèpes

Même pratique que le poulet sauté aux champignons jusqu'au moment de déglacer.

Ajouter dans le plat à sauter débarrassé du poulet une cuillerée à potage d'huile et 200 grammes de morilles, nettoyées avec le plus grand soin, les alvéoles contenant généralement beaucoup de sable ; les sauter à feu vif trois minutes, les saupoudrer d'une cuillerée à café d'échalote hachée finement et les assaisonner de sel et de poivre frais moulu.

Remettre sur les morilles les morceaux de poulet, sauf l'estomac et les ailes, couvrir et faire étuver à four chaud 5 minutes.

Sortir du four, mouiller avec 1/2 verre ordinaire de vin blanc, réduire presque totalement, ajouter 6 cuillerées à potage de jus de veau, laisser bouillir 2 minutes, y réunir l'estomac et les ailes, ne plus laisser bouillir et terminer, hors du feu, en incorporant en vannant 30 grammes de beurre frais. Vérifier l'assaisonnement et dresser. Parsemer sur l'ensemble une pincée de persil haché.

Poulet sauté à la Marengo

1º Observer les indications données pour le poulet sauté aux champignons quant à la première partie de l'opération.

2º Déglacer avec un demi-verre ordinaire de vin blanc sec, réduire aux deux tiers, mouiller avec un verre de sauce tomate et 1/2 verre de jus de veau.

Condimenter avec une gousse d'ail broyée jetée dans le beurre de cuisson une seconde avant l'opération de déglaçage.

Faire bouillir avec les carcasses de poulet et les cuisses d'abord, selon les indications données pour le traitement des poulets sautés et terminer, hors du feu, par l'addition de beurre frais. Vérifier l'assaisonnement.

3º Le dressage est effectué sur le mode classique. Garnir avec une douzaine de têtes de champignons moyens, sautés avec le poulet et réservés, puis roulés dans la sauce au dernier moment ; 6 ou 8 petits œufs frits (un par convive), 6 ou 8 écrevisses troussées (les pinces retournées et piquées dans la queue) et cuites dans un court-bouillon ou sautées au beurre ; autant de croûtons en pain de mie, taillés en cœur et frits au beurre et 6 ou 8 lames de truffes, épaisses et cuites dans la sauce deux minutes avant la mise au point finale.

Presser sur l'ensemble le jus d'un quartier de citron et saupoudrer d'une prise de persil haché.

Nota. — Pour la commodité de l'opération et suivant les éléments de la garniture, je conseille de mettre la sauce ou le fond au point après le dressage du poulet. Cette manière de procéder permet, dans l'exemple ci-dessus, de faire mijoter les champignons et les lames de truffes quelques secondes dans la sauce et de beurrer, hors du feu, ensuite.

Poulet sauté à l'estragon

Faire sauter le poulet.

Le dresser, déglacer le plat de cuisson avec un demi-verre de vin blanc sec. Réduire de moitié, ajouter un demi-verre de bon jus de veau. Faire bouillir trois minutes et, hors du feu, compléter l'assaisonnement une fois vérifié avec une pincée de cerfeuil et d'estragon hachés jetés dans le jus presque bouillant.

Arroser le poulet avec ce jus qui doit être assez court.

Servir, en même temps, un légumier de petites pommes de terre parisiennes légèrement rissolées au beurre.

Poulet sauté lyonnaise

Cuire le poulet au beurre comme le poulet sauté aux champignons.

Quand l'estomac et les ailes sont enlevés, ajouter aux cuisses et aux morceaux de carcasse dont la cuisson est prolongée une douzaine de petits oignons cuits à l'eau salée normalement. Laisser mijoter 5 minutes.

Dresser ensuite le poulet en l'entourant des oignons bien imprégnés du jus gras du poulet et légèrement dorés.

Déglacer avec 1 décilitre de vin blanc sec. Réduire des deux tiers et mouiller avec quatre cuillerées à potage de bon jus de veau. Vérifier l'assaisonnement. Donner un bon bouillon et saucer.

Mettre sur les oignons un léger semis de persil haché.

Poulet sauté aux truffes

Sauter le poulet au beurre.

Pendant la deuxième partie de la cuisson, mettre avec les cuisses et la carcasse 150 grammes de truffes crues coupées en quartiers.

Dresser le poulet en laissant les quartiers de truffes dans l'ustensile. Déglacer avec un verre ordinaire de champagne. Réduire des deux tiers. Hors du feu, terminer avec deux cuillerées à potage de madère et 50 grammes de beurre frais. Bien rouler les truffes dans ce fond et en arroser le poulet.

Poulet sauté printanier

Préparer et sauter le poulet d'après la méthode classique décrite.

Le déglacer avec quatre cuillerées de bon jus de veau.

Le dresser en l'entourant de bouquets de légumes printaniers : carottes, navets taillés en olives, oignons cuits au beurre et glacés, petits pois et haricots verts cuits à l'anglaise et liés au beurre frais.

Arroser du jus qui doit être assez court.

Poulet sauté à la portugaise

Sauter le poulet avec huile et beurre par moitié.

Quand les ailes et l'estomac sont cuits, retirer tous les morceaux de poulet du plat à sauter. Dans le beurre de cuisson, mettre un oignon moyen ciselé, le faire fondre doucement puis très légèrement blondir. Ajouter alors deux gousses d'ail broyées, chauffer une seconde puis mouiller avec un demi-verre de vin blanc sec ; réduire presque en totalité, adjoindre 3 belles tomates bien mûres, épluchées, pressées des semences, et hachées grossièrement Veiller à ne pas laisser de graines.

Assaisonner cette pulpe de sel et de poivre, y réunir la carcasse et les cuisses du poulet et cuire à couvert, au four chaud, 7 à 8 minutes.

Retirer les morceaux de volaille.

Si le fond de sauce n'est pas suffisamment réduit, le mettre quelques secondes en plein feu. Vérifier l'assaisonnement.

Condimenter avec une prise de poivre frais et une pincée de persil haché ajoutées hors d'ébullition. Rouler dedans les morceaux de poulet et dresser. Terminer en incorporant dans cette fondue de tomates, qui ne doit plus bouillir, 50 grammes de beurre frais.

En recouvrir le poulet dressé et saupoudrer d'une pincée de persil frais haché.

Poulet de Bresse au sel

Éléments (pour 4 personnes) :

1 poulet de Bresse d'1,600 kg ; 4 kilos de sel marin.

Méthode :

Préparer le poulet comme pour le rôtir ; toutefois, supprimer les pattes. Le poivrer légèrement.

Chemiser de papier aluminium le fond et les parois d'une grande cocotte (en fonte de préférence). Mettre une bonne couche de sel à l'intérieur.

Placer au centre la volaille, la poitrine en bas. Couvrir le poulet complètement avec le restant de sel, rabattre le papier aluminium dessus, ceci pour fermer le tout.

Mettre la cocotte au four très chaud (250 à 280°) durant 1 heure 1/4.

Pour servir, démouler sur un plat le bloc de sel qui s'est formé. Enlever le papier aluminium.

En présentant le plat devant les convives, briser le bloc de sel. Si les normes de cuisson ont été bien respectées, le poulet traité ainsi doit être cuit doré à point.

Aromatisé principalement par l'iode se trouvant dans le sel, sa saveur est incomparable et sa chair des plus succulentes.

Volaille de Bresse à la broche

Pour 4 personnes :

Avoir une belle volaille de Bresse pesant au moins 1,600 kg ; la vider minutieusement et la brider en entrée. Assaisonner l'intérieur et l'extérieur avec sel fin et poivre fraîchement moulu.

L'embrocher et la badigeonner de 50 grammes de beurre réduit en pommade. La mettre à la broche devant un bon feu de bois, les braises bien rouges. Régulièrement, l'arroser avec le jus qui s'écoule dans la lèchefrite.

Pour une volaille de ce poids, on compte environ 45 minutes de cuisson.

Pour apprécier la valeur incontestée de la cuisson à la broche, la volaille doit être servie et dégustée aussitôt la cuisson terminée.

Servir en saucière le vrai jus récupéré dans la lèchefrite.

Nota. — On peut truffer la volaille. Pour cela on glisse de belles lames de truffe sous l'épiderme avant de la brider.

Poulet de Bresse en soupière

Éléments (pour 4 personnes) :

1 poulet de Bresse d'1,400 kg ; 100 grammes de beurre ; 200 grammes de pâte feuilletée ; cœurs de laitue coupés en quatre ; 100 grammes de petits pois frais écossés ; 100 grammes de haricots verts extra-fins ; 60 grammes de navets nouveaux ; 100 grammes de carottes nouvelles, coupés en bâtonnets ; 4 petits oignons blancs ; 1 pincée de sucre en poudre ; sel fin ; poivre du moulin.

Méthode :

1° Après lui avoir fait la toilette d'usage (vidé, paré et troussé), mettre le poulet dans une grande soupière à pied dite soupière à gratinée lyonnaise.

Ensuite, entourer la volaille de tous les légumes mentionnés plus haut. Beurrer et assaisonner avec sel et poivre et une pincée de sucre en poudre.

2º Enfermer le tout en couvrant la soupière hermétiquement avec une mince abaisse de pâte feuilletée.

3º Placer la soupière dans un four chauffé à 210º maximum. Cinq à dix minutes après, pour qu'il ne colore pas trop durant la cuisson, couvrir le feuilletage d'un papier d'aluminium.

Pour la cuisson, on compte une heure de four, 3/4 d'heure allumé et 1/4 d'heure éteint.

4º Pour servir, on présente la soupière devant les convives. Le couvercle est enlevé à l'aide de la pointe d'un couteau, en incisant la pâte. Le fumet qui se dégage est très agréable.

Le poulet est découpé comme à l'ordinaire. On sert une portion à chacun accompagnée des excellents légumes et d'un morceau de pâte.

Fricassée de poulet vallée d'Auge

Éléments :

Pour un poulet à la reine d'1,400 kg environ : 60 grammes de beurre ; 20 grammes de farine ; 1/2 litre de bouillon blanc ; un petit bouquet de persil lié avec une brindille de thym et une demi-feuille de laurier ; 12 champignons moyens ; 12 petits oignons ; 2 jaunes d'œufs ; 1 décilitre de crème fraîche ; 1/4 de citron ; muscade ; croûtons de pain de mie.

Méthode :

1º Dans une sauteuse de dimension choisie juste pour contenir le poulet, faire chauffer la moitié du beurre.

Y mettre le poulet coupé en morceaux — les cuisses séparées des pilons, l'estomac divisé en trois parties, la carcasse en quatre ; les ailerons, le cou et le gésier seront ajoutés.

Assaisonner de sel fin et de poivre frais moulu.

Pousser à feu doux afin de faire raidir les chairs. Ne pas faire rissoler. Remuer souvent avec une cuiller en bois.

Saupoudrer avec la farine, mélanger et cuire quelques minutes sans colorer. Mouiller avec le bouillon et diluer la farine en remuant jusqu'à l'ébullition. Compléter avec le bouquet garni. Couvrir et laisser mijoter doucement pendant 35 minutes.

A défaut de bouillon, le remplacer par de l'eau. Dans ce cas, il faut condimenter avec une carotte moyenne coupée en quatre et un oignon moyen piqué avec un clou de girofle. Saler en conséquence.

2º Pendant cette première partie de l'opération, cuire, d'une part, juste couverts d'eau et avec une petite noix de beurre et quelques grains de sel, les petits oignons ; d'autre part, pendant quatre minutes en plein feu, les champignons nettoyés, lavés avec soin, coupés en quartiers et jetés dans une cuillerée à potage d'eau en pleine ébullition avec une demi-noix de beurre, le jus d'un quartier de citron et une prise de sel. Débarrasser les champignons dans un bol.

3º Préparer la liaison. Séparer les blancs des jaunes d'œufs et mettre ces derniers dans un bol, y réunir 2 cuillerées à potage de la cuisson des champignons, quelques parcelles de beurre et une pointe de muscade râpée. Diluer le tout avec la crème.

4º Le poulet étant cuit, retirer les morceaux de la sauce et les ranger dans une autre sauteuse, éparpiller dessus les oignons et les champignons bien égouttés.

Liaison de la sauce :

Verser, peu à peu, sur le mélange de jaunes et de crème une louche de sauce en remuant

vec le fouet. Puis inverser l'action en ajoutant le mélange de jaunes et de crème dans la
auce. Chauffer une minute et retirer du feu au moment où l'ébullition est sur le point de se
manifester. La liaison ne doit pas bouillir.

Hors du feu, compléter en vannant dans la sauce le reste du beurre frais. Vérifier l'assaison-
ement.

Passer la sauce à l'étamine sur le poulet. Rouler ce dernier dans la sauce pour bien
nrober les morceaux et dresser dans un plat rond et creux bien chaud.

Disposer autour des croûtons de pain de mie, taillés en cœur et frits au beurre.

Nota. — Cette recette s'applique également à une poule encore tendre. La cuisson est
lors prolongée en conséquence. La garniture peut être complétée avec une quinzaine de
inuscules carottes nouvelles cuites selon la formule dite glacée, enrobées avec la sauce
u poulet et servies à part ou mélangées avec les champignons et les oignons.

Coq au vin à la bourguignonne

Éléments (pour 8 à 10 personnes) :

Un poulet à la reine d'1,800 kg ; 125 grammes de champignons de couche ; 100 grammes
e lard de poitrine maigre ; une douzaine de petits oignons ; une cuillerée à potage
25 grammes) de farine ; 1/2 litre de bouillon peu salé, d'eau à défaut ; 2 gousses d'ail ; un petit
ouquet garni (persil, une brindille de thym, un fragment de feuille de laurier) ; le sang du
oulet maintenu liquide par l'appoint d'un filet de vinaigre ou 3 cuillerées à potage de sang
e porc ; 3 cuillerées à potage de cognac ; 50 grammes de beurre ; 2 litres de vin de Bourgogne.

Méthode :

1º Découper la volaille selon la méthode du poulet sauté. Réunir les morceaux sur une
ssiette avec les abats, le foie excepté, et assaisonner de sel fin et de poivre frais moulu.

2º Tailler le lard en petits lardons, les mettre dans une sauteuse couverts d'eau froide et
s ébouillanter 5 minutes ; les égoutter et les éponger.

3º Faire chauffer le beurre dans une casserole en terre, y mettre à rissoler doucement les
rdons et les petits oignons. Quand les uns et les autres sont bien dorés, les égoutter et les
server sur une assiette.

A leur place et en plein feu, mettre les champignons bien nettoyés, lavés rapidement et
upés en quartiers s'ils sont trop gros. Les soumettre à un léger rissolage et les joindre aux
rdons.

Dans le même beurre, faire revenir sans brusquerie les morceaux de poulet, puis les
upoudrer avec la farine, mélanger et laisser roussir un peu au four à découvert. Après
minutes, ajouter l'ail broyé, remuer le tout une minute, et mouiller avec le vin de Bourgogne.
hauffer jusqu'à l'ébullition en ayant soin de remuer constamment. Compléter avec le bouquet
arni, les oignons, les lardons et les champignons.

Achever le mouillement, juste à hauteur, avec le bouillon nécessaire ou de l'eau. Couvrir
cuire 45 minutes très doucement à four de chaleur moyenne.

4º Après ce temps, sortir du four et décanter le poulet en mettant les morceaux et la
arniture dans un récipient. Passer dessus la sauce au chinois fin.

Toutefois, si la sauce est un peu longue, par insuffisance de réduction pendant le mijotage,
réduire rapidement à la quantité voulue avant cette dernière opération.

Une fois passée, remettre le poulet et la sauce dans la casserole en terre nettoyée, faire
ouillir, vérifier l'assaisonnement et lier.

5º La liaison. — Diviser le foie en gros dés, les assaisonner de sel et poivre, une prise, les
idir rapidement à la sauteuse avec une petite noix de beurre, les verser sur un tamis et les

fouler au pilon. Recueillir cette purée de foie dans le sang de poulet ou de porc et diluer avec le cognac.

Retirer du feu la casserole de poulet pour arrêter l'ébullition, verser un peu de sauce très chaude en filet dans le bol de sang en le remuant au fouet, ajouter le tout dans la casserole en agitant cette dernière par un mouvement de rotation pour unifier le mélange et assurer la liaison sans bouillir par un début de cuisson du sang et du foie soumis à la chaleur concentrée dans l'ustensile.

6º Après une nouvelle vérification de l'assaisonnement, dresser dans un plat creux ou servir dans la casserole en terre de cuisson. Ce deuxième procédé est le meilleur, ce mets exquis y demeure très chaud.

La sauce liée doit être très onctueuse.

On peut servir avec des croûtons de pain taillés en cœur et frits puis disposés dessus.

Coq au fleurie

1º Choisir de préférence un beau coq nourri aux grains. Si vous êtes à la campagne recueillez le sang du coq au moment où vous le faites tuer.

2º Avant qu'il ne caille, celui-ci sera aussitôt additionné d'un demi-verre de vin et d'une cuillerée de vinaigre.

3º La toilette d'usage minutieusement terminée, découper le coq en plusieurs morceaux (cuisses et ailes en quatre).

4º Mettre les morceaux à mariner dans une terrine avec du vin de Fleurie. Ajouter pour condimenter la marinade une carotte et un gros oignon coupés en rondelles ainsi qu'un beau bouquet garni riche en thym, quelques gousses d'ail en chemises et une dizaine de grains de poivre écrasés. Pour que la marinade fasse son effet, tenir la terrine au frais 24 heures au minimum.

5º La veille de son emploi, égoutter les morceaux de coq dans une passoire ou un tamis. Naturellement, réserver la marinade et l'ensemble des aromates.

6º Dans une sauteuse, chauffer une bonne cuillerée d'excellent saindoux. Après avoir assaisonné de sel les morceaux, les faire revenir vivement dans la graisse chaude. Quand il sont colorés sur toutes les faces, les flamber au cognac et couvrir pour éteindre les flammes.

7º Singer avec une ou deux cuillerées de farine. Après avoir bien remué, mettre au four quelques minutes. Ajouter les aromates revenus au beurre ainsi que le bouquet garni.

8º Mouiller avec le vin ayant servi à faire la marinade, porter à ébullition et remuer pour bien diluer. Laisser cuire sur le coin du feu à couvert.

Selon l'âge de la bête, il faut compter entre trois quarts d'heure et une heure de cuisson.

Celle-ci étant obtenue, décanter la préparation, c'est-à-dire retirer les morceaux dans un autre récipient. Ajouter à ceux-ci 20 petits oignons « sauce » glacés à blond, 200 grammes de lardons blanchis et légèrement rissolés, 500 grammes de petits champignons sautés au beurre.

La sauce sera liée avec le sang du coq ou à défaut avec du sang de porc comme pour un civet et, après rectification de l'assaisonnement, passée sur l'ensemble des ingrédients.

Servir le coq avec des croûtons taillés en dents de loup et dorés au beurre.

Poulet en cocotte à la bonne femme

Choisir une cocotte de dimension proportionnée au volume de la volaille et de sa garniture afin que cette dernière, qui ne doit jamais être très importante, puisse reposer entièrement sur le fond de la cocotte, autour du poulet, et cuire dans le jus de ce dernier.

Poularde de Bresse truffée mère Brazier (p. 2

Chauffer dans ce récipient 50 grammes de beurre, y mettre le poulet assaisonné et le cuire à couvert en le retournant et en l'arrosant souvent.

Quand la volaille est à demi cuite, l'entourer avec 50 grammes de lard de poitrine maigre coupé en lardons ; les ébouillanter 10 minutes ; 10 tout petits oignons fortement ébouillantés et une vingtaine de pommes de terre taillées de la grosseur et de la forme d'une olive et également ébouillantées.

Poursuivre la cuisson à four assez chaud pour provoquer le rissolage léger de la garniture. Assaisonner en tenant compte de la salaison du lard. Saupoudrer d'une pincée de persil haché au moment de servir dans la cocotte.

Volailles rôties

Poularde, poulet à la reine, poulet de grain :

Rôtir au four ou à la broche constitue deux procédés différents commentés à la théorie sur les rôtis.

Qu'il s'agisse d'une poularde, d'un poulet à la reine ou d'un poulet de grain, la méthode est la même, seul le temps de cuisson, conditionné par le volume et le poids de la pièce, est modifié.

Au four :

Placer la volaille, assaisonnée à l'intérieur et à l'extérieur d'une prise de sel fin, dans un plat à rôtir garni de sa grille ; l'arroser de beurre fondu. La volaille sera maintenue le plus possible sur les cuisses et arrosée souvent avec le beurre de cuisson et non avec le jus, plus lourd que ce dernier et qui reste au fond du plat.

Si la marche de la cuisson a été bien surveillée et lente, le jus et le beurre rassemblés dans le plat doivent suffire au service du poulet. Sinon, mettre une ou deux cuillerées d'eau chaude avant de terminer la cuisson.

A la broche, le foyer incandescent ou flambant sera parfaitement adapté au volume de la volaille. L'arrosage fait avec le jus recueilli dans la lèchefrite sera accompli avec la partie grasse.

Ce jus est l'accompagnement tout indiqué de la pièce.

Les volailles rôties sont généralement servies avec un bouquet de cresson, le jus de cuisson, non dégraissé, à part.

Tous les légumes peuvent, en outre, servir d'accompagnement.

Poulet de grain grillé à la diable

Préparer le poulet en glissant l'articulation de la patte et du pilon dans une incision pratiquée dans le flanc de la volaille. Couper le nerf de l'articulation pour empêcher toute réaction de ce dernier sous l'action de la chaleur.

Fendre le poulet du cou à la croupe par le dos, l'ouvrir, l'aplatir légèrement, l'assaisonner d'une prise de sel fin, le placer sur un plat à rôtir, l'arroser de beurre fondu et le rôtir à demi.

Ce point de cuisson étant atteint, le badigeonner avec de la moutarde ordinaire légèrement diluée, le saupoudrer de pain de mie rassis émietté en chapelure, l'arroser du beurre fondu et terminer la cuisson sur le gril.

Servir accompagné de cresson, de pommes de terre frites ou pommes paille, Pont-Neuf, mignonnettes, etc., et d'une saucière de sauce à la diable.

Poulet de grain grillé à l'américaine

Procéder comme pour le poulet grillé à la diable ; dresser le poulet sur un grand plat long, disposer dessus 6 tranches minces de lard fumé (bacon) grillées, 6 petites tomates et 6 têtes de champignons grillées.

Accompagner d'une saucière de sauce diable.

Les volailles froides

Rôtie ou pochée, toute volaille destinée à être servie froide ne doit jamais séjourner dans un réfrigérateur, sauf si le réglage est d'au moins + 8 à 10 °C.

Une volaille cuite, soumise à un refroidissement excessif, devient coriace, fade et désagréable à manger.

Je conseillerai de laisser simplement refroidir la pièce traitée sur un plat à l'air, dans un local autre que la cuisine si possible.

Servir comme les viandes de boucherie froides et selon les indications données en ce qui concerne les garnitures et les sauces d'accompagnement.

Mayonnaise de volaille

Ciseler un ou plusieurs cœurs de laitue, la quantité nécessaire pour un nombre de convives déterminé ; saupoudrer cette julienne d'une pincée de sel fin et l'asperger avec quelques gouttes de vinaigre ; mélanger et dresser en dôme dans une coupe en cristal ou un saladier.

Disposer dessus les morceaux de volaille débarrassés de la peau et escalopés ; lisser par-dessus une nappe assez copieuse de sauce mayonnaise ; décorer avec différents motifs de betterave rouge, tomate, câpres, cornichons, olives dénoyautées, quartiers d'œufs durs, filets d'anchois, de harengs marinés, et, au centre, en panache, un cœur de laitue.

Après présentation, et au moment de servir, mélanger parfaitement l'ensemble qui se trouve lié avec la sauce mayonnaise et surtout assaisonné.

Mousse de volaille

Procéder comme pour la mousse de jambon.

Utiliser de la gelée à peine teintée, couleur vin de Champagne.

Poularde pochée à la gelée

Placer une poularde ou un poulet à la reine dans une casserole haute pouvant juste l contenir. La mouiller à hauteur avec du fond de veau, blanc, riche en principes gélatineux parfaitement condimenté et très clair.

Faire bouillir, retirer l'écume, couvrir et pocher à ébullition à peine visible.

Après cuisson, débarrasser dans un récipient étroit de façon que la poularde refroidisse en baignant entièrement dans son fond de cuisson.

A ce moment, placer dans le fond du récipient, sous la poularde, un bouquet d'estrago frais et verser la cuisson bouillante dessus.

Quand la poularde sera bien refroidie, la découper selon les conseils donnés au chapitre des rôtis ; dresser les morceaux dans une coupe de cristal et les recouvrir avec le fond d volaille parfumé très modérément à l'estragon.

Si le pochage a été bien conduit, le fond de volaille passé au linge doit être absolumer limpide et sapide, de quantité suffisante pour baigner les morceaux de poularde et si légèrement gélatineux qu'il ne serait pas possible de démouler l'ensemble.

Le point de finesse est alors obtenu.

Tenir au frais en l'attente de servir.

Dinde de Crémieu truffée

Voici pour l'hiver une recette de mon grand-père paternel, telle qu'elle se fait dans ma famille depuis toujours.

« Prenez une dinde (de Crémieu de préférence) de deux à trois kilos. Farcissez-la avec quatre cents grammes de chair à saucisse et autant de truffes hachées. Glissez quelques lamelles de truffe sous la peau avant de la brider. Enveloppez votre dinde dans du papier sulfurisé et enfermez-la dans un sac de jute. Dans la terre de votre jardin, creusez un trou pas trop profond et enterrez la dinde. Le froid et l'humidité de la terre vont permettre aux truffes de donner tout leur arôme. Au bout de deux jours, préparez un court-bouillon avec des carottes, céleris, oignons, poireaux, clous de girofle, sel, poivre, jarret de veau et queue de bœuf en morceaux. Faites pocher votre dinde une heure et demie. Servir avec les légumes et un riz pilaf. »

Dinde farcie aux marrons

Éléments :

Pour une petite dinde de l'année pesant, vidée, environ 2 à 2,500 kg : 750 grammes de marrons, soit 1 litre environ ; 300 grammes de maigre de porc frais (jambon ou filet) ; 300 grammes de lard gras frais ; 300 grammes de panne ; 2 belles bardes de lard ; un verre à liqueur de fine champagne ou de cognac ; 2 échalotes.

Méthode :

Préparation du dindonneau :

Enlever l'extrémité des ailerons, flamber la volaille, puis l'éplucher soigneusement de tous les canons de plumes ; la vider en incisant la peau du cou dans toute sa longueur, côté du dos ; par cette fente, dégager la poche à aliments, puis trancher le cou à sa naissance et la peau au ras de la tête. Désosser et détacher la fourchette, petit os en « V » qui gêne le passage de l'index pour vider la volaille entièrement par la gorge. Glisser d'abord le doigt à l'intérieur et le manœuvrer de manière à rompre tous les muscles qui retiennent les organes : poumons, gésier, cœur, foie.

Les sortir, un à un, en prenant grand soin de ne pas déchirer la poche à fiel attenante au foie. Sortir de même les intestins, quand ils n'ont pas été extraits à la mise à mort de l'animal, ce qui a lieu généralement. Retirer les nerfs des pilons selon l'explication donnée ci-dessus.

Parer les abats : enlever la poche à fiel et les filaments nerveux du foie, couper ce dernier en six parties, les assaisonner de sel et poivre et d'une prise de thym et de laurier broyés en poudre, les rassembler sur une assiette. Couper les deux noix maigres du gésier et les dénerver, les mettre ainsi que le cœur et les poumons à côté du foie. Ajouter le cou.

Préparation de la farce :

Couper le maigre de porc en petits dés ; le hacher très finement ainsi que le lard débarrassé de la couenne, assaisonner le tout avec 10 grammes de sel épicé, en y mélangeant le cœur, les poumons et les deux lobes de gésier également hachés fin.

Diviser la panne en petits morceaux, retirer les membranes et les filaments, la broyer au pilon et recueillir cette pâte dans une sauteuse, la tenir dans un endroit tempéré pour ramollir la masse que l'on passe aussitôt au tamis très fin.

Dans un plat à sauter, faire fondre gros comme deux noix de panne tamisée. Quand elle est fumante, y jeter les morceaux de foie, les raidir rapidement et les égoutter saignants sur une assiette. Aussitôt refroidis, les hacher très finement et les mettre dans une terrine.

Dans le même plat à sauter, mettre une bonne cuillerée de panne tamisée, la chauffer ; dès qu'elle est chaude, y faire blondir l'échalote finement hachée et y réunir ensuite le fin hachis de porc mélangé aux abats de la dinde. Remuer sans arrêt avec une spatule en maintenant le plat à sauter en plein feu pendant les quelques minutes nécessaires à la demi-cuisson de la farce.

Au moment de retirer du feu, verser dans la farce un verre à liqueur de fine champagne ou d'excellent cognac, flamber et couvrir aussitôt hermétiquement. Mettre de côté à refroidir presque complètement.

Quand cette farce est tiède, la verser dans la terrine dans laquelle le foie a été débarrassé. Y réunir le reste de la panne tamisée et malaxer vigoureusement le tout à la spatule pour l'unifier intimement. Ce travail gagnera à être fait dans un mortier et au pilon.

Remettre le mélange dans la terrine, tenir au frais.

Vérifier l'assaisonnement en faisant pocher à l'eau salée à point une demi-noix de farce.

Préparation des marrons :

Fendre l'écorce et les plonger quelques minutes dans de la friture fumante, ou les griller au four. Les décortiquer à chaud, les deux enveloppes se détacheront facilement.

Les placer dans une casserole haute avec une branche de céleri ; les mouiller avec du bouillon en les couvrant juste à hauteur. Les cuire à petits bouillons, arrêter la cuisson lorsque les marrons sont encore un peu fermes. Éviter leur écrasement.

Les égoutter tièdes, les réunir à la farce et mélanger le tout en prenant le plus grand soin de ne pas briser les marrons.

Terminaison et poêlage de la dinde :

La dinde, vidée, les pattes soigneusement flambées ou ébouillantées, dépouillées et dénervées, est prête à farcir. Au préalable, l'assaisonner intérieurement de sel et poivre par l'orifice pratiqué dans la gorge, puis introduire farce et marrons. Rabattre la peau du cou et brider la volaille avec deux ficelles, la première passée dans les ailerons et maintenant la peau du cou tendue, la seconde traversant le bassin à la hauteur de l'articulation des cuisses et des pilons remontés vers les ailes, puis de l'articulation des pattes au niveau de la croupe. Enfin la barder.

Placer la dinde ainsi préparée dans une daubière, la coucher sur le côté, la graisser avec un peu de panne spécialement réservée, mettre le cou, saupoudrer d'une pincée de sel fin et cuire doucement au four de chaleur moyenne, à couvert.

La retourner très souvent. Vers la fin de la cuisson, enlever le couvercle, puis les bardes pour donner une belle coloration dorée. Le temps de cuisson se calcule à raison de 20 minutes par kilo, la volaille pesée farcie.

Servir ainsi, les brides enlevées, accompagnée du jus de cuisson légèrement dégraissé.

Nota. — Nous faisons observer que les éléments utilisés pour farcir sont cuits en totalité ou en grande partie avant leur introduction dans la volaille. Cette méthode présente l'avantage de cuire cette dernière sans tenir compte, ou très peu, de la farce et de régler le poêlage comme pour une pièce ordinaire dont la cuisson est arrêtée juste à point pour obtenir un moelleux parfait.

Si la dinde est farcie avec des éléments crus, la durée de la cuisson sera augmentée de telle sorte que la volaille sera desséchée, la chair de la dinde devient extrêmement friable quand il y a excès de cuisson. D'ailleurs, les marrons resteraient, malgré tout, totalement crus.

Pigeonneaux aux petits pois

Principe général :

Vider les pigeons des intestins, de la poche à aliments et du gésier, ne jamais enlever le foie qui ne possède pas de poche à fiel.

Les brider selon le mode dit en entrée, c'est-à-dire en repliant les pattes et en glissant l'articulation dans une incision pratiquée dans le flanc de l'oiseau. Ficeler, ensuite, avec une bride qui traverse le pigeon à la hauteur des ailes, puis des cuisses.

Éléments (pour trois pigeons) :

125 grammes de lard de poitrine maigre ; 12 petits oignons blancs ; 1 litre de petits pois ; un tout petit bouquet garni ; 50 grammes de beurre.

Méthode :

Débarrasser le lard de la couenne, le diviser en gros dés, mis à l'eau froide et ébouillantés 5 minutes. Égoutter, éponger et faire rissoler dans une sauteuse avec gros comme une noix de beurre.

Les égoutter à l'écumoire et les réserver sur une assiette.

Dans le même beurre, mettre les petits oignons blancs à dorer. Les égoutter et les réunir aux lardons.

Remplacer les oignons par les pigeons et les faire colorer de tous côtés à couvert pendant 12 minutes. Les retirer et les tenir au chaud entre deux plats.

Dans le plat à sauter utilisé, mettre les oignons, les lardons, les petits pois fraîchement cueillis et écossés, le petit bouquet garni et une prise de sucre. Ajouter 2 cuillerées à potage d'eau et cuire, à feu vif, à couvert.

Dès que les pois sont presque cuits, ce qui demande 15 à 20 minutes s'ils proviennent d'une cueillette récente, y réunir les pigeons, juste le temps de bien les chauffer. Éviter de faire bouillir.

Les dresser sur un plat rond creux et chaud, enlever le bouquet garni, ajouter aux pois, hors du feu, 50 grammes de beurre frais, bien vanner le tout, goûter, et verser la garniture sur les pigeonneaux. Servir ainsi.

Nota. — Le fond de cuisson doit être tenu un peu court, quoique suffisant pour humidifier largement les petits pois qui, après adjonction du beurre frais et de la liaison, se trouvent enrobés d'un jus sirupeux et ample.

Pigeonneaux en salmis

Éléments :

3 jeunes pigeons sacrifiés par étouffement pour maintenir le sang dans la chair ; une carotte et un oignon moyens ; 2 échalotes ; 100 grammes de beurre ; un verre de cognac ; 125 grammes de champignons ; un verre de bon vin rouge ; muscade.

Méthode :

1º Couper le rouge de la carotte, l'oignon et les échalotes en dés très menus (brunoise) ; faire étuver dans une sauteuse avec 20 grammes de beurre, assaisonner de sel fin, une prise de poivre et une pointe de muscade. Quand cette brunoise est cuite, y ajouter les jambes des champignons nettoyées, lavées et hachées finement. Mouiller avec le vin rouge, cuire doucement jusqu'à demi-réduction du vin.

2º Rôtir à four très chaud et au beurre les trois pigeons pendant 12 à 15 minutes suivant leur grosseur. Ils doivent être jeune-cuits, c'est-à-dire très saignants. Les retirer sur une assiette et, à leur place, sauter rapidement les têtes des champignons, entières si elles sont petites, en quartiers si elles sont moyennes ou grosses. Les assaisonner avec une prise de sel fin.

Dès leur sortie du four, diviser les pigeons en 5 parties : les 2 cuisses, les 2 ailes et l'estomac. Retirer la peau et replacer les morceaux dans le plat à sauter utilisé pour les saisir et dans lequel les têtes de champignons ont été rissolées deux minutes à leur suite et dans le même beurre.

Sortir les foies des carcasses, les réserver sur une assiette et les malaxer à la fourchette avec 50 grammes de beurre frais.

Hacher de quelques coups de couteau les carcasses, cous et gésiers, les mettre dans la presse à viande et en extraire tout le jus sanguinolent. Le recueillir dans un bol.

3º Terminaison et mise au point.

a) Mélanger le jus recueilli avec la brunoise mi-réduite et très chaude, presque bouillante. Remuer avec un fouet, ne pas faire bouillir.

b) Arroser les morceaux de pigeons avec le cognac, flamber et étouffer presque aussitôt.

c) Verser sur les pigeons la sauce brunoise passée au chinois fin ; fouler fortement les légumes.

d) Chauffer le tout, en vannant, sans faire bouillir. La liaison s'opère par la coagulation du sang sous l'effet de la chaleur.

e) Beurrer, hors du feu, avec les foies malaxés avec le beurre frais. Tenir assez relevé avec du poivre frais moulu.

Dresser sur un plat très chaud et entourer de petits croûtons en pain de mie taillés en cœur et frits au beurre.

Pigeon en bécasse à l'assiette

Éléments (pour 4 personnes) :

4 pigeons de Bresse ; 50 grammes de foie gras coupé en petits dés ; 50 grammes de purée de foie gras ; 20 grammes de truffes en julienne ; 100 grammes de beurre ; 4 croûtons en pain de mie ; 5 centilitres de cognac ; 1/4 de litre de fond blanc de volaille ; sel et poivre.

Méthode :

1º Après la toilette d'usage, assaisonner les pigeons ; les rôtir au beurre en cocotte.
La cuisson étant obtenue, les retirer, les maintenir au chaud.

2º Déglacer la cocotte au cognac. Mouiller avec le fond blanc. Laisser bouillir sans trop réduire quelques minutes.

Établir la liaison au fouet en incorporant la purée de foie gras et en dernier lieu les dés de foie gras et la julienne de truffes.

Dans chaque assiette, mettre un large croûton doré au beurre. Placer dessus un pigeon coupé en deux.

Après avoir copieusement saucé l'ensemble, servir aussitôt.

P. S. — Le ramier et la palombe peuvent subir la même préparation.

Canards et canetons

La basse-cour offre deux spécimens, l'un et l'autre de qualité, et, culinairement, fort différents : le rouennais, le nantais.

Le marais est, au surplus, prodigue en canards sauvages dont les variétés sont aussi nombreuses que décoratives et exquises. J'en parlerai dans le chapitre consacré au gibier à plume. Ici, je me bornerai aux produits de la basse-cour.

Canard rouennais

Cette espèce rivalise, comme taille, avec celle dite « de Barbarie ».

Le sacrifice de ce canard est particulier à cet élevage. L'éleveur le tue par étouffement, mode de mise à mort qui provoque un extravasement de sang dans les chairs, ce qui leur donne une couleur brune et une saveur particulière.

Toutefois, ce procédé a l'inconvénient de précipiter la mortification des chairs pendant la saison chaude. Il sera donc prudent de s'entourer de toutes les garanties de fraîcheur quand un canard rouennais figurera sur un menu l'été. Des désordres assez sérieux peuvent être dus à un canard dont les chairs sont altérées.

Il existe deux méthodes culinaires de traiter le canard rouennais, quoique la véritable recette constitue, très simplement mais superbement, l'un des meilleurs salmis qui se puisse imaginer.

Je donnerai cependant une certaine préférence à la méthode dont le caractère est spécial à la Normandie. Je l'appellerai « Le canard rouennais de l'Hôtel de la Couronne » pour illustrer le célèbre restaurant des frères Dorin.

Le canard rouennais de l'Hôtel de la Couronne

Un canard rouennais vidé pèse 1,500 kg environ.

Le vider par la gorge et réserver le foie. L'assaisonner de sel et poivre à l'intérieur.

Ajouter au foie du canard trois autres foies (foies de volaille à défaut). Les diviser en gros dés, les assaisonner et bien mélanger. Réserver sur une assiette.

Râper 100 grammes de lard gras et frais. En faire fondre une cuillerée à café dans une sauteuse et y faire étuver deux échalotes finement ciselées. Quand l'échalote est cuite, lui adjoindre les trois foies d'appoint, celui du canard étant réservé. Faire rapidement raidir en plein feu pour maintenir les foies saignants, mouiller avec un verre à liqueur de calvados ou de cognac ; flamber et étouffer aussitôt.

Renverser la sauteuse sur un tamis et tamiser les foies chauds et saignants sur une assiette.

Mettre cette purée dans une terrine, la malaxer avec le lard râpé et 100 grammes de mie de pain trempée au lait et pressée. Vérifier l'assaisonnement.

Assaisonner de sel épicé et introduire cette farce dans le canard, le trousser en entrée et le brider.

Le rôtir soit au four, soit à la broche, à feu très vif, pendant 18 à 20 minutes. Il doit être encore saignant.

Le découper aussitôt en détachant d'abord les cuisses restées très saignantes.

Présenter le côté intérieur au gril pour en achever la cuisson et poursuivre le découpage. Enlever les ailes puis, en aiguillettes, l'estomac. Les ranger à plat en éventail sur un plat rond et chaud.

Ouvrir la carcasse, dégager la farce et la disposer à la base de l'éventail, les cuisses entrecroisées en bordure de la farce. Recouvrir d'un plat ou d'une cloche.

Hacher rapidement la carcasse et la mettre dans la presse à jus de viande, ajouter 2 verres de cognac et recueillir le jus saignant dans un bol.

Arroser les aiguillettes de la sauce rouennaise ci-après.

Sauce rouennaise :

Faire étuver au beurre une demi-cuillerée à café d'échalote finement ciselée. Ajouter un soupçon de poudre de laurier et de fleurs de thym. Mouiller avec un verre de bon vin rouge et cuire en réduisant des deux tiers. Mélanger à cette réduction 1 décilitre de sauce demi-glace, laisser bouillir 5 minutes, puis, hors du feu, lui adjoindre le foie du canard qui a été réservé puis tamisé et le jus saignant recueilli de la presse. Chauffer doucement sans laisser bouillir, la liaison s'effectue par la seule chaleur de la sauce.

Passer à l'étamine ou au chinois très fin et compléter par l'addition de 50 grammes de beurre frais.

Vérifier l'assaisonnement et napper copieusement les aiguillettes et la farce.

Steaks de canard

Éléments (pour 2 personnes) :

2 ailes de canard rouennais ; 1 cuillerée de vieil armagnac ; 1/4 de litre de vin rouge de Bourgogne ; 150 g de beurre ; sel et poivre.

Méthode :

1º Parer les deux ailes de canard. Assaisonner avec sel et poivre.

Dans une sauteuse les saisir au beurre, les colorer des deux côtés sans pousser trop loin la cuisson car les chairs du canard doivent rester rosées, presque saignantes.

2º La cuisson étant obtenue, mettre les deux ailes sur un plat de service, les trancher.

3º Mettre à suer dans la sauteuse une cuillerée d'échalotes hachées. Déglacer avec un filet d'armagnac et le vin de Bourgogne.

Laisser réduire de moitié et lier la sauce avec 100 grammes de beurre frais. Rectifier l'assaisonnement.

Pour servir, on nappe les steaks de cette excellente sauce et on les garnit de petits oignons et navets glacés, mousserons sautés au beurre et épinards nouveaux en branches.

Canard Claude Jolly, création Michel Guérard

Foie gras au poivre :

Dénerver les foies (de canards).

Les faire macérer deux jours avec sel, poivre, porto et cognac.

Les faire cuire dans un torchon, dans un fond de canard avec porto pendant 10 minutes, suivant la grosseur et les faire refroidir.

D'autre part, faire réduire le fond dans lequel ont cuit les foies, en le liant légèrement (Pour deux litres de fond réduit : 1 cuillerée à soupe de fécule et 8 feuilles de gélatine.)

Faire prendre, pour pouvoir napper en gelée, une première couche sur les foies.

Parsemer de mignonnettes de poivre. Finir le glaçage.

Aiguillettes de canard :

1º Canards cuits (canards au sang) dans un fond : 1/2 fond de veau, 1/2 bordeaux rouge Durée de cuisson : 30 minutes environ.

Dépouiller les aiguillettes et les faire refroidir.

2º Glacer les aiguillettes avec le même fond que pour les foies et avec le fond de cuisson des canards.

Servir à l'assiette les aiguillettes et une tranche de foie de canard accompagnées de gelée

Caneton rouennais en salmis

Rôtir un caneton rouennais à four très chaud 16 à 18 minutes au maximum. A la sortie du four, laisser reposer 5 minutes.

Le découper ensuite. Les cuisses, d'abord, dont on remet la face intérieure à griller, puis les ailes et l'estomac levés en fines aiguillettes que l'on range à plat sur un plat long et chaud.

Ce plat, préalablement préparé, a été grassement beurré, puis saupoudré avec une cuillerée à café d'échalote hachée, un soupçon de muscade râpée et quelques tours de moulin à poivre.

Chauffer le plat de façon à faire blondir l'échalote.

Hacher la carcasse saignante, la broyer à la presse à viande et recueillir le jus dans un bol, augmenter de trois ou quatre cuillerées à potage de bon vin rouge versé sur la carcasse pendant le pressage pour faciliter ce dernier. Ajouter le foie cru tamisé en purée.

Éparpiller sur les aiguillettes quelques noisettes de beurre, les arroser avec un verre à liqueur de cognac, flamber et étouffer aussitôt. Napper avec le jus saignant provenant de la presse et mélangé au foie ; chauffer le plat en vannant et sans laisser bouillir, mettre une seconde à four très chaud et servir avec les cuisses ajoutées.

Nota. — La liaison obtenue n'est autre que la coagulation progressive du sang contenu dans le jus, et du foie en purée et dilué ; la difficulté consiste dans l'art de bien réussir à chauffer doucement ce jus sans le faire bouillir jusqu'à épaississement normal d'une sauce très onctueuse.

Caneton nantais

La dénomination de caneton indique un jeune canard. Le traitement culinaire à appliquer est invariable quel qu'en soit le mode ou la garniture.

Dans tous les cas, sauf s'il s'agit d'un caneton en chemise, c'est-à-dire généralement poché, on adoptera soit le rôti, soit le poêlage. On évitera toujours toute méthode qui provoque l'ébullition et le dessèchement des parties tendres : les filets du caneton.

Caneton aux navets

La préparation (l'habillage) d'un caneton, consiste à le flamber, le vider, l'assaisonner de sel et de poivre à l'intérieur, le brider en entrée et le barder.

Méthode :

1º Faire rissoler doucement, de tous côtés, un caneton dans une cocotte avec 30 grammes de beurre.

Quand il est bien doré, poursuivre la cuisson à couvert pendant 25 minutes.

Il est indispensable d'arrêter la cuisson quand le jus égoutté sur une assiette, provenant de l'intérieur de la volaille, apparaît clair rosé.

Pour que le caneton soit moelleux et juteux, l'à-point de cuisson doit être jeune-cuit. Le jus légèrement rosé doit perler de la chair après le passage du couteau qui la découpe.

Chaque fois que les filets seront après cuisson couleur foncée, les convives constateront qu'ils sont secs et fermes.

La conduite de la cuisson et son à-point sont les deux conditions essentielles à la réussite d'un mets exquis mais ingrat.

2º Pendant cette opération, préparer la garniture.

Faire chauffer, dans un plat à sauter, 30 grammes de beurre, y mettre à colorer 15 petits oignons, préalablement ébouillantés 5 minutes, sauf s'il s'agit d'oignons blancs nouveaux. Les égoutter et les réserver sur une assiette.

Dans le même beurre, augmenté d'une cuillerée à potage de graisse de volaille, sauter 400 grammes de navets, coupés en petits quartiers de la grosseur d'un petit œuf et parés de même forme. Les assaisonner d'une prise de sel. Quand ils sont à demi dorés, les saupoudrer d'une cuillerée à café de sucre en poudre qui, en caramélisant, accroîtra la coloration dorée foncé.

Si les navets sont de vieux légumes, il y aura intérêt à les ébouillanter assez fortement avant ce rissolage.

A ce moment, saupoudrer les navets avec une cuillerée à potage à peine rase de farine, la laisser roussir deux minutes, mouiller avec un demi-verre de vin blanc sec, réduire des deux tiers et compléter le mouillement juste à hauteur avec du jus de veau ou du bouillon peu salé ou de l'eau à défaut. Assaisonner avec sel et poivre, en conséquence ; ajouter les oignons, une gousse d'ail finement râpée et un minuscule bouquet de persil, garni d'un brin de thym et d'un quart de feuille de laurier. Laisser mijoter jusqu'à cuisson complète.

3° Le caneton étant cuit, le dresser sur un plat de service creux et chaud et verser, dans la cocotte ou l'ustensile employé pour le poêler, les navets débarrassés du bouquet garni.

La garniture doit être très fondue dans la sauce assez courte et légère qui, mélangée au fond de poêlage, composera un mouillement suffisant et corsé pour le service du caneton et des navets.

Vanner le tout, afin de bien déglacer le fond de poêlage, vérifier l'assaisonnement et dresser la garniture en bouquets à droite et à gauche du caneton ; arroser ce dernier du fond restant.

Persiller les navets d'une prise de persil haché.

Caneton aux olives

Préparer et poêler le caneton comme il est indiqué pour la recette aux navets.

Quand le caneton est cuit à point, le dresser ; mettre à mijoter 5 minutes dans le fond de poêlage, lequel est de quantité suffisante si la cuisson a été méthodiquement conduite (on corrige l'excès de réduction par l'appoint d'une ou deux cuillerées à potage de bon jus de veau, de bouillon, ou d'eau à défaut), 250 grammes d'olives vertes, évidées de leur noyau, et ébouillantées deux minutes pour enlever le goût de saumure, égouttées et épongées.

Vanner, hors du feu, dans le fond de poêlage, les olives et 30 grammes de beurre frais ; en arroser le caneton.

Caneton aux petits pois

Poêler un caneton (voir caneton aux navets). Le dresser. Dans le fond de poêlage, verser un litre de petits pois frais, préalablement cuits à la française, avec addition de 125 grammes de lard maigre de poitrine coupé sans la couenne en petits dés ébouillantés et rissolés (voir chapitre des légumes, préparation des petits pois).

Laisser mijoter les pois dans le fond pendant 5 minutes ; beurrer, hors du feu, avec 30 grammes de beurre frais ; vérifier l'assaisonnement et verser sur le caneton.

Nota. — Les petits pois ainsi préparés ne doivent pas baigner dans le jus ; ils doivent s'y trouver liés, mais d'une façon extrêmement légère, mousseuse, enrobés de jus sirupeux rendus onctueux par l'incorporation du beurre frais qui y a été vanné.

Caneton poêlé à l'orange dit « à la bigarade »

Assaisonner intérieurement un caneton de sel et poivre. Ajouter gros comme une noix de beurre frais ; poêler le caneton très doucement au beurre suivant la méthode indiquée au

ecettes précédentes. Le tenir très légèrement saignant, rosé exactement, après un repos
le 10 à 15 minutes.

Pendant la cuisson, lever le zeste (partie mince et jaune, à l'exclusion de la partie blanche
et amère de la peau) d'une orange. Le tailler en fine julienne et l'ébouillanter 5 minutes ; l'égout-
er et l'éponger. Le réserver sur une assiette.

Éplucher à vif deux oranges et les diviser en quartiers coupés à vif entre chaque cloisonnement. Les disposer en feston sur la bordure intérieure d'un plat long destiné au service du
aneton.

Presser dans un bol le jus d'une troisième orange et d'un quartier de citron. Le passer
dans un linge.

Frotter deux morceaux de sucre sur le zeste de la troisième orange avant d'en presser
e jus. Puis, les cuire au caramel blond dans une petite casserole, mouiller avec deux cuillerées
café de vinaigre, réduire presque totalement à l'état de sirop épais.

Quand le caneton est cuit à point, le dresser au centre du cordon de quartiers d'oranges,
débarrassés de tous pépins ; mettre dans le fond de poêlage une ou deux cuillerées de bon
ond de veau et le passer dans un linge disposé sur la casserole contenant le sucre caramélisé,
aire bouillir quelques minutes avec une pincée de tapioca, de façon à cuire à fond ce dernier
ui donnera au jus son caractère légèrement sirupeux ; puis, hors du feu, ajouter la julienne de
este, le jus d'orange et du quartier de citron ; lier avec 50 grammes de beurre frais, vérifier
assaisonnement, et arroser le caneton. Servir en saucière le complément du jus.

Nota. — Bien veiller à éviter tout excès de réduction du fond de poêlage qu'il faudrait
orriger par l'appoint d'une quantité nécessaire de bon jus de veau.

Pintades et pintadeaux

Janvier et février sont par excellence la saison des pintadeaux.

Le pintadeau, rôti, poêlé ou en cocotte, doit être cuit rosé. Sa chair une fois cuite à point
ouffre de trop attendre. Mettre au feu en temps utile.

Quant à la pintade, il faut la réserver pour une chartreuse. Rôtie, elle sera sèche ; par
ontre, braisée, elle sera exquise (voir chartreuse de perdreaux).

Oie

D'une manière générale, on applique à l'oie grasse les différentes préparations de la dinde
t des canards. S'inspirer des recettes indiquées pour ceux-ci.

Si l'oie n'est plus jeune, il ne faut pas hésiter à la préparer en ragoût. Ainsi traitée, aux
avets, aux marrons, aux oignons, au raifort, au riz, aux pommes de terre, au chou-rave, au
ou navet, elle donnera un résultat toujours appréciable.

Oison farci à la fermière

Choisir un oison, sujet de la première couvée, déjà bien en chair et pesant 1,500 kg
nviron, vidé. Le vider par la gorge comme il est conseillé pour le dindonneau et le farcir du
élange ci-après.

Faire tremper dans du lait 60 grammes de mie de pain.

D'autre part, cuire doucement dans une sauteuse, sans rissoler, avec une noix de beurre,
échalotes et un oignon moyen ciselés finement. Quand échalotes et oignons sont bien fondus,
raidir en chauffant vivement trois secondes le foie de l'oison augmenté de deux foies de
olaille ; assaisonner de sel et de poivre. Mouiller avec un verre à liqueur de cognac, flamber
étouffer aussitôt.

Renverser la sauteuse sur un tamis et fouler le tout sur une assiette où la purée obtenue es réservée.

Presser la mie de pain trempée et la réunir dans une terrine avec la purée de foie, 60 grammes de lard gras et frais râpé, une demi-cuillerée à café de persil haché, deux feuilles de sauge hachées, un œuf, une pointe de muscade râpée, sel et poivre. Bien malaxer le tout à la spatule.

Y ajouter trois ou quatre pommes encore vertes et acidulées, épluchées, coupées en quartiers, débarrassées des pépins, émincées, et sautées au beurre dans une sauteuse pour les cuire à demi.

Quand le mélange est bien homogène et son assaisonnement contrôlé, l'introduire dans l'oison préalablement assaisonné à l'intérieur. Le brider et le barder. Le placer sur un plat à rôtir.

L'assaisonner de sel fin et l'arroser copieusement de beurre fondu. Le cuire 50 minutes environ en l'arrosant très souvent avec le beurre de cuisson.

Pour servir, ajouter à ce dernier deux cuillerées à potage d'eau ou de bon jus de veau de préférence. Faire bouillir deux minutes pour déglacer et présenter sans dégraisser.

L'oie du réveillon

Éléments :

Une belle oie de l'année, grasse et bien en chair ; 250 grammes de porc frais provenant du jambon ; 200 grammes de panne ; 200 grammes de petits champignons fermes et blancs 12 saucisses chipolatas ou petites crépinettes ; 6 petits pieds de porc truffés ; 60 marrons 2 oignons moyens et 2 échalotes hachés finement ; un œuf de beurre ; 1 verre à liqueur de cognac ; 1 œuf ; 15 grammes de sel épicé ; 1/2 cuillerée à café de persil frais haché ; 2 branche de céleri.

1° Préparation de l'oie :

Flamber l'oie, la nettoyer, la vider par la gorge et réserver le foie débarrassé de la poche à fiel. Recueillir l'excès de graisse, y compris celle qui enveloppe les intestins.

2° Préparation des marrons :

Écorcer les marrons après les avoir grillés au four ou plongés dans un bain de friture fumante.

Les diviser en deux parties, l'une composée des plus beaux.

Les cuire à couvert séparément, la partie la moins belle dans un court-bouillon de consommé avec une branche de céleri, la partie de marrons choisis dans un plat à sauter pouvant le contenir, les uns à côté des autres, sans qu'ils soient serrés.

Saupoudrer ces derniers avec un blanc de céleri haché finement et mouiller juste à hauteur avec du consommé. Parsemer dessus 50 grammes de beurre divisé en parcelles.

Quand les premiers sont cuits un peu ferme, les égoutter. Quant aux seconds, les découvrir quelques minutes avant leur cuisson complète et pousser la réduction du consommé jusqu'au moment où le liquide réduit, combiné au beurre et au sucre des marrons donnera l'apparence d'un sirop épais. Alors, imprimer au plat à sauter un mouvement de rotation de façon à enrober les marrons de ce jus sirupeux. Cette opération doit être faite délicatement pour éviter l'écrasement des marrons qui seront tenus juste cuits.

Enfin, la cuisson des marrons choisis ne sera faite que 35 minutes avant de servir, alors que ceux de la première série seront cuits au début de la préparation car ils sont destinés à farcir la volaille.

3° Préparation de la farce :

a) Couper la panne en petits morceaux et enlever toutes les membranes. La piler au mortier et la mettre sur une assiette dans un endroit tiède pour provoquer son ramollissement. À ce moment, la passer au tamis fin. La réserver.

b) Hacher finement le maigre de porc. Le réserver.

c) Diviser le foie d'oie en gros dés. Le réserver.

d) Faire fondre dans une sauteuse deux cuillerées de graisse d'oie. Quand elle est fumante, y faire raidir rapidement le foie d'oie. Assaisonner de sel et poivre. Tenir saignant et égoutter. Remettre sur l'assiette.

Dans la même graisse, faire rissoler successivement à feu vif et remettre aussitôt sur l'assiette en réserve :

1° Les chipolata, ou les crépinettes trempées préalablement deux secondes dans l'eau presque bouillante pour raffermir la peau.

2° Les pieds truffés.

3° Les champignons bien nettoyés, rapidement lavés et assaisonnés d'une prise de sel fin.

4° Les oignons et les échalotes hachés ; faire fondre très doucement.

5° Augmenter de trois cuillerées la graisse d'oie, et dès qu'elle est un peu chaude ajouter aux oignons le maigre de porc, travailler 5 minutes en plein feu à la spatule. Arroser avec le cognac, flamber et étouffer aussitôt. Retirer du feu.

e) Piler le foie au mortier ; quand il est bien en pâte, lui adjoindre d'abord la panne, bien mélanger, puis le maigre de porc ; compléter avec deux cuillerées de graisse d'oie crue, l'œuf battu en omelette, le sel épicé et le persil haché. Contrôler l'assaisonnement de cette farce en faisant pocher une particule de la grosseur d'une noisette.

Relever la farce dans une terrine et lui mélanger avec précaution les champignons et les marrons (2e choix). Introduire le tout dans l'oie en intercalant dans la farce les chipolata ou crépinettes et les pieds truffés. Brider et barder la volaille.

° Le poêlage :

Cuire l'oie dans une daubière, à couvert, après l'avoir fait colorer très doucement au beurre fondu ou à la graisse d'oie. Pratiquer de fréquents arrosages. Enlever la barde et la bride 10 minutes avant la fin de la cuisson. Étant donné la cuisson lente, le jus provenant de l'exsudation des sucs de la volaille doit être suffisant. S'il y a excès de réduction, mouiller opportunément avec quelques cuillerées d'eau.

° Le dressage :

Dresser l'oie sur un grand plat long et l'entourer des marrons choisis et étuvés.

Arroser le tout avec un peu de jus de cuisson et servir le complément, légèrement dégraissé, dans une saucière.

Confit d'oie et rillettes d'oie

Le confit d'oie est de préparation facile. Il constitue une réserve alimentaire excellente de longue conservation.

Il appartient à la cuisine régionale française et est spécial au Languedoc, à la Gascogne et au Béarn.

Procédé :

L'oie grasse étant saignée, plumée, flambée, la laisser refroidir totalement.

L'ouvrir, côté du dos, du haut en bas. La vider avec précaution pour éviter de détériore le foie qui reçoit d'autres applications culinaires.

Enlever la graisse qui enveloppe le gésier et les intestins.

Diviser l'oie en quatre parties : les deux ailes et les deux cuisses. Laisser les os de l carcasse adhérents à chaque quartier.

Frotter ces quartiers extérieurement et intérieurement de sel aromatisé et composé, pou 1 kilo de sel marin finement broyé, de 6 grammes de salpêtre, 500 grammes de sucre e poudre, 4 clous de girofle, une feuille de laurier et une brindille de thym broyés en poudre Une forte poignée de ce mélange suffit pour une oie.

Après cette opération, placer les quartiers dans une terrine vernissée et les recouvrir d sel aromatisé et d'un torchon. Laisser macérer dans cette saumure au moins 24 heures.

Retirer ensuite les morceaux d'oie, les secouer et les essuyer soigneusement. Les plonge dans un bain de graisse fondue et tiède, dont une partie de graisse d'oie provenant de l volaille et une partie de panne de porc, l'une et l'autre préalablement clarifiées et passées.

Chauffer doucement pour obtenir une lente ébullition. La graisse doit bouillir et no frire. Au début de la cuisson, la graisse sera trouble, au fur et à mesure que l'oie compoter la graisse se clarifiera peu à peu. Il faut environ deux heures pour obtenir un confit parfai L'à-point de cuisson se remarque à la clarification de la graisse, étant entendu que la march a été conduite à chaleur douce ; à la pénétration sans résistance d'une aiguille dans les chair

Égoutter les quartiers d'oie et enlever les os superflus de la carcasse et des cuisses.

Verser dans un pot en grès vernissé une première couche de graisse de cuisson. Laisse figer et placer dessus sans qu'ils touchent aux parois du pot un premier lit de quartiers. Recou vrir de graisse à demi figée.

Deux jours après, couler sur le pot une nouvelle couche de graisse chaude qui descendr dans les vides éventuels. Le lendemain, couler à la surface une dernière couche de panne d porc bien cuite qui durcira.

Couvrir enfin d'un papier blanc taillé selon le diamètre du pot et l'appliquer sur la graiss Mettre le couvercle et réserver dans un endroit frais et sec.

A chaque utilisation, enlever d'abord la couche de panne, puis la graisse de cuisso Les quartiers se trouvant enlevés, rétablir dans l'ordre primitif les couches de graiss La conservation, d'une saison à l'autre, sera assurée.

Les rillettes d'oie s'obtiennent en traitant le confit comme il est expliqué pour les rillett de porc.

Cassoulet languedocien

Éléments (pour 8 à 10 personnes) :

a) Un litre de haricots blancs secs (variété dite « coco ») trempés à l'eau froide pendar 2 heures s'ils sont de l'année et il est préférable qu'ils le soient — un long trempage engendr la germination, les haricots sont alors incommodants et de digestion plus difficile —; 25 grammes de lard de poitrine maigre, autant de couennes fraîches ; une carotte et un oignc moyens ; un clou de girofle ; un bouquet de persil contenant une brindille de thym ; un fragmer de feuille de laurier et 3 gousses d'ail.

b) 800 grammes d'échine de porc ; 4 quartiers de confit d'oie ; un saucisson à l'ail d 200 grammes (cru) ; 4 oignons moyens ; 3 gousses d'ail ; 5 cuillerées à potage de purée d tomates réduite ; 2 cuillerées à potage de chapelure blonde.

c) Une terrine creuse, peu profonde, en terre, allant au four.

Méthode :

1º Trier et laver soigneusement les haricots, les faire tremper 2 heures, les égoutter, l mettre dans une casserole assez grande avec 4 litres d'eau froide et le lard. Chauffer doucement jusqu'à ébullition, écumer, laisser bouillir 5 minutes et égoutter.

2° Les remettre en cuisson en les remettant dans la casserole rincée avec deux litres d'eau froide, 10 grammes de sel, le lard de poitrine, les couennes ficelées en paquet, la carotte, l'oignon piqué du clou de girofle et le bouquet garni.

Cuire à feu très doux ; les haricots resteront intacts, ils seront parfaitement et régulièrement cuits tout en n'étant pas écrasés.

3° Faire rissoler de tous côtés, dans un plat à sauter ou à rôtir, l'échine de porc copieusement arrosée de graisse de confit d'oie puis assaisonnée de sel fin et de poivre. Quand elle est bien dorée, la réserver sur un plat et, dans la même graisse, mettre à fondre lentement et à blondir les quatre oignons ciselés finement. Quand ils sont bien fondus, y jeter les 3 gousses d'ail écrasées ; chauffer deux secondes, ajouter la purée de tomates et un décilitre de cuisson des haricots. Laisser mijoter très doucement 5 minutes sur le coin du fourneau.

4° Les haricots étant presque cuits à point, enlever la carotte, l'oignon, le bouquet garni. Laisser une quantité de cuisson pour les mouiller juste à hauteur et ajouter l'échine, le saucisson, les 4 quartiers de confit d'oie et la fondue d'oignons.

Faire mijoter, à tout petit feu, pendant une heure. L'ébullition doit être à peine perceptible. Tenir le récipient couvert.

5° Ensuite, retirer toutes les viandes des haricots. Diviser le porc et le lard en tranches, les quartiers de confit en morceaux, les couennes en julienne, le saucisson en rondelles épaisses de 3 millimètres débarrassées de la peau.

Vérifier l'assaisonnement des haricots.

Garnir la terrine d'une louche de haricots et de cuisson, étendre dessus quelques cuillerées de couennes, plusieurs tranches de porc et de lard, des morceaux d'oie et de saucisson. Recouvrir de haricots et poursuivre ainsi en alternant viande et haricots. Sur chaque couche, moudre un peu de poivre frais.

Sur la couche supérieure de haricots, terminer par des tranches de lard et des rondelles de saucisson. Saupoudrer avec la chapelure et arroser de graisse de confit fondue. Couvrir.

Cuire au four de chaleur douce — four de boulanger ou de pâtissier si possible — pendant deux heures. Enlever le couvercle 15 minutes avant de servir dans la terrine pour la formation d'un gratin. A ce moment l'eau de cuisson doit être suffisamment réduite pour être liée légèrement avec les éléments féculents des haricots.

Foie gras

L'acquisition d'un foie gras frais exige une certaine expérience ou tout au moins, un minimum d'informations.

Le marché offre, sans distinction, les foies d'oie et les foies de canard. Les premiers ont supérieurs aux seconds, surtout pour les préparations chaudes.

Certains foies de belle apparence deviennent gris à la cuisson, d'autres apparaissent veinés de filaments noirâtres, d'autres enfin fondent et se transforment en graisse liquide sous l'action de la chaleur.

Il faut savoir dépister ces défauts au moment de l'achat. Ce dépistage n'est d'ailleurs pas sans difficultés.

Pour cela, nous conseillons d'écarter les deux lobes et de vérifier l'intérieur. Refuser rigoureusement les foies qui n'ont pas une couleur rosée très franche et ceux striés de minuscules veines noirâtres. Pour en juger la qualité, prendre avec la pointe d'un couteau à l'intérieur de l'un des deux lobes gros comme un petit pois de foie. Rouler cette pâte doucement entre le pouce et l'index ; la chaleur des doigts l'amollira, ou elle restera onctueuse et lisse, ou, devenant huileuse, elle se dissociera.

Acheter le foie de jolie couleur franchement rosée, sans veines et dont la chair, à l'épreuve ci-dessus, demeure lisse et onctueuse.

Foie gras chaud

Parer le foie rigoureusement choisi en enlevant les traces et les filaments noirâtres qui soutenaient la poche à fiel.

Le clouter; pour ce travail, pratiquer sur la surface des lobes et de place en place des incisions dans lesquelles l'on insère des quartiers de truffes crues préalablement macérées dans un assaisonnement judicieusement composé de sel épicé et d'un verre à liqueur de cognac ou de fine champagne.

Avant de clouter le foie, retirer les quartiers de truffes sur une assiette, le rouler en tous sens, dans l'assaisonnement en excès dans lequel les truffes ont macéré.

Envelopper le foie, après cloutage, dans un morceau de crépine de porc et le tenir deux heures dans un petit récipient bien clos, puis le plonger deux minutes dans de l'eau bouillante pour coaguler extérieurement l'albumine.

D'autre part, préparer 500 grammes de pâte à brioche, ou de pâte demi-feuilletée. Faire deux abaisses ovales de 7 à 8 millimètres d'épaisseur et un tiers plus grandes que la surface du foie gras. Placer l'une d'elle sur une tourtière à pâtisserie.

Poser le foie gras sur celle-ci, mouiller le bord de l'abaisse avec un pinceau à pâtisserie. Recouvrir avec la seconde abaisse dont la dimension sera légèrement plus petite.

Rouler en torsade l'abaisse du dessous sur celle qui lui est superposée en soudant les deux pièces par une légère pression des doigts.

Rayer légèrement le dessus avec la pointe d'un couteau; pratiquer au centre une petite ouverture pour l'échappement de la vapeur. Cuire au four de bonne chaleur (35 minutes environ pour un foie moyen).

Si la cuisson est parfaite, le foie doit être très franchement rosé, quoique raffermi. Pour en être certain, pratiquer un sondage avec une fine aiguille à brider. En retirant celle-ci si au contact du dessus de la main elle est fortement tiède, la cuisson est à point.

Pour servir, la maîtresse de maison découpe à table le dessus de la croûte et sert le foie à la cuiller.

Généralement, le foie gras chaud, ainsi préparé, est accompagné de nouilles, lasagnes spaghetti, macaroni ou riz cuits selon les règles ordinaires, liés au beurre ou à la crème.

Foie gras froid au porto

Méthode A :

Préparer 2/3 de litre de fond blanc de volaille et de pieds de veau très gélatineux.

D'autre part, parer soigneusement un foie gras bien choisi et le faire macérer trois heures dans une composition comprenant un verre de cognac ou de fine champagne, du sel épicé et du poivre frais moulu et des épluchures de truffes. Réunir le tout dans une terrine bien close.

Rouler ensuite le foie gras dans une crépine de porc, la maintenir avec un fil et plonger le foie dans le fond blanc en ébullition dans lequel les épluchures de truffes seront ajoutées. Vérifier l'assaisonnement du fond.

Retirer aussitôt sur le coin du fourneau, écumer et maintenir un très léger frémissement pendant 15 minutes pour un beau foie.

Après ce temps, enlever du feu et laisser refroidir dans le fond blanc.

Pour le dressage, prélever la moitié de fond blanc dégraissé à fond, mettre au froid dans un récipient pour éprouver les propriétés gélatineuses compte tenu du porto ou d'un autre vin qui y sera ajouté.

Si la consistance est insuffisante, procéder à la clarification et à la réduction de la quantité nécessaire. Si au contraire elle est à point, c'est-à-dire donnant une gelée tremblotante et fondante, l'utiliser telle, surtout si le fond blanc est demeuré limpide.

Enlever la crépine du foie, le poser sur un plat mi-creux de dimensions appropriées, le clouter de quartiers de truffes pelées, chauffées et refroidies dans un verre de porto. Puis le lustrer avec de la gelée mi-prise additionnée d'un demi-verre de porto.

Renouveler successivement chaque opération de lustrage jusqu'au moment où le foie sera recouvert d'une belle nappe brillante et blonde. Le plat se trouvera garni aux 2/3 de cette gelée savoureuse.

Tenir au frais et non au réfrigérateur, sauf si celui-ci est réglé sur + 8 °C.

Le foie gras ainsi traité doit être très rosé, d'une pâte onctueuse, cependant atteinte entièrement par la chaleur.

La gelée, de la vraie, est, de surcroît, le plus heureux complément.

Méthode B :

Les foies ont été vérifiés, parés, macérés après assaisonnement, et enveloppés dans une crépine (un linge à défaut) ; les ranger côte à côte dans une sauteuse dans laquelle une mirepoix (brunoise de rouge de carotte, oignon et céleri) a été étuvée ; mouiller à hauteur des foies avec du porto, mettre à bouillir doucement à couvert, puis après une franche ébullition, retirer du feu et laisser refroidir dans le fond de cuisson.

Après refroidissement, enlever la crépine, parer les foies légèrement brunis par le porto et utiliser ce dernier pour faire la gelée en mélange avec un fond de volaille très gélatineux.

Terminer pour dressage et présentation comme il est indiqué à la *méthode A*.

Escalopes de foie gras sautées aux truffes

Tranches de foie gras cru de un centimètre d'épaisseur, assaisonnées de sel, poivre, épices, farinées légèrement et cuites au beurre comme le foie de veau.

Dans le beurre de cuisson, après dressage, sauter des quartiers de truffes, déglacer au madère ou porto et verser sur les tranches.

Mousse de foie gras froide

Faire pocher 20 minutes dans un excellent fond de veau blanc chauffé à 90 °C, un beau foie gras. Le laisser refroidir dans sa cuisson, l'égoutter et en passer 300 grammes au tamis.

Recueillir la purée obtenue dans une terrine vernissée et poser cette dernière sur une couche de glace broyée en neige. Travailler le foie gras avec une spatule pour le rendre très lisse.

D'autre part, mélanger 1 décilitre de sauce velouté, 2 décilitres de gelée blonde et savoureuse et deux cuillerées à potage de crème fraîche et épaisse. Réduire de moitié, laisser refroidir et passer à l'étamine. Additionner à la purée de foie gras. Ajouter à l'ensemble 1 décilitre 1/2 de crème fraîche fouettée. Vérifier l'assaisonnement.

Dressage :

1er procédé. — Couler dans un moule à charlotte placé sur un lit de glace broyée en neige un peu de gelée mi-prise. Manœuvrer le moule sur la glace de telle sorte que la gelée enduise entièrement la paroi du moule qui finalement sera chemisé d'une couche transparente et régulière.

Décorer l'intérieur du moule, c'est-à-dire la couche de gelée, de motifs de truffes disposés avec art, et remplir le moule avec la mousse préparée.

Mettre au frais dans le réfrigérateur ou dans une chambre froide.

Pour servir, tremper le moule vivement dans de l'eau chaude, l'essuyer et le renverser sur un plat rond et froid. Entourer la base de la mousse d'un cordon de gelée hachée.

2e procédé. — Mettre la mousse dans une coupe en cristal, décorer le dessus avec des motifs de truffes et napper avec de la gelée mi-prise de manière à recouvrir le tout d'une couche transparente et blonde de 3 ou 4 millimètres. Tenir au froid modéré en l'attente de servir.

Terrine de foie gras de canard au naturel

Éléments (pour 12 à 15 personnes) :

3 beaux foies de canard de 500 à 600 grammes pièce ; 15 centilitres de vin de Porto ; 2 feuilles de gélatine ; 20 grammes d'assaisonnement composés des ingrédients suivants : 10 grammes de sel fin, 2 grammes de poivre moulu très fin ; 1 râpure de noix de muscade ; 1 gramme de sel rose ; 1 gramme de salpêtre, le tout bien mélangé.

Méthode :

1º Mettre les foies de canards à dégorger durant 2 heures à l'eau tiède à 37 ºC maximum. Les égoutter, ouvrir chaque lobe en les brisant avec les mains.

Éliminer délicatement et entièrement le fiel restant adhérent ainsi que tous les petits vaisseaux sanguins et les nerfs se trouvant à l'intérieur des foies.

2º Placer les foies de canards dans une terrine allant au feu ; les assaisonner avec l'ensemble des épices mélangées.

Ajouter le vin de Porto dans lequel on aura fait dissoudre les feuilles de gélatine. Laisser reposer 24 heures au frais.

3º Couvrir la terrine, la mettre au bain-marie. L'enfourner dans un four électrique ou à gaz chauffé à 200 ºC.

Cuire à feu éteint : le temps de cuisson est de 40 à 50 minutes.

Laisser refroidir dans un lieu frais.

Pour servir le foie de canard, on présente la terrine devant les convives.

Quenelles de volaille mousseline

Éléments :

500 grammes net de chair de volaille sans peau ni nerfs ; 2 blancs d'œufs ; 3/4 de litre de crème épaisse et fraîche ; 9 grammes de sel.

Méthode :

Broyer finement la chair au mortier en lui incorporant les deux blancs d'œufs peu à peu et le sel. Passer la pâte obtenue au tamis et la recueillir dans une terrine, placer cette dernière dans de la glace en neige et lisser vigoureusement la composition à la spatule. Laisser reposer pendant 2 heures en pleine glace.

Lisser à nouveau et assouplir la mousse en lui incorporant la crème par petites quantités. Quand la consistance est à point, procéder à un essai en faisant pocher à l'eau bouillante faiblement une noix de cette composition.

Tenir compte que le corps s'obtient par le broyage vigoureux des chairs et que les blancs d'œufs n'ont d'autre rôle que d'assurer la coagulation de la composition crémeuse. La finesse exige de limiter le plus possible la quantité des blancs d'œufs par rapport à celle de la crème.

Le façonnage de ces quenelles s'effectue à l'aide de deux cuillers à café ou à potage suivant la grosseur que l'on désire leur donner, et d'après la méthode employée pour les œufs à la neige.

Gâteaux de foies de volailles à la bressane

Éléments (pour 8 à 10 personnes) :

1 kilo de foies de volailles de Bresse ; 6 œufs ; 50 grammes de beurre ; 300 grammes de crème fraîche ; 400 grammes de lard gras ; 300 grammes de mie de pain trempée dans du lait ; 2 décilitres de lait ; 1 oignon moyen haché ; 2 gousses d'ail ; 50 grammes de persil haché ; 25 grammes de sel fin ; poivre du moulin et noix de muscade.

Pour la réussite et la qualité de ce mets, les foies de volailles doivent être très frais et le fiel, restant adhérent, complètement éliminé.

Méthode :

1º Dans un malaxeur, mettre l'oignon haché et tombé au beurre, les gousses d'ail, le persil haché.

Faire tourner le malaxeur quelques secondes. Ajouter les foies de volailles, le lard, le pain trempé dans le lait, les œufs, la crème, le sel, poivre et muscade.

Actionner à nouveau le malaxeur pour réduire le tout en une fine pommade.

2º Beurrer des moules à darioles ou à flancs. Remplir chacun d'eux de cette riche composition.

Cuire au bain-marie, comme des gâteaux de riz, dans un four doux. Démouler sur un plat de service ou sur assiette.

Sauce financière, madère ou Orly accompagnent cette spécialité typiquement bressane.

LE GIBIER

Le mois de septembre, avec l'ouverture de la chasse, inaugure, chaque année, une nouvelle période d'abondance gastronomique.

Pièces de vénerie, petit gibier à poil, gibier à plume et gibier d'eau, procurent à la table une variété de mets recherchés et souvent luxueux.

Cerf, daim et chevreuil reçoivent les mêmes préparations culinaires. Des trois, c'est le chevreuil qui possède la chair la plus délicate.

Les parties les plus recherchées de ces animaux sont, dans l'ordre de la qualité : les cuissots, la selle et les côtelettes. L'épaule, à la rigueur, désossée et roulée peut être rôtie, mais elle est généralement employée, avec le collet, en civet.

Le lièvre qui convient le mieux à la cuisine est une bête de l'année ayant sept à huit mois au plus et dont le poids est d'environ 3 kilos. Les lièvres de 4 kilos et plus ont une chair coriace et filandreuse. Le gourmet emploie ces derniers en pâtés et terrines.

Le lapin de garenne ne vaut pas le lièvre, mais le lapereau de garenne, reconnaissable au croquant de l'oreille, qui se déchire aisément, est exquis en sauté. Les vieux sont mieux employés en terrines.

Le gibier à plume doit être, lui aussi, jeune, pour posséder de belles qualités culinaires.

Le faisan manifeste sa jeunesse par la flexibilité de la pointe du bréchet et l'absence ou le faible développement de l'éperon.

La gélinotte, plus petite que le faisan, est un mets très délicat.

La perdrix grise est exquise si elle est jeune, c'est-à-dire de l'année, et c'est précisément au début de la chasse, en octobre, qu'elle atteint la succulence.

Sa jeunesse se reconnaît aux pattes grises et à l'extrémité pointue des grandes plumes des ailes et à la souplesse du bec inférieur qui fléchit si l'oiseau est suspendu par ce dernier, tenu entre le pouce et l'index.

La caille doit être fraîche et grasse ; alors le charmant oiseau devient un mets souverain.

La bécasse est un gibier de premier ordre. La bécasse ne se vide pas, on n'enlève que le gésier. La bécassine et le bécasseau appartiennent à la même famille. La bécasse est l'oiseau par excellence pour l'amateur de salmis.

L'alouette, que la cuisine transforme en mauviette, est un petit oiseau très apprécié qui a fait la renommée du fameux pâté de Pithiviers ou d'Étampes.

La grive apparaît dans nos menus au moment des vendanges.

La famille des canards comprend 42 variétés. Le choix est donc très grand dans le monde de la sauvagine; culinairement, nous retenons surtout le canard franc d'où proviennent par croisements nos canards domestiques; le pilet, dit canard à longue queue; le souchet, surnommé rouge de rivière, remarquable par la délicatesse de sa chair mais un peu plus petit que les deux précédents; le garrot, fidèle à la Normandie, à la Picardie et aux Landes; la sarcelle qui ressemble au canard mais qui n'en est pas un, malgré un classement arbitraire et dont, par contre, la chair, nourrie de cresson, de cerfeuil sauvage et de graines, est d'une extrême finesse; la bécassine ordinaire, ou double, ou sourde dite bécot, dodue à l'automne comme une caille à faire rêver les gourmets; le bécasseau ou cul-blanc, plus petit que la bécassine; le pluvier doré ou gris dont l'apparition sur nos rivières coïncide avec le retour de la saison de la pluie automnale; et nous terminerons cette énumération par le vanneau en rappelant ce propos : « N'a pas mangé un bon morceau qui n'a mangé ni bécasse ni vanneau. »

Gigot, cuissot ou gigue de chevreuil rôti à la purée de marrons

Éléments :

Un gigot de 2 kilos environ; 150 grammes de lard gras à piquer; marinade; sauce poivrade; purée de marrons.

Méthode :

1º Dépouiller le gigot en ayant soin de laisser la patte adhérente mais non dépouillée. Protéger cette dernière en l'enveloppant d'un fort papier huilé avant la mise au four.

Désosser l'os du quasi, dénerver entièrement à vif le gigot et le piquer en disposant le lard en rangs serrés orientés dans le sens du prolongement de la patte.

Le mettre en marinade 24 heures au plus.

2º *Marinade.* — Disposer le gigot bien à plat dans un plat profond; parsemer dessus une pincée de sel marin broyé, 3 échalotes coupées en rondelles minces, un gros oignon et une carotte moyenne débités de même, quelques branches de persil, une branche de thym et une demi-feuille de laurier, une prise de poivre frais broyé, un verre et demi (3 décilitres) de vin blanc, 4 cuillerées à potage de vinaigre et autant d'huile d'olive. Retourner le gigot de temps en temps.

Nota. — Le gigot de chevreuil est très tendre, il faut éviter d'aciduler trop fortement la marinade.

3º *Mise en cuisson.* — Égoutter le gigot et l'éponger soigneusement. Le placer sur la grille d'un plat à rôtir et l'arroser de beurre fondu. Mettre à four très chaud pour assurer le saisissement rapide. Veiller à ne pas laisser brûler le jus au fond du plat en interposant entre la sole du four et le plat à rôtir un ustensile comme un triangle en fer de 2 ou 3 centimètres d'épaisseur. Pratiquer de fréquents arrosages avec la partie grasse du jus.

Temps de cuisson : 40 minutes environ, soit 9 ou 10 minutes par livre au four et 11 à 12 minutes à la broche.

Cuire saignant et laisser reposer 10 minutes pour obtenir une jolie couleur rosée.

4º Présenter le gigot sur un plat long. Servir avec une saucière de sauce poivrade dans laquelle le jus de la pièce est ajouté et un légumier de purée de marrons. Découper comme un gigot de mouton.

Selle de chevreuil Saint-Hubert

Procéder comme pour le gigot, c'est-à-dire dénerver les filets à vif, les piquer sur trois rangs en orientant les lardons vers la colonne vertébrale ; mettre en marinade. Faire rôtir dans les mêmes conditions, mais en arrosant avec de l'huile d'olive.

Servir une saucière de sauce poivrade additionnée d'une pincée de raisins de Corinthe et d'une pincée d'amandes coupées en lames minces dans le sens de la longueur (effilées) et grillées. Accompagner d'un légumier de haricots rouges cuits à l'étuvée.

Côtelettes de chevreuil aux lentilles

Débiter le carré en côtelettes de 4 centimètres d'épaisseur au moins, les parer, les aplatir légèrement, les saupoudrer de sel fin et de poivre frais moulu et les sauter à l'huile fumante.

Chauffer, à cet effet, trois cuillerées à potage d'huile dans une sauteuse et, lorsqu'elle est fumante, y placer les côtelettes côte à côte. Les cuire le plus rapidement possible en ne les retournant qu'une seule fois, et en les tenant nettement rosées à l'intérieur.

Les dresser sur un plat long, en couronne, en les alternant avec un croûton de même dimension, taillé en cœur et frit au beurre.

Les arroser de sauce poivrade et accompagner avec un légumier de purée de lentilles.

Nota. — Après cuisson des côtelettes, égoutter l'huile et dissoudre (déglacer) les sucs attachés au fond de la sauteuse avec une cuillerée de la sauce poivrade à laquelle cette dissolution est ajoutée.

Côtelettes de chevreuil à la crème

Préparer les côtelettes comme ci-dessus en ajoutant une pincée de paprika à l'assaisonnement de sel et de poivre.

Les sauter à feu vif au beurre.

Les dresser alternées d'un croûton comme il est indiqué pour les côtelettes de chevreuil aux lentilles.

Dans le fond de cuisson, verser un décilitre de madère pour 6 côtelettes ; le réduire à deux cuillerées à potage, ajouter un verre et demi (3 décilitres) de crème fraîche épaisse ; faire bouillir quelques minutes : la crème, après s'être diluée, réduira et épaissira. Beurrer, hors du feu, en vannant dans la sauce 30 grammes de beurre frais. Terminer avec une cuillerée à café de jus de citron. Vérifier l'assaisonnement, passer au chinois fin sur les côtelettes et servir, en même temps, un légumier de purée de marrons.

Côtelettes de chevreuil à la purée de céleri-rave

Débiter en côtelettes un carré de chevreuil préalablement mariné 12 heures comme il est pratiqué pour la gigue.

Les sauter vivement à l'huile fumante mélangée par moitié de beurre. Les tenir rosées. Les dresser en turban sur un plat rond, en intercalant un croûton taillé en cœur et frit au beurre.

Enlever l'huile de la sauteuse, y verser 4 cuillerées à potage de marinade, réduire de moitié, ajouter un verre et demi de bon jus de veau, une pincée de tapioca, cuire 10 minutes en réduisant de moitié. Beurrer, hors du feu, avec 2 noix de beurre, vérifier l'assaisonnement et passer au chinois fin sur les côtelettes.

Servir en même temps un légumier de purée de céleri-rave.

Nota. — Le tapioca peut être remplacé par une demi-cuillerée à café de fécule diluée dans un peu de jus froid, ou une noix de beurre manié avec une demi-cuillerée à café de farine.

Noisettes de chevreuil à la Berny

Prélever sur une selle de chevreuil les deux filets, les dénerver et les mettre en marinade 12 heures dans les mêmes conditions que le gigot.

Après ce temps, égoutter les filets, les éponger avec soin et les diviser en noisettes de 4 à 5 centimètres d'épaisseur.

Les sauter à l'huile fumante et les dresser en turban, chacune sur un petit croûton de 2 centimètres d'épaisseur, de mêmes dimensions que les noisettes, et frit au beurre.

Disposer au centre du turban un monticule de croquettes à la Berny.

Servir à part :

a) une saucière de sauce poivrade additionnée d'une poignée d'amandes émondées effilées, coupées en lames très minces et grillées ;

b) une saucière de gelée de groseilles.

Croquettes à la Berny

Dans un kilo d'appareil à pommes duchesse incorporer 100 grammes de truffes hachées et 50 grammes d'amandes émondées, hachées et grillées.

Diviser l'appareil en noix de 40 grammes, les mouler en forme d'œuf, les tremper dans un œuf battu en omelette, puis dans de la mie de pain émiettée en chapelure.

8 minutes avant de servir, c'est-à-dire pendant que les côtelettes cuisent, les plonger dans la friture fumante.

Quand elles sont bien dorées et croustillantes, les égoutter sur un linge, les éponger et les saupoudrer très légèrement d'une prise de sel fin.

Nota. — Les pièces, gigot, selle, côtelettes, noisettes de cerf, daim et chevreuil qui reçoivent les mêmes préparations culinaires, peuvent être également accompagnées de purée de topinambours ou de marmelade de pommes (fruit) peu ou pas sucrée.

Civet de chevreuil, cerf, daim

Débiter en morceaux de 60 grammes environ : épaule, collet, haut-de-côte, mettre en marinade 24 heures, les égoutter et les éponger puis les traiter comme le civet de lièvre.

Sanglier ou marcassin

Appliquer les différents traitements du chevreuil en augmentant la durée en marinade s'il ne s'agit pas de bêtes vraiment jeunes, marcassins ou bêtes rousses.

Lièvre

Il peut être accommodé chaud, sur le coup de fusil. Refroidi, il convient de le laisser mortifier deux ou trois jours dans sa peau. Mortifié ne signifie pas faisandé. Écarter systématiquement le faisandage contraire à l'hygiène et au bon goût.

Choisir, quand on le peut, un lièvre de première année qui se distingue au poli de son poil, à la finesse des pattes et aux griffes encore à peine développées.

Lièvre à la broche

Entier, après l'avoir bardé, le lièvre peut subir la cuisson à la broche.

Sans le faire mariner, embrocher un jeune lièvre dit trois-quarts. Le saler, le poivrer. Aromatiser l'intérieur de brindilles de thym. Badigeonner copieusement le lièvre avec de la moutarde de Dijon. Le faire rôtir devant un bon feu de bois durant 35 minutes environ. Mettre dans la lèchefrite, pendant cette opération, une cuillerée d'échalotes finement hachées ; avant qu'elles ne roussissent, déglacer avec un filet de vinaigre de vin ; ajouter trois décilitres de crème. Faire réduire.

Servir le lièvre avec la sauce à part et une timbale de riz pilaf comme garniture.

Civet de lièvre

Éléments :

Un jeune lièvre, dit trois-quarts ; 50 grammes de beurre ; 45 grammes de farine (2 cuillerées à potage) ; un litre de bon vin rouge de Bourgogne ; 250 grammes de lard de poitrine ; un bouquet garni ; 2 gousses d'ail ; 2 gros oignons ; 2 carottes moyennes ; 24 petits oignons ; 250 grammes de champignons bien fermes et blancs ; 12 croûtons taillés en cœur et frits au beurre ; 1/2 verre de cognac ; 4 cuillerées à potage de crème fraîche ; huile d'olive ; 1 cuillerée d'armagnac.

Méthode :

1º Dépouiller le lièvre, le vider et recueillir avec grand soin le sang qui est accumulé autour des poumons et dans la gorge. Réserver le foie débarrassé du fiel.

Couper le lièvre en morceaux, mettre ceux-ci dans un plat et les assaisonner de sel fin, de poivre frais moulu, une prise de fleurs de thym et de laurier broyées ; y ajouter un oignon divisé en rondelles, deux cuillerées à potage d'huile d'olive et une d'armagnac.

Bien mélanger et laisser macérer 3 heures ; durant ce temps, brasser de temps à autre.

2º Chauffer le beurre dans un plat à sauter épais et assez grand pour contenir le civet. Quand le beurre chante, y mettre le lard de poitrine coupé en gros lardons, lesquels auront été au préalable mis dans un demi-litre d'eau froide, ébouillantés 5 minutes, égouttés puis épongés.

Les lardons étant à demi rissolés, ajouter les petits oignons, les faire dorer doucement, puis les champignons bien nettoyés et lavés rapidement. Assaisonner d'une prise de sel fin, sauter vivement et égoutter le tout à l'écumoire et réserver sur une assiette.

Dans le même beurre et lard fondu augmenté d'un nouveau morceau si besoin est, faire blondir un oignon et la carotte coupés en quartiers, puis les saupoudrer avec la farine ; mélanger et remuer constamment avec une cuiller en bois à feu doux jusqu'à ce que la farine soit colorée blond foncé si de la farine crue a été employée.

A ce moment mettre les morceaux de lièvre égouttés et épongés et les faire raidir dans ce roux en continuant à remuer sans interruption avec la cuiller.

Le raidissement des chairs obtenu, parsemer dessus l'ail écrasé, mélanger et mouiller, juste à hauteur, avec le vin rouge. Faire bouillir, tout en remuant, pour que la liaison soit parfaite et sans grumeaux. Vérifier l'assaisonnement en sel, mettre le bouquet garni, le couvercle, puis au four à cuire très doucement pendant 45 minutes.

3º Décantage.

Poser le civet sur la table protégée avec une planchette ou un triangle préparé à cet effet. Ranger à côté un autre plat à sauter, puis égoutter avec une écumoire les morceaux de lièvre et, à l'aide d'une fourchette, les faire glisser dans le plat à sauter.

Ce triage achevé, répartir sur le lièvre les lardons, petits oignons et champignons et passer dessus au chinois fin de la sauce, en foulant fortement la garniture : oignons, carottes et bouquet garni.

Mettre à bouillir, contrôler une fois encore l'assaisonnement en vue de sa mise au point et couvrir. Laisser mijoter au four, à chaleur moyenne, 45 minutes.

4° Passer le foie au tamis fin placé au-dessus d'une assiette, le réunir au sang, ajouter le cognac et quatre cuillerées à potage de crème fraîche épaisse et diluer parfaitement le tout.

Puis procéder à la liaison.

Quand le civet est cuit, le retirer du four et le placer hors d'ébullition, sur un coin du fourneau. Verser petit à petit, dans le sang travaillé vivement au fouet, une louche de sauce du civet. Le mélange étant progressivement échauffé ne grainera pas par cuisson brutale. Le mettre en totalité dans un chinois fin et promener ce dernier au-dessus du plat à sauter qu'il faut agiter en même temps de la main droite pour unifier l'ensemble. Fouler le contenu du chinois dans lequel il ne doit rien rester. Pendant ce temps le civet ne doit pas bouillir.

L'unification de la sauce ainsi réalisée, pousser doucement au feu, toujours en agitant le plat à sauter, jusqu'à la première manifestation d'ébullition.

5° Dresser le civet dans un plat creux, disposer autour des croûtons et parsemer sur le centre une pincée de persil frais haché.

La sauce doit être parfaitement liée, onctueuse et de couleur noire très légèrement cendrée.

Levraut Chabert

Éléments :

Un levraut de 3 à 5 mois au plus, pesant 1,500 kg environ ; 125 grammes de lard de poitrine (frais) ; 200 grammes de mousserons ou à défaut de champignons ordinaires ; 200 grammes d'oignons ; une gousse d'ail ; un verre de vin blanc sec (2 décilitres) ; 2 verres de jus de veau (4 décilitres) ; une pincée de laurier et de thym finement broyés ; 35 grammes de roux (20 grammes de beurre, 15 de farine) ; un bouquet de branches de persil ; un verre de crème épaisse et fraîche (2 décilitres) ; 10 croûtons taillés en cœur et frits au beurre.

Temps nécessaire : 1 heure 30.

Méthode :

1° Dépouiller et vider le levraut, recueillir avec soin le sang qui, à l'intérieur, s'est concentré autour des poumons, puis le foie débarrassé du fiel.

Couper le levraut en morceaux, l'assaisonner de sel, de poivre frais moulu et de la pincée de laurier et thym broyés. Mélanger le tout et mettre sur une assiette.

2° Enlever la couenne du lard et le hacher menu ; le mettre à fondre, y joindre les morceaux de levraut et faire rissoler à feu vif.

A ce moment, ajouter les oignons coupés en julienne fine, mélanger et retirer immédiatement sur le coin du fourneau, couvrir et étuver ainsi à feu doux 1/4 d'heure. Les oignons ne doivent pas colorer, mais fondre à blanc, c'est-à-dire mollir.

3° Pendant ce temps, préparer les mousserons ou champignons. Les nettoyer et les laver avec soin rapidement, couper les jambes et mettre ces dernières sur une assiette et les têtes sur une autre.

4° L'étuvage des oignons terminé, verser le vin blanc sur le levraut et réduire presque totalement en plein feu.

Mouiller avec le jus de veau et adjoindre le roux divisé en parcelles après avoir été cuit lentement 15 minutes et refroidi, les jambes de champignons, la gousse d'ail écrasée, le bouquet de branches de persil. Le fond de mouillement doit effleurer à hauteur les morceaux de levraut ; s'il est insuffisant, l'allonger avec quelques cuillerées d'eau.

Remuer jusqu'à ébullition pour dissoudre et répartir parfaitement le roux. Faire mijoter à feu doux et à couvert 25 minutes.

5° Après ce temps de cuisson, procéder au décantage du levraut en égouttant les morceaux avec une écumoire et en les triant avec une fourchette à l'aide de laquelle ils sont mis dans une sauteuse propre.

Parsemer dessus les têtes des mousserons ou des champignons crus ; passer la sauce sur le tout au chinois fin en foulant fortement les oignons afin de les mettre en purée. Cette opération peut être faite plus aisément avec un tamis qui permettra d'obtenir un coulis d'oignons.

Remettre en ébullition, vérifier l'assaisonnement, et laisser mijoter très doucement, à couvert, encore 20 minutes.

6° Levraut et champignons seront alors cuits à point ; il reste à procéder à la liaison de la sauce.

Réunir dans un bol, le sang, la crème et le foie passé au tamis ; diluer l'ensemble avec une louche de sauce versée peu à peu pour échauffer la masse progressivement. Mettre le levraut hors d'ébullition, agiter la sauteuse en lui imprimant un mouvement de rotation et de vannage, et verser dedans, en filet, le mélange.

Quand l'unification sera obtenue, chauffer à nouveau sans brusquerie jusqu'à ébullition, sans cesser d'agiter.

Retirer du feu, goûter et servir.

7° Dresser dans un plat creux et ranger autour les croûtons frits.

Lièvre farci à la Diane

Éléments :

Un jeune lièvre dit trois-quarts de 5 à 6 livres.

Farce : le râble et les cuisses de deux lapins de garenne ; 150 grammes de lard gras et frais râpé ; 150 grammes de champignons de pré de préférence ou de couche à défaut ; 50 grammes de mie de pain trempée dans un peu de bouillon ou de jus de veau, une pincée de thym, de laurier et de marjolaine pulvérisés ; 18 grammes de sel ; une prise de poivre frais moulu et une d'épices ordinaires ; un verre à madère de cognac ; une grosse truffe crue et hachée.

Pour piquer et barder : 125 grammes de lard à piquer ; une barde de lard.

Pour la sauce : 30 grammes de beurre ; un petit verre de vin blanc et sec (1 décilitre 1/2) ; 1/2 verre de crème fraîche (1 décilitre) ; 2 grosses échalotes hachées finement et ébouillantées ; un peu de gelée de groseille.

Méthode :

1° Dépouiller le lièvre en lui laissant les oreilles, le vider par une ouverture aussi petite que possible, pratiquée dans la membrane du ventre. Recueillir avec soin le sang et le foie débarrassé du fiel. Plonger les oreilles dans l'eau bouillante et avec un torchon, arracher le poil en essuyant fortement.

Dénerver les cuisses et les filets du lièvre en les mettant à vif.

Tailler le lard à piquer en petits lardons de la grosseur d'un crayon et de 4 centimètres de long, poser le lièvre sur un torchon pour éviter de le tenir directement avec les doigts et piquer les cuisses et les filets dénervés.

2º La farce : les deux garennes étant dépouillés et vidés, recueillir le sang et les foies débarrassés du fiel, mettre le sang avec celui du lièvre et réserver les foies à part.

Couper les trains de derrière à la naissance des côtes, les dénerver à vif et les désosser, les couper en morceaux et assaisonner ceux-ci avec le sel, le poivre, les épices, le thym, la marjolaine et le laurier ; mélanger le tout et hacher grossièrement avec le foie des garennes.

Mettre dans une terrine.

Piler au mortier ou râper 150 grammes de lard et l'incorporer au hachis.

Nettoyer et laver rapidement les champignons, les hacher grossièrement ainsi que la truffe. Presser la mie de pain trempée et réunir tous ces éléments ainsi que le cognac au hachis.

Malaxer vigoureusement la masse à la spatule et vérifier l'assaisonnement en faisant pocher une parcelle de farce dans un peu d'eau bouillante salée à point.

3º Préparation du lièvre : placer le lièvre sur le dos et introduire la farce à l'intérieur en la répartissant également. Coudre la membrane du ventre avec un gros fil et poser la barde sur l'endroit cousu. La maintenir avec quelques tours de ficelle. Elle a surtout pour objet de prévenir toute déchirure possible du ventre, et, dans ce cas, de maintenir la farce en place.

Retourner le lièvre sur le ventre et ramener les pattes contre le corps dans la position d'une bête accroupie. Les fixer ainsi à l'aide de ficelles. Redresser la tête dans le prolongement des épaules sur lesquelles elle est ficelée. Protéger les oreilles en les enveloppant d'un fort papier beurré, les attacher ensemble.

4º Traitement : choisir un plat à rôtir de dimension suffisante, muni d'une grille, y disposer le lièvre, l'enduire de beurre fondu, le saupoudrer d'une prise de sel fin et le mettre à four bien chaud pour le saisir. Cette première opération assurée, la chaleur sera légèrement atténuée.

D'autre part, faire chauffer le vin blanc avec le beurre et, à l'aide d'une branche de thym trempée dedans, arroser le lièvre toutes les 7 minutes.

Cuire ainsi pendant 1 heure.

5º La sauce : passer le foie et le sang au tamis placé au-dessus d'une assiette creuse.

Le lièvre étant cuit, verser dans une petite sauteuse, en le passant au chinois fin, le jus de cuisson de l'animal et d'arrosage égoutté dans le plat à rôtir. Dégraisser ce jus et le réduire de moitié, ajouter l'échalote ébouillantée fortement et la crème.

Dès que le mélange entre en ébullition, en verser quelques cuillerées dans le sang agité au fouet, puis faire le contraire, remettre peu à peu le sang dans le mélange, ce dernier maintenu alors hors d'ébullition et constamment remué avec le fouet. Chauffer à nouveau toujours en fouettant ; quand un premier bouillon se dessine, retirer sur le côté, il ne faut pas laisser bouillir.

Vérifier l'assaisonnement de cette sauce assez courte, liée, et qui gagne à être relevée avec du poivre frais moulu.

6º Dressage : poser le lièvre sur un plat long, enlever la barde et le fil ; le retourner sur le ventre, retirer le papier des oreilles.

Présenter à part une saucière de la sauce préparée et le pot de gelée de groseilles.

Lièvre à la royale du sénateur Couteaux

Éléments :

Se procurer un lièvre mâle, à poils roux, de fine race française (caractérisée par la légèreté et la nerveuse élégance de la tête et des membres), tué autant que possible en pays de montagne ou de brandes, pesant de cinq à six livres, c'est-à-dire ayant passé l'âge d' levraut, mais cependant encore adolescent. Caractère particulier pour le choix : tué assez proprement pour n'avoir pas perdu une goutte de sang.

Condiments gras : 3 ou 4 cuillerées de graisse d'oie; 125 grammes de bardes de lard; 125 grammes de lard ordinaire.

Autres condiments et légumes : 1 carotte de taille ordinaire; 4 oignons de grosseur moyenne, tenant le milieu entre un œuf de poule et un œuf de pigeon; 30 gousses d'ail; 60 gousses d'échalote; 4 clous de girofle; 1 feuille de laurier; 1 brindille de thym; quelques feuilles de persil; sel, poivre.

Liquides : 1/4 de litre de bon vinaigre de vin rouge; 2 bouteilles de vin Chambertin, ayant cinq ans de bouteille ou plus.

Matériel : 1 daubière de forme oblongue en cuivre bien étamé, hauteur 20 centimètres, longueur 35 centimètres, largeur 20 centimètres, avec couvercle fermant hermétiquement; petit saladier pour tenir en réserve le sang du lièvre, et ensuite pour l'y fouetter au moment de l'incorporer à la sauce; hachoir; grand plat creux; passoire; petit pilon en buis.

Méthode :

Dépouiller et vider le lièvre. Mettre à part le cœur, le foie et les poumons. Réserver aussi, à part et avec grand soin, le sang (facultativement : on peut y ajouter, d'après la tradition, deux ou trois petits verres de vieux et fin cognac des Charentes).

· Préparer : 1 carotte de taille ordinaire, coupée en quatre; 4 oignons de moyenne grosseur, dans chacun desquels est piqué un clou de girofle; 20 gousses d'ail; 40 gousses d'échalote; 1 bouquet garni, composé d'une demi-feuille de laurier fraîche, une brindille de thym, quelques feuilles de persil.

Première opération (durée : de 13 heures 30 à 17 heures).

A 13 heures 30. — Enduire de bonne graisse d'oie le fond et les parois de la daubière; puis, au fond de la daubière, étendre un lit de bardes de lard.

Couper l'avant-train du lièvre au ras des épaules; supprimer ainsi le cou et la tête et il ne reste que le râble très allongé et les pattes. Placer alors, sur le lit de bardes, l'animal dans toute sa longueur et couché sur le dos. Le recouvrir ensuite de nouvelles bardes de lard. Toutes les bardes sont employées.

Ajouter alors : la carotte en quatre morceaux; les 4 oignons au girofle; les 20 gousses d'ail; les 40 gousses d'échalote; le bouquet garni.

Verser sur le lièvre un quart de litre de bon vinaigre de vin rouge, une bouteille et demie de bon vin de Bourgogne, ayant quatre à cinq ans de bouteille.

Assaisonner de sel et de poivre, en quantité suffisante.

A 14 heures. — La daubière étant ainsi garnie, la recouvrir de son couvercle et la mettre sur le feu.

Régler le feu, de façon que le lièvre cuise pendant trois heures à un feu doux et régulier, continu.

Deuxième opération (à faire pendant la première cuisson du lièvre).

Hacher d'abord très menu, et en prenant successivement chacun des quatre articles suivants, en hachant chacun à part :

125 grammes de lard; le cœur, le foie et les poumons du lièvre; 10 gousses d'ail; 20 gousses d'échalote. Le hachis de l'ail et celui de l'échalote doivent être extrêmement fins. C'est une des conditions premières de la réussite de ce plat.

Le lard, les viscères du lièvre, l'ail et l'échalote ayant été ainsi hachés très menu et séparément, réunir le tout dans un hachis général de façon à obtenir un mélange absolument parfait.

Réserver ce hachis.

Troisième opération (durée : de 17 heures à 19 heures 45).

A 17 heures. — Retirer du feu la daubière. Enlever délicatement le lièvre ; le déposer sur un plat. Là, le débarrasser de tous les débris des bardes, carottes, oignons, ails, échalotes, qui pourraient le souiller ; remettre ces débris dans la daubière.

Coulis. — Prendre maintenant un grand plat creux et une passoire. Vider alors le contenu de la daubière dans la passoire placée au-dessus du grand plat ; avec un petit pilon de bois, piler tout ce qui a été versé dans la passoire, de façon à extraire tout le suc, lequel constitue un coulis dans le grand plat.

Mélange du coulis et du hachis. — Voici le moment d'employer le hachis qui a fait l'objet de la deuxième opération. Mêler ce hachis au coulis. Faire chauffer une demi-bouteille de vin de la même origine que celui dans lequel a déjà cuit le lièvre. Verser ce vin chaud dans le mélange de coulis et hachis, et délayer bien le tout.

A 17 heures 30. — Remettre dans la daubière le mélange ainsi délayé du coulis et du hachis et le lièvre, avec tous les os des cuisses ou autres qui auraient pu se détacher pendant l'opération. Replacer la daubière sur le fourneau, avec feu doux et continu dessous et dessus, pour une seconde cuisson d'une heure et demie.

A 19 heures. — Étant donné que l'excès de graisse, provenant de l'abondance (nécessaire) de lard, empêche de juger de l'état d'avancement de la sauce, procéder à présent à un premier dégraissage. L'œuvre ne sera, en effet, achevée que lorsque la sauce sera suffisamment liée pour offrir une consistance approchant de celle d'une purée de pommes de terre ; pas tout à fait cependant, attendu que, si on la voulait trop consistante, on finirait par tellement la réduire qu'il n'en resterait plus suffisamment pour humecter la chair (naturellement très sèche) du lièvre.

Le lièvre dégraissé pourra donc continuer à cuire ainsi, toujours à feu très doux, jusqu'au moment où sera ajouté le sang réservé avec le plus grand soin, comme il a été dit plus haut.

Quatrième opération (un quart d'heure avant de servir).

A 19 heures 45. — La liaison de la sauce étant en bonne voie, une quatrième et dernière opération la mettra définitivement et très rapidement au point.

Addition du sang du lièvre. — En ajoutant maintenant le sang, non seulement la liaison de la sauce est activée, mais encore elle acquiert une belle coloration brune, d'autant plus appétissante qu'elle sera plus foncée. Cette addition du sang ne doit pas se faire plus d'un quart d'heure avant de servir ; en outre, elle doit être précédée d'un second dégraissage.

Donc dégraisser d'abord convenablement ; après quoi, sans perdre une minute, il faut s'occuper du sang du lièvre.

1º Fouetter avec une fourchette le sang, de manière que, si quelques parties sont caillées, elles deviennent de nouveau tout à fait liquides.

(Nota : le cognac facultatif, qui a été indiqué au début de la recette, contribue à empêcher le sang de se cailler.)

2º Verser le sang sur la sauce, en ayant soin d'imprimer à la daubière, de bas en haut et de droite à gauche, un mouvement de va-et-vient qui le fera pénétrer uniformément dans tous les coins et recoins du récipient.

Goûter alors ; ajouter sel et poivre, s'il y a lieu. Peu après (un quart d'heure au maximum) préparer à servir.

Dispositions pour servir.

A 20 heures. — Sortir de la daubière le lièvre dont la forme se trouve forcément plus ou moins altérée.

Dans tous les cas, placer, au milieu du plat de service, tout ce qui est encore à l'état de chair — les os complètement dénudés, désormais inutiles, étant jetés — et alors, finalement

autour de cette chair de lièvre en compote, mettre pour toute garniture l'admirable sauce si attentivement confectionnée.

On n'a pas besoin de le dire, pour servir ce lièvre, l'emploi du couteau serait un sacrilège, et la cuiller y suffit amplement.

Râble de lièvre sauce poivrade

(photo page 300)

Éléments (pour 2 personnes) :

Un râble de lièvre ; 1 bouteille de vin de Bourgogne ; 1 décilitre de cognac ; 100 grammes de lard gras ; 100 grammes de beurre ; 2 carottes ; 1 oignon moyen ; thym, laurier ; sel, poivre.

Méthode :

1° Choisir un beau râble de lièvre. Après l'avoir paré, dénervé, le piquer de fins lardons gras. Le mettre en terrine à mariner 4 heures dans une marinade composée de vin de Bourgogne, carottes, oignon émincés, thym, laurier et poivre concassé.

2° La marinade ayant fait son effet, égoutter et saler le râble. Le rôtir au beurre dans un plat en terre ; 10 à 15 minutes suffisent pour le cuire (les chairs de lièvre rôti doivent être maintenues rosées à la cuisson).

Ensuite, retirer le râble, le mettre sur un plat à l'entrée du four recouvert d'un papier d'aluminium pour le tenir au chaud.

Déglacer le plat à rôtir au cognac. Laisser réduire de moitié et ajouter un demi-litre d'excellente sauce poivrade faite avec les parures et les os de lièvre, les aromates et le vin ayant servi à la marinade.

3° Détailler le râble en fines tranches. Pour servir, reconstituer le râble en plaçant les tranches sur l'échine.

La sauce étant mise au point est servie en saucière. On peut accompagner ce mets d'une purée de marrons, Soubise ou céleri ou même de nouilles fraîches au beurre.

Sauce poivrade

Éléments :

500 grammes de parures et os de lièvre ; 5 centilitres d'huile ; 5 centilitres de vinaigre ; 1 petit verre de sang de lièvre ; 200 grammes de mirepoix ; 1 petit bouquet garni ; 50 grammes de beurre manié ; 10 grammes de poivre en grains ; sel.

Méthode :

Dans une casserole, faire revenir les parures de lièvre coupées en menus morceaux ainsi que les os. Ajouter la mirepoix, l'étuver quelques instants.

Déglacer au vinaigre et le laisser réduire presque à sec. Mouiller avec le jus de la marinade. Assaisonner avec sel, poivre en grains concassé.

Après avoir mis le bouquet garni, cuire une heure à feu doux. Passer la sauce, l'épaissir sur le feu avec le beurre manié. Faire la liaison avec le sang.

Pour terminer, après rectification de l'assaisonnement, passer à nouveau la sauce à la passoire fine ; avant de l'utiliser, la mettre au chaud au bain-marie.

Râble de lièvre à la crème

Le râble est la partie du lièvre comprise entre les premières côtes et la naissance des cuisses.

Le parer en enlevant avec un couteau à lame mince les muscles nerveux qui recouvrent les filets. Ceux-ci étant mis à vif, les piquer, verticalement au sens des filets, de deux rangées de petits lardons de lard gras et frais. Briser la colonne vertébrale d'un coup de couteau porté vers le milieu du râble pour éviter une contraction.

L'assaisonner de sel fin et de poivre, le mettre dans un plat creux, l'arroser d'un filet d'huile d'olive, d'un demi-verre de vin blanc et d'une cuillerée à potage de vinaigre. Le laisser en marinade 12 heures en le retournant fréquemment.

L'égoutter, l'éponger, le faire rôtir au beurre à four très chaud 15 minutes. Le tenir légèrement saignant afin que la chair soit rosée après 10 minutes de repos à l'étuve douce.

Égoutter le beurre de cuisson qui se trouve dans le plat à rôtir utilisé, le remplacer par un verre ordinaire (2 décilitres) de crème fraîche épaisse. Faire bouillir jusqu'à réduction de moitié, et, hors du feu, ajouter le jus d'un quartier de citron, 30 grammes de beurre frais divisé en parcelles ; vanner jusqu'à liaison parfaite. Vérifier l'assaisonnement et passer la sauce à l'étamine ou au chinois fin.

Dresser le râble sur un plat long et chaud et l'arroser avec la sauce.

Servir à part un légumier de purée de marrons ou de céleri-rave à la crème.

Nota. — Il est essentiel de ne pas laisser trop caraméliser les sucs du lièvre recueillis par le plat à rôtir pendant le rôtissage. Le déglaçage serait alors amer et inutilisable. Le mets perdrait la majeure partie de sa saveur.

Train de lièvre rôti

Le train du lièvre est formé par le râble et les deux cuisses d'un seul tenant.

Dénerver soigneusement les filets et les cuisses et les piquer avec plusieurs rangées de petits lardons de lard frais et gras. S'il s'agit d'une jeune bête, ne pas mettre en marinade.

L'assaisonner de sel et de poivre de toutes parts et le poser sur la grille d'un plat à rôtir, l'arroser de beurre fondu et le rôtir à four très chaud pendant 20 minutes. Pratiquer de fréquents arrosages avec le beurre de cuisson et veiller à ne pas laisser brûler les sucs du lièvre qui se cristallisent au fond du plat à rôtir, ceux-ci caraméliseront légèrement mais ne doivent pas dépasser une couleur blonde.

Après 5 minutes de repos à l'étuve, pendant lesquelles le plat à rôtir aura été déglacé en y versant un demi-verre de bon jus de veau bouillant pour dissoudre les sucs cristallisés, dresser le train sur un plat long et l'arroser avec un peu de son jus. Servir le reste en saucière. Accompagner de marrons cuits et glacés au beurre, ou de champignons à la crème, ou de purée de céleri-rave, ou de pommes (fruit) peu ou pas sucrée.

Nota. — Le devant du lièvre est accommodé en civet.

Lapin de garenne en gibelotte

Éléments :

Un lapin de garenne d'1,500 kg ; 150 grammes de lard de poitrine maigre ; 15 petits oignons ; 150 grammes de champignons ; 2 petites cuillerées à potage de farine ; 2 verres de vin blanc sec ; un bouquet garni ; 30 grammes de beurre ; 2 gousses d'ail ; persil haché.

Méthode :

1º Diviser le lard en gros lardons, les mettre dans 1/2 litre d'eau froide et les ébouillanter 5 minutes. Les égoutter et les éponger.

Éplucher et échauder à l'eau bouillante les oignons. Les égoutter.

Enlever la partie terreuse des champignons et les laver soigneusement sans les laisser séjourner dans l'eau.

2º Chauffer le beurre dans une sauteuse assez grande pour contenir la gibelotte, y faire rissoler à demi les lardons, y ajouter les oignons ; remuer souvent. Quand ils sont bien dorés, y jeter les champignons et sauter le tout à feu vif pendant 5 minutes.
Égoutter avec une écumoire et réserver sur un plat.

3º Dans le même beurre qu'il convient d'augmenter s'il est devenu insuffisant, faire rissoler le lapin coupé en morceaux (le foie excepté) et assaisonner de sel, poivre, laurier et thym broyés en poudre.
Saupoudrer ensuite avec la farine, bien mélanger et laisser roussir légèrement. Parsemer sur le lapin l'ail écrasé, mélanger et mouiller avec le vin blanc, compléter juste à hauteur avec du jus de veau ou du bouillon ou de l'eau à défaut.
Mettre le bouquet garni, puis faire bouillir en remuant sans interruption ; couvrir et cuire très doucement au four si possible, pendant 30 minutes.
Après ce temps, ajouter la garniture de lardons, d'oignons et de champignons ; vérifier l'assaisonnement et poursuivre la cuisson pendant 25 minutes. Cinq minutes avant d'arrêter la cuisson, adjoindre le foie débarrassé du fiel.
Si, en raison de la faible ébullition, la sauce alors peu réduite était longue, dresser le lapereau dans un plat creux, enlever le bouquet garni, et mettre la sauce quelques instants en plein feu pour l'amener à la quantité strictement nécessaire.
Verser sur le lapereau et saupoudrer de persil frais haché.

Lapereau de garenne sauté chasseur

Méthode :

Chauffer dans un plat à sauter 2 cuillerées à potage de saindoux, de panne ou de lard fondu ; quand la graisse est fumante, y faire revenir le lapin coupé en morceaux, le foie ayant été réservé.
L'assaisonner de sel, poivre, thym et laurier (une prise) broyés.
Quand les morceaux sont bien rissolés, égoutter la graisse, la remplacer par 60 grammes de beurre, couvrir et étuver à couvert et au four si possible 45 minutes. Remuer assez souvent.
D'autre part, faire blondir doucement au beurre dans une sauteuse 4 échalotes hachées finement ; y réunir ensuite 250 grammes de champignons moyens bien nettoyés et coupés en lames minces (émincés). Les sauter à feu assez vif, les mouiller avec un verre de vin blanc sec, réduire presque totalement, augmenter avec un verre de bon jus de veau peu salé et 2 cuillerées à potage de purée de tomates concentrée. Réduire d'un tiers et vérifier l'assaisonnement.
Le lapereau se trouve cuit entièrement au beurre. L'arroser avec le jus et les champignons ; laisser mijoter 5 minutes ; saupoudrer d'une pincée de cerfeuil et d'estragon hachés ; mélanger avec précaution et dresser sur un plat creux.
Parsemer, dessus, un peu de persil haché.
Entourer de croûtons de pain taillés en forme de losange et frits au beurre.

Faisan

D'une manière générale, le faisan reçoit les différents traitements culinaires des poulets à la cocotte, des perdreaux, des canetons en salmis et des volailles préparées en galantine.

Faisan rôti

Le faisan doit être choisi jeune.
Le plumer, le flamber, le vider et l'assaisonner à l'intérieur d'une prise de sel et de poivre ; le brider et le barder pour protéger la chair de l'estomac extrêmement délicate.

Placer l'oiseau sur le côté dans un plat à rôtir muni de sa grille, l'arroser de beurre fondu et l'assaisonner de sel et de poivre. Mettre à four chaud 25 à 30 minutes suivant la grosseur.

Pendant le rôtissage, le retourner en ayant soin de ne pas exposer l'estomac au coup de feu ; pratiquer de fréquents arrosages avec le beurre de cuisson exclusivement.

Tenir rosé et laisser reposer quelques minutes avant de servir.

Avant de retirer le faisan du four, c'est-à-dire 5 minutes avant l'à-point, sectionner la bride, enlever la barde et faire dorer l'estomac. Arroser souvent pendant cette dernière et rapide opération.

Le faisan est prêt à être servi.

Le dressage :

Disposer au centre du plat de service très chaud un croûton rectangulaire ayant 25 centimètres de longueur, 12 centimètres de largeur et 2 centimètres d'épaisseur, taillé dans un pain de mie. Une tranche de gros pain peut en tenir lieu.

Frire ce croûton soit au beurre, soit dans le plat de cuisson du faisan. Ce deuxième procédé donne un croûton moins franc de couleur mais meilleur au goût.

Le tartiner avec la composition suivante :

Couper en deux ou trois parties le foie du faisan et un foie de volaille, assaisonner le tout de sel, de poivre et d'un soupçon d'épices. Diviser en dés une quantité égale de lard gras et frais, le faire fondre dans une petite sauteuse, puis y jeter les foies, les saisir et les cuire à demi et à feu vif. Retirer du feu, verser dans la sauteuse une cuillerée à potage de bon cognac pour dissoudre les sucs des foies ; renverser le tout sur un tamis placé au-dessus d'une assiette.

Fouler à fond avec le petit pilon et recueillir la purée obtenue dans un bol. La lisser convenablement à la spatule, l'étendre sur le croûton et présenter ce dernier au four très chaud pour obtenir un léger gratin sur la surface.

Mettre ensuite le faisan sur le croûton, avec, à chaque extrémité du plat, un bouquet de cresson groupé avec goût. Placer la barde tenue au chaud sur l'oiseau et deux demi-citrons de chaque côté.

Servir le jus de cuisson dans une saucière. Ce jus sera composé du déglaçage du plat à rôtir avec deux cuillerées à potage de jus de veau, de bouillon ou d'eau à défaut. Dans ce cas, vérifier l'assaisonnement.

Découper sur table ; détacher d'abord les deux cuisses, puis les deux ailes en entamant franchement l'estomac, séparer ce dernier de la carcasse. Les cinq parties sont placées chacune sur un cinquième du croûton. Servir.

Si le faisan a été cuit à point, la chair est rosé clair de même que les gouttelettes de jus qu'elle pleure au passage de la lame du couteau. Si le faisan est trop cuit, la chair est gris terne, granuleuse au palais. Elle a perdu son moelleux, sa succulence.

On accompagne généralement ce mets exquis d'un plat de pommes de terre chips ou paille.

Faisan en casserole

Préparer un jeune faisan comme pour le rôtir, mais le brider en entrée, c'est-à-dire introduire la jointure des pilons et des pattes repliées sur ces derniers dans deux incisions pratiquées dans le flanc de chaque côté du ventre.

Mettre le faisan dans une casserole de dimension juste suffisante pour le contenir et le poêler au beurre 25 à 30 minutes. Retirer la barde et la bride quelques secondes avant l'à-point de cuisson.

Après cuisson rosée, verser un verre à liqueur de cognac dans la casserole, poser le couvercle et servir aussitôt dans le récipient présenté sur un plat garni d'une serviette pliée.

Faisan à la cocotte

Le traiter, dans une cocotte en terre allant au four, comme le faisan en casserole. Au deux tiers de sa cuisson, lui adjoindre une douzaine de petits oignons rissolés et cuits au beurre et 100 grammes de champignons bien nettoyés, coupés en quartiers et sautés au beurre dans un plat à sauter.

Faisan à la crème

Poêler 25 à 30 minutes un jeune faisan dans une casserole ou une cocotte avec 30 grammes de beurre et un oignon moyen divisé en quartiers.

D'autre part, couper en lames pas trop minces 200 grammes de champignons fermes et très blancs, préalablement nettoyés avec soin sans séjourner dans l'eau, les sauter au beurre à feu vif dans une sauteuse et les mouiller avec deux décilitres (un verre ordinaire) de crème fraîche. Assaisonner de sel et de poivre, faire bouillir franchement et verser le tout sur le faisan quand ce dernier est aux deux tiers de sa cuisson. A ce moment, enlever la bride et la barde.

Laisser ainsi trois minutes au four, le faisan étant placé sur le dos pour éviter que l'estomac ne bouille dans la crème, puis dresser sur un plat rond et plat.

Réduire légèrement la crème pour qu'elle acquière la consistance d'une sauce et en arroser le faisan.

Disposer tout autour en bordure des petits croûtons taillés en dents de loup et frits au beurre.

Perdreau, pintadeau et caille reçoivent la même préparation.

Faisan en chartreuse

Procéder comme pour les perdreaux en chartreuse, mais faire braiser dans les choux un vieux faisan qui a uniquement pour but de communiquer son fumet aux choux.

Le faisan destiné à être enfoui dans la chartreuse au moment du dressage doit être jeune, tendre, cuit rôti ou poêlé.

Le déglaçage du fond de cuisson est ajouté aux choux.

Salmis de faisan

Deux méthodes sont l'une et l'autre recommandables.

Première méthode :

Préparer un jeune faisan comme pour le rôtir, le foie ayant été réservé.

Le rôtir à four très chaud 20 à 25 minutes ; le découper encore saignant en 6 parties ; les deux cuisses, les deux ailes écourtées des ailerons, et la poitrine divisée en deux morceaux dans le sens de la longueur. Les réunir dans une sauteuse beurrée ; tenir au chaud à couvert.

Pendant que le faisan rôtit, faire cuire doucement au beurre et sans rissoler, dans une petite sauteuse, trois échalotes finement hachées, ajouter un décilitre et demi (3/4 d'un verre ordinaire) de sauce espagnole réduite et bien dépouillée ou demi-glace. Cuire à tout petits bouillons 15 minutes.

Quand le faisan est découpé, piler finement au mortier la carcasse, les ailerons et autres parures, ajouter cette purée de gibier à la sauce espagnole.

Sauter rapidement dans le plat à rôtir et le beurre de cuisson du faisan une dizaine de petits champignons bien fermes, très propres et assaisonnés de sel et poivre, y faire raidir le foie du faisan et l'enlever, adjoindre une vingtaine de lames de truffes coupées un peu épais, puis, dès que ces dernières sont chaudes, déglacer le plat avec deux cuillerées à potage de bon cognac ou de fine champagne. Enfin, verser le tout sur les morceaux de faisan.

Passer le foie du faisan, qui doit être saignant, au tamis fin et, hors du feu, le mettre dans la sauce espagnole qui, à ce moment, sera réduite de moitié. Mélanger au fouet à sauce, chauffer doucement en remuant, et, dès qu'un premier bouillon est sur le point de se manifester, renverser le tout dans un chinois fin placé au-dessus des morceaux de faisan. Fouler fortement le contenu du chinois au point de le dessécher. Mettre deux noix de beurre divisées en parcelles dans cette sauce, vanner doucement en chauffant sans faire bouillir jusqu'à ce que l'ensemble soit unifié. Vérifier l'assaisonnement et dresser sur plat creux et chaud.

Décorer le dressage avec quelques croûtons de pain de mie taillés en losange et frits au beurre.

En même temps, mettre sur table des assiettes de service très chaudes.

Deuxième méthode :

1º Étuver très doucement jusqu'à cuisson complète et au beurre (30 grammes), dans une sauteuse, la partie rouge d'une carotte, un oignon moyen et deux échalotes, coupés en dés très menus (mirepoix), assaisonner d'une prise de sel et d'une de thym et de laurier broyés en poudre.

2º Rôtir un jeune faisan comme il est indiqué dans la première méthode. Le découper, mettre les morceaux au chaud dans une sauteuse et à couvert ; piler la carcasse, passer le foie, dégagé de la carcasse, au tamis ou le hacher de façon à le mettre en purée.

3º Saupoudrer la mirepoix avec une cuillerée à potage bien pleine de farine. Mélanger et cuire doucement 15 minutes ce roux en le laissant juste blondir ; le mouiller avec un verre (2 décilitres) de jus de veau ou de bouillon. Bien diluer sans grumeaux et faire mijoter 15 minutes.

4º Verser un verre de vin blanc sec dans le plat à rôtir utilisé, le réduire des deux tiers et le réunir à la sauce ci-dessus en traitement ; ajouter la purée de gibier, faire bouillir quelques secondes et, hors du feu, terminer par l'addition du foie. Chauffer doucement en remuant jusqu'à la naissance d'un bouillon, retirer du feu, vérifier l'assaisonnement et passer au chinois fin sur les morceaux de faisan, en foulant fortement le coulis.

Compléter avec une cuillerée à potage de bon cognac et deux noix de beurre divisées en parcelles. Chauffer en vannant, sans faire bouillir, jusqu'à incorporation totale du beurre. Ajouter truffes et champignons comme la formule du premier procédé le stipule et dresser de même.

Faisan farci aux marrons et aux truffes

Éléments :

Un faisan de l'année ; 300 grammes de panne de porc ; 200 grammes de truffes ; 12 marrons ; 100 grammes de champignons ; un petit oignon ; 2 échalotes ; 3 cuillerées à potage de madère ; 3 cuillerées à potage de cognac ; une cuillerée à potage d'huile d'olive ; une barde de lard ; 10 grammes de sel épicé.

Méthode :

1º Plumer le faisan, le vider par la gorge, enlever la fourchette, petit os en « V » situé au sommet de l'estomac, réserver le foie et le cœur, l'assaisonner de sel et poivre à l'intérieur.

2º Chauffer l'huile dans une sauteuse, y réunir l'oignon et les échalotes finement hachés ; faire blondir doucement en remuant fréquemment, ajouter les champignons nettoyés, lavés très rapidement et hachés très menu, puis les sécher en plein feu en les remuant avec une cuiller en bois. Assaisonner d'une prise de sel.

3º Enlever la peau et les membranes de la panne, la diviser en morceaux, les piler au mortier et relever cette pâte dans une terrine. La laisser séjourner au chaud pour amollir la panne, puis la tamiser.

La remettre dans la terrine avec les champignons, les truffes brossées, lavées soigneusement et coupées en petits quartiers, le sel épicé, le madère et le cognac, le foie haché en purée. Triturer vigoureusement l'ensemble à la spatule pour mélanger.

Introduire cette farce dans le faisan en y intercalant de place en place les marrons épluchés et préalablement cuits un peu ferme dans un peu de bouillon.

Brider le faisan et le barder, le cuire avec le cœur à côté selon le procédé appelé poêlage, à raison de 20 minutes par livre. Prendre soin de protéger l'estomac ; terminer la cuisson et servir selon les indications de la poularde truffée.

Nota. — Cette recette peut être réalisée sans truffes.

Faisan farci au foie gras dit à la Souvarov

Farcir un faisan avec foie gras frais et truffes coupés en gros cubes, assaisonnés et macérés au cognac, puis raidis au beurre. Le brider, le chauffer au beurre pour le raidir et cuire à la cocotte hermétiquement close avec une bande de pâte (détrempe d'eau et de farine).

P. S. — Le perdreau peut subir la même préparation.

Perdreaux

Les recettes indiquées pour le faisan s'appliquent également au perdreau et *vice versa*.

Perdreau rôti

Préparer un jeune perdreau à rôtir en procédant comme pour un faisan. Toutefois, avant de poser la barde, placer d'abord sur l'estomac du gibier une feuille de vigne.

Cuire à four chaud et au beurre 18 à 20 minutes.

Comme pour le faisan, la chair doit être rosée quand la cuisson est à point.

Dresser, comme le faisan, sur croûtons et servir avec son jus de cuisson allongé légèrement d'une cuillerée à potage de bon jus de veau ou de bouillon.

Perdrix aux choux

Éléments :

2 perdrix ; un chou pommé ; 200 grammes de lard de poitrine maigre ; un saucisson cru à l'ail de 150 grammes ; 6 saucisses longues dites chipolata ; une carotte moyenne ; un oignon piqué d'un clou de girofle ; un bouquet de quelques branches de persil, liées avec une brindille de thym et un fragment de feuille de laurier ; un litre de bouillon ; 3 cuillerées à potage de graisse de volaille ou de saindoux.

Temps nécessaire : 2 heures 1/2.

Méthode :

1º Enlever les feuilles flétries ou très vertes du chou, l'ouvrir, détacher le trognon, l'effeuiller et le laver en prenant garde aux menues limaces noires, escargots, etc.

L'ébouillanter en plongeant les feuilles égouttées dans une grande casserole d'eau bouillante, y ajouter le morceau de lard. Faire bouillir 15 minutes, égoutter, enlever le lard, rafraîchir le chou, égoutter à nouveau et le presser pour exprimer l'eau.

Éparpiller les feuilles sur un grand plat, et les assaisonner de sel marin broyé et de poivre frais moulu.

2º Pendant cette opération, faire colorer les perdrix au four avec un peu de graisse comme pour un début de rôtissage, soit 8 minutes.

Préparer une casserole haute, choisie de dimension juste pour contenir le chou, les perdrix et la garniture.

Disposer dans le fond la couenne du morceau de lard, le tiers du chou, les perdrix, la carotte, l'oignon, le bouquet garni, le 2e tiers du chou, le lard, le saucisson et le 3e tiers du chou, la graisse et enfin le bouillon de façon que le chou en soit raisonnablement baigné. Mettre à bouillir.

Dissoudre avec trois cuillerées de bouillon le fond de rôtissage des perdrix et le verser sur le chou. Couvrir avec un papier blanc taillé du diamètre de la casserole et graissé, et le couvercle. Faire bouillir puis cuire au four très doucement 1 heure 1/2, c'est-à-dire faire braiser.

Toutefois, retirer le saucisson après 30 minutes de braisage et le lard après 45 minutes.

3º Dressage. — Enlever les perdrix sur une assiette, retirer les choux avec une écumoire en égouttant à fond, les dresser en dôme sur un plat rond et placer les perdrix dessus, les pattes en l'air et dos à dos. Entre elles, disposer les chipolata grillées et le lard débité en rectangles un peu épais, puis autour, en couronne, des rondelles épaisses de saucisson et de carottes alternées.

Perdreau aux choux

(photo page 348)

Pour préparer ce mets très populaire, on sacrifie une vieille perdrix pour parfumer les choux et l'on sert en place un beau perdreau rôti.

Méthode :

Prendre un chou bien pommé, le couper en quatre, enlever le trognon, les grosses côtes et l'effeuiller. Après un bon lavage du chou, le blanchir quelques minutes à l'eau bouillante le rafraîchir, et l'égoutter. Étaler ensuite les feuilles de chou sur la table, les assaisonner de sel et poivre du moulin, les hacher au couteau grossièrement.

D'autre part, faire colorer avec un peu de bon saindoux, dans une cocotte, la vieille perdrix et la couvrir avec les choux. Aromatiser le tout avec une carotte, un oignon piqué d'un clou de girofle, un petit bouquet garni et 150 grammes de lard maigre dessalé. Mouiller à mi-hauteur avec du bouillon ou à défaut à l'eau. Le récipient étant couvert, laisser cuire à petit feu une heure et demie environ.

Entre-temps, rôtir le perdreau en cocotte ou à la broche.

Pour servir, dresser en dôme les choux sur un plat, le perdreau au centre et en tout dernier lieu saucer l'ensemble avec l'excellent jus du perdreau rôti (la vieille perdrix étant éliminée).

Nota. — On peut, à la rigueur, pour améliorer le plat et le rendre plus copieux, ajouter un petit cervelas et quelques pommes de terre cuites au dernier moment avec le chou.

Perdreaux en chartreuse

Faire braiser des perdrix avec des choux selon la méthode des perdrix aux choux.

Éléments nécessaires en surplus des perdrix et des choux :

100 grammes de navets tendres et autant de rouge de carottes détaillés en bâtonnets de la grosseur d'un crayon et de 4 centimètres de longueur et cuits séparément dans un peu de bouillon non coloré ; 150 grammes de haricots verts taillés de même longueur et cuits à l'eau

salée rapidement pour les garder verts ; 1/2 verre de petits pois cuits de même ; 100 grammes de farce de veau à la crème ; 150 grammes de lard maigre ; quelques rondelles de saucisson ; 1 verre de jus de veau.

Dressage :

Beurrer très grassement un moule à charlotte assez grand pour contenir les perdrix et les choux.

Garnir le fond du moule, en couronne partant du bord et en les intercalant, de bâtonnets de navets et de carottes ; placer à la base de la couronne, c'est-à-dire au bord du moule, un petit pois entre chaque bâtonnet, le centre sera rempli avec une rondelle de saucisson coupée de l'épaisseur des bâtonnets.

Décorer la hauteur du moule en partant du fond avec une rangée de bâtonnets de navets placés en diagonale, une rangée de bâtonnets de carottes en diagonale mais dans le sens opposé et ainsi de suite jusqu'en haut du moule pour obtenir une ligne brisée.

Chemiser, c'est-à-dire enduire les bâtonnets en prenant soin de ne pas les déplacer, avec une couche mince de farce, puis tapisser la farce avec les choux bien égouttés et pressés avec l'écumoire.

Monter par couches successives, les perdrix ou perdreaux en quartiers, le lard en rectangles et les choux bien pressés.

Terminer le moule par une couche bien égalisée de farce de veau.

Le placer dans une casserole et le remplir jusqu'aux 2/3 de sa hauteur d'eau bouillante. Pocher à chaleur douce 40 minutes.

Laisser ensuite la chartreuse reposer 5 minutes puis démouler sur un plat rond, plat et chaud.

Garnir le dessus avec des rondelles de saucisson disposées en couronne et en retrait de celle formée par les bâtonnets de navets et de carottes. Au centre, dresser en monticule les haricots verts liés au beurre.

Verser autour quelques cuillerées de bon jus de veau réduit et lié, hors du feu, avec 50 grammes de beurre frais.

Perdreaux à la mode d'Isigny

Éléments :

2 perdreaux (pouillards) ; 4 belles pommes de reinette ; 100 grammes de beurre ; 1/2 verre ordinaire (1 décilitre) de crème fraîche épaisse.

Méthode :

1º Peler, épépiner, enlever la membrane centrale, couper en grosses escalopes les quatre pommes ; les sauter rapidement au beurre sans les cuire totalement ; les assaisonner d'une prise de sel fin.

2º Pendant cette préparation, faire rissoler les deux perdreaux, bridés et bardés, au beurre dans une casserole en terre allant au feu. Les mettre sur une assiette.

A leur place, étendre une couche de pommes de reinette, poser dessus les perdreaux sur le dos, libérés des bardes et débridés, les entourer avec le reste des pommes et arroser les perdreaux avec la crème. Mettre au four à bonne chaleur, sans couvrir, pendant 18 minutes.

Servir dans la casserole présentée sur un plat garni d'une serviette.

Perdreau sauté aux truffes

Diviser un fort perdreau en 6 parties : les deux cuisses, les deux ailes, l'estomac et le dos. Assaisonner de sel et de poivre.

Faire chauffer 60 grammes de beurre dans un plat à sauter. Quand le beurre chante, y mettre bien à plat les 6 morceaux de perdreau, les retourner après 7 à 8 minutes, les cuire encore un temps égal et les dresser sur un plat rond, couvrir et tenir au chaud.

Dans le même beurre, chauffer deux minutes une douzaine de lames de truffes coupées un peu épaisses, les saupoudrer d'une prise de sel, ajouter deux cuillerées à potage de madère, deux de bon jus de veau, donner un bouillon, puis, hors du feu, incorporer 30 grammes de beurre frais.

Arroser le perdreau avec ce fond en répartissant dessus les lames de truffes.

Perdreaux farcis à la limousine

Éléments :

2 jeunes perdreaux.

Farce :

Un petit oignon ; 2 échalotes ; 100 grammes de pédicules de cèpes prélevés sur ceux de la garniture ; 2 foies de perdreaux ; 2 foies de volaille ; 50 grammes de jambon cuit ; 30 grammes de mie de pain trempée dans du lait ou du bouillon et pressée ; un petit œuf battu en omelette ; 1/2 cuillerée à café de persil haché ; une prise de sel ; une prise de poivre ; une pointe d'épices ; 30 grammes de beurre.

Garniture et traitement :

30 grammes de beurre ; 125 grammes de lard de poitrine maigre ; 200 grammes de cèpes frais ; 2 cuillerées à potage d'huile d'olive et autant de jus de veau.

Méthode :

1º Préparer d'abord la farce ; faire blondir au beurre dans une petite sauteuse l'oignon et l'échalote finement ciselés ; y ajouter les pédicules des cèpes hachés fin, assaisonner d'une prise de sel, remuer en plein feu trois minutes et laisser refroidir.

2º Réunir les foies de perdreaux et de volaille raidis au beurre et tenus saignants, le jambon, les cèpes, le tout finement haché, la mie de pain, l'œuf, le persil haché, sel, poivre et épices. Triturer l'ensemble dans une terrine et en farcir les deux perdreaux assaisonnés à l'intérieur.

Les brider, les assaisonner et les barder avec, sous chaque barde, une feuille de vigne.

3º Enlever la couenne du lard et le couper en petits lardons, les mettre dans un litre d'eau froide, faire bouillir 5 minutes, égoutter et éponger.

Faire rissoler les lardons au beurre dans une casserole en terre allant au four et pouvant contenir les deux perdreaux. Les égoutter sur une assiette. A leur place, mettre les perdreaux, les faire colorer de tous côtés.

D'autre part, escaloper les cèpes réservés, les assaisonner de sel et poivre, les rissoler dans une poêle avec l'huile très chaude, les égoutter ; y mélanger les lardons et en entourer les perdreaux. Couvrir la casserole et cuire au four bien chaud pendant 25 minutes.

Quelques secondes avant la fin de la cuisson, verser dans la casserole deux cuillerées à potage de jus de veau ; parsemer sur l'ensemble une pincée de persil haché. Remettre le couvercle, faire bouillir une minute sur le fourneau et servir sur un plat garni d'une serviette.

Perdreaux froids « Café de Paris »

Désosser deux beaux perdreaux (excepté les cuisses), selon la méthode indiquée pour la terrine de volaille.

Les étaler sur la table et les assaisonner de sel, poivre frais moulu, un soupçon d'épices et les asperger avec un filet de cognac.

Étendre sur chacun une couche de la farce indiquée pour la terrine de volaille, mettre au centre, dans le sens de la longueur, une belle truffe coupée en deux parties, à droite et à gauche, un morceau de foie gras cru et macéré au cognac avec assaisonnement, de la grosseur de la moitié d'un œuf. Recouvrir avec une couche de farce pas trop épaisse et redonner aux perdreaux leur forme naturelle ; les barder et assujettir la barde avec deux tours de ficelle.

Étaler les carcasses hachées dans une sauteuse de dimension assez juste pour contenir les deux perdreaux, y joindre une carotte et un oignon moyen coupés en rondelles minces (émincés) ; placer dessus les deux perdreaux. Mouiller juste à hauteur avec un décilitre de vin de Porto et de la gelée fondue. Couvrir et mettre en ébullition. Retirer sur le coin du fourneau et laisser pocher doucement 30 minutes.

Débarrasser dans un récipient de petite dimension pour que les perdreaux continuent de baigner dans le fond de pochage et laisser refroidir ainsi.

Égoutter ensuite les perdreaux et les dresser sur un plat de service ; clarifier la gelée puis, quand la gelée est mi-prise, en napper les perdreaux afin de les recouvrir d'une jolie couche très lustrée. Le fond du plat sera lui-même recouvert sur 3 ou 4 millimètres d'épaisseur de la même gelée.

Coq de bruyère et gelinotte ou grouse

Ces oiseaux exquis, sauf les cuisses du coq de bruyère, sont le plus généralement rôtis ou poêlés. On peut, quand on utilise ce deuxième mode de cuisson, déglacer le récipient avec quelques cuillerées de crème légèrement aigrie et acidulée avec le jus d'un quartier de citron.

Cailles rôties

Les plumer, les vider, les assaisonner à l'intérieur avec une prise de sel fin, les brider et les barder ; placer les oiseaux dans une petite sauteuse, les arroser de beurre fondu et les mettre à four très chaud pendant 12 minutes.

Enlever les brides et servir les cailles aussitôt rôties, dressées sur petits croûtons frits au beurre.

Mettre dans une saucière le beurre et le jus de cuisson augmentés d'une cuillerée à potage de jus de veau ou d'eau chaude pour dissoudre les sucs cristallisés au fond du récipient.

Si jus et beurre étaient versés sur les cailles, ils seraient immédiatement absorbés par les croûtons qui perdraient leur propriété croustillante.

Cailles aux raisins

Préparer des cailles comme pour rôtir, les cuire dans une casserole en terre allant au feu avec, pour 6 cailles, 40 grammes de beurre préalablement chauffé.

Assaisonner de sel fin et de poivre, les faire rapidement colorer en tout sens et achever de les cuire à four très chaud. Ces deux opérations doivent être accomplies en 12 minutes.

Pendant la cuisson, enlever la grume (la peau) et les pépins avec une fine aiguille à de beaux grains de raisin chasselas doré bien mûr à raison de 8 grains par caille.

Quand les cailles sont cuites, mettre le raisin dans la casserole, ajouter très peu de bon jus

311

de veau pour déglacer, recouvrir aussitôt, donner un bouillon et servir immédiatement dans la casserole présentée sur un plat garni d'une serviette pliée.

Risotto de cailles

Préparer un risotto avec, par caille, deux bonnes cuillerées à potage de riz, condimenter avec une cuillerée à café de julienne de jambon maigre, une de truffes et une de champignons.

D'autre part, cuire les cailles traitées comme pour rôtir, à la casserole et au beurre, pendant 12 minutes.

Quand les cailles sont cuites à point, les tenir au chaud entre deux assiettes et chauffer rapidement dans le beurre de cuisson : la julienne de champignons d'abord, puis celles de truffes et de jambon. Verser le tout dans le risotto et mélanger avec précaution.

Dans le même récipient, mettre une petite cuillerée à potage de tomate concassée, préalablement bien fondue et trois cuillerées à potage de jus de veau ; faire bouillir deux minutes.

Mouler le riz dans une timbale ; démouler sur un plat rond chaud, disposer les cailles autour les pattes en l'air, recueillir la tomate concassée avec une cuiller et la mettre au centre ; arroser les cailles avec le jus.

Cailles froides George Sand

Vider 6 belles cailles et les trousser en entrée, c'est-à-dire inciser les flancs des oiseaux et engager dans cette incision l'articulation de la patte repliée sur le pilon.

Assaisonner l'intérieur de chacune avec une prise de sel fin et introduire ensuite deux morceaux de truffes et deux morceaux de foie gras cru préalablement macéré avec sel, poivre, épices et cognac (un soupçon de tous ces condiments).

Choisir une sauteuse pouvant contenir juste les 6 oiseaux.

Les ranger dedans en les serrant les uns contre les autres ; les assaisonner, les arroser très légèrement avec du beurre fondu ; les saisir 5 minutes à four très chaud.

Égoutter la graisse, arroser les cailles avec 3 cuillerées à potage de cognac, flamber et étouffer aussitôt. Recouvrir les cailles avec une julienne composée par tiers de rouge de carotte, de truffes et de champignons crus préalablement étuvés au beurre ; mouiller juste à hauteur avec une bonne gelée blonde, mettre à ébullition et faire pocher très doucement pendant 12 minutes.

Dresser les cailles dans une timbale, dégraisser à fond la gelée de cuisson et la verser dessus ainsi que la julienne.

Mettre au frais et servir quand la gelée est solidifiée.

Nota. — Ce mets étant servi en timbale, la gelée gagnera à être moins gélatineuse qu'une gelée destinée à être démoulée.

Grives à la liégeoise

Plumer 6 grives, retirer par la gorge seulement le gésier, les trousser en glissant l'articulation de la patte et du pilon dans une incision très menue pratiquée dans les flancs de l'oiseau.

Chauffer 50 grammes de beurre dans une casserole, poêlon ou cocotte en terre allant au feu. Quand le beurre grésille, y faire colorer rapidement les grives, puis cuire à four bien chaud pendant 10 minutes.

Trois minutes avant la fin de la cuisson, parsemer sur les grives 8 baies de genévrier hachées ; ajouter deux cuillerées à potage de vin blanc sec.

Au moment de servir, compléter avec une douzaine de rondelles de 4 millimètres d'épaisseur de pain, dit flûte, frites au beurre.

Servir brûlant dans le récipient.

Grives en cocotte aux olives noires

Plumer minutieusement les grives, ne pas les vider, retirer seulement le gésier. Les trousser en leur croisant les pattes, leur piquer le bec entre le bréchet.

Après les avoir assaisonnées, les colorer vivement au beurre en cocotte. Ceci étant fait, ajouter, pour 6 grives, 100 grammes de petit salé coupé en dés et blanchi, 3 douzaines d'olives noires dénoyautées, une douzaine de gousses d'ail en chemise ainsi qu'une branchette de thym et une feuille de laurier.

Couvrir la cocotte pour terminer la cuisson en laissant mijoter à feu doux 5 minutes environ.

Pour servir, on dresse les grives sur de beaux croûtons grillés, taillés dans du pain de campagne ; et, pour les déguster, on sert un bon vin « plein de soleil » de Provence.

Poêlon de grives à la provençale

Plumer minutieusement les grives, ne pas les vider, retirer seulement le gésier. Les trousser en leur croisant les pattes, leur piquer le bec entre le bréchet.

Après les avoir assaisonnées, les colorer vivement au beurre dans le poêlon. Ceci étant fait, ajouter pour 8 grives, 100 grammes de petit salé coupé en dés et blanchi, 3 douzaines d'olives noires dénoyautées, une douzaine de gousses d'ail en chemise ainsi qu'un brin de thym et une feuille de laurier et quelques pommes de terre rissolées.

Couvrir le poêlon pour terminer la cuisson en laissant mijoter à feu doux 5 minutes environ.

On sert aussitôt à même le poêlon.

Grives bonne femme

Faire fondre et rissoler dans un peu de beurre et dans une casserole ou cocotte en terre assez grande, 100 grammes de minuscules lardons de lard de poitrine maigre et ébouillantés.

Quand ils sont bien dorés, y ajouter 6 grives et les cuire à four chaud pendant 10 minutes.

Au moment de servir, ajouter 4 cuillerées à potage de pommes noisettes cuites préalablement et 4 cuillerées de petits croûtons en pain de mie taillés en dés et frits au beurre.

Compléter avec deux cuillerées à potage de bon jus de veau.

Alouette ou mauviette

L'alouette, grasse à l'automne, change de nom. Le cuisinier et le gastronome l'appellent mauviette.

Mauviettes bonne femme

Même recette que celle des grives bonne femme.

Mauviettes du Pré-Catelan

Pour 6 mauviettes, cuire au four 6 grosses pommes de terre de Hollande bien régulières et non épluchées.

Découper sur l'une des faces, la plus plate, un couvercle à la manière d'une tabatière. Évider la pulpe en laissant une épaisseur d'un centimètre adhérent à la pelure. La recueillir sur une assiette creuse, la broyer à la fourchette avec 30 grammes de beurre ou une cuillerée à potage de crème et une de gruyère râpé, une prise de sel fin et une pointe de muscade râpée.

Regarnir l'intérieur des pommes de terre avec cette pulpe en laissant toutefois une cavité pour y loger une mauviette cuite préalablement au beurre, dans lequel une tranche de jambon cru de Bayonne est mise deux secondes à chauffer et non à rissoler.

Placer une mauviette dans chaque pomme de terre, l'arroser avec un peu de ce beurre recouvrir avec une tranche de jambon, une couche de pulpe, une de gruyère ou de parmesan râpé avec quelques gouttes du même beurre et mettre à four chaud quelques minutes pour chauffer et gratiner.

Disposer les pommes de terre en rosace sur un plat rond garni d'une serviette pliée. Mettre au centre un petit bouquet de persil.

Ortolans

On sert généralement 4 ortolans par convive.

Le mode de cuisson le plus rationnel pour ces petits oiseaux extrêmement gras est de les rôtir.

Les embrocher sur une brochette à rognons, en les intercalant d'un petit croûton taillé en demi-lune de la dimension des oiseaux et de 3 millimètres d'épaisseur.

Les assaisonner de sel fin, les arroser de beurre fondu et les cuire 4 à 5 minutes au four très chaud.

Servir avec le beurre de cuisson.

Ortolans « Caprice d'Ève » (Recette de Louis Perrier)

Éléments (pour 4 personnes) :

12 ortolans de provenance des Landes (engraissés et plumés) ; 12 petites pommes de reinette, grises de préférence (elles restent plus fermes à la cuisson) ; sel et poivre ; 2 centilitre de cidre vieux ; 1 décilitre environ de bon fond de veau.

Préparation :

Terminer soigneusement le plumage des ortolans. Enlever les yeux. Vider délicatement l'oiseau sans oublier de retirer le jabot rempli généralement de graines ; comme pour le petit gibier à plume, trousser les pattes après avoir sectionné les griffes. Piquer le bec entre le bréchet. Quant aux pommes, les éplucher correctement et les évider de façon à pouvoir introduire un ortolan dans chacune d'elles.

Cuisson :

1º Après avoir salé légèrement les pommes, les ranger dans un plat en terre beurré et les mettre à four chaud jusqu'à mi-cuisson.

2º D'autre part, assaisonner avec sel et poivre les ortolans. Les saisir au beurre dans une sauteuse pour les dorer et leur faire rendre une partie de leur graisse.

3º Placer ensuite un oiseau dans chaque pomme, la poitrine et la tête dépassant du fruit

Remettre le tout au four pour terminer la cuisson et faire, en arrosant, s'imprégner le gras excédent des ortolans dans la pulpe des pommes.

4° Déglacer la sauteuse avec le cidre. Ajouter le fond de veau. Lier avec une noix de beurre. Après avoir rectifié l'assaisonnement, lustrer le tout avec le fond ainsi obtenu. Servir aussitôt dans le plat d'origine.

Becfigues

Cuire comme les ortolans. Mais le plus souvent on les traite finement bardés et rôtis en brochettes de six. Pour les servir, on les dresse sur un lit de pommes paille avec un bouquet de cresson.

Bécasse rôtie

Plumer l'oiseau au moment de le cuire. Ne pas le vider, sauf le gésier qu'il faut retirer. Le flamber légèrement, enlever les yeux, nouer les pattes l'une dans l'autre en les entrelaçant et transpercer le corps à hauteur des cuisses avec bec qui y reste fixé.

L'assaisonner d'une prise de sel fin.

L'envelopper d'une barde de lard.

Rôtir la bécasse à feu vif à la broche ou à four très chaud, l'arroser de beurre fondu.

Temps de cuisson : 18 à 20 minutes suivant la grosseur.

La tenir très légèrement saignante.

La dresser sur croûton de 10 centimètres de long, 6 centimètres de large, 1 centimètre d'épaisseur, taillé dans un pain de mie et frit dans le beurre de cuisson si la bécasse est rôtie au four, et, si cela est possible, la tartiner d'une bonne cuillerée de purée de foie gras.

La découper en présence des convives, réunir les intestins sur une assiette chaude, moudre dessus une prise de poivre frais, ajouter une noix de beurre frais ou de foie gras pour une bécasse ; broyer le tout avec une fourchette en humectant avec trois cuillerées à café de fine champagne.

Répartir cette purée sur la surface du croûton, lequel est ensuite divisé en un nombre de morceaux égal à celui des convives. Servir à part le jus de cuisson allongé et déglacé avec une cuillerée de jus de veau ou d'eau chaude.

Bécasses farcies rôties *

« La recette est pour 6 personnes.

Ayez trois bécasses crues et un pigeonneau cru. Désossez l'une des bécasses, et prenez-en toutes les meilleures chairs, coupez ces chairs en gros dés. Brossez et pelez trois grosses truffes de bonne grosseur, coupez-les en lames épaisses, que vous surcoupez ensuite en carrés.

Ayez un foie d'oie frais, coupez-le en morceaux, comme les chairs de la bécasse. Mettez tout cela dans une terrine, salez et poivrez, ajoutez une cuillerée à potage de bon madère, afin de bien humecter le mélange.

Désossez le pigeonneau, prenez ses chairs, et, après les avoir un peu hachées, mettez-les au mortier. Pilez-les bien. Mouillez d'eau un morceau de mie de pain rassis, gros comme le poing, exprimez ensuite cette eau, et mouillez alors d'une louche de crème chaude le morceau de mie. Ajoutez dans le mortier 100 grammes de beurre frais, et pilez encore pour bien mélanger le tout. Finalement, incorporez à cette farce quatre jaunes d'œufs crus, bien frais. Salez et poivrez.

* Recette tirée du *Livre de cuisine des familles*.

Retirez de la terrine les morceaux de viande et de truffes qui ont été imbibés de madère. Hachez tout cela aussi finement que possible ; puis prenez dans le mortier la farce, mettez-la sur la planche à hacher, et mélangez-la au hachis, en la triturant avec les doigts, en pétrissant bien le tout. C'est avec cette préparation que vous farcirez l'intérieur des deux bécasses, auxquelles vous n'avez pas touché jusqu'à présent.

Le moment est venu de vous en occuper.

Après les avoir plumées, flambez-les légèrement, et videz-les d'une façon complète ; jetez le jabot ou poche, le gésier et les intestins ; ne gardez que les foies de ces deux bécasses, et réservez-les avec le foie de la troisième bécasse ; enlevez à chacune les yeux et la peau de la tête. Ensuite, remplissez l'intérieur de chacune des deux bécasses avec la farce précédemment apprêtée ; bourrez bien, recousez avec soin toutes les ouvertures. Cela fait, troussez et bridez chaque bécasse, en lui croisant les pattes et en ramenant la tête vers les cuisses, passez le bec dans la jointure des cuisses ; l'oiseau, de cette façon, paraît être transpercé par son long bec. Enveloppez chacune des deux bécasses d'une mince barde de lard. Après quoi, embrochez au moyen d'un hâtelet en fer, en ayant soin que les bécasses soient traversées en biais, fixez alors le hâtelet sur une broche par les deux bouts.

Faites rôtir à bon feu, c'est-à-dire un feu clair et vif, bien entretenu dans la coquille à rôtir. Pour ce rôti, il ne faut pas que les bécasses soient saignantes, mais au contraire bien cuites ; par conséquent, c'est une cuisson de 25 à 30 minutes qui convient.

D'autre part, ayez autant de petites tranches de pain que de personnes ; préalablement, vous les avez fait griller. Placez-les dans la lèchefrite, soulevées par une grille en fer, elles reçoivent ainsi le jus qui découle du gibier, tout en demeurant croustillantes. Douze minutes environ avant la fin du rôtissage des bécasses, reprenez ces tranches, tartinez-les avec ce qui vous reste de farce, après avoir bien mélangé à cet excédent les foies des trois bécasses, bien hachés. Vos croûtes ainsi tartinées seront hygiéniques, contrairement à l'usage qui consiste à les recouvrir des intestins, des excréments de ce gibier. Aussitôt garnies de farce, remettez les croûtes dans la lèchefrite ; les dix dernières minutes du rôtissage suffisent pour cuire cette garniture.

Le rôtissage étant terminé, débrochez les deux bécasses, débarrassez-les de leur barde, et enlevez les ficelles qui les ont bridées. Servez-les sur un plat chaud entourées des croûtes tartinées, accompagnez-les de trois citrons coupés en quartiers et d'une saucière contenant le jus de la lèchefrite, additionné d'une cuillerée (à soupe) de bon madère.

N'oubliez pas que les assiettes doivent être très chaudes. »

Observation :

Le lendemain, avec les carcasses des deux bécasses rôties (reliefs du découpage) et avec la carcasse crue et les quelques chairs crues non utilisées de la troisième bécasse qui a servi à faire la farce, vous confectionnerez une soupe de gibier, qui sera des plus succulentes ; il n'y aura qu'à faire cuire pendant une heure ces restes dans un litre et demi de bouillon de pot-au-feu, et, après cette cuisson, passer à la passoire fine.

Salmis de bécasses à l'ancienne Christian Bourillot

Pour 4 personnes :

Après avoir retiré les gésiers, trousser et assaisonner deux belles bécasses. Les rôtir à feu vif au four ou à la broche. Maintenir à la cuisson les chairs saignantes. Séparer correctement les cuisses et les ailes des carcasses ainsi que les têtes. Oter la peau des membres et ranger ceux-ci dans une timbale ou un plat creux à couvert sur le coin du feu. Réserver les intestins.

D'autre part, les carcasses et l'épiderme étant hachés, les faire revenir au beurre avec une fine mirepoix. Dès que les ingrédients sont colorés, flamber au cognac et mouiller avec

3 décilitres de vin blanc ou de vin rouge. Réduire de moitié. Ajouter 2 décilitres de sauce demi-glace et laisser ¡bouillir quelques minutes.

Par pression, fouler la sauce à la passoire fine pour extraire la quintessence des carcasses et des aromates. Le fond qui en résulte doit être plus un coulis qu'une sauce. Détendre légèrement ce coulis avec un peu de fumet de champignons et, en rectifiant l'assaisonnement, incorporer une noix de beurre à la sauce. Celle-ci étant mise au point, la passer très chaude sur les membres des bécasses auxquels on aura ajouté les deux têtes et une garniture composée de petits champignons et de lames de truffes étuvés au beurre.

Pour servir et donner une note finale à ce succulent mets, l'agrémenter de croûtons frits au beurre et masqués avec une farce faite avec les intestins réservés et un peu de foie gras.

Nota. — Le salmis de bécasse à l'ancienne peut servir de base et de principe à l'apprêt en salmis de nombreux volatiles : faisans, perdreaux, palombes, canards et oiseaux de marais.

Canard sauvage

Col-vert, pilet, souchet, sarcelle s'accommodent selon les mêmes apprêts.

Canard sauvage rôti

Brider un canard après l'avoir assaisonné à l'intérieur ; ne pas le barder.

L'arroser de beurre fondu, l'assaisonner, le mettre au four très chaud de 15 à 20 minutes, suivant la grosseur. Cuire fortement rosé.

Le dresser avec un bouquet de cresson, un demi-citron. L'accompagner du jus de cuisson composé de beurre et de deux à trois cuillerées à potage de jus de veau ou d'eau chaude ajoutées pour déglacer le plat à rôtir.

Canard sauvage à l'anglaise

Faire rôtir un canard sauvage et le servir accompagné d'un légumier de marmelade de pommes peu ou pas sucrée.

Salmis de canard sauvage

Procéder comme pour le salmis de faisan. Temps de cuisson : 18 à 20 minutes. Doit être cuit saignant.

Canard sauvage à la bigarade

Appliquer la même formule que celle indiquée pour le caneton à la bigarade. Cuire rosé.

Sarcelle (gibier maigre)

Accommoder selon l'une des recettes choisies et cuire 12 à 14 minutes.

Pluvier et vanneau (gibiers maigres)

L'apprêt qui leur convient le mieux est rôti à feu vif à la dernière minute ; temps : 12 à 14 minutes. Tenir rosé.

Servir avec le beurre de cuisson.

LES LÉGUMES

LES LÉGUMES ET LEUR CUISSON

L'importance des légumes dans les préparations culinaires est considérable car en plus de leurs nombreuses variétés, des différentes façons de les apprêter et de la gamme si riche de leur saveur, ils rehaussent et complètent les plus grands menus.

Les principaux modes de cuisson des légumes sont à l'eau, à la vapeur, à l'étuvée, à la friture et au gril.

Cuisson à l'eau : certains légumes, principalement les épinards et les haricots verts, sont traités à grande eau bouillante pour leur faire subir une cuisson complète, tout en maintenant leur couleur verte.

Le récipient doit être découvert et mis en plein feu avec suffisamment d'eau pour immerger entièrement les légumes qui sont plongés dans cette eau salée à raison de 8 grammes par litre, en grande ébullition, celle-ci ne devant en aucun cas être arrêtée durant la cuisson. Il est préférable de les utiliser aussitôt cuits, égouttés pour être servis nature, à l'anglaise ou au beurre.

S'ils sont rafraîchis, ils ne doivent pas séjourner dans l'eau, sans cela ils perdraient de leur saveur, il faut donc les égoutter à fond.

Pour maintenir leur couleur verte, on utilise un récipient si possible en cuivre, ce métal ayant la propriété de raviver la chlorophylle.

Certains légumes demandent une cuisson spéciale, notamment les fonds d'artichauts, les cardons, les bettes, les salsifis, les céleris, etc. Ces légumes, une fois épluchés ou parés, noircissent au contact de l'air ; pour pallier cet inconvénient, il faut les maintenir dans une eau fraîche acidulée au citron principalement. Leur cuisson se fait dans une préparation appelée « blanc ».

Blanc à légumes : il est composé proportionnellement à la quantité de légumes à cuire : pour un litre d'eau, 6 grammes de sel, 20 grammes de farine délayée à froid et le jus d'un citron ainsi qu'un corps gras (graisse ou huile). Ces ingrédients ont pour effet, en plus de l'acidité du citron qui annihile le tanin, d'enrober les légumes de façon à les préserver du contact de l'air durant la cuisson. Ceux-ci doivent être mis à cuire dans le blanc bouillant. S'ils ne sont pas utilisés immédiatement, il faut les laisser refroidir dans leur cuisson.

Cuisson à l'étuvée : appelée aussi à l'étouffée, elle demande une grande attention et une continuelle surveillance, car elle est très délicate. Les légumes cuits à l'étuvée doivent être jeunes, c'est à dire considérés comme nouveaux ou primeurs, parmi ceux employés le plus fréquemment citons : les carottes, les navets, les petits pois, les haricots verts, l'oseille. On peut ajouter également les pommes de terre quoique leur mode de cuisson diffère légèrement.

Pour cuire les légumes à l'étuvée, on les met dans un récipient à fond épais. On les sale légèrement et on ajoute un peu de beurre. On mélange le tout sur feu doux en faisant suer les légumes. Ce principe a pour but de faire rendre une partie de l'eau de végétation, nécessaire pour assurer leur cuisson et en même temps de développer leur arôme et leur saveur. On couvre le plus hermétiquement possible de manière que l'eau de végétation en s'évaporant se condense sur le couvercle et retombe sur les légumes. La chaleur doit être moyenne et régulière. Trop basse les légumes se désagrègent. Trop élevée, ils risquent, par le sucre qu'ils contiennent, de se caraméliser et d'attacher au fond du récipient. Une fois cuits, l'eau de végétation doit être évaporée sans pour cela que les légumes soient complètement déshydratés, c'est-à-dire desséchés. En résumé, pour obtenir une cuisson parfaite, il faut maintenir continuellement une cuisson lente et surveiller l'évaporation afin que celle-ci ne tarisse pas le liquide qui engendre la vapeur.

Cuisson à la vapeur : le mode de cuisson à la vapeur se rapproche de celui à l'étuvée. Il se fait en enfermant les légumes dans un bain de vapeur jusqu'à cuisson complète. Pour cela, il faut une marmite conditionnée de manière que les légumes soient séparés de l'eau en ébullition par un double fond troué. L'eau doit être salée normalement. Il est nécessaire pour qu'il n'y ait aucune déperdition de vapeur que le récipient soit hermétiquement clos. Pour que les légumes cuisent dans de bonnes conditions, l'eau doit bouillir sans arrêt, sinon la vapeur n'aurait pas la pression voulue et les degrés calorifiques suffisants pour assurer la cuisson.

En Angleterre, ce mode de cuisson est des plus employés. En France, nous cuisons surtout les pommes de terre par ce procédé, tandis que les Anglais cuisent une grande partie des légumes et même d'autres aliments, tels que les viandes, les poissons, les crustacés. Dans les grandes cuisines de ce pays, des appareils appelés « steams » servent à cet usage ; ce sont des genres d'étuves fermant hermétiquement où la vapeur arrive à une très haute pression.

Les légumes cuits à la vapeur sont consommés principalement au naturel, avec du beurre frais.

Cuisson au gril : la cuisson au gril est un des premiers modes employés par les hommes pour cuire leurs aliments. De grande utilité pour la cuisson des viandes et des poissons, il l'est moins pour les légumes. Toutefois il donne pour certains de très bons résultats en leur communiquant une saveur agréable.

Les tomates, les champignons, généralement les légumes riches en eau de végétation supportent très bien la cuisson au gril. Pour cela, on doit au préalable les assaisonner et les enduire d'un corps gras, huile d'olive de préférence : les placer sur le gril très chaud, les retourner souvent et les badigeonner d'huile durant la cuisson. La chaleur doit être vive, de façon que l'enveloppe recouvrant le végétal se caramélise légèrement. La pulpe intérieure est cuite par l'évaporation de l'eau de végétation.

On sert les légumes cuits sur le gril le plus souvent comme éléments de garniture des viandes et des volailles. Le meilleur feu pour ce mode de cuisson est celui produit par le charbon de bois.

Cuisson à la friture : la cuisson des légumes à la friture est faite par immersion de ceux-ci dans un corps végétal ou animal, porté à une chaleur déterminée. Ce mode de cuisson demande beaucoup d'expérience.

Les légumes cuits à la friture doivent être riches en amidon, c'est le cas des pommes de terre. Si les légumes en sont démunis, on doit remédier à cette carence en les enrobant de farine ou d'une pâte à frire. Courgettes, aubergines, etc., sont traitées ainsi.

Que se passe-t-il pendant la cuisson? Les légumes plongés dans la friture sont saisis par les degrés caloriques du corps gras employé, l'amidon qui les compose forme une pellicule imperméable, enfermant à l'intérieur de la pulpe l'eau de végétation ; celle-ci se vaporisant sous l'effet de la chaleur cuit, par ce fait, la pulpe du végétal.

Un légume cuit à point doit être rigide, croustillant, d'une belle couleur blonde et intérieurement cuit et moelleux. Pour obtenir ce résultat, il faut que la friture soit suffisamment chaude, sans pour cela atteindre une trop haute température, sinon les sucres se caraméliseraient exagérément et donneraient un goût d'amertume et une couleur trop foncée aux légumes. Le temps de cuisson ne peut être déterminé à l'avance, il est en rapport avec la grosseur des légumes. On ne doit pas non plus frire une trop grande quantité de légumes à la fois, on risquerait de descendre les degrés caloriques de la friture trop bas, ce qui serait néfaste pour le résultat final. En agissant ainsi, le corps gras pénétrerait dans la pulpe du légume et l'empêcherait en se désagrégeant, de se couvrir d'une pellicule. Aussitôt frits, les légumes doivent être égouttés et séchés sur un linge, salés judicieusement au sel très fin et être servis sans attendre, sinon ils se ramolliraient.

Pâte à frire pour légumes : mélanger dans un récipient 250 grammes de farine tamisée avec 50 grammes de beurre fondu et 2 œufs entiers ; saler, ensuite délayer le tout avec une quantité d'eau suffisante pour obtenir une pâte semi-liquide, qui doit être préparée 1 heure avant son emploi.

On peut aussi frire les légumes préalablement cuits à l'eau, tels que salsifis, choux-fleurs, etc. Pour ce genre de légumes on prépare une pâte à frire plus consistante et au moment de l'emploi, on ajoute 4 blancs d'œufs fouettés très fermes. On peut aussi alléger la pâte en remplaçant l'eau par de la bière.

Braisage des légumes : le braisage des légumes est un dérivé de la cuisson à l'étuvée. Les légumes devant être braisés doivent être au préalable blanchis pour réduire leur volume et neutraliser leur âcreté. Pour le faire, on se sert d'une marmite d'eau bouillante, où l'on plonge les légumes nettoyés et parés ; ceux-ci doivent être entièrement submergés. Quelques minutes de vive ébullition suffisent à réduire leur volume et à supprimer leur âcreté. Cette demi-cuisson terminée, ils sont rafraîchis et égouttés.

Les principaux légumes à braiser sont les choux, les cœurs de céleris, les laitues, etc. Le braisage se fait dans une casserole à fond épais, foncé d'une riche mirepoix. On mouille ceux-ci au quart de leur hauteur avec du bouillon gras, salé, poivré. La cuisson se fait au four à une chaleur étudiée de telle façon qu'une ébullition lente engendre continuellement la vapeur nécessaire à la cuisson. La braisière doit être couverte et pour que la surface des légumes ne se dessèche pas, on la recouvre d'un papier beurré en laissant, au centre, un trou suffisant pour que la vapeur en se dégageant de cet orifice se condense sur les parois du récipient. La durée de cuisson varie selon les espèces.

Pour les choux, on tapisse la braisière de bardes de lard et on incorpore dans certains cas des ingrédients tels que poitrine de porc salé ou du gibier (faisan, perdrix, etc.).

En ce qui concerne les céleris et les laitues, on les égoutte et on les range une fois braisés dans une casserole à bord bas et on ajoute au fond du braisage un pourcentage de jus de veau lié. Après réduction et rectification de l'assaisonnement, on passe la sauce obtenue sur les légumes de façon qu'ils s'imprègnent et s'enrobent de celle-ci et se glacent d'une couche brillante.

On peut aussi farcir les légumes avant leur braisage.

Légumes à la grecque : leur préparation n'est pas comme on pourrait le croire une spécialité grecque. Ce mode de préparation et de cuisson a été étudié et mis au point en rappelant l'origine des mets de ce pays par les cuisiniers français.

Les légumes à la grecque sont servis le plus souvent froids dans les hors-d'œuvre. Les plus appréciés sont les artichauts, les poireaux, les petits oignons et les champignons.

Proportionnellement à la quantité de légumes à cuire, la cuisson est ainsi préparée : 1 litre d'eau, 1 décilitre d'huile d'olive vierge, 10 grammes de sel et le jus de trois citrons. On aromatise avec du fenouil, céleri, grains de coriandre, poivre, thym, laurier, en dosant les proportions de chacun de ces éléments selon leur force aromatique. Dans certains cas, on remplace le volume d'eau par un pourcentage de vin blanc sec.

Les légumes sont cuits dans cette préparation et maintenus une fois cuits dans leur cuisson, qui doit être en partie réduite.

Pourquoi et comment on glace les légumes ? On glace certains légumes tels que carottes, navets, petits oignons, etc., pour conserver et accentuer leur saveur et leur donner du brillant, tout en maintenant leur couleur naturelle et leur fermeté. A cet effet, après les avoir parés ou tournés, on les met dans une casserole à bord bas et à fond épais avec du beurre, du sel, une pincée de sucre et de l'eau à leur hauteur. La cuisson se fait jusqu'à évaporation complète de façon à obtenir une réduction à l'état de sirop. Le glaçage s'obtient en roulant les légumes dans cette réduction sirupeuse de manière à les envelopper d'une couche brillante.

Traités ainsi, les légumes glacés servent de garniture aux viandes de boucherie et aux volailles. Ils entrent également dans la composition des bouquetières de légumes.

Le terme glacé s'emploie aussi pour les légumes braisés. Ce glaçage est tout différent du premier nommé (voir légumes braisés).

Cuisson des légumes secs : on appelle légumes secs les graines, principalement de légumineuses telles que haricots, lentilles, pois, etc., cueillies à maturité. Les légumes secs ne doivent pas être trop vieux, les meilleurs en qualité sont ceux de l'année. Étant en partie démunis de leur eau de végétation, il est nécessaire avant de les faire cuire de leur faire récupérer celle-ci en les mettant à tremper quelques heures. Cette immersion dans l'eau ne doit pas être exagérée, car elle risque par un temps prolongé de les faire germer et fermenter et de produire par ce fait des malaises intestinaux durant la digestion. Auparavant, il faut toujours les trier et les laver pour éliminer les souillures (mauvaises graines, pierres, etc.) qui y sont souvent mélangées.

A l'inverse des légumes frais, on les met à cuire à l'eau froide, en quantité suffisante pour qu'ils cuisent dans de bonnes conditions et pour qu'ils puissent continuer de gonfler. Pour assurer une cuisson parfaite, on doit amener doucement le liquide à ébullition. Après avoir écumé, on aromatise avec oignons cloutés de girofle, carottes, ail et bouquet garni. On préconise aussi de saler après une demi-heure de cuisson et de maintenir le récipient couvert. L'ébullition durant la cuisson doit être lente et régulière ; dans aucun cas on ne doit l'arrêter. Si, par évaporation, le liquide venait à faire défaut, on doit rajouter de l'eau bouillante et non de l'eau froide, car on risquerait de faire durcir les féculents.

Artichauts à la Barigoule

Choisir 6 artichauts moyens et réguliers de grosseur, rogner la tige au ras des feuilles et raccourcir celles-ci de 4 centimètres environ.

Les ébouillanter 15 minutes en les jetant dans de l'eau bouillante et les égoutter. Quand ils sont tièdes, enlever en bouquet les feuilles centrales, puis tout le foin.

Assaisonner légèrement l'intérieur et remplir la cavité avec une bonne cuillerée de farce dont la composition est indiquée ci-dessous.

Disposer dans le fond grassement beurré d'une casserole haute, pouvant contenir juste les 6 artichauts, une carotte et un oignon moyens coupés en minces rondelles, 3 morceaux de couennes de lard frais, une brindille de thym et un fragment de feuille de laurier ; ranger dessus les artichauts, couvrir et faire étuver 10 minutes sur le coin du fourneau ; mouiller avec un verre ordinaire (2 décilitres) de vin blanc sec et faire réduire presque totalement ; ajouter jusqu'à mi-hauteur du jus de veau non coloré et peu salé ou du bouillon à défaut. Mettre à bouillir, couvrir et cuire à four doux pendant 45 minutes.

Après ce temps, enlever le couvercle et laisser dorer les bardes de lard.

Retirer les artichauts, enlever la ficelle et les dresser sur un plat rond et chaud.

Passer le fond de braisage dans une sauteuse, le dégraisser en grande partie et le réduire à un décilitre (1/2 verre), vérifier l'assaisonnement et l'additionner de 3 cuillerées à potage de demi-glace réduite ; à défaut, hors du feu, avec 30 grammes de beurre frais.

Verser ce fond sur le plat de service des artichauts ou le servir en saucière, ce qui est plus pratique.

Farce pour les artichauts

Râper, ou couper en dés minuscules, 60 grammes de lard gras et frais, le faire fondre doucement dans un plat à sauter avec 2 échalotes finement hachées.

D'autre part, hacher rapidement 250 grammes de champignons bien blancs, préalablement nettoyés et lavés sans les laisser séjourner dans l'eau. Les jeter dans le plat à sauter où le lard et l'échalote sont bien fondus ; sécher le tout en plein feu 3 minutes en remuant sans arrêt avec une cuiller en bois, assaisonner de sel et de poivre.

On peut, à ce moment, adjoindre 60 grammes de fine chair à saucisse. Retirer du feu et compléter avec une cuillerée à café de persil frais haché et 60 grammes de beurre. Malaxer le mélange jusqu'à incorporation complète du beurre. Vérifier l'assaisonnement. Farcir les artichauts et les recouvrir d'une barde de lard frais. L'assujettir avec une ficelle.

Artichauts avec sauces diverses

Les cuire entiers ; au préalable couper la tige au ras des feuilles, épointer aux ciseaux celles du tour et raccourcir les artichauts d'un tiers environ ; les laver, les ficeler pour maintenir les feuilles pendant l'ébullition et les plonger dans une casserole d'eau bouillante, laisser refroidir 10 minutes et les égoutter.

Les remettre à l'eau bouillante, salée normalement, et cuire à ébullition assez vive.

L'à-point de cuisson doit être juste ; il se constate en exerçant une légère pression sur le fond qui ne doit plus opposer qu'une faible résistance, ou en détachant avec facilité une feuille du tour.

Pour les servir chauds, les égoutter parfaitement retournés sur les feuilles et les dresser sur une serviette pliée.

Accompagner d'une saucière de beurre fondu, de sauce hollandaise, de sauce mousseline, de sauce crème, de sauce blanche, etc.

Pour les servir froids, les égoutter retournés sur les feuilles et laisser refroidir ; les dresser sur une serviette pliée après avoir enlevé en bouquet les feuilles du centre, puis, en dessous, le foin ; replacer le bouquet de feuilles enlevées en disposant les pointes à l'intérieur de l'artichaut ; dans la partie qui se présente alors comme un calice disposer une pincée de persil ou de cerfeuil haché.

Accompagner avec une sauce froide : vinaigrette, mayonnaise légère, moutardée ou non, tartare, etc.

Fonds d'artichauts à la bressane

Détacher les feuilles de 12 artichauts moyens et fraîchement récoltés, enlever complètement le foin, parer l'extérieur et le frotter avec un quartier de citron pour le maintenir blanc, les mettre au fur et à mesure dans l'eau fraîche.

D'autre part, préparer un blanc à légumes très léger, composé d'une cuillerée à potage de farine, de deux cuillerées de vinaigre ou d'un demi-citron, d'un litre d'eau et de 10 grammes de sel. Diluer la farine avec l'eau froide et faire bouillir ; remuer fréquemment jusqu'à l'ébullition.

Y jeter les fonds d'artichauts et cuire à petits bouillons.

Les fonds étant cuits, les égoutter et les éponger ; les étuver 15 minutes ensuite au beurre dans un plat à sauter. Les assaisonner d'un soupçon de sel fin et de poivre frais. Après ce temps, les pousser un peu au feu pour les rissoler très légèrement des deux côtés en les retournant avec précaution au moyen d'une spatule.

Les mouiller avec 6 cuillerées à potage de crème fraîche, réduire doucement de moitié et ajouter 5 décilitres de purée de champignons légère.

Retirer du feu au premier bouillon et incorporer dans l'ensemble 30 grammes de beurre frais en vannant. Dresser dans un légumier.

Artichauts à la grecque

En avril et mai, choisir une douzaine de petits artichauts dits poivrade et fraîchement récoltés. Les diviser en quartiers, enlever le foin, raccourcir les feuilles et les jeter dans l'eau fraîche acidulée.

Les ébouillanter 8 minutes en les plongeant dans l'eau bouillante, puis les égoutter.

D'autre part, préparer une cuisson composée de 3/4 de litre d'eau, un bouquet comprenant 3 branches de persil, une de céleri, une brindille de thym et un fragment de feuille de laurier ; une pincée de coriandre, une de fenouil, 5 grains de poivre broyés, le jus de deux citrons, 6 cuillerées à potage d'huile et 10 grammes de sel.

Mettre en ébullition assez vive pendant 10 minutes, puis y plonger les artichauts ; cuire à bonne allure de 15 à 20 minutes, verser dans une terrine et laisser refroidir.

Dresser en ravier, avec un peu de marinade (cuisson) et servir très froid.

Fonds d'artichauts farcis

Parer et cuire dans un blanc des fonds d'artichauts suivant les indications de la recette des fonds d'artichauts à la bressane.

Les égoutter, les assaisonner de sel fin et de poivre, les étuver au beurre 15 minutes dans un plat à sauter ; les disposer ensuite dans un plat à gratin en terre allant au feu, les garnir de purée de champignons assez consistante, les saupoudrer de mie de pain en chapelure, les arroser avec le beurre d'étuvage et faire gratiner à four chaud.

Servir en même temps une saucière de sauce madère.

Fonds d'artichauts Mornay

Procéder comme pour les fonds d'artichauts farcis et, après cuisson et étuvage des fonds, les placer côte à côte dans un plat à gratin dans le fond duquel une légère couche de sauce Mornay a été étendue.

Recouvrir les fonds de sauce Mornay, une bonne cuillerée à potage sur chacun, puis les saupoudrer de gruyère et de parmesan râpés par moitié et mélangés à une forte pincée de mie de pain en chapelure.

Arroser chaque fond avec quelques gouttes de beurre fondu et faire gratiner à four chaud.

Fonds d'artichauts princesse

Même préparation que les artichauts Mornay. Toutefois, quand les fonds sont rangés dans le plat à gratin, les garnir de pointes d'asperges vertes, cuites à l'eau bouillante salée à point, égouttées, étuvées 5 minutes au beurre dans une sauteuse et liées avec quelques cuillerées de sauce Mornay. Terminer comme les fonds d'artichauts Mornay.

Beignets d'artichauts

Les fonds d'artichauts étant préparés et cuits dans un blanc ou, ce qui est mieux, à l'étuvée, les égoutter, les éponger et les diviser en 4 ou 6 quartiers suivant leur grosseur.

Les mettre dans un saladier et les arroser de quelques gouttes de jus de citron, d'un filet d'huile, les assaisonner de sel et de poivre et ajouter une pincée de persil et de cerfeuil hachés ; mélanger et laisser macérer 20 minutes.

Les égoutter bien à fond et les tremper un à un dans de la pâte à frire, les plonger dans la friture fumante. Quand les beignets surnagent et qu'ils sont bien dorés et croustillants, les égoutter sur un torchon, les saupoudrer très légèrement de sel fin et les dresser en buisson sur un plat rond recouvert d'une serviette pliée.

Disposer au sommet du buisson une pincée de persil frit.

Asperges

La préparation en est simple : peler finement la tige en prenant soin de ne pas attaquer la tête, enlever délicatement les feuilles menues qui l'entourent ; gratter une asperge est un travail insuffisant qui laisse subsister une véritable enveloppe filandreuse et désagréable.

Au fur et à mesure qu'elles sont pelées et raccourcies sur la partie tendre, les mettre dans un récipient d'eau fraîche sans trop les y laisser. Les égoutter, les réunir en petits bottillons de 6 à 10 asperges suivant leur grosseur et les cuire en les mettant à l'eau bouillante abondante, salée à raison de 10 grammes par litre (salure normale).

La durée de la cuisson est de 18 à 25 minutes environ.

L'asperge ne doit pas être trop cuite ; elle doit demeurer un soupçon croquante.

Si elles sont présentées chaudes, avoir soin de les cuire juste à temps pour les servir. Au préalable, les égoutter à l'écumoire par bottillons et les tremper dans un second récipient contenant de l'eau bouillante et salée à point. Ce lavage à l'eau claire corrige la saveur forte particulière aux asperges, qui ainsi deviennent plus douces et plus agréables. Les égoutter ensuite sur un torchon et les dresser sur un plat long garni d'une grille spéciale. Disposer chaque rang en léger recul de 2 centimètres sur le précédent de façon à bien présenter les têtes.

Quand elles figurent froides sur le menu, pratiquer de même et les laisser refroidir sur un linge.

Les asperges chaudes sont servies accompagnées d'une sauce chaude : hollandaise, mousseline, blanche, beurre fondu ; les asperges froides, avec une sauce vinaigrette ou une mayonnaise légère, etc.

Asperges au gratin

Après cuisson, tronçonner sur 6 à 8 centimètres la partie tendre des asperges. Étuver les tronçons 10 minutes au beurre dans un plat à sauter. Les assaisonner avec un soupçon de sel fin et poivre frais moulu.

Terminer en les rangeant dans un plat à gratin et selon la méthode indiquée pour les fonds d'artichauts Mornay.

Asperges à la polonaise

Au moment de les servir, dresser les asperges cuites, très chaudes et bien égouttées, sur un plat long et très chaud en les disposant chaque rang bien en recul sur le précédent. Parsemer sur les têtes un jaune d'œuf cuit dur (pour 15 à 20 asperges) passé au tamis et une forte pincée de persil haché et légèrement humide.

Arroser les têtes de beurre cuit à la noisette et additionné de mie de pain en chapelure fine (à raison de 30 grammes pour 125 grammes de beurre pour 3 personnes) blondie et croustillante.

Servir aussitôt, alors que le beurre est encore mousseux.

Pointes d'asperges vertes

Les asperges vertes sont employées généralement comme garniture, elles proviennent de turions qui ne dépassent pas la grosseur d'un crayon. La partie tendre qui n'excède guère 7 à 8 centimètres se brise en faisant glisser l'asperge entre les doigts et en lui imprimant un mouvement de flexion accentué; 250 grammes d'asperges vertes produisent 100 grammes environ de pointes.

Couper les têtes et les réunir en petits bouquets liés avec un fil, diviser la partie tendre de la tige en tronçons de 1 centimètre de longueur. Les jeter dans de l'eau bouillante abondante et salée à point, cuire en plein feu, les égoutter bien à fond pour les accommoder selon la recette utilisée.

Aubergines

La variété la plus recherchée pour la cuisine est l'aubergine violette longue qui est accommodée de nombreuses manières, soit comme légume, soit comme garniture.

Il est nécessaire de faire dégorger les aubergines une demi-heure au sel quand elles doivent être cuites à l'étuvée, au gratin, ou sautées. Pour ce faire, les éplucher, les diviser en rondelles ou en quartiers ou en gros bâtonnets arrondis en forme d'olive suivant le mets auquel elles sont destinées, les mettre dans un saladier, saupoudrer de sel marin, mélanger et laisser macérer. Égoutter bien à fond, éponger et traiter.

En plus des diverses façons de les préparer, on les utilise encore taillées en rondelles épaisses, épluchées et sautées pour dresser des œufs pochés ou mollets, des tournedos, des noisettes, des grenadins, etc.

Aubergines au gratin

Éléments (pour 6 personnes) :

3 belles aubergines; un oignon moyen; 2 échalotes; 125 grammes de champignons bien blancs; 2 cuillerées à potage de purée de tomates; 2 cuillerées à potage de sauce brune ou de jus de veau; une gousse d'ail; 2 cuillerées à potage de mie de pain émiettée en chapelure; 30 grammes de beurre; une cuillerée à potage d'huile d'olive; persil.

Méthode :

1º Diviser en deux parties les 3 aubergines en les coupant dans le sens de la longueur. Taillader légèrement la pulpe avec la pointe d'un couteau et la cerner d'une incision en suivant la pelure à 3 millimètres de distance. Les mettre à dégorger au sel 30 minutes.

Les égoutter, les éponger et les plonger dans la friture fumante ; les cuire jusqu'au moment où la pulpe, grattée avec une cuiller, se détache facilement, c'est-à-dire au bout de 5 à 8 minutes.

Les égoutter sur un linge, enlever la pulpe intérieure avec une cuiller en prenant soin de ne pas détériorer les pelures ; étendre ces dernières côte à côte, la partie noire au-dessous sur un plat à gratin grassement beurré ; d'autre part, hacher finement la pulpe et la réunir dans une terrine.

2º Ciseler les échalotes et l'oignon, les étuver doucement avec la moitié du beurre et une cuillerée d'huile d'olive ; quand ils sont bien fondus, les pousser au feu de façon à les faire blondir. A ce moment, y joindre les champignons nettoyés, lavés et hachés rapidement, assaisonner de sel et de poivre et cuire rapidement à feu vif en remuant sans arrêt avec une cuiller en bois.

Quand les champignons ont perdu leur eau de végétation, ajouter l'ail écrasé, la purée de tomates, la sauce brune ou le jus de veau et la pulpe des aubergines. Faire mijoter 5 minutes en modifiant la consistance (qui doit être celle d'une purée de pommes de terre) avec un appoint de mie de pain émiettée en chapelure.

Retirer du feu, terminer avec l'addition d'une cuillerée à café de persil haché, le reste du beurre, vérifier l'assaisonnement et garnir les pelures légèrement en dôme.

Saupoudrer de chapelure, arroser avec un filet d'huile ou de beurre fondu et faire gratiner à four chaud. A la sortie du four, verser autour des aubergines un cordon de sauce brune ou de jus de veau réduit et beurré. Parsemer sur chaque aubergine une pincée de persil haché.

Aubergines à la crème

Peler trois aubergines bien fermes, les diviser en rondelles d'un demi-centimètre d'épaisseur, les faire dégorger 30 minutes, les égoutter et les éponger.

Les étuver au beurre dans une sauteuse jusqu'à cuisson complète.

Au moment de servir, ajouter aux aubergines 3 décilitres de crème fraîche, réduire rapidement de moitié sur feu vif, remuer les aubergines en évitant de les écraser. Quand la réduction est au point, vérifier l'assaisonnement et ajouter, en vannant hors du feu, deux noix de beurre frais.

Dresser dans un légumier et saupoudrer avec une pincée de cerfeuil haché.

Aubergines frites ou beignets d'aubergines

Peler les aubergines, les couper en rondelles d'un demi-centimètre d'épaisseur, les assaisonner de sel fin et de poivre frais moulu, les saupoudrer avec deux cuillerées à potage de farine et bien mélanger.

Les secouer de l'excès de farine et les plonger dans la friture brûlante.

Quand elles sont bien dorées et croustillantes, les égoutter, les dresser sur un plat rond recouvert d'une serviette pliée et les servir aussitôt. Pour qu'elles soient exquises, il faut, nous le répétons, les manger croustillantes. Les convives doivent donc attendre ce légume. Elles peuvent être frites en beignets, trempées dans la pâte à frire.

Aubergines à la provençale

Éléments (pour 1 personne) :

Une aubergine moyenne ; 3 cuillerées à potage d'huile d'olive ; 1/2 oignon ; 1/2 gousse d'ail ; une cuillerée à café rase de farine ; une tomate ; une pincée de persil haché, assaisonnement sel et poivre.

Méthode :

1º Chauffer l'huile dans une poêle, y faire rissoler très légèrement et doucement l'oignon taillé en julienne et ajouter l'aubergine pelée, coupée en petits cubes de 2 centimètres de côté assaisonnés de sel et de poivre, une pincée du premier, une prise du second et saupoudrer d'un nuage de farine.

Faire sauter fréquemment dans la poêle pour déplacer les morceaux et obtenir une légère coloration de l'ensemble.

A ce moment, mettre d'abord l'ail écrasé avec le plat d'un couteau (ne jamais hacher l'ail) : le chauffer une seconde en remuant la poêle ; puis la tomate pelée, pressée de l'eau de végétation et des graines et concassée de quelques coups de couteau.

Compléter l'assaisonnement en sel et poivre et poursuivre plus lentement la cuisson.

La tomate, avec son apport d'eau, changera le mode de cuisson ; au lieu de frire, l'aubergine et les condiments étuveront, compoteront plus exactement, jusqu'à évaporation complète de l'humidité. Cette opération durera une demi-heure environ ; alors aubergine, tomate et huile bien associées présenteront l'aspect d'une marmelade.

Pour servir, vérifier l'assaisonnement, verser la compote dans un légumier bien chaud et parsemer dessus une pincée de persil haché.

Cardons

Les cardons ressemblent à des plants d'artichauts géants ; quand ils atteignent leur plein développement, ils sont liés et mis en jauge pour les faire blanchir, c'est-à-dire étioler et attendrir.

La variété dite de Tours est la meilleure.

Seules les côtes ou nervures médianes des feuilles, sont employées pour la table. Un pied de 3 kilos donne environ 900 grammes de parties utiles.

Quelles que soient les préparations culinaires envisagées, les pieds de cardons sont l'objet d'un traitement préliminaire unique.

a) Enlever d'abord les branches dures et défraîchies, puis, une à une, jusqu'au cœur, les branches tendres. Tronçonner les côtes sur 8 centimètres de longueur, en commençant par la base, rejeter la partie feuillue et haute qui est dure et filandreuse, ne conserver que les parties bien pleines, les seules qui soient tendres.

b) Peler ces tronçons de toutes les filandres, et les frotter aussitôt avec un quartier de citron pour les empêcher de noircir, les jeter au fur et à mesure dans un récipient d'eau fraîche acidulée au vinaigre ou au jus de citron.

c) Préparer une cuisson, dite blanc, comprenant pour un litre d'eau une cuillerée à potage comble de farine diluée à froid avec deux cuillerées à potage de vinaigre ou le jus d'un demi-citron, 10 grammes de sel.

Remuer jusqu'à l'ébullition ; à cet instant, y jeter les cardons ; égoutter au dernier moment.

Pour protéger les tronçons en cuisson du contact de l'air qui altérerait leur couleur blanche, ajouter au blanc 125 grammes de graisse de veau crue, divisée en petits dés, par litre d'eau.

Faire bouillir très doucement deux heures à couvert. Vérifier la cuisson, les cardons doivent céder sous la pression des doigts, puis verser le tout dans une terrine vernissée où les cardons seront conservés en l'attente d'être accommodés.

Cardons au jus

Étuver 10 minutes au beurre dans une sauteuse des tronçons de cardons préalablement cuits.

Après ce temps, les couvrir, juste à hauteur, d'un bon jus de veau peu salé ; faire mijoter 15 à 20 minutes.

Dresser en légumier avec le jus réduit à la quantité nécessaire au service et beurré hors du feu.

Cardons à la moelle

Éléments (pour 6 personnes) :

1 cardon bien blanc ; 200 grammes de moelle de bœuf ; 20 grammes de beurre ; 3 cuillerées à soupe de farine ; 1 litre de bouillon de bœuf ; 50 grammes de gruyère râpé ; 1 citron ; sel, poivre.

Méthode :

Couper les parties tendres du cardon en bâtonnets de 3 centimètres. Les parer, les cuire dans un blanc composé de 3 litres d'eau auquel on aura ajouté une cuillerée de farine délayée à l'eau, un jus de citron et 20 grammes de sel.

D'autre part, chauffer en casserole 20 grammes de beurre. Ajouter la farine et faire un roux blond. Verser dans ce roux un litre de bouillon de bœuf très sapide. Après avoir dilué à l'aide d'un fouet, laisser cuire 20 minutes à petit feu. Rectifier l'assaisonnement.

Les cardons étant cuits, les égoutter, les mélanger à la sauce et les mettre dans un plat à gratin préalablement beurré.

Faire pocher la moelle de bœuf. La couper en lamelles. Disposer celles-ci sur le plat de cardons. Semer sur l'ensemble le gruyère râpé et faire gratiner au four.

Servir à même le plat sortant du four.

Cardons au beurre

Après cuisson dans un blanc, les égoutter et les faire étuver 20 minutes au beurre dans un plat à sauter. Dresser dans un légumier avec le beurre d'étuvage et exprimer dessus quelques gouttes de jus de citron.

Cardons frits

1º Égoutter les cardons cuits dans un blanc et les mettre à mariner 30 minutes avec un filet d'huile d'olive, le jus d'un demi-citron par kilo de cardons, du sel, du poivre et du persil haché ; égoutter à nouveau.

2º Les tremper dans de la pâte à frire légère et les plonger, un à un, dans une grande friture brûlante pour qu'ils soient bien dorés.

Faire cette dernière opération au dernier moment.

Les saupoudrer d'une prise de sel fin et les dresser en buisson sur un plat garni d'une serviette pliée.

Cardons avec sauces diverses

Les cardons, comme les artichauts, se servent avec les mêmes sauces brunes ou blanches : demi-glace, bordelaise, hollandaise, mousseline, crème, béarnaise, etc. ; ou froides : vinaigrette, rémoulade, etc.

Carottes

Accommodées seules comme légume, en garniture ou comme condiment aromatique, les carottes jouent un rôle important dans la cuisine. Les marchés en sont d'ailleurs approvisionnés toute l'année, et les jardiniers et maraîchers y apportent, dès février, les variétés précoces forcées sous châssis, suivies jusqu'à l'automne par les espèces d'été et tardives, ces dernières de bonne conservation pour l'hiver.

Les carottes printanières sont les meilleures à préparer comme légume ou comme garniture. Carottes rouges très courtes, grelots à châssis et rouges améliorées à forcer sont les mieux indiquées à la condition, bien entendu, qu'elles soient nouvelles. Dans ce cas, il suffit de les éplucher, l'épluchure enlevée doit être excessivement mince, une pellicule, les propriétés nutritives et sucrantes de la carotte, les vitamines se trouvant concentrées vers les parties extérieures du légume qui sont aussi les plus tendres.

Il ne faut jamais blanchir, c'est-à-dire ébouillanter un temps plus ou moins prolongé, les carottes jeunes (nouvelles). Après épluchage, les diviser suivant la grosseur en deux ou en quatre parties, arrondir les angles en rognant les arêtes et leur donner ainsi la forme d'une grosse olive. Les laver à l'eau fraîche.

Les mettre en cuisson dans une casserole avec de l'eau froide en quantité juste suffisante pour les couvrir, ajouter par demi-litre d'eau une pincée de sel, une petite cuillerée à café de sucre et 60 grammes de beurre.

Cuire à couvert et à ébullition modérée jusqu'à évaporation presque complète. L'association du beurre, des sucs du légume et de la réduction produit un liquide court et sirupeux. Sauter les carottes dans cette liaison afin qu'elles s'en enrobent d'une couche luisante.

Telles, les carottes sont prêtes à être servies avec un accommodement complémentaire ou sans.

Lorsque les nécessités obligent à employer des vieilles carottes, il convient d'utiliser exclusivement la partie rouge. Le cœur, dur et fort, sert avec modération comme condiment dans certains fonds de cuisine après avoir été fortement ébouillanté.

Les carottes sont divisées en gros bâtonnets tournés en olive et cuits à l'eau salée à point avant toute autre préparation culinaire : c'est le seul moyen pour faire disparaître la saveur trop prononcée particulière aux carottes vieilles.

Râpées ou coupées en fine julienne et liées avec crème et citron ou sauce mayonnaise ou sauces dérivées.

Carottes glacées au beurre

L'appellation « glacé » serait un non-sens si elle n'indiquait, par image, l'enveloppe brillante dont les carottes ainsi préparées se trouvent enduites comme d'un vernis.

Appliquer le mode de préparation expliqué ci-dessus, et terminer hors du feu, en ajoutant un peu de beurre frais que l'on associe au jus sirupeux en sautant les carottes.

La mise en cuisson de ce légume sera toujours calculée afin qu'il soit prêt opportunément à être servi, l'attente prolongée nuit à la saveur franche et douce, remplacée alors par celle si désagréable du réchauffé.

Carottes à la crème

Préparer les carottes glacées au beurre ; quand la réduction est au point, mouiller à nouveau à hauteur avec de la crème fraîche. Réduire cette dernière de moitié, vérifier l'assaisonnement, sauter le tout pour lier et dresser dans un légumier.

Carottes Vichy

Même procédé de cuisson que les carottes glacées au beurre. Cette recette les différencie dans la forme de présentation. Au lieu de tourner les carottes en olives, les couper en rondelles minces et ajouter dans l'eau de cuisson une prise de sel de Vichy.

Les dresser dans un légumier et les saupoudrer de persil haché frais.

Purée de carottes

Couper les carottes en rondelles minces, les additionner de riz bien lavé dans les proportions du quart de leur poids.

Cuire fortement, selon la formule des carottes glacées au beurre. Toutefois, il est nécessaire d'augmenter légèrement la quantité d'eau de mouillement. Passer le tout au tamis fin, recueillir la purée obtenue dans une sauteuse et la sécher à feu vif.

Lui incorporer ensuite, hors du feu, 100 grammes de beurre frais par 500 grammes de purée et la mettre à consistance normale avec du lait, de la crème ou du bouillon bouillant.

Vérifier l'assaisonnement, dresser dans un légumier et décorer avec des petits croûtons en forme de losange ou de cœur frits au beurre.

Pieds de céleri et céleri-rave

Deux variétés fort différentes sous le même nom. La première nous donne ses branches, la seconde sa racine.

Toutes deux sont consommées crues ou cuites.

Toutefois, les modes de préparation sont dissemblables.

Dans le chapitre des hors-d'œuvre, lectrices et lecteurs trouveront des recettes appropriées pour l'une et l'autre. Ici, je parlerai de ce légume soit comme service, soit comme garniture.

Les pieds de céleri branche sont parés par la suppression des branches vertes du tour et le raccourcissement de la plante vers sa base. La racine est taillée en pivot pour y maintenir, autour du cœur, les branches raccourcies à 20 centimètres environ.

Les laver avec soin en faisant couler l'eau fraîche entre les branches pour chasser les matières étrangères et les animaux minuscules qui, quelquefois, s'y logent.

Enlever les filandres des côtes extérieures, les rincer et les plonger dans un récipient d'eau bouillante, salée à point et maintenue en ébullition 10 minutes.

Les égoutter, les laisser refroidir, les assaisonner à l'intérieur d'une pincée de sel fin et les lier avec un fil. Les cuire par le braisage.

Disposer, à cet effet, dans le fond d'une casserole haute et grassement beurrée quelques rondelles minces d'oignons et de carottes et quelques couennes de lard frais. Ranger sur ce fonçage les céleris côte à côte ; mettre le couvercle, puis sur le coin du fourneau ou à feu doux, à suer, 15 minutes. Mouiller juste à hauteur avec du bon jus de veau blanc et non dégraissé additionné de 100 grammes de lard gras et frais haché par litre de jus.

Faire bouillir lentement à couvert et mettre à four doux pendant 2 heures.

Si les céleris ne sont pas utilisés immédiatement, les débarrasser dans une terrine vernissée avec leur fond de braisage passé au chinois.

Les pieds de céleri-rave seront lavés d'abord, puis épluchés épais, débités en gros quartiers parés en gousses ou en tranches épaisses. Les rincer à l'eau fraîche et les blanchir à grande eau bouillante salée à point pendant 5 minutes.

Les égoutter et laisser refroidir sur un linge. Les cuire ensuite à l'étuvée et au beurre dans un plat à sauter. Les assaisonner de sel et poivre.

Après cuisson, les accommoder comme les céleris branches.

Céleri au jus

Égoutter des pieds de céleri braisé, les diviser en deux parties dans le sens de la longueur; les ranger dans un plat à sauter et les mouiller juste à hauteur avec du bon jus de veau, peu salé, additionné de fond de braisage à raison d'une partie pour deux de jus de veau. Couvrir et faire mijoter de 15 à 20 minutes.

Disposer les céleris dans un légumier; si le jus n'est pas assez réduit, accélérer l'ébullition quelques minutes pour réduire jusqu'à ce que la quantité strictement nécessaire au service soit obtenue. Lier, hors du feu, avec du beurre frais (50 grammes pour 1 décilitre de jus). En arroser les céleris.

Purée de céleri-rave

Cette purée s'obtient par le mélange de deux parties de purée de céleri et une de purée de pommes de terre.

Procéder comme pour la purée de pommes de terre, c'est-à-dire la sécher à feu vif pour faire évaporer l'humidité, la travailler avec une spatule hors du feu, lui incorporer 50 grammes de beurre frais pour 500 grammes de purée et la mettre à consistance normale avec du lait bouillant et de la crème fraîche. Condimenter avec une pointe de muscade râpée. Vérifier l'assaisonnement. Ne plus faire bouillir et dresser dans un légumier.

Les champignons

Traitement des champignons de couche

1re méthode :

Les choisir fermes, blancs, peu ouverts, rogner la partie terreuse de la jambe. Les mettre dans un récipient, verser de l'eau fraîche dessus abondamment, les laver ainsi avec soin et très rapidement dans deux eaux successives, les égoutter et les éponger aussitôt.

Parer les champignons, c'est raser franc le pied à la base du chapeau ou tête dans le langage culinaire, et tourner ce dernier en levant sur la surface un mince copeau. Cette façon de les peler exige une certaine dextérité car il s'agit de faire travailler les doigts et le couteau d'office à la manière d'un tour.

D'autre part, préparer une cuisson, c'est-à-dire, pour 500 grammes de champignons 1 décilitre d'eau (1/2 verre ordinaire), 40 grammes de beurre, le jus d'un demi-citron, une pincée de sel. Faire bouillir et y jeter les champignons.

Faire bouillir 5 minutes en plein feu les champignons dans la cuisson préparée et les débarrasser dans une terrine vernissée. Les recouvrir d'un papier beurré pour empêcher ceux qui surnagent de noircir au contact de l'air.

2° méthode :

Au fur et à mesure que les champignons sont tournés, les frotter avec un demi-citron et les mettre dans une sauteuse avec un peu de beurre préalablement fondu, ajouter une pincée de sel et deux cuillerées à potage de madère, de jus de veau ou bouillon de volaille blanc. Couvrir et faire étuver 8 minutes. Débarrasser comme il est indiqué dans la première méthode.

Champignons à la crème

1° Choisir 500 grammes de champignons de couche, petits de préférence, fermes et très blancs. Enlever la partie terreuse, les laver soigneusement, puis les égoutter et les éponger. S'ils sont gros ou moyens, les couper en quartiers.

2° Chauffer 100 grammes de beurre dans un plat à sauter assez grand pour que les champignons y contiennent bien étalés. Quand le beurre grésille, porter le plat à sauter en plein feu, et y jeter les champignons ; assaisonner d'une pincée de sel et de quelques tours du moulin à poivre. Faire sauter à feu vif pour provoquer une rapide évaporation de l'eau de végétation et ensuite un commencement de rissolage léger des champignons.

A ce moment, ajouter 2 décilitres (un verre ordinaire) de crème fraîche, le jus d'un quartier de citron, réduire de moitié et lier, hors du feu, avec 50 grammes de beurre frais.

Dresser dans un légumier bien chaud.

Pour cet apprêt, il faut choisir de jeunes champignons de couche à peine formés et très blancs, sinon la préparation qui doit être d'une belle couleur blanc ivoire risque de devenir grisâtre.

Après les préliminaires consistant au nettoyage, les étuver au beurre dans une casserole durant quelques minutes, les saler, les poivrer.

Pour un kilo de champignons ajouter un quart de litre de crème, laisser mijoter sur le feu. Après une légère réduction et une fin de cuisson en rectifiant l'assaisonnement, rajouter un peu de crème pour rétablir la blancheur et faire la liaison.

Pour un grand service, on peut incorporer, pour que la crème ne « tranche » pas, un pourcentage de sauce béchamel à la préparation.

Champignons à la provençale

Même procédé qu'à la bordelaise (voir cèpes à la bordelaise), si ce n'est que l'échalote est remplacée par une persillade riche en ail.

Champignons grillés

Choisir de belles têtes de champignons. Après les avoir lavées et essuyées, les assaisonner et les enduire d'huile ou de beurre fondu.

Les placer sur un gril très chaud, les retourner et les badigeonner durant l'opération. On sert les têtes de champignons grillées dressées sur un plat avec du beurre maître d'hôtel dans leurs cavités.

On les utilise notamment dans les garnitures du poulet grillé à l'américaine, mixed-gril, etc.

Purée de champignons

Après avoir lavé minutieusement des champignons très blancs et très fermes, les passer au tamis métallique ou les hacher finement au couteau. Aussitôt après, mettre la pulpe obtenue dans une sauteuse sur feu vif et remuer avec une spatule en bois jusqu'à évaporation complète de l'eau de végétation.

Terminer la purée de champignons avec une addition de sauce béchamel fortement crémée.

Sel, poivre, pointe de noix de muscade composent l'assaisonnement.

Duxelles sèche de champignons

Hacher finement 500 grammes de champignons, presser fortement la pulpe dans un linge pour en extraire l'eau de végétation. Faire revenir au beurre et à l'huile dans une sauteuse 50 grammes d'échalotes et d'oignons très finement hachés. Ajouter le hachis de champignons, saler et poivrer. Cuire sur feu vif en remuant avec une spatule en bois jusqu'à évaporation complète de l'eau de végétation. Terminer en incorporant une forte pincée de persil haché.

La duxelles sèche ainsi préparée doit être débarrassée dans une terrine recouverte d'un papier beurré. On l'utilise au fur et à mesure des besoins, notamment pour la composition des farces.

Variante :

La duxelles pour farcir certains légumes tels que tomates, artichauts, têtes de champignons, etc., se prépare comme la duxelles sèche, mais on ajoute en fin de cuisson une pointe d'ail, un peu de sauce demi-glace tomatée et réduite, et de la mie de pain passée au tamis.

Champignons sautés au beurre ou à la Mornay

Les escaloper à cru et un peu épais, s'ils sont gros, c'est-à-dire en trois à cinq parties ; les assaisonner de sel et de poivre et les sauter dans une poêle et au beurre à feu très vif.

Dresser dans un légumier et saupoudrer de persil frais haché.

On peut aussi les lier avec de la sauce Mornay, les verser dans un plat allant au four, saupoudrer de gruyère râpé et faire gratiner.

Champignons farcis Jean-Paul Lacombe

Sélectionner de gros champignons réguliers de taille.

Les nettoyer, les laver, les égoutter et les éponger. Détacher les pédicules de façon à provoquer une cavité sous la tête.

Ranger ces dernières sur un plat grassement beurré et allant au four, les assaisonner de sel fin et poivre, les arroser de quelques gouttes de beurre fondu ou d'huile d'olive quand celle-ci est préférée.

Leur donner un début de cuisson en les mettant 5 minutes à four assez chaud.

Les retirer et les farcir en dôme avec les pédicules hachés et cuits en duxelles. Saupoudrer de mie de pain en fine chapelure ; arroser de beurre fondu ou d'huile et faire gratiner à four chaud.

Duxelles :

Pour 250 grammes de pédicules de champignons, ciseler finement un oignon moyen et une échalote et les cuire sans colorer, très doucement, avec 50 grammes de beurre dans une sauteuse. Quand ils sont bien fondus, ajouter les jambes de champignons hachées fin, chauffer en plein feu 3 minutes, le temps de provoquer l'évaporation de l'eau de végétation et mouiller avec 1 décilitre de sauce brune ou de bon jus de veau et une cuillerée à potage de purée de tomates ou la pulpe d'une tomate fraîche. Assaisonner de sel et de poivre et condimenter avec un peu d'ail râpé, une cuillerée à café de persil haché, quelques gouttes de jus de citron.

Réduire jusqu'à consistance normale ou lier avec une cuillerée à café comble de chapelure. Vérifier l'assaisonnement et terminer hors du feu, par l'addition de 50 grammes de beurre frais.

Bolets ou cèpes

Le bolet fait partie du groupe des polypores. Ce beau champignon parfumé d'essences forestières, dont certains spécimens atteignent le poids de 2 kilos, prend le nom de cèpe en gastronomie. C'est surtout en automne qu'on le trouve en abondance. Les cèpes en vieillissant perdent une grande partie de leur valeur comestible, les parasites s'y mettent parfois, ils deviennent spongieux et peuvent être toxiques. Quelles que soient les variétés, les cèpes ont tendance à leur cuisson à se désagréger et à devenir visqueux. Voici les principes sommaires pour éviter ces inconvénients et quelques apprêts les plus usités pour les traiter du point de vue culinaire.

Cèpes sautés à la bordelaise (méthode Escoffier)

Préliminaire :

Les cèpes qui ne sont pas ouverts ou à peine, ne se lavent pas, on les essuie ; ceux qui au contraire sont complètement ouverts doivent être lavés et épongés.

Cuisson :

Escaloper les cèpes, les assaisonner de sel et de poivre, les sauter à l'huile très chaude jusqu'à ce qu'ils soient légèrement rissolés. Les égoutter et remplacer l'huile par du beurre et ajouter pour 250 grammes de cèpes, 30 grammes de queues de cèpes réservées et hachées ; une cuillerée à café d'échalote ciselée. Sauter le tout ensemble pendant quelques minutes, dresser en timbale, compléter avec un filet de jus de citron et persil haché.

Cèpes sautés à la provençale

Ils se préparent de la même façon qu'à la bordelaise, mais l'échalote est remplacée par de l'ail.

Cèpes à la bordelaise

(Méthode parisienne)

1° Trier 500 grammes de cèpes fermes, les nettoyer, les laver et les étuver au beurre ou à l'huile d'olive additionné d'une cuillerée à café de jus de citron. Les égoutter, les éponger s'ils sont gros, les escaloper en réservant les pédicules.

2° Faire chauffer 3 cuillerées à potage d'huile d'olive dans une poêle assez grande. Y jeter les cèpes dans l'huile fumante afin de les saisir, les assaisonner de sel fin et de poivre frais moulu, les sauter en plein feu pour obtenir un léger rissolage.

3° Au moment de servir, ajouter les pédicules hachés et 3 échalotes ciselées finement, 2 cuillerées à potage de mie de pain en chapelure, faire sauter deux minutes ; enfin, à l'instant de dresser dans un légumier, compléter avec une petite cuillerée à café de persil haché et un filet de jus de citron.

Cèpes grillés

Choisir des têtes de cèpes de moyenne grosseur, les ciseler sur la partie bombée, les saler, les poivrer.

Badigeonnés d'huile d'olive ou de beurre fondu, on les cuit sur un gril très chaud. Les cèpes grillés se servent avec du beurre maître d'hôtel à l'intérieur du chapeau ; on peut aussi les farcir avec un hachis fait avec les pieds finement hachés, étuvés au beurre et aromatisés de persillade.

Les morilles (morchella elata)

Les morilles sont classées par les gourmets comme les champignons les plus recherchés.

Pour les consommer, certains préconisent de ne pas les laver : ce n'est pas exact, car elles renferment dans leurs alvéoles un sable très fin qu'il faut éliminer. Pour cela, il faut après avoir retiré la partie terreuse du pied, les mettre dans une quantité d'eau fraîche assez importante et passer ensuite une morille à la fois sous un filet d'eau courante. Cette opération est longue et minutieuse, mais elle est la seule efficace pour éliminer le sable.

Pour apprêter les morilles, on les coupe en plusieurs quartiers si elles sont trop grosses. Quant à la cuisson, après le nettoyage d'usage, les étuver dans une casserole avec sel, poivre, jus de citron et 50 grammes de beurre pour 500 grammes de morilles.

La cuisson doit se faire assez vivement à couvert durant 10 minutes environ.

L'eau de végétation se dégageant du champignon suffit en principe à assurer la cuisson.

Morilles à la crème

Après avoir étuvé les morilles comme il est indiqué ci-dessus, ajouter, pour 500 grammes de morilles, 1 décilitre de crème réduite et laisser mijoter quelques minutes.

Au moment de servir, rajouter un peu de crème pour rétablir la liaison et la blancheur de la sauce, rectifier l'assaisonnement.

Nota. — Très employées comme garniture des fricassées de veau, de volailles, les morilles entrent aussi dans la confection des tourtes, feuilletés, vol-au-vent, etc.

Girolles appelées aussi chanterelles

D'un arôme fin et léger, ces excellents champignons ne demandent pas de grande préparation culinaire. Il suffit simplement après avoir paré les parties terreuses du pied de leur faire subir un bon lavage et de les étuver ou les sauter à l'huile ou au beurre.

Les apprêts à la bordelaise ou à la provençale leur conviennent. On les utilise aussi en garniture des viandes de boucherie, de volaille et de gibier.

Nota. — Si les chanterelles sont trop grosses, il est préférable de les refendre dans la longueur ; on peut aussi avant de les faire sauter, les blanchir une minute à l'eau bouillante salée.

Mousserons - roses des prés

Les préparations culinaires pour les roses des prés et les mousserons sont les mêmes que celles des champignons de couche, mais c'est surtout sautés au beurre ou en omelette que ces champignons très populaires sont les plus appréciés.

Les truffes

En plus de leur valeur aromatique, les truffes sont utilisées comme élément de garniture et de décor.

Pour mener à bien ce délicat travail qu'est le décor, on emploie généralement des truffes sélectionnées de conserve. Ces truffes d'une taille assez grosse doivent être fermes et très noires ; on les émince en fines lames. Posées à plat sur la table de travail, les lames de truffes sont détaillées avec un fin couteau ou le plus souvent à l'aide d'emporte-pièce spéciaux formant différents modèles : croissants, losanges, étoiles, fleurs, etc. Ensuite, les découpes obtenues sont mises dans une assiette avec un peu de gelée fondue. Les éléments sont prêts, c'est alors que l'on peut entreprendre la décoration, qui consiste à déposer chaque motif de truffe à l'aide d'une aiguille à piquer, sur les mets à présenter. Le décor terminé, on lustre l'ensemble avec une succulente gelée.

Pour les emplois que subissent les truffes en cuisine, en tant que condiment, il est préférable d'utiliser des truffes fraîches, c'est-à-dire crues.

Avant leur utilisation, il faut les nettoyer minutieusement ; pour cela on les met à tremper à l'eau tiède de manière à désagréger la terre qui les recouvre en partie. Chaque truffe est ensuite brossée à l'eau courante et, à l'aide d'un couteau d'office, on retire des excavités la terre restante. Elles sont rincées à nouveau et pour terminer séchées complètement.

Selon leur emploi, les truffes sont détaillées en dés, en fins bâtonnets, en lamelles ou façonnées en forme d'olives. Les parures et les pelures dont le parfum est très développé servent notamment, une fois hachées, d'ingrédient à la préparation de la sauce Périgueux ou à la composition des farces et des mousses. Quoiqu'il en soit, pour être incorporées dans les mets elles sont toujours étuvées au beurre, surtout si elles sont crues.

Pour terminer en partie l'emploi des truffes fraîches, nous dirons qu'elles servent, détaillées en julienne, en bâtonnets ou en lames, d'ingrédients aux salades composées.

Préparation des truffes pour truffer les volailles et le gibier

(chapon, poularde, canard, dinde, faisan, perdreau, etc.)

Les truffes nettoyées et pelées, on réserve quelques lames ; le reste est coupé en quartiers en parant légèrement les angles.

Ces quartiers sont placés dans un saladier et mis à mariner avec un peu de cognac et de madère. L'assaisonnement est composé de sel, poivre et épices fines, le tout judicieusement dosé.

Les lames sont glissées sous l'épiderme de la bête en ayant soin de ne pas la déchirer. Quant aux quartiers de truffes, ils sont mélangés à de la panne de porc dénervée et passée au tamis. Cette farce ainsi obtenue est mise à l'intérieur de la bête maintenue au frais et non au grand froid.

Le truffage doit toujours se faire au moins 24 heures avant la cuisson de la pièce. La volaille, ou le gibier, s'imprègnent pendant ce séjour de l'arôme des truffes et cet arôme se développe encore à la cuisson.

La graisse fondue excédentaire peut servir pour d'autres usages.

Remarques sur les truffes à clouter le foie gras

Les truffes destinées au foie gras doivent être fraîches, pelées et coupées en quartiers, raidies au feu dans du cognac et refroidies dans un récipient clos. Traitées ainsi, on peut aussi les utiliser pour la composition des pâtés, terrines ou galantines.

Conserve de truffes au naturel

La production des truffes n'est pas régulière ; il faut donc profiter d'une saison d'abondance pour les mettre en conserve, car, d'une année à l'autre, les différences de prix sont très grandes.

Pour les conserver, il faut choisir des truffes très saines, de la même grosseur pour chaque boîtage. Après le nettoyage d'usage, on les range dans des boîtes ou des bocaux spéciaux avec un peu d'eau, de madère et de sel.

Fermés très hermétiquement, les boîtes ou les bocaux sont mis à l'eau froide et doivent subir une lente ébullition de deux heures environ.

Stérilisées dans de bonnes conditions, les truffes ainsi conservées gardent leur propriété ; leur cuisson appelée communément jus de truffes est d'une grande utilité pour améliorer et donner de la saveur aux sauces (madère, financière, etc.) ainsi qu'à de nombreuses farces.

En période de production et surtout pour avoir des truffes fraîches à sa disposition pendant les fêtes de fin d'année, on peut employer cette méthode de conservation des plus simples, qui consiste à immerger dans une terrine les tubercules dans du saindoux ou de la graisse d'oie fondue salés.

Omelette aux truffes fraîches

Il faut compter environ 100 grammes de truffes pour une omelette de six œufs.

Émincer les truffes en lamelles. Après les avoir salées et poivrées, les étuver légèrement au beurre.

Battre les œufs en omelette. Assaisonner et incorporer les 3/4 des lamelles de truffes.

Comme il se doit, faire une omelette bien formée, moelleuse, sans trop la colorer.

La placer dans un plat long et la servir après avoir aligné sur le dessus les lamelles de truffes restantes.

Variante :

On peut aussi, au lieu de mélanger les truffes aux œufs, fourrer l'intérieur de l'omelette d'un salpicon de truffes lié avec une sauce demi-glace réduite.

Œufs brouillés aux truffes

Après les avoir beurrés, placer au fond de petits moules à flan, dits moules à darioles, une belle lame de truffe.

Préparer des œufs brouillés très moelleux ; leur incorporer des truffes détaillées en dés et étuvées au beurre.

Pour 6 œufs brouillés, additionner 4 œufs crus ; en les mélangeant, assaisonner.

Emplir les moules et faire pocher au bain-marie. Démouler sur des petits toasts ronds frits au beurre clarifié.

Servir accompagnés d'une très légère sauce demi-glace à l'essence de truffes.

Nota. — On dénomme cette préparation « œufs moulés Verdi ».

Truffes sous la cendre (méthode Escoffier)

Choisir de belles truffes fraîches, les nettoyer parfaitement et ne pas les peler. Les saler légèrement et arroser d'un filet de champagne. Envelopper d'abord chaque truffe d'une fine barde de lard, puis d'un double papier sulfurisé beurré ; humecter d'eau l'extérieur du dernier papier. Enfouir les truffes dans une couche de cendre brûlante en maintenant dessus des braises incandescentes.

On compte environ 3/4 d'heure de cuisson pour cuire des truffes de grosseur moyenne

Après avoir retiré la première enveloppe de papier, on dresse les truffes sur une serviette et on les accompagne de beurre frais pour les servir.

Truffes au champagne

Choisir 500 grammes de belles truffes bien nettoyées ; les assaisonner et cuire à couvert avec 2 décilitres de champagne et une bonne cuillerée de mirepoix bordelaise, préalablement étuvée.

Dresser les truffes dans une timbale en argent. Réduire la cuisson presque entièrement ; lui ajouter un décilitre de bon fond de veau.

Laisser bouillir cinq minutes ; rectifier l'assaisonnement et passer la sauce à la mousseline sur les truffes.

Servir très chaud sans laisser bouillir.

Nota. — Le champagne peut être remplacé par du xérès, du porto ou du madère.

Truffes à la crème

Couper en tranches épaisses 500 grammes de truffes fraîches. Les assaisonner de sel et de poivre ; les étuver très doucement avec 50 grammes de beurre et un filet de cognac ou de porto.

Mouiller avec trois décilitres de crème et laisser mijoter sur le coin du feu sans laisser clarifier.

Servir aussitôt la liaison établie et l'assaisonnement mis au point.

Rissoles de truffes à la Valromey

Souder deux à deux de larges et épaisses lames de truffes fourrées d'une tranche de foie gras. Assaisonner légèrement et arroser d'un peu de fine champagne.

Mettre cette préparation entre deux abaisses minces de pâte feuilletée détaillée à l'emporte-pièce rond, d'un diamètre légèrement plus grand que celui des truffes. Souder les bords en appuyant.

Plonger les rissoles à la grande friture pour les dorer.

Égoutter, dresser sur serviette avec persil frit et servir sans attendre. Accompagner d'une sauce Périgueux.

Truffes en surprises Roger Roucou

Passer au tamis fin de l'excellent foie gras. Recueillir la purée obtenue dans un bol en argent ou en inox et le mettre sur glace pilée. Incorporer avec une spatule en bois des truffes hachées cuites au madère.

Façonner de petites boules de foie gras de différentes grosseurs. Les rouler dans de la truffe finement hachée et séchée.

Après avoir imité le plus possible de véritables truffes, placer celles-ci sur une grille en chambre froide.

Les glacer en les enrobant d'une très bonne gelée.

Les truffes en surprises sont servies sur serviette, en corbeille, ou en vasque de cristal.

Endives

Variété de chicorée dite *Witloof* dont la seconde pousse, étiolée, est très blanche et délicate.

Mode de cuisson :

Parer et laver rapidement par un simple passage à l'eau fraîche — le séjour dans l'eau les rend amères — 500 grammes d'endives. Les ranger dans une casserole grassement beurrée, les saupoudrer avec une pincée de sel fin, diviser dessus 30 grammes de beurre et les arroser du jus d'un quart de citron. Ajouter trois cuillerées à potage d'eau et les couvrir avec un papier beurré.

Mettre le couvercle, puis en ébullition; poursuivre la cuisson pendant 45 minutes à feu modéré et au four si possible.

Endives à la crème

Les endives étant étuvées, les ranger dans une sauteuse, les recouvrir de crème fraîche bouillante et faire mijoter jusqu'à réduction des 2/3 de la crème.

Égoutter les endives pour les dresser dans un légumier bien chaud; vérifier l'assaisonnement de la crème; lui incorporer, hors du feu, 50 grammes de beurre frais par décilitre et en arroser les endives.

Endives Mornay

Les endives ayant été traitées à la crème, les ranger dans un plat à gratin. Réduire la crème presque totalement, et additionner une quantité de sauce Mornay suffisante pour en recouvrir les endives.

Napper les endives de cette sauce, les saupoudrer de gruyère et de parmesan râpés et mélangés par moitié, et d'une pincée de mie de pain fraîche en chapelure. Arroser de beurre fondu et faire gratiner à four chaud.

Servir ainsi.

Endives à la meunière

Égoutter bien à fond des endives étuvées. Chauffer du beurre dans un plat à sauter ou à défaut une poêle assez grande pour que les endives reposent toutes sur le fond. Quand le beurre prend une couleur noisette, ranger les endives côte à côte sans trop les serrer. Faire rissoler lentement et les retourner une à une pour les faire dorer de toutes parts.

Les dresser ensuite sur un plat long et les arroser du beurre de cuisson.

Choux

Choux blancs, choux verts, choux rouges, choux-fleurs, choux brocolis, choux de Bruxelles, choux-navets et choux-raves constituent une ample collection, augmentée à l'intérieur de chaque variété par différents types que se distribuent les quatre saisons.

Le chou blanc est particulier pour la préparation de la choucroute. On peut à la rigueur l'employer comme les choux verts pommés.

Choucroute à la ménagère

La choucroute est faite avec des choux blancs dits Quintal d'Alsace à pomme blanche et très dure.

Rabotées en julienne, les feuilles sont mises dans des tonnelets par couches successives saupoudrées, chacune, de gros sel marin mélangé de baies de genévrier à raison d'1,500 kg de sel par 100 kilos de choux.

Mise sous presse à l'aide d'une planchette et d'une pierre, l'eau de végétation saumurée recouvre les choux dès le lendemain.

Conservée ainsi dans un endroit frais, la choucroute subit une fermentation qui s'atténue peu à peu. Au bout de 3 semaines la choucroute est prête à consommer.

Cuisson de la choucroute :

Laver à l'eau fraîche 1 kilo de choucroute. Si elle est ancienne, la laisser tremper deux heures.

L'égoutter et la presser fortement par poignées. L'étendre sur un torchon en la dénouant. L'assaisonner de sel et de poivre fraîchement moulu. Faire attention de saler en fonction des éléments de garniture (porc salé) et de mouillement (eau ou bouillon blanc).

Tapisser une braisière ou une terrine allant au feu de bardes de lard gras et de couennes fraîches. Étendre dessus un premier lit de choucroute représentant la moitié. Mettre ensuite un gros oignon piqué d'un clou de girofle, une grosse carotte coupée en quatre, une cuillerée à café de baies de genévrier, une palette de porc salée et fumée, 150 grammes de lard de poitrine maigre et salée, un saucisson cru à l'ail (le piquer de quelques coups de la pointe d'un couteau), un bouquet de persil lié avec une demi-feuille de laurier et une brindille de thym.

On peut ajouter un morceau de poitrine de bœuf salée et fumée et une crosse de jambon.

Recouvrir avec le reste de la choucroute et étendre sur celle-ci 100 grammes de saindoux ou de graisse d'oie et enfin des bardes de lard.

Mouiller, juste à hauteur, avec du bouillon blanc ou de l'eau.

Mettre en ébullition, couvrir et faire mijoter à four pas trop chaud pendant 4 heures.

Après la première heure de cuisson, enlever la viande et le saucisson de garniture. Poursuivre le braisage.

Quand la choucroute est cuite, elle doit demeurer blanche et de saveur légèrement aigrelette due à la fermentation. La dresser sur un plat en l'égouttant parfaitement et en supprimant oignon, carotte et bouquet garni. Disposer dessus, coupés en tranches minces, le lard, la palette, le saucisson coupé un peu plus épais, puis des saucisses de Strasbourg ou de Francfort pochées 5 minutes.

Accompagner d'un légumier de purée de pommes de terre très crémeuse ou pommes de terre à l'anglaise.

Chou vert

Le chou vert pommé commence son cycle annuel dès le printemps avec les variétés hâtives. La première dite cœur de bœuf, apparaît sur les marchés en mars-avril.

Chou nouveau, il est presque toujours cuit à l'anglaise, c'est-à-dire à l'eau salée à point après avoir été coupé en quatre parties et débarrassé du trognon.

On le sert, bien égoutté et pressé avec une écumoire, avec du beurre frais, du sel marin broyé et du poivre frais moulu et accompagné de pommes de terre cuites à l'anglaise.

Ce chou est l'accompagnement du pot-au-feu pendant la période printanière. Il est alors ébouillanté 5 minutes, égoutté, réuni dans un filet et cuit dans le pot-au-feu en même temps que les autres légumes nouveaux composant la garniture.

Chou vert braisé

On utilise de préférence les choux cabus plus tardifs : de Milan, de Lorraine, de Vaugirard, etc., à pomme blanche.

Enlever les feuilles jaunies ou trop vertes, couper le chou en quartiers, supprimer le trognon et les grosses côtes, le laver avec soin et plonger les feuilles dans une casserole d'eau bouillante salée à point. Laisser bouillir 10 minutes et égoutter.

Recouvrir le fond et le tour d'une casserole haute, de dimension convenable pour la quantité de chou, de bardes de lard et de couennes. Mettre les feuilles de chou préalablement saupoudrées de sel fin, de poivre frais moulu et d'une pointe de muscade râpée ; enfouir dans la masse un gros oignon piqué d'un clou de girofle pour un chou de belle grosseur, une grosse carotte divisée en quatre parties, un bouquet garni (persil, fragment de laurier, brindille de thym, 2 gousses d'ail).

Mouiller juste à hauteur avec du bouillon blanc et gras, ajouter trois bonnes cuillerées à potage de saindoux, graisse d'oie ou graisse de rôti. Recouvrir de bardes de lard et faire bouillir.

Faire mijoter à couvert et au four de chaleur moyenne pendant 2 heures.

On peut ajouter un quartier de lard maigre et salé, une palette de porc salée, ou un morceau de poitrine de bœuf salée. L'assaisonnement en sel est conditionné par ces additions.

Chou vert farci

Choisir un chou pommé moyen. Le parer des feuilles jaunes ou trop vertes ou défraîchies, enlever le trognon, le laver et l'ébouillanter entier pendant 15 minutes au moins.

L'égoutter et le placer sur un linge humide recouvert de bardes de lard.

Écarter et étendre chaque feuille avec soin jusqu'au cœur et placer au centre une boule de farce ou hachis composé par moitié de lard frais et de maigre de porc ou autre viande de desserte ou non, champignons, etc.

Reformer le chou en intercalant par places une couche de farce ou de hachis ; assaisonner très légèrement de sel et poivre en reformant le chou.

Quand le chou est bien rétabli dans sa forme naturelle, l'envelopper de bardes de lard et le ficeler solidement.

Disposer dans le fond d'une casserole haute, de dimension juste, des couennes, une carotte coupée en rondelles, un oignon piqué d'un clou de girofle et un bouquet garni. Y mettre le chou et mouiller juste à hauteur avec du bouillon blanc et gras peu salé.

Faire bouillir, puis couvrir, et laisser mijoter au four à chaleur douce pendant 2 heures.

Pour servir, dresser le chou sur un plat, enlever les ficelles et les bardes et l'arroser d'une cuillerée de son fond de cuisson en grande partie réduit.

Présenter le reste en saucière avec un légumier de pommes de terre à l'anglaise.

Chou farci aux marrons

Mets de Carême, robuste et exquis, exigeant une cuisson lente et longue, 5 heures au moins, convenant à un service de déjeuner.

Éléments (pour 8 personnes) :

Un chou pommé, blanc et pesant environ 1,500 kg ; 6 gros oignons ; 500 grammes de beaux marrons ; un verre et demi de lait ; 250 grammes de beurre ; 15 grammes de sel ; 4 grammes de poivre frais moulu.

Méthode :

1° Les marrons. — Enlever la première écorce et mettre les marrons dans une casserole à baigner dans de l'eau froide. Couvrir et chauffer jusqu'à ébullition et laisser bouillir doucement 12 minutes.

Retirer du feu, égoutter quelques marrons à l'écumoire et, au fur et à mesure, les dépouiller de la pellicule. Les réserver sur un plat.

2° La farce. — Éplucher les oignons et les diviser en rondelles fines. Les réunir avec 50 grammes de beurre fondu dans une casserole haute pouvant contenir ultérieurement le chou farci. Chauffer doucement, puis couvrir et laisser mijoter un quart d'heure sans laisser colorer les oignons. A ce moment, ajouter les marrons et 125 grammes de beurre. Poursuivre la cuisson à couvert très doucement. Remuer assez souvent avec une spatule en évitant autant que possible de briser les marrons.

Ce mijotement durera une bonne demi-heure avec les mêmes menus soins. Les marrons finiront par prendre, peu à peu, l'aspect et la couleur de marrons confits.

Parsemer dessus la moitié du sel et du poivre, puis débarrasser le tout, oignons, marrons et beurre sur le plat déjà utilisé.

3° Le chou. — Couper le trognon au ras des feuilles et enlever celles qui sont trop vertes et flétries.

Le plonger dans une grande bassine d'eau bouillante et faire bouillir lentement pendant une demi-heure.

L'égoutter bien à fond en le pressant pour en extraire l'eau.

Le placer sur un torchon et ouvrir les feuilles une à une jusqu'au cœur. A la place de ce dernier, mettre une bonne cuillerée de la farce ci-dessus. Ramener les feuilles dans leur position primitive en garnissant le sommet de chaque rangée d'une cuillerée de farce. Le chou reformé, le ceinturer avec un tour de ficelle et le ficeler deux fois en croix en nouant les extrémités au sommet du chou ; laisser les bouts assez longs pour pouvoir les saisir pour soulever le chou quand il sera dans la casserole de braisage.

4° Le braisage. — Étaler le reste du beurre dans la casserole utilisée. Y placer le chou, côté tige en dessous ; saupoudrer avec le reste du poivre et du sel. Mettre le couvercle, puis sur feu très doux ; le beurre fond, le chou dégage de l'humidité qui produit de la vapeur, laquelle se condense sur le couvercle et retombe en gouttelettes d'eau sur le chou et dans la casserole. Le chou commence à mijoter ; il faut poursuivre ainsi pendant 5 heures de préférence à four doux.

De temps à autre, pratiquer un arrosage du chou avec son fond de braisage. Veiller à ce que le chou n'attache pas à la casserole.

Après deux heures et demie de cuisson, ajouter le lait bouillant sur lequel 4 cuillerées à potage seront réservées.

Un quart d'heure avant de servir, verser dans la casserole le reste du lait.

5° Le dressage. — Enlever le chou en le soulevant à l'aide des extrémités de la ficelle et d'une écumoire. Le poser sur un plat de service et le déficeler.

Diluer dans le fond de cuisson le gratiné brun qui s'est formé autour de la casserole pendant le braisage.

Vérifier l'assaisonnement et arroser le chou de son jus.

Servir ainsi.

Choux-fleurs

Choisir le chou-fleur non pas jaunâtre, mais très blanc et à fleurs bien serrées.

D'une manière générale, on ne consomme que l'inflorescence alors qu'en réalité toutes les feuilles vert pâle qui l'entourent ainsi que les côtes blanches peuvent être accommodées comme les choux verts. Le trognon intérieur divisé en parties et les tiges se préparent à la grecque, pour hors-d'œuvre froid.

L'épluchage du chou-fleur consiste à supprimer précisément les feuilles et à diviser l'inflorescence en petits bouquets sur deux centimètres de tige. Peler cette tige et mettre chaque bouquet, au fur et à mesure, dans de l'eau fraîche légèrement vinaigrée.

Cuisson :

Mettre en ébullition dans une casserole assez d'eau pour que le chou-fleur puisse y baigner. Y jeter les bouquets et laisser bouillir 10 minutes. Les égoutter et les remettre dans une deuxième eau bouillante, salée à point. Laisser bouillir doucement jusqu'à cuisson complète.

Temps de cuisson au total : 25 minutes environ. Ainsi traités, les choux-fleurs n'ont jamais une saveur forte.

Les égoutter pour les dresser dans un légumier en reformant le chou-fleur, ou sur un plat recouvert d'une serviette pliée. Servir comme accompagnement une saucière de sauce hollandaise, sauce mousseline, sauce blanche, sauce crème ou beurre fondu en pommade.

Chou-fleur au gratin

Un chou-fleur étant cuit, écarter les bouquets sur un linge, les assaisonner de sel fin et de poivre. Chauffer 50 grammes de beurre pour 500 grammes de chou-fleur dans un plat à sauter et y mettre les bouquets à étuver 15 minutes. Les retourner une fois avec une fourchette et avec précaution. Quand l'humidité est totalement évaporée et que les bouquets sont bien imprégnés de beurre, les dresser sur un plat à gratin.

Au préalable, étendre deux cuillerées à potage de sauce Mornay dans le fond du plat. Disposer dessus en couronne les bouquets, les tiges vers le centre. Recouvrir ce premier lit d'une légère nappe de sauce et poursuivre le dressage jusqu'à épuisement des bouquets en reformant la pomme du chou.

Napper entièrement de sauce Mornay, parsemer dessus une bonne cuillerée à potage de gruyère ou de parmesan râpé, mélangé à une cuillerée à café de mie de pain en chapelure.

Arroser de quelques gouttes de beurre fondu et mettre à gratiner à four chaud.

Chou-fleur à la polonaise

Cuire un chou-fleur, l'égoutter et le faire rissoler légèrement dans une poêle.

Pour faire cette opération correctement, chauffer 100 grammes de beurre dans une poêle assez grande pour que 500 grammes de bouquets puissent reposer sur le fond de l'ustensile.

Quand le beurre chante et commence à prendre la couleur noisette, y mettre les bouquets un à un. Assaisonner de sel fin et de poivre frais moulu et les conduire à feu un peu vif. Retourner chaque bouquet à l'aide d'une fourchette afin qu'il rissole sur toutes ses faces. Lorsque les bouquets sont bien dorés, les dresser dans un légumier, les saupoudrer avec le jaune d'un œuf dur passé au tamis ou haché, mélangé à une cuillerée à entremets de persil haché.

Ajouter dans la poêle 100 grammes de beurre ; quand il grésille, y jeter 2 cuillerées à potage de mie de pain en chapelure ; aussitôt qu'elle commence à dorer, en arroser le chou-fleur dressé.

Servir ainsi.

Purée de chou-fleur

Préparer un chou-fleur en suivant les indications données pour le chou-fleur au gratin. Quand les bouquets sont étuvés et que toute trace d'humidité a disparu, les passer au tamis fin. Recueillir cette purée dans une casserole, lui additionner le quart de son poids de purée de pommes de terre. Bien mélanger avec une spatule et mettre à consistance normale en ajoutant de la crème ou du lait bouillant.

Terminer avec 50 grammes de beurre frais, incorporé hors du feu.

Vérifier l'assaisonnement. Ne plus laisser bouillir.

Chou-fleur à l'anglaise

Le chou doit être d'une fraîcheur absolue et mûr à point, par conséquent, blanc, dur et serré. Découvrir le trognon sans excès pour éviter de détacher les feuilles tendres qui enveloppent immédiatement l'inflorescence.

L'ébouillanter, l'égoutter et le cuire entier doucement, à l'eau salée à 10 grammes par litre.

Le servir tel sur une serviette pliée avec, à part, un ravier de beurre frais et un demi-citron ou une saucière de crème fraîche épaisse, acidulée au jus de citron.

Choux de Bruxelles

On peut appliquer aux choux de Bruxelles les recettes indiquées pour le chou-fleur.

Mais, en vérité, la meilleure manière de les accommoder est de les sauter à la poêle en les faisant bien rissoler.

Au préalable, enlever à chaque petite pomme, qui doit être très serrée, les feuilles jaunies ou défraîchies et couper la tige. Les laver et les jeter dans une casserole d'eau bouillante. Laisser bouillir 10 minutes, les égoutter et les remettre en cuisson à l'eau en ébullition et salée à point.

Cuire à découvert et à bouillons moyens pour les tenir verts et en forme. Une très vive ébullition les effeuillerait.

Les égoutter bien à chaud sur un tamis, les saupoudrer légèrement de sel fin, ce qui active l'écoulement de l'humidité, et les mettre dans une poêle assez grande où grésille du beurre (150 grammes de beurre pour 500 grammes de choux).

Les choux de Bruxelles sont gourmands de corps gras. Ils sont délicieux s'ils sont sautés avec de la graisse d'oie, de volaille, de rôti de mouton ou de porc.

Les assaisonner de poivre frais moulu et d'une pointe de muscade râpée.

Quand ils sont bien rissolés, les dresser dans un légumier très chaud. Parsemer dessus une pincée de persil haché et servir. Placer devant chaque convive une assiette très chaude.

Ainsi préparés, les choux de Bruxelles sont agréables et supportés par tous les estomacs.

Chou rouge à la mode alsacienne Paul Haeberlin

Éléments (pour 8 personnes) :

Un chou moyen et bien pommé ; 250 grammes de lard de poitrine fumée ; 20 châtaignes ; 3 cuillerées à potage bien pleines de graisse d'oie ou de graisse de rôti de porc ; un décilitre de bouillon ou de jus de veau blanc peu salé ; 3 cuillerées à potage de vinaigre de vin ; un bouquet de quelques racines de persil lié avec un fragment de feuille de laurier et une brindille de thym ; un oignon piqué d'un clou de girofle ; une pincée de sel ; une prise de poivre frais moulu.

2 heures 1/2 de cuisson.

Méthode :

Le chou. — Le parer des feuilles flétries et couper le trognon à la base. Le diviser en quatre parties, les laver et les égoutter. Supprimer les quartiers de trognon et tailler les feuilles en julienne.

Faire bouillir une grande casserole d'eau, y plonger la julienne et ébouillanter 6 minutes. Égoutter sur un tamis ou dans une grande passoire pour que l'eau s'écoule bien.

Le lard. — Enlever la couenne et parer l'extérieur plus fortement fumé. Le couper en rectangles de 10 centimètres sur 8 centimètres et de 1 centimètre d'épaisseur.

Les châtaignes. — Fendre l'écorce d'une incision, les mettre sur une tourtière à pâtisserie, puis au four chaud 5 à 6 minutes, juste le temps nécessaire pour soulever l'écorce et la pellicule. Les retirer 3 ou 4 à la fois et les éplucher aussitôt. Les réserver sur une assiette.

La cuisson. — Choisir une casserole haute, de 2 litres de contenance environ. Diviser le chou en trois parties égales, le lard et les châtaignes en deux parties.

Étaler dans la casserole une partie du chou, puis une de lard et enfin, une de châtaignes. Renouveler cette répartition en ajoutant l'oignon piqué et le bouquet garni. Recouvrir le tout avec la troisième partie de chou.

Saupoudrer avec le sel et le poivre, mouiller avec le bouillon ou le jus, le vinaigre et terminer avec la graisse.

Mettre le couvercle et faire bouillir.

Dès que l'ébullition se manifeste, placer un papier taillé de mesure et beurrer à même le chou. Couvrir hermétiquement et cuire très doucement au four de chaleur moyenne pendant deux heures et demie.

Dressage. — Ce poêlage à l'étouffée, conduit à point, ne doit laisser qu'un jus très court dans la julienne, 4 cuillerées à potage environ.

Enlever l'oignon et le bouquet garni et dresser dans un légumier, en disposant le lard par-dessus. Si le jus est trop abondant, le réduire au nombre de cuillerées indiqué et en arroser la julienne.

Chou rouge à la flamande

Préparation culinaire très simple et délicieuse.

Enlever le trognon et les feuilles défraîchies d'un chou rouge bien pommé. Le diviser en quatre parties, le laver, couper les grosses côtes et tailler les feuilles en lanières (grosse julienne).

L'assaisonner de sel et poivre, l'asperger avec le contenu de 2 cuillerées à café de vinaigre de vin ; bien mélanger.

Beurrer très grassement une terrine ou un poêlon en terre allant au feu, y mettre la julienne puis couvrir hermétiquement et cuire au four de chaleur douce pendant 2 heures 1/2. Après deux heures de cuisson, ajouter, pour un chou moyen, trois pommes de reinette épluchées, coupées en quartiers, débarrassées de la membrane et des pépins et saupoudrées d'une cuillerée à café de sucre en poudre. Bien répartir les quartiers de pommes dans la masse de la julienne.

Poursuivre l'étuvée une bonne demi-heure et dresser dans un légumier.

Chou rouge mariné

Parer le chou, le diviser en quartiers, le laver, supprimer les grosses côtes et le trognon et tailler les feuilles en fine julienne.

Faire bouillir quatre litres d'eau dans une bassine à confiture en cuivre non étamé, y plonger la julienne et l'ébouillanter 5 minutes. L'égoutter à fond sur un tamis, la laisser refroidir, la saler légèrement et la mettre dans un pot en terre ou un bocal entremêlée de quelques grains de poivre, d'un brin de thym et de laurier, de 3 gousses d'ail et remplir le récipient de vinaigre bouilli et froid.

Laisser macérer au moins 8 jours avant de l'utiliser.

Pour servir, égoutter la quantité de chou nécessaire, dresser dans un ravier ou saladier et l'arroser d'un filet d'huile d'olive.

Concombres à la crème

Peler finement 2 concombres et les tailler en cubes de 2 centimètres de côté ; les plonger dans l'eau bouillante 5 minutes, les égoutter et les faire étuver au beurre dans un plat à sauter jusqu'à évaporation totale de l'eau de végétation.

Assaisonner de sel et de poivre.

Mouiller juste à hauteur de crème fraîche bouillante et cuire jusqu'à réduction de moitié de la crème et de la liaison.

rdreau aux choux (p. 308)

Retirer du feu, et incorporer en vannant, 60 grammes de beurre frais par décilitre de crème. Vérifier l'assaisonnement.

Dresser dans un légumier.

Épinards

Les épinards accommodés constituent un mets exquis. Ce qualificatif est, toutefois, conditionné par l'extrême fraîcheur, la jeunesse des feuilles cueillies et leur minutieuse préparation faite au moment de les servir.

Avant d'être mis en cuisson, il faut enlever les tiges, laver à grande eau les épinards et écarter toutes les feuilles jaunies ou flétries.

La couleur verte est le signe certain de bonne santé de la plante ; l'indication manifeste de ses vertus nutritives est que sa saveur sera franche.

On s'appliquera à la lui conserver jusqu'au moment où elle sera consommée.

Deux dispositions sont à prendre pour atteindre ce résultat facile mais capital :

1º Très grande rapidité de cuisson.

2º Pas d'attente entre l'accommodement et le service.

La cuisson préalable au blanchissage :

Faire bouillir dans un récipient en cuivre non étamé (bassine à confiture) de préférence une quantité d'eau assez abondante pour que les épinards y baignent bien et que leur masse froide ne marque qu'un arrêt aussi court que possible à l'ébullition.

Saler l'eau à raison de 10 grammes par litre et la maintenir en plein feu.

Y plonger les épinards lavés et bien secoués pour en chasser l'eau.

Observer la reprise de l'ébullition tout en enfonçant les épinards dans l'eau avec une patule ; après 8 minutes de grands bouillons, retirer une feuille et s'assurer de l'état de cuisson en l'écrasant entre les doigts. Si les épinards sont nouveaux, ils seront cuits à point, sinon prolonger l'ébullition de quelques minutes et procéder une fois encore à un contrôle.

Renverser le récipient de blanchissage sur un tamis ou dans une grande passoire, le remplir d'eau froide et y plonger les épinards égouttés. Renouveler deux fois cette opération pour provoquer un refroidissement rapide.

Les épinards étant rafraîchis et égouttés, les presser fortement par poignées ou dans un torchon pour en extraire l'eau, les passer ensuite au tamis fin ou les hacher.

Si les épinards ne sont pas accommodés immédiatement, les tenir en réserve sur un plat en faïence ou émaillé assez large pour les y étaler, les mettre au réfrigérateur ou dans un endroit très frais.

Chaque fois que les épinards sont servis en feuilles, il est préférable, quand les commodités matérielles le permettent, de les blanchir à la dernière minute, de les égoutter et de ne pas les rafraîchir. Il suffit de les presser dans un torchon tendu par les extrémités et roulé en torsade.

Cette opération accomplie, les jeter dans un plat à sauter où chante une quantité de beurre proportionnée à celle des épinards (50 grammes pour 500 grammes) et les sécher rapidement quelques secondes en plein feu. Les assaisonner ensuite selon la recette choisie.

Nota. — Pour obtenir 500 grammes d'épinards cuits, il faut 2 kilogrammes environ d'épinards crus, poids brut.

Épinards au beurre

Se reporter au commentaire ci-dessus sur l'accommodement des épinards. Ceux-ci étant séchés, les beurrer hors du feu avec 100 grammes de beurre frais pour 500 grammes d'épinards cuits en purée ou en feuilles.

Assaisonner avec une pincée de sel fin, une prise de poivre frais moulu, une pointe de muscade râpée et un soupçon de sucre en poudre subordonné au degré d'âcreté qu'il est nécessaire de corriger. Faire attention : il ne s'agit pas de sucrer les épinards.

Épinards à la crème

Pratiquer comme pour les épinards au beurre en remplaçant le beurre de liaison par un décilitre de crème et 25 grammes de beurre frais ; même assaisonnement.

Haricots

Le haricot vert doit être cueilli et cuit aussitôt. Récolté vert, il doit être consommé vert sans aucune addition chimique afin de lui conserver ses qualités alimentaires et sa saveur exquise.

D'abord, les choisir aussi réguliers que possible, et les éplucher, ce qui signifie supprimer, en les brisant, les deux extrémités des haricots et les défiler en procédant à ces suppressions.

Les laver, les égoutter en les secouant à fond et les plonger dans un récipient d'eau en pleine ébullition et salée à raison de 10 grammes au litre. Ne pas couvrir le récipient et le laisser en plein feu. Cuire à gros bouillons.

Le récipient idéal, pour ce travail, est un bassin à monter les blancs d'œufs, une bassine à confiture ou un poêlon ; ces ustensiles devant être en cuivre non étamé.

Après 15 minutes d'ébullition, saisir un haricot et le mordre. S'il est très légèrement croquant, retirer du feu et égoutter.

Saupoudrer les haricots d'une prise de sel, les sauter dans la passoire, l'eau s'égoutte plus rapidement, les mettre dans une sauteuse très chaude, les accommoder suivant l'indication du menu et servir. Le mode dit à l'anglaise ne comporte qu'une addition de beurre frais présenté à part.

Ils seront naturellement très verts et délicieux.

Quand les haricots ne peuvent être cuits à la dernière minute pour des raisons matérielles ou des considérations techniques, il faut les rafraîchir aussitôt cuits, les égoutter et les étendre sur une claie garnie d'un linge.

Dans ce cas, ils sont étuvés dans un peu de beurre s'ils sont servis chauds, puis assaisonnés.

Haricots verts au beurre maître d'hôtel

Suivre les indications données dans le commentaire ci-dessus et leur incorporer en les sautant 100 grammes de beurre frais divisé en parcelles pour 500 grammes de haricots.

Les haricots doivent être parfaitement enrobés de beurre fondu en pommade. Dresser dans un légumier et parsemer dessus une pincée de persil frais haché.

Servir sur assiettes bien chaudes.

Haricots verts à la crème

Procéder comme pour les haricots verts au beurre maître d'hôtel, mais au lieu de lier au beurre, mouiller les haricots juste à hauteur avec de la crème fraîche. Faire bouillir jusqu'à réduction de moitié, sauter, hors du feu, pour enrober les haricots de crème.

Vérifier l'assaisonnement.

Nota. — La crème peut être remplacée par de la sauce béchamel ou sauce velouté. En mettre moitié moins et lier aussitôt sans réduire.

Haricots verts à la normande

Appliquer la recette des haricots verts à la crème et, au moment de servir, la réduction étant au point, ajouter, hors du feu, un jaune d'œuf (pour 500 grammes de haricots) dilué avec une cuillerée de crème. La chaleur concentrée dans la masse des haricots et de la crème bouillante est suffisante pour lier le jaune et le cuire en partie.

Purée de haricots verts

Après cuisson, étuver 10 minutes, avec 50 grammes de beurre, 500 grammes de haricots verts. Les passer ensuite au tamis fin et réunir cette purée à une quantité égale de purée de haricots flageolets verts. Beurrer, hors du feu, avec 100 grammes de beurre ou mettre à consistance normale au moyen d'une addition de crème fraîche.

Haricots panachés au beurre

Mélange par moitié de haricots verts et de haricots flageolets verts cuits, au préalable, séparément. Lier au beurre selon les indications.

Haricots blancs frais

Lorsque les grains sont à maturité, mais encore frais, cueillir les gousses, les étaler dans un endroit frais et ne les écosser qu'au moment de cuire les haricots.

Méthode A :

On fait cuire les haricots blancs frais en les plongeant dans une cuisson bouillante comprenant pour 1 litre d'eau : 8 grammes de sel, un oignon moyen piqué d'un clou de girofle, 2 gousses d'ail, une demi-carotte et un petit bouquet garni (persil, thym, laurier).
Écumer, couvrir et laisser bouillir très doucement.
La cuisson gagne à être préparée à l'avance de la manière suivante :

Méthode B :

Faire blondir au beurre, dans la casserole choisie pour la cuisson, l'oignon et la carotte divisés en quartiers ; mouiller avec un litre d'eau, ajouter l'ail et le bouquet garni et 150 grammes de lard de poitrine maigre.
Mettre en ébullition, écumer, cuire doucement 20 minutes et y plonger les haricots. Continuer la cuisson à petit feu et accommoder ensuite de façons diverses.

Haricots blancs secs

Les haricots secs devraient être toujours de la dernière récolte, alors deux heures de trempage à l'eau froide suffisent.
Avant de procéder à cette opération, il convient de trier les déchets, pierres minuscules, etc., et de les laver à plusieurs eaux pour chasser l'odeur de sac et de poussière.
La mise en cuisson est identique à celle des haricots frais.
Je conseille cependant de procéder en deux temps :
1° Les recouvrir largement d'eau froide, chauffer doucement jusqu'à l'ébullition, laisser bouillir 10 minutes et les égoutter.
2° Les remettre à l'eau froide avec la garniture, saler à raison de 8 grammes par litre, faire bouillir, puis mijoter à couvert.
Quand les haricots sont cuits à point, les accommoder selon l'un des modes ci-après.

Haricots blancs au beurre

Pour 500 grammes de haricots, lier au moment de les servir avec 80 à 100 grammes de beurre frais.

Les égoutter imparfaitement et les mettre dans une sauteuse avec trois ou quatre cuillerées à potage de bouillon de haricots. Répartir le beurre en parcelles et sauter doucement le tout. Le beurre et le bouillon s'associeront en formant une émulsion légère et crémeuse qui enrobera les haricots. Moudre un peu de poivre dessus et mélanger ; vérifier l'assaisonnement et dresser dans un légumier.

Parsemer dessus une pincée de persil frais haché.

Ainsi traités, les haricots ne seront pas secs ; en dépit du beurre, la courte addition de bouillon les rend savoureux.

Haricots flageolets au beurre

Même procédé que pour les haricots blancs.

Haricots blancs à la bretonne

Pour 500 grammes de haricots cuits, ciseler finement un bel oignon et le faire blondir doucement dans du beurre (50 grammes) qui chauffe dans une casserole moyenne. Quand l'oignon est bien fondu après avoir été remué souvent avec une cuiller en bois, le mouiller avec un demi-verre de vin blanc sec et réduire jusqu'à contenance de deux cuillerées à potage ; ajouter, à ce moment, trois tomates assez grosses, épluchées, coupées en quartiers et épépinées. Ne pas trop presser l'eau de végétation. Assaisonner d'une prise de sel fin, d'une gousse d'ail râpée et de quelques tours du moulin à poivre, laisser compoter un bon quart d'heure.

A défaut de tomates fraîches, les remplacer par un décilitre de purée de tomates.

Réunir les haricots égouttés à cette préparation et lier, hors du feu, avec 50 grammes de beurre en tenant compte des conseils donnés pour les haricots au beurre.

Haricots blancs ménagère

Cuire les haricots selon la *méthode B* des haricots blancs frais, en ajoutant une crosse de jambon dessalé ou un petit jambonneau cru dessalé.

D'autre part, préparer l'accommodement indiqué pour les haricots à la bretonne, en faisant rissoler avec l'oignon haché une saucisse plate, dite crépinette, par convive.

Les retirer avant de mettre le vin blanc et les réserver.

Quand les haricots sont réunis à la préparation et liés en les tenant un peu plus liquide par une addition raisonnée de bouillon de haricots (1/2 verre environ), y mélanger le lard et le jambon coupés en gros dés, ce dernier avec la couenne bien cuite, par conséquent très moelleuse.

Verser ensuite dans un plat à gratin en terre allant au feu et assez profond, enfonce dans la masse de place en place les saucisses, saupoudrer de mie de pain en chapelure fine.

Arroser d'une cuillerée de beurre fondu, de bonne graisse d'oie ou de volaille ou de rôti de porc, mettre au four de bonne chaleur et laisser mitonner 20 minutes à découvert de façon qu'il se forme un joli gratin.

Présenter tel le plat à gratin ; poser sur un plat de service recouvert d'une serviette pliée

Haricots mange-tout sautés au beurre

Variété de haricots que l'on consomme en gousses, certaines espèces sont vertes, d'autres sont jaunes et appelées haricots beurre. Ils sont cueillis à demi-maturité et les gousses, sans parchemin, contiennent généralement des grains en formation.

Les cuire dans les mêmes conditions que les haricots verts, les égoutter, chauffer 100 grammes de beurre pour 500 grammes de haricots dans une poêle, y mettre les haricots à beurre chantant et sauter à feu vif en les faisant légèrement rissoler.

Assaisonner de sel fin, de poivre frais moulu et de persil haché.

Laitues braisées

Choisir 6 laitues petites et pommées. Enlever les feuilles jaunes ou flétries, tailler la base en cône ; les laver sans briser les feuilles et les plonger 10 minutes dans un récipient mis en plein feu et dans lequel bout assez d'eau pour les baigner littéralement.

Les égoutter, les rafraîchir, les égoutter à nouveau, puis les presser fortement pour en chasser l'eau.

D'autre part, disposer dans le fond d'un plat à sauter de dimensions appropriées aux laitues et grassement beurré une carotte moyenne et un oignon coupés en rouelles, quelques couennes fraîches et un tout petit bouquet garni ; ranger sur le tout les laitues, dont les feuilles ont été rassemblées dans leur longueur et liées avec un fil, saupoudrer d'une pincée de sel, couvrir, mettre à feu doux 15 minutes pour provoquer l'exsudation de l'humidité qui, en retombant après condensation, caramélise légèrement au fond de l'ustensile.

Mouiller juste à hauteur avec du bon jus de veau corsé blond, grassouillet et peu salé, faire bouillir, couvrir d'un papier beurré et du couvercle ; mettre à four moyennement chaud à mijoter 50 minutes.

Pour servir, retirer les laitues une à une, les diviser en deux parties dans le sens de la longueur, les plier et les dresser en couronne sur un plat rond et chaud en intercalant un croûton taillé en cœur et frit au beurre.

Enlever la garniture du fond de braisage, le réduire à la contenance de 6 cuillerées à potage, mettre 60 grammes de beurre divisé en parcelles pendant que le fond, réduit, est encore en pleine ébullition, fouetter une seconde en plein feu, ce jus sera parfaitement unifié et lié, en arroser les laitues.

Nota. — On peut laisser la garniture dans le fond et couper les couennes en julienne.

Laitues farcies et braisées

Préparer les laitues comme ci-dessus. Quand elles sont pressées, les diviser en deux parties dans le sens de la longueur, sans toutefois couper le trognon, les ouvrir et les aplatir légèrement et les garnir intérieurement d'un hachis de viande de boucherie ou de porc, de volaille, etc., mélangé ou non avec des champignons hachés, ou toute autre farce.

Plier chaque laitue sur la farce, les attacher d'un tour de ficelle et les braiser comme il est expliqué pour les laitues braisées.

Pour les servir, enlever la ficelle et les dresser entières en rosace sur un plat rond. Les arroser du fond de braisage réduit à la quantité nécessaire et beurré hors du feu.

Lentilles

Vendues dans le commerce, généralement à l'état sec, les lentilles reçoivent les mêmes traitements — triage, lavage, trempage — et procédés de cuisson que les haricots secs.

Elles sont accommodées exactement comme ces derniers soit dans les potages, soit comme garniture ou comme légumes, assaisonnées au gras ou au maigre.

Le maïs

Le maïs sucré, qui ne figure pas souvent sur les tables françaises, est une graminée dont les qualités alimentaires et la saveur gagnent à être connues.

Les épis sont cueillis quand les grains sont encore à l'état laiteux donc très tendres.

La tige est coupée au ras de l'épi qui est effeuillé des feuilles vertes ; les feuilles blanches sont conservées autour de l'épi que l'on plonge dans une cuisson bouillante composée de 5 litres d'eau et d'un demi-litre de lait. Ne pas saler.

Couvrir et laisser bouillir doucement 10 minutes.

Égoutter les épis, rabattre sur la base les feuilles conservées et dresser sur un plat recouvert d'une serviette pliée.

Servir avec une saucière de beurre fondu en pommade ou de la crème fraîche et un citron.

Les convives égrainent l'épi dans leur assiette très chaude et arrosent les grains de beurre fondu ou de crème et de quelques gouttes de jus de citron.

Mélanger et lier dans l'assiette, comme des petits pois à l'anglaise.

Maïs au beurre, à la crème

Les épis étant pochés, les égrainer dans une sauteuse et les lier au beurre frais, ou à la crème fraîche.

Aciduler avec quelques gouttes de jus de citron.

Crêpes au maïs dites à la Marignan

Égrainer dans un appareil à crêpes additionné de beurre ou de crème, suivant la richesse que l'on désire lui donner, des épis de maïs pochés. Mettre sensiblement appareil à crêpes et grains de maïs à poids égal.

Cuire les crêpes un peu épaisses au beurre et à la poêle suivant la méthode classique.

Marrons

Les deux manières d'éplucher les marrons sont bien connues : pratiquer une légère incision dans l'écorce brune et mettre les marrons sur une plaque à pâtisserie ou un autre ustensile avec trois ou quatre cuillerées d'eau et à four très chaud 8 minutes, ou, après les avoir incisés, les plonger dans une friture fumante également 8 minutes.

Retirer l'écorce et la pellicule intérieure aussitôt.

Marrons à l'étuvée

Mettre les marrons épluchés dans un plat à sauter, les mouiller juste à hauteur avec du bouillon blanc, condimenter avec une branche de céleri, un morceau de sucre pour 500 grammes de marrons et 50 grammes de beurre.

Cuire à couvert environ 30 minutes. Après ce temps, le mouillement doit être presque complètement réduit et à l'état sirupeux. Les rouler dans ce fond très doucement pour les rendre brillants. Les marrons sont alors qualifiés de glacés. Les servir.

Purée de marrons

Cuire les marrons comme pour les étuver, les renverser sur un tamis fin placé au-dessus d'un plat, et fouler les marrons au petit pilon. Recueillir la pulpe obtenue dans une casserole l'additionner d'un morceau de beurre frais et l'incorporer en travaillant la purée vigoureusement avec une cuiller en bois. Mettre à consistance normale avec du lait ou de la crème bouillants.

Vérifier l'assaisonnement et dresser en légumier.

Soufflé aux marrons

Mélanger à de la pulpe de marrons très chaude, comme il est indiqué dans la purée de marrons, des jaunes d'œufs, à raison de 6 jaunes pour 500 grammes de pulpe, et 100 grammes de beurre frais. Condimenter avec une pincée de sel, une pointe de muscade râpée et moudre dessus une prise de poivre. Donner la consistance de la crème épaisse au moyen d'une légère addition de lait ou de crème.

20 minutes avant de servir, fouetter en neige très ferme les 6 blancs d'œufs et les incorporer à la purée à l'aide d'une spatule en soulevant la masse de l'appareil pour éviter de faire retomber les blancs.

Garnir convenablement jusqu'aux deux tiers une timbale à soufflé, préalablement beurrée, avec cet appareil et cuire à four de chaleur moyenne 20 minutes pour une timbale d'une contenance d'un litre.

Servir dès la sortie du four. Le soufflé retombant vite, toute attente lui est préjudiciable.

Nota. — Cette recette peut être appliquée pour un entremets sucré. Supprimer le poivre, diminuer le sel, laisser la muscade et ajouter 100 grammes de sucre.

Navets

Les navets printaniers ou des autres saisons sont surtout utilisés comme garniture ou condiment. Nouveaux, ils sont de digestion facile. Quel que soit le mode de préparation, les navets exigent un accommodement très gras, beurre, graisse de porc ou de volaille, même de mouton avec laquelle ils s'harmonisent parfaitement.

Au contraire des carottes, les navets ont une pelure très épaisse et filandreuse qu'il est indispensable d'éplucher entièrement.

Les feuilles jeunes, préparées comme les choux verts de printemps à l'anglaise, forment un légume appréciable.

De plus, les navets peuvent recevoir tous les accommodements culinaires indiqués pour les carottes.

Navets dits glacés

a) Éplucher des navets nouveaux et les diviser comme de gros bouchons. Parer les angles pour leur donner la forme d'une olive. Les réunir dans un plat à sauter avec 100 grammes de beurre, une cuillerée à café de sucre, une pincée de sel pour 500 grammes de navets épluchés et parés. Mouiller avec de l'eau juste à hauteur et cuire doucement jusqu'à réduction presque complète du liquide.

Ajouter un petit morceau de beurre frais et hors du feu les rouler dans ce fond où ils s'enrobent en devenant brillants.

Temps de cuisson : 20 minutes.

Cette préparation doit être faite de telle sorte qu'elle soit au point au moment de la servir sans attente.

b) Les navets étant épluchés, divisés et tournés, les sauter à la poêle et au beurre, assez doucement mais en les faisant cependant frire et non bouillir pour obtenir un rissolage de jolie couleur dorée. Les assaisonner d'une pincée de sel et, à mi-cuisson, les saupoudrer avec une cuillerée rase à potage de sucre en poudre.

Ce sucre fondra, se caramélisera et enveloppera les navets d'un enduit roux clair.

Achever la cuisson en les faisant mitonner dans le fond de la pièce avec laquelle ils sont servis comme garniture.

Purée de navets

Préparer des navets à l'étuvée, les passer au tamis fin et les additionner avec le tiers de leur poids de purée de pommes de terre très crémeuse.

La purée de navets seule serait sans aucune liaison ni corps, à moins d'y ajouter une liaison aux jaunes d'œufs et de la crème et de la chauffer avec cette liaison jusqu'à environ 90°. Ne pas faire bouillir et terminer avec un peu de beurre frais.

Oignons

Pour l'assimiler parfaitement aux crudités alimentaires, on doit, non pas le hacher — façon de le meurtrir et d'en chasser le suc, le jus — mais le ciseler très finement en dés très menus ou le couper en rouelles ou juliennes aussi minces que possible.

Voici la bonne pratique pour ciseler un oignon :

Diviser l'oignon, le poser à plat, en deux parties ; placer les 1/2 oignons sur la coupe ; trancher l'extrémité côté racine, couper le 1/2 oignon en lames minces verticales sans toutefois les détacher complètement du côté de la tige ; répéter cette opération horizontalement, puis verticalement par rapport aux coupes précédentes. Avec un peu d'expérience, un oignon est débité en particules régulières en moins d'une minute. Il est alors blanc et net. L'employer aussitôt.

Oignons glacés

(pour sauces ou garnitures blanches) :

Choisir des bulbes petits — comme des billes — d'égale grosseur, les éplucher sans les meurtrir ; pour faciliter ce travail, les ébouillanter une minute ou les asperger avec du vinaigre

Les réunir dans une sauteuse assez large pour qu'ils contiennent dans le fond. Les mouiller d'eau juste à hauteur, ou de bouillon blanc si possible. Si le mouillement est fait à l'eau ajouter une pincée de sel et dans les deux cas 100 grammes de beurre par litre de liquide

Faire bouillir et cuire doucement à couvert, le fond de mouillement doit être presque réduit quand les oignons sont cuits. Compléter l'accommodement avec 30 grammes de beurre frais mis en parcelles, rouler les oignons dans le fond sirupeux et lier avec le beurre afin qu'ils en soient enrobés. Ils deviendront brillants, c'est-à-dire glacés.

(pour sauces ou garnitures brunes) :

Après épluchage, les mettre à blondir très lentement au beurre dans un plat à sauter Les assaisonner d'une pincée de sel et d'une de sucre en poudre.

Conduire ce léger rissolage de manière que la cuisson et la coloration s'effectuent en même temps. A mi-cuisson, les mouiller à moitié de leur hauteur avec du bouillon blanc ou de l'eau et procéder par voie de réduction comme pour les sauces ou garnitures blanches

Oignons farcis

Utiliser des bulbes assez gros et réguliers de la variété dite « oignons doux d'Espagne » de préférence.

Les éplucher sans les meurtrir et faire une incision profonde tout autour de la tige.

Les plonger dans de l'eau en ébullition et salée à raison de 12 grammes au litre. Laisser bouillir 5 minutes et les égoutter.

Évider chaque bulbe en suivant l'incision pour en faire une caissette et les ranger dans un plat à sauter grassement beurré. Les saupoudrer avec une prise de sel fin.

Hacher rapidement la pulpe d'oignon retirée, et l'étuver doucement au beurre 15 minutes. Remuer souvent et ne pas laisser colorer ou à peine.

Y ajouter une farce ou hachis de viande de boucherie, de volaille, de gibier, ou un salpicon de crustacés ou de poissons, condimenté avec champignons, tomates, truffes, etc.

Mettre à consistance voulue par une addition de fond brun ou blanc, ou sauce brune ou blanche selon le hachis, la farce, ou le salpicon utilisé. Des dessertes conviennent très bien.

Garnir les oignons en dôme avec une cuiller ou une poche à pâtisserie, saupoudrer de mie de pain en chapelure blanche ; arroser copieusement de beurre fondu et cuire doucement à four de chaleur modérée à découvert pour obtenir un gratin parfaitement doré. Arroser très souvent avec le beurre de cuisson.

Dresser sur un plat rond et chaud dans le fond duquel deux ou trois cuillerées à potage de bon jus de veau, blond et corsé, ont été versées. Terminer en jetant sur le tout le beurre de cuisson.

Purée d'oignons ou purée Soubise

Diviser en rouelles 500 grammes d'oignons, les ébouillanter 5 minutes dans de l'eau salée fortement, les égoutter et les mettre dans une casserole avec 100 grammes de beurre fondu, une pincée de sel, une prise de poivre blanc, une de sucre en poudre, et une pointe de muscade râpée.

Faire étuver doucement, sans colorer, jusqu'à cuisson complète.

Quand la cuisson est à point, mélanger 1/2 litre de sauce béchamel réduite et très consistante. Faire mitonner 10 minutes, et fouler à l'étamine ou à la passoire très fine. Recueillir dans une casserole, mettre à bouillir quelques secondes et, hors du feu, incorporer 60 grammes de beurre frais et trois ou quatre cuillerées de crème fraîche jusqu'à la consistance nécessaire. Vérifier l'assaisonnement.

Nota. — La consistance est fonction de l'emploi de ce mélange qui peut être utilisé comme purée ou comme coulis.

Oseille

Employer de l'oseille jeune, en conséquence, encore douce. Enlever les feuilles meurtries ou jaunies et les tiges. La laver à grande eau avec soin, l'égoutter et la mettre au feu dans une casserole avec peu d'eau.

Dès qu'elle est fondue et qu'un franc bouillon a été constaté, l'égoutter sur une passoire ou un tamis garni d'un linge.

D'autre part, préparer pour 500 grammes d'oseille fondue, un roux blond avec 30 grammes de beurre et une cuillerée à potage rase de farine. Le cuire 15 minutes en remuant souvent. Ajouter l'oseille, une prise de sucre en poudre, quelques tours du moulin à poivre, et un grand verre de bouillon ou de fond de veau blanc.

Bien mélanger à la spatule en faisant bouillir, couvrir et poursuivre la cuisson au four de chaleur moyenne par un mitonnage de deux heures.

Après ce temps, passer la purée d'oseille au tamis, la remettre dans une casserole à bouillir et la lier avec des œufs entiers ou des jaunes d'œufs — 2 œufs ou 4 jaunes pour 500 grammes d'oseille — dilués avec 4 cuillerées à potage de crème fraîche chauffée un peu fortement, le tout passé au chinois pour écarter les germes des œufs qui se coagulent en taches blanches dans l'oseille. Mélanger la liaison à l'oseille, hors d'ébullition, remettre au feu, remuer sans arrêt jusqu'au premier bouillon.

Ne plus laisser bouillir ; beurrer avec plus ou moins de beurre frais, l'oseille en est gourmande, et vérifier l'assaisonnement avant de servir avec un bon jus de veau doré et grassouillet.

Chiffonnade d'oseille

Réunir par bouquet les feuilles d'oseille nettoyées et lavées et les tailler en julienne fine.
Faire fondre au beurre dans une sauteuse cette julienne avec une pincée de sel et une prise de sucre en poudre.
Réserver dans un pot vernissé au frais pour usages ultérieurs : potages, œufs, sauce, etc. La conservation de longue durée peut être obtenue au moyen d'une couche de saindoux bien cuit, coulé sur la surface et d'une épaisseur d'un bon centimètre.

Poireaux

On utilise le poireau en cuisine, beaucoup plus comme condiment que comme légume ; pourtant il est doublement excellent, d'abord pour la santé, puis accommodé de différentes façons. C'est un légume que l'on trouve toute l'année sur les marchés et généralement à un prix peu élevé comparativement à d'autres plantes potagères.

Poireaux à la grecque

(froids)

Le blanc du poireau est préparé après avoir été blanchi 5 minutes à l'eau bouillante, puis égoutté, comme les artichauts à la grecque.

Poireaux à l'étuvée

Ébouillanter 5 minutes 12 blancs de poireaux moyens, les égoutter bien à fond, les saupoudrer avec une pincée de sel et une prise de poivre et les ranger côte à côte, dans un plat à sauter grassement beurré. Les arroser avec trois cuillerées à potage de beurre et une demi-cuillerée à café de jus de citron.
Poser dessus un papier beurré, couvrir et cuire à l'étuvée 40 minutes, à four très doux. Arroser souvent avec le beurre de cuisson.

Poireaux à la vinaigrette

(chauds)

Réunir en bottillons des blancs de poireaux, les ébouillanter 5 minutes, les égoutter et les remettre à grande eau bouillante salée à point. Cuire doucement, les égoutter bien à fond et les servir avec une saucière de sauce vinaigrette moutardée comme des asperges.

Poireaux à l'italienne

Etuver des blancs de poireaux ; après cuisson les ranger dans un plat à gratin, les saupoudrer abondamment de gruyère râpé mélangé à une forte pincée de mie de pain en chapelure. Arroser avec le beurre de cuisson et faire gratiner à four chaud.

Petits pois

Étant très délicats, les petits pois sont exigeants. Par exemple, il faut les consommer derrière la cueillette si on les veut idéalement délicieux. Si cette condition ne peut être remplie, il est indispensable de les conserver en cosses étendues dans un endroit frais. Cette attente ne devra cependant pas dépasser 12 heures, sinon il convient de les écosser. Alors, la meilleure manière de les conserver sans qu'ils s'échauffent — ce qui est un désastre — est de les mettre dans une terrine ou un saladier avec 125 grammes de beurre frais par litre de pois écossés, puis de manier consciencieusement le tout. Ensuite, faire un puits en relevant les pois contre le récipient auquel ils adhèrent très bien grâce à la consistance de beurre qui les enrobe.

Maintenir au frais jusqu'à la mise en traitement.

Cette préparation les conserve impeccablement frais sans dépense inutile, le beurre utilisé correspondant à la quantité nécessaire à leur accommodement.

Dernière et très importante recommandation : les petits pois frais cueillis sont de couleur vert pâle et cuisent en 15 ou 20 minutes au plus. La mise au feu doit être faite compte tenu de ce temps, pour qu'ils soient à point, juste pour les servir. La durée de la cuisson augmente en fonction de celle qui s'est écoulée entre la cueillette et la mise au feu, d'une part, et les soins de conservation, d'autre part.

Petits pois à l'anglaise

Faire bouillir trois litres d'eau, salée à point (10 grammes au litre) dans un poêlon ou bassin à fouetter les blancs en cuivre non étamé.

Maintenir en plein feu et y jeter 1 litre de petits pois frais cueillis. Vérifier la cuisson après 15 minutes de vive ébullition ; égoutter dans une grosse passoire, saupoudrer d'une prise de sel fin ; les sauter pour faciliter l'écoulement de l'eau et les dresser dans un légumier très chaud.

Servir avec un morceau de beurre frais à part.

Mettre des assiettes très chaudes, chaque convive accommodant lui-même les pois dans son assiette.

Nota. — Ajouter trois petits raviers, l'un contenant une cuillerée à potage de fenouil haché, l'autre une de feuilles de menthe fraîches hachées, le troisième de la sarriette hachée.

Petits pois à la menthe

Cuire les pois à l'anglaise, avec dans l'eau de cuisson quelques feuilles de menthe fraîche.

Les égoutter, les réunir dans une sauteuse, diviser dessus en parcelles 125 grammes de beurre frais pour 1 litre de pois écossés, les parsemer d'une pincée de fenouil ou de feuilles de menthe échaudées une demi-minute et hachées ; les sauter hors du feu pour les lier.

Éviter de tenir cette liaison trop consistante en y ajoutant deux ou trois cuillerées à café d'eau de cuisson bouillante.

Dresser dans un légumier chaud.

Petits pois à la française

(recette classique) :

Pour 6 personnes : écosser 5 litres de petits pois fraîchement cueillis ce qui fournit 1 litre de pois environ.

Éplucher 12 petits oignons blancs printaniers.

Effeuiller un cœur de laitue, le laver et le tailler en julienne.

Lier par un fil une racine de persil avec un brin de sarriette, une brindille de thym et un fragment de feuille de laurier.

Réunir le tout dans un saladier avec 5 grammes de sel, 20 grammes de sucre, 125 grammes de beurre.

Manier le tout afin d'en faire une masse bien unifiée, la tasser dans le saladier, recouvrir d'un linge humide et tenir ainsi au frais, environ deux heures, à macérer.

Au moment de la mise en cuisson, choisir une casserole haute pas trop grande, y verser deux cuillerées à potage d'eau, puis les pois. Couvrir avec une assiette creuse garnie d'eau froide pour provoquer la condensation de la vapeur. Cuire à allure moyenne ; sauter les pois de temps à autre. L'eau de végétation évaporée et condensée des différents légumes doit fournir assez d'humidité.

Après 20 à 25 minutes, vérifier la cuisson et l'assaisonnement, retirer le bouquet garni et lier, en vannant hors du feu, avec 30 grammes de beurre frais.

Nota. — Si les pois proviennent d'une cueillette toute récente, et que la cuisson a été savamment conduite, l'exsudation des légumes — pois et garniture — réduite à souhait et liée avec le beurre de traitement doit produire une quantité de jus court, très sirupeux, légèrement mousseux qui enrobe les pois sans être aucunement compact ni liquide. Les pois et leur liaison, dressés dans un légumier, se tiennent en dôme à la manière d'une mousse extrêmement légère. Ce mets, alors incomparablement subtil, est une volupté.

Petits pois à la bourgeoise

Préparer, d'une part, un litre de petits pois selon les principes exposés dans les petits pois à la française et, d'autre part, une douzaine de toutes petites carottes printanières dites grelots cuites, suivant la formule des carottes glacées, directement dans la casserole destinée à accommoder les petits pois.

Quand les carottes sont presque à point, ajouter les petits pois et la garniture, et poursuivre la cuisson en forçant, vers la fin de cette dernière, un peu plus la réduction du jus.

Lier, hors du feu, avec trois cuillerées de crème fraîche.

Même présentation et tenue que les pois à la française.

Petits pois à la paysanne

Appliquer la recette à la bourgeoise en ajoutant, pour un litre de pois, 100 grammes de lard de poitrine maigre, coupé en petits lardons, ébouillantés et rissolés au beurre dans la casserole choisie pour cuire les pois. Supprimer les carottes et la crème, laisser mijoter les pois avec le lard et lier, hors du feu, au beurre frais.

Purée de pois frais

Utiliser de préférence des gros pois sucrés ; les cuire soit à l'anglaise, soit à la française.

Les égoutter et, quand ils ont été accommodés à la française, réserver la cuisson, les passer au tamis fin et recueillir la pulpe dans une sauteuse. Incorporer pour un litre de pois 150 grammes de beurre frais et mettre à consistance normale avec une addition de cuisson. Quand ils sont cuits à l'anglaise, les additionner de crème fraîche.

Piments doux

Le piment doux, qui n'est pas poivré, n'occupe pas une très grande place dans la cuisine française familiale. Ils sont de trois sortes : rouges, jaunes, verts. Les meilleurs nous arrivent d'Espagne.

Piments farcis

Les choisir de taille régulière comme une grosse carotte demi-longue ; les griller légèrement pour les peler, les tronquer du pédoncule et extraire les semences ; les ébouillanter 2 minutes.

Les farcir avec un hachis fait de dessertes : mouton, veau, volaille, seul ou en mélange, pour 2/3 et de riz cuit à la créole, ou pilaf pour 1/3. Le tout lié avec quelques cuillerées de bon jus de veau ou de porc non dégraissé et de purée de tomates réduite. Condimenter assez fortement avec ail râpé et oignons ciselés, bien fondus au beurre, et poivre frais.

Huiler largement un plat à sauter, le saupoudrer d'oignons ciselés et y ranger, côte à côte, les piments. Mouiller à mi-hauteur avec un coulis très clair de tomates comprenant la pulpe et toute l'eau de végétation. Faire bouillir, couvrir et cuire au four 35 minutes.

Dresser sur un plat rond et arroser avec le fond de cuisson, réduit, beurré hors du feu et dont l'assaisonnement a été vérifié.

Nota. — La réduction de la tomate, eau et pulpe, tend à produire un sirop. Ce fond est donc doucereux et s'harmonise avec la saveur du piment.

Piments doux à la piémontaise

Préparer par tiers des piments doux, pelés, épépinés et étuvés au beurre ou à l'huile d'olive 15 minutes, des tomates bien mûres accommodées de même, du risotto au fromage.

Ranger dans un plat à gratin, par couches alternées en terminant par une couche de tomates ou de piments. Saupoudrer de gruyère râpé, arroser de beurre fondu et faire mitonner au four 20 minutes en gratinant.

Purée de piments doux

(pour garniture de volaille) :

1º Peler, épépiner et étuver au beurre de gros piments doux rouges.

2º Cuire le 1/3 de leur poids de riz dans du bouillon blanc à la manière du risotto mais très cuit.

3º Broyer le tout en mélange au mortier et passer à l'étamine ou au tamis très fin.

4º Relever dans une casserole, travailler cette purée à la spatule et la mettre à consistance un peu légère avec une addition de crème fraîche, de lait, ou de jus de veau blanc. Faire bouillir, retirer aussitôt du feu et beurrer aussi largement que possible.

Nota. — Le riz peut être remplacé dans les mêmes proportions par de la sauce béchamel réduite.

Pommes de terre

Les variétés cultivées en France sont nombreuses ; elles sont de qualité fort diverse. Les plus recommandables sont celles à chair jaune : longue de Hollande, quarantaine, belle de Fontenay et de juillet, Esterlingen. La saucisse longue rouge à chair jaune convient admirablement pour les purées et les potages ou soupes.

Pour demeurer un aliment sain, les pommes de terre doivent être l'objet de soins constants pendant toute la durée de leur conservation. Être tenues dans un local mi-aéré et éclairé, très frais sinon froid, à l'abri du gel cependant et visitées fréquemment pour supprimer toutes manifestations de germination. Celle-ci provoque la naissance et le développement d'alcaloïdes toxiques nuisibles à la santé.

Préparations culinaires des pommes de terre

Les modes d'accommodement des pommes de terre sont :
a) Traitement par la friture.
b) Cuisson par ébullition ou à la vapeur.
c) Rôtissage à sec au four.
d) Rissolage ou étuvement dans un corps gras.
Ces quatre procédés sont à l'origine d'innombrables recettes de cuisine.
La pomme de terre frite type est celle des :

Pommes frites dites Pont-Neuf

Les pommes de terre étant épluchées, lavées et essuyées, les couper, dans le sens de la longueur, en tranches de 1 centimètre au plus d'épaisseur ; diviser ensuite chaque tranche en bâtonnets de 1 centimètre de côté.

Ne jamais les tailler plus grosses, sinon chaque bâtonnet conserve une quantité de pulpe féculente indigeste et peu agréable au palais.

Les réunir dans un panier à frire et les plonger dans un véritable bain d'huile, ou de graisse de bœuf ou de veau bien clarifiée à défaut, et fumante.

Ainsi immergées dans un bain d'une température voisine de 180°, elles sont saisies sans excès cependant, sans s'imbiber de graisse ; leur masse froide abaisse aussitôt la température de l'huile à 160°. La marche de la friture est alors surveillée, la cuisson des pommes de terre qui commencent à blondir doit être légèrement ralentie ; la température de la graisse s'abaisse peu à peu à 150° où il faut la maintenir pour éviter qu'elle ne bouille.

Après 5 minutes de traitement, vérifier l'à-point de cuisson en pressant un bâtonnet frit entre les doigts. Si la pulpe s'écrase aisément, égoutter les pommes dans le panier à frire, réchauffer l'huile jusqu'à ce qu'elle soit fumante à nouveau et que la température s'élève à 180°.

Lors du premier contact avec l'huile fumante, le saisissement a provoqué la formation d'une mince enveloppe extérieure sur chaque bâtonnet et y a enfermé une fraction de l'humidité de végétation dont l'évaporation n'a pu être totale.

Les bâtonnets, tiédis ou refroidis, sont une deuxième fois immergés brusquement dans l'huile portée à 175°. L'enveloppe initialement formée se raidit, dore, devient croustillante pendant qu'elle est soufflée par la réaction de l'humidité intérieure.

Les pommes frites ont pris une jolie teinte doré foncé ; les égoutter dans le panier à frire, les saupoudrer d'une prise de sel fin, les vanner et les renverser en buisson sur un plat garni d'une serviette pliée. Servir immédiatement, appétissantes et, répétons-le, car c'est la qualité et la particularité recherchées, croustillantes à souhait.

Pommes frites allumettes

Tailler les pommes de terre moitié moins grosses que les pommes Pont-Neuf et les traiter exactement de la même manière. Dresser en buisson, dorées et très croustillantes.

Pommes paille

Les couper en grosse julienne, les laver à l'eau fraîche en les laissant tremper 10 minutes, pour les débarrasser de la fécule qui tend à les souder les unes aux autres, les égoutter et les éponger, puis les frire selon la méthode des pommes frites.

Pendant la première période de traitement et de saisissement, les remuer avec soin avec l'écumoire à friture pour qu'elles se détachent bien les unes des autres. Dresser en buisson très dorées et croquantes.

Pommes chips

Couper les pommes de terre en rondelles très minces, les faire tremper à l'eau fraîche 10 minutes. Les frotter avec les mains dans l'eau pour bien les détacher et provoquer la chute de la fécule et éviter ainsi qu'elles se soudent les unes aux autres en cuisant. Les égoutter et les éponger avec soin.

Les immerger dans la friture très chaude et les cuire très vivement sans laisser la température s'abaisser. Les vanner avec l'écumoire à friture, puis quand elles sont de belle couleur dorée et très sèches, les égoutter, les saupoudrer de sel fin et les servir généralement comme accompagnement de gibiers rôtis.

Les pommes de terre ainsi traitées sont servies également froides, assez relevées en sel, au bar d'apéritifs, en même temps que des amandes salées et grillées, des olives, etc.

Pommes de terre soufflées

Éplucher des pommes de terre de bonne qualité à chair jaune, variété de Hollande autant que possible.

Les essuyer et les couper dans le sens le plus long en tranches régulières de 3 millimètres d'épaisseur.

Les laver à l'eau froide, les égoutter et les éponger.

Pour les frire, il est indispensable de disposer de deux bains de friture, l'un est utilisé pour le premier temps de cuisson, l'autre pour le second temps, c'est-à-dire pour faire souffler.

Chauffer le premier bain porté à une température de 180°; y plonger le panier à frire garni très modérément de tranches de pommes de terre. Renverser le panier et essaimer les pommes avec l'écumoire pour bien les détacher. Poursuivre la cuisson sans trop forcer la température et en imprimant à la bassine à frire un mouvement de va-et-vient qui vanne les tranches immergées.

Au bout de 6 à 7 minutes, les tranches sont blondes mais molles et commencent à surnager.

Saisir celles-ci avec l'écumoire par petites quantités, les égoutter, et les plonger immédiatement dans le second bain qui, porté à 190°, est fumant.

Le phénomène expliqué pour les pommes Pont-Neuf se reproduit et en raison de la forme et de l'épaisseur initiale chaque tranche souffle et devient comme un œuf.

Elles dorent et sèchent rapidement; les égoutter aussitôt sur un linge, les saupoudrer d'une prise de sel fin et les dresser sur un plat garni d'une serviette, ou à côté d'une grillade si elles en sont l'accompagnement.

Les pommes soufflées peuvent être préparées à l'avance : après le deuxième bain les égoutter, les ranger sur un plat recouvert d'un linge. Elles retombent aussitôt sans préjudice puisqu'elles ballonnent parfaitement quand, au moment de les servir, elles sont plongées pour la troisième fois dans le bain brûlant, elles sont dorées à point et définitivement séchées.

Pommes de terre cuites par ébullition ou à la vapeur

On entend par cuisson par ébullition, tous les traitements qui dérivent de l'emploi de la pomme de terre bouillie préalablement, quelle que soit la nature du liquide.

Dans certains cas, l'ébullition est remplacée par le procédé dit à la vapeur.

Cette deuxième façon est généralement appliquée aux pommes de terre cuites à l'anglaise.

Pommes de terre à l'anglaise

(ou cuites à la vapeur) :

Choisir des pommes de terre régulières et de la grosseur d'un tout petit œuf, appartenant à une variété de bonne qualité peu farineuse.

Les éplucher et les mettre dans une marmite spéciale possédant un double fond que l'on remplit d'eau.

Couvrir hermétiquement, mettre en ébullition et cuire doucement environ 20 minutes.

A défaut de marmite spéciale, il est possible d'y remédier en plaçant une assiette ou un plat creux retourné dans une casserole ou une petite marmite.

Les pommes à l'anglaise forment l'accompagnement des poissons cuits au court-bouillon ou pochés et de certains mets. On peut aussi les cuire sous la cendre chaude ou au four enrobées de papier d'aluminium.

Pommes en robe des champs

On peut encore cuire les pommes de terre non épluchées, tout simplement dans de l'eau salée à point et portée à faible ébullition. Quand les tubercules sont presque cuits, renverser l'eau et laisser la casserole 10 minutes sur le côté du fourneau pour provoquer le dessèchement de la pulpe.

Purée de pommes de terre

Couper les pommes de terre épluchées et lavées en gros quartiers réguliers. Les mettre dans une casserole, couvrir d'eau froide, saler à point, faire bouillir assez vivement jusqu'à cuisson complète.

De temps à autre, sonder un morceau de pomme de terre avec la pointe d'un couteau pour contrôler la cuisson qu'il faut arrêter aussitôt que la lame pénètre la pulpe ou que cette dernière cède sous la pression des doigts. Il faut les cuire juste, pour empêcher qu'elles ne s'imprègnent d'eau.

Les égoutter complètement, les remettre dans la casserole et poser celle-ci sur le côté du fourneau 8 à 10 minutes pour provoquer l'évaporation de l'humidité contenue dans la pulpe.

Les renverser brûlantes sur un tamis aussi fin que possible, de crin même, et avec un pilon à purée, fouler les pommes de terre. Fouler, c'est pratiquer une pression du haut vers le bas. Ne jamais tamiser la pulpe en appuyant sur le pilon avec un geste horizontal ou circulaire. Ces deux mouvements cordent la pulpe, la rendent élastique et modifient sa saveur.

Remettre la purée obtenue dans la casserole et, sur le fourneau, pour la maintenir brûlante, lui incorporer 100 grammes de beurre frais par 500 grammes de pulpe en la travaillant vigoureusement avec une spatule pour l'alléger et la faire blanchir. La diluer jusqu'à consistance normale par l'addition par petites quantités de lait bouillant. Le travail de la spatule rend la purée crémeuse et légère. Ne pas faire bouillir pendant cette opération.

Condimenter avec une pointe de muscade râpée et vérifier l'assaisonnement. Tenir au chaud au bain-marie. Toutefois, chaque fois que cette dernière précaution pourra être évitée en servant la purée aussitôt achevée, elle sera savourée dans le développement de toute sa finesse que la moindre attente lui fera perdre.

Pommes de terre duchesse

La composition dite pommes de terre duchesse est utilisée pour préparer différentes garnitures sous forme de croquettes, pommes dauphine, pommes duchesse, etc.

Cuire 500 grammes de pommes de terre comme pour une purée ; tamiser finement la pulpe, la rassembler dans un plat à sauter et la travailler avec une spatule en plein feu pour faire évaporer l'humidité.

Quand elle est parfaitement desséchée à l'état de pâte compacte, lui incorporer, hors du feu, 50 grammes de beurre frais, une prise de poivre blanc moulu, une pointe de muscade râpée, vérifier l'assaisonnement en sel, travailler vigoureusement en ajoutant un œuf entier et deux jaunes battus en omelette.

Beurrer un plat émaillé ou en porcelaine d'office, y étendre la purée et tamponner le dessus avec un morceau de beurre piqué avec une fourchette pour empêcher la formation d'une croûte.

La composition est prête pour différents usages, notamment de pommes duchesse qui consiste à la fractionner par parties pesant 60 grammes environ que l'on transforme en petites brioches, en palets carrés, ronds ou rectangulaires, d'un bon centimètre d'épaisseur, quenelles, etc., lesquels sont placés sur une plaque à pâtisserie beurrée, puis dorés à l'œuf battu en omelette et mis à four chaud à dorer.

Croquettes de pommes de terre

Préparer une composition de pommes duchesse, la diviser en parties, rouler ces dernières en boudin sur la table saupoudrée d'un nuage de farine, et le tronçonner en morceaux de la grosseur d'un fort bouchon allongé.

Les tremper dans un œuf battu en omelette avec une prise de sel fin et une cuillerée à potage d'huile d'olive et les rouler aussitôt dans de la mie de pain en chapelure.

Les plonger ensuite dans un bain de friture fumante sans excès ; dès qu'ils sont bien dorés et que l'enveloppe est croustillante, les égoutter sur un linge et les saupoudrer d'un soupçon de sel fin.

Les dresser en buisson sur un plat recouvert d'une serviette pliée.

Gratin dauphinois

Éléments (pour 6 personnes) :

500 grammes de pommes de terre de Hollande de grosseur moyenne et régulières ; 1/2 litre de lait ; un œuf ; 60 grammes de beurre ; 125 grammes de fromage de gruyère râpé ; sel ; poivre ; muscade ; ail.

Méthode :

Faire bouillir le lait et le laisser tiédir.

Éplucher et essuyer les pommes de terre, les couper en rondelles minces, les saupoudrer d'une pincée de sel fin, moudre le poivre dessus, ajouter une pointe de muscade râpée et bien mélanger. Les mettre dans une terrine.

Battre l'œuf en omelette, le passer au chinois fin et le fouetter dans le lait tiède pour l'unification des deux éléments.

Éparpiller les 2/3 du gruyère sur les pommes de terre et mélanger. Verser le lait sur le tout. La quantité de lait doit baigner juste les pommes de terre. Mélanger parfaitement avec une spatule ; s'assurer de l'assaisonnement.

Frotter à l'ail l'intérieur d'un plat creux à gratin en terre allant au four et le beurrer, y verser le mélange dont l'épaisseur ne devra pas dépasser 6 à 7 centimètres. Remplir le plat à 1 centimètre du bord au plus. Essuyer soigneusement le bord. Éparpiller dessus le reste du gruyère râpé et du beurre divisé en parcelles.

Mettre à four de chaleur douce et cuire 45 à 50 minutes. La composition qui peut être enrichie avec une partie de crème épaisse, devient crémeuse, succulente et se recouvre d'un magnifique gratin doré.

Gratin de pommes de terre Fernand Point

Éléments (pour 4 à 6 personnes) :

1,200 kg de pommes de terre de Hollande ; 2 œufs ; 2 décilitres de lait ; 2 à 3 cuillerées de crème fraîche ; 50 grammes de beurre ; 1 gousse d'ail ; sel fin, poivre blanc moulu et noix de muscade râpée.

Méthode :

Les pommes de terre ayant été épluchées, les laver et les essuyer. Ceci étant fait, les couper finement en tranches. Les mettre ensuite sur un linge. Saler, poivrer en les brassant.

Prendre un plat à gratin assez grand, frotter l'intérieur avec la gousse d'ail, le beurrer grassement.

Étendre au fond les pommes de terre en une mince couche. D'autre part dans un bol, mettre les œufs, le lait, la crème et la râpure de noix de muscade. Saler légèrement et faire le mélange en battant au fouet.

Avec cette préparation, napper copieusement les pommes de terre. Parsemer dessus quelques noisettes de beurre. Cuire à four de chaleur moyenne, 45 minutes environ.

Le gratin étant cuit et doré à point, laisser le plat à l'entrée du four.

Servir très chaud.

Pommes de terre à la crème

Cuire des pommes de terre à l'eau en les tenant un peu fermes. Les éplucher chaudes, les couper en rondelles plutôt épaisses et réunir ces dernières dans une sauteuse.

Les saupoudrer d'une pincée de sel, d'une prise de poivre blanc, d'une pointe de muscade râpée et mouiller à hauteur avec du lait ou de la crème bouillants, ou les deux mélangés.

Faire bouillir doucement jusqu'à réduction presque complète, ajouter, pour servir et hors du feu, quelques cuillerées de crème fraîche. Mélanger en vannant et servir dans un légumier.

Pommes de terre rôties au four

Choisir de grosses pommes de terre longues, de taille régulière et appartenant à une variété farineuse. Les laver, les essuyer et les mettre à cuire à four assez chaud.

Les dresser ensuite un peu craquelantes sur un plat rond garni d'une serviette pliée. Mettre les pommes entre les deux plis de la serviette. Servir en même temps du beurre frais.

Pommes de terre rôties dans la cendre

Préparer de grosses pommes de terre comme pour cuire au four et les enfouir dans de la cendre de bois très chaude et, en partie, encore incandescente.

Servir comme les pommes de terre rôties au four.

Ce mode de cuisson des pommes de terre a donné naissance à des mets qui en sont dérivés. Exemple :

Pommes de terre mousseline

Elles sont d'abord cuites au four ou sous la cendre, puis ouvertes et vidées de leur pulpe.

Fouler cette dernière alors qu'elle est brûlante au tamis de crin. La rassembler dans une casserole, la placer sur le coin du fourneau, et travailler la pulpe vigoureusement à la spatule en lui incorporant 125 grammes de beurre frais pour 500 grammes de purée, 2 jaunes d'œufs, une pointe de muscade râpée et une pincée de sel. Ne pas faire bouillir, la masse doit être assez chaude pour lier les jaunes.

Quand la pulpe est bien lisse et blanche, l'additionner d'un demi-verre de crème fouettée environ, pour lui donner une consistance normale et crémeuse.

Se sert :

a) Telle, dans un légumier.

b) Étendue dans un plat à gratin beurré et mise à four très chaud à gratiner, ou dans un fond de tarte cuit à blanc au préalable. Faire également gratiner à four très chaud.

Pommes de terre Macaire

Extraire la pulpe brûlante de pommes de terre cuites au four. La rassembler dans une terrine, y joindre 100 grammes de beurre pour 500 grammes de pulpe, une pointe de muscade râpée, une prise de poivre, une pincée de sel fin et broyer finement le tout à l'aide d'une fourchette.

Chauffer une noix de beurre dans une poêle ; quand le beurre est couleur noisette, y étendre la pulpe en galette de 3 centimètres d'épaisseur. Pousser doucement au feu en roulant la poêle comme il est d'usage de faire pour une crêpe. Quand la galette est bien dorée, retourner la poêle sur un plat, remettre une noix de beurre dans la poêle et y glisser la galette pour dorer la deuxième face. La servir ensuite très chaude.

Pommes sautées à cru

Couper des pommes de terre crues en tranches minces et très régulières, les laver à l'eau fraîche, les égoutter, les éponger et les saupoudrer d'une pincée de sel fin.

Les mettre dans une poêle avec du beurre très chaud, grésillant, et les cuire en les sautant fréquemment. Elles devront être toutes bien dorées, légèrement frangées d'un cercle rissolé croustillant et moelleuses au centre.

Dresser en légumier avec une persillade.

A. — Pommes sautées à la lyonnaise

B. — Pommes sautées à la provençale

C. — Pommes sautées à la bordelaise

Condimenter des pommes de terre bouillies et sautées, ou sautées à cru, après rissolage convenable, quelques secondes avant de servir : avec, en quantité variable suivant les goûts, de l'oignon coupé en fine julienne et blondi dans un peu de beurre dans une sauteuse (A) ; avec une pointe d'ail râpé (B) ; avec une demi-cuillerée à café d'échalote hachée très fin et une cuillerée à potage de moelle coupée en dés et pochée (C), par 500 grammes de pommes de terre.

Dans les trois cas, compléter avec une persillade.

Servir comme il est conseillé pour les pommes sautées.

Pommes de terre au beurre dites « château » ou pommes de terre rissolées

Pommes de terre nouvelles ou à maturité sont traitées de la même manière, le temps de cuisson seul diffère légèrement.

Les choisir petites de préférence ; sinon, il convient de les couper et de les ramener à la grosseur d'une grosse noix. Elles doivent être très régulières. Épluchées, lavées, égouttées et épongées, les pommes de terre sont précipitées dans un plat à sauter où grésille du beurre très chaud. Les saupoudrer de sel fin et conduire la cuisson à couvert et lentement ; sauter les pommes de terre de temps en temps, et les faire dorer progressivement. Lorsqu'elles sont cuites à point, elles doivent être d'une jolie couleur dorée uniforme, et, de plus, très moelleuses et imprégnées de beurre.

Le moelleux s'obtient en les couvrant hermétiquement dès la mise en train, et durant une grande partie, sinon la totalité, du temps de cuisson. La marche de la coloration est le guide.

On réussit la cuisson et le rissolage aussi bien sur le coin du fourneau qu'au four. La surveillance est plus certaine avec le premier système.

Pommes noisettes ou à la parisienne

Choisir de grosses pommes de terre de Hollande, les éplucher, les laver et les éponger. Enfoncer bien à fond dans la pulpe une cuiller à légumes ronde et d'un calibre égal à celui d'une belle noisette. Imprimer à la cuiller un mouvement circulaire pour détacher une bille, la mettre dans l'eau fraîche et renouveler l'opération autant de fois que la pomme de terre le permet.

Le reste de la pulpe est utilisé en potage.

Traiter les pommes noisettes comme les pommes château.

Les pommes à la parisienne sont absolument semblables ; employer une cuiller à légumes d'un calibre plus petit.

Saupoudrer de persil haché au moment de servir.

Pommes de terre fondantes

Les pommes de terre dites fondantes sont préparées comme les pommes château. Elles en diffèrent par leur volume qui est le double et la cuisson qui est faite entièrement à couvert, à feu doux sur un coin du fourneau. Elles doivent être rangées toutes sur le fond du plat à sauter et retournées, une à une, au fur et à mesure qu'elles blondissent. Cuites à point, elles doivent être imprégnées de beurre et fondantes.

Nota. — Cette deuxième série de préparations des pommes de terre plus ou moins rissolées ne souffre pas d'attente après cuisson si on veut les savourer dans leur perfection culinaire. Je déconseille une certaine pratique de blanchissage (mises à l'eau froide et ébouillantées 5 minutes) des pommes de terre rissolées. Ce procédé accélère certes la cuisson, épargne le beurre, mais, on le comprend, ne peut donner le même résultat.

Pommes de terre Anna

Trier des pommes de terre de Hollande longues et moyennes. Les éplucher, les laver, les éponger ; les couper en rondelles minces et régulières de 1 millimètre d'épaisseur.

Les plonger dans l'eau fraîche, les égoutter, les sécher dans un linge et les assaisonner de sel fin et de poivre.

Choisir une sauteuse ou un plat à sauter épais à défaut de moule spécial et beurrer entièrement l'intérieur avec du beurre clarifié. L'eau ou le petit lait contenu dans le beurre ferait attacher.

Choisir parmi les rouelles de pommes de terre celles ayant un diamètre régulier et à partir du bord du récipient utilisé, recouvrir entièrement le fond, en disposant les rouelles en couronne, chaque rouelle chevauchant la précédente et chaque couronne chevauchant la précédente. Appliquer sur la paroi du moule une première couronne de rouelles chevauchées également. Appliquer, sur cette disposition, une première couche de rouelles de pommes de terre de 2 centimètres d'épaisseur.

Arroser de quelques cuillerées de beurre clarifié cette première couche de pommes de terre, faire une nouvelle couche sans qu'il soit besoin d'aligner les rondelles avec autant de soin. Arroser à nouveau de beurre et continuer jusqu'à une épaisseur de 5 ou 6 couches

Hausser si besoin est, par une nouvelle couronne de rouelles l'habillage du récipient. Terminer par un arrosage de beurre.

Clore hermétiquement l'ustensile, le chauffer un moment sur le fourneau et le mettre à four bien chaud pendant 35 à 40 minutes.

Le sonder avec la pointe d'un couteau ou une aiguille à brider pour contrôler l'à-point de la cuisson, et, pour le servir, le démouler sur un couvercle placé sur un plat pour égoutter et recueillir le beurre en excédent. Faire glisser le gâteau, doré à souhait, sur un plat de service.

Présenter sur table immédiatement.

Pommes de terre à la sarladaise

Pommes Anna avec couches de lames de truffes crues intercalées entre celles de pommes de terre. Parsemer dans l'épaisseur quelques morceaux de foie gras, coupés en gros dés ou escalopes. S'il s'agit de foie cru, raidir vivement les morceaux, à feu vif, dans une sauteuse. Le beurre de cuisson peut être mélangé par moitié avec avantage avec de la graisse de foie gras.

Pommes de terre à la boulangère

Additionner à 500 grammes de pommes de terre nouvelles ou préparées pour être cuites au beurre 125 grammes de tout petits oignons.

Cuire ensemble doucement selon la formule des pommes château.

Cette préparation peut être réalisée avec des pommes de terre coupées en rondelles minces et des petits oignons ou des gros oignons taillés en grosse julienne. Étendre en une couche mince dans un plat à rôtir en terre, grassement beurré, assaisonner de sel et de poivre et condimenter avec un petit bouquet garni. Dans ce cas, une pièce de boucherie est posée sur ce lit de légumes et y rôtit.

Pommes de terre Lorette

Mélanger intimement par moitié de la pâte à choux sans sucre et peu beurrée et de la composition à pommes dauphine.

Prendre avec une cuiller à potage un peu de cet appareil et, à l'aide d'une lame de couteau trempée dans de l'eau chaude pour chaque beignet, en laisser choir une parcelle ayant le volume d'une grosse noix dans un bain de friture fumante.

Quand les beignets surnagent et sont d'une jolie couleur dorée, les égoutter sur un torchon, les saupoudrer d'une prise de sel fin et les dresser en buisson sur un plat garni d'une serviette pliée.

Salsifis ou scorsonères

Racine identique, l'une blanche, l'autre noire extérieurement, de deux plantes différentes et auxquelles s'appliquent les mêmes préparations culinaires.

Avant d'être mises en cuisson dans un blanc, les racines sont épluchées très mince ; elles peuvent être simplement grattées ce qui est beaucoup moins parfait.

Pour éviter qu'elles noircissent, il faut les jeter dans de l'eau froide acidulée au citron ou au vinaigre à mesure de leur épluchage. Les couper en tronçons de 7 à 8 centimètres de longueur.

Préparer, d'autre part, un blanc ; cuisson composée d'une cuillerée à potage rase de farine, diluée à froid avec un litre d'eau, de deux cuillerées à potage de vinaigre et de 10 grammes de sel.

Mettre en ébullition en remuant fréquemment pour bien délayer la farine, puis y plonger les salsifis. Couvrir et conduire à faible ébullition. Temps de cuisson : 2 heures au moins.

Procéder à la vérification de celle-ci en pressant entre les doigts un tronçon de salsifis qui cède facilement s'il est cuit.

Les salsifis ainsi prêts et mis au frais peuvent être conservés plusieurs jours dans leur cuisson. Une fois refroidis, placer un papier huilé ou beurré sur la surface du blanc.

Salsifis sautés au beurre

Égoutter des salsifis cuits comme il est indiqué dans le commentaire, les éponger et les précipiter dans du beurre très chaud dans une poêle. Les assaisonner d'une prise de sel et de poivre frais moulu, les sauter et les faire rissoler comme des pommes sautées. Les servir avec une persillade.

Salsifis sautés à la lyonnaise

Salsifis sautés au beurre terminés avec addition d'un oignon coupé en julienne et préalablement fondu et blondi au beurre. Quantité : une cuillerée à potage d'oignon pour 500 grammes environ de salsifis.

Fritots ou beignets de salsifis

Après les avoir cuits dans un blanc, égouttés et épongés, mettre 500 grammes de salsifis à macérer 30 minutes dans un plat avec un assaisonnement composé d'une pincée de sel fin, d'une prise de poivre frais moulu, d'une cuillerée à café de persil haché, d'un fort filet d'huile et d'une demi-cuillerée à café de jus de citron. Bien mélanger comme une salade.

Quelques minutes avant de les servir, les tremper dans de la pâte à frire légère et les immerger, un à un, dans un bain de friture fumante.

Dès qu'ils sont dorés et croustillants, les égoutter sur un torchon, les saupoudrer très légèrement d'une prise de sel fin et les dresser en buisson sur un plat rond garni d'une serviette pliée.

Disposer au sommet du buisson un bouquet de persil frit, c'est-à-dire plongé une seconde en pleine friture et égoutté.

Salsifis au jus de veau

Après avoir cuit des salsifis, les avoir égouttés puis épongés, les remettre dans une sauteuse en une couche de deux rangs au plus ; les arroser d'un excellent jus de veau, corsé et peu salé, blond et grassouillet, et faire étuver 15 minutes.

Les dresser dans un légumier et les arroser avec le jus réduit à la quantité rigoureusement nécessaire pour les servir.

Salsifis à la crème

Les salsifis cuits, égouttés et épongés, les réunir dans une sauteuse en une couche peu épaisse. Les mouiller à hauteur avec de la crème et les faire mijoter doucement. Servir quand la crème est réduite de moitié au moins. Vérifier l'assaisonnement, moudre dessus un peu de poivre et, hors du feu, lier en vannant et en incorporant un peu de beurre frais.

Fondue de tomates

La fondue de tomates est généralement employée pour des garnitures diverses ou comme condiment. Suivant l'emploi ultérieur, la fondue est faite au naturel, à la portugaise, à la niçoise, à la provençale.

La manière de procéder est identique, seuls les condiments diffèrent.

Au naturel. 500 grammes de tomates bien mûres ; découper le pédoncule avec la partie de la pulpe qui le porte ; les peler après les avoir plongées une seconde dans de l'eau en ébullition ; les ouvrir en deux parties par le milieu et extraire les semences en laissant, autant que possible, l'eau de végétation ; les couper en gros dés.

Les assaisonner de sel, de poivre et d'une prise de sucre.

Chauffer dans une sauteuse 2 cuillerées à potage d'huile ou une cuillerée d'huile et l'équivalent de beurre ; y mettre les tomates concassées et faire mijoter doucement jusqu'à réduction presque totale de l'eau de végétation.

Terminer, hors du feu, par l'addition de 50 grammes de beurre frais mis en parcelles et vanné.

A la portugaise. Au début de l'opération, faire fondre sans rissoler, dans l'huile, deux beaux oignons ciselés finement. Terminer avec une persillade.

A la niçoise. Accommoder les tomates à la portugaise et les terminer avec une cuillerée à café de persil, de cerfeuil, d'estragon en parties égales et hachés, et une cuillerée à café de câpres concassées. Beurrer, hors du feu, avec deux noix de beurre d'anchois.

A la provençale. Terminer la recette au naturel avec une persillade additionnée d'une gousse d'ail râpée.

Tomates farcies

Trier des tomates moyennes, bien mûres mais fermes.

Les ouvrir du côté du pédoncule et extraire l'eau et les semences sans déformer les tomates.

Huiler ou beurrer un plat à gratin ; y ranger les tomates, le côté ouvert dessus ; parsemer sur chacune une prise de sel fin, un peu de poivre moulu et quelques gouttes d'huile ou mettre une noisette de beurre.

Les exposer à four chaud 5 minutes.

Recueillir l'eau rendue par les tomates et l'introduire dans la farce préparée. En garnir chaque tomate en dôme, les saupoudrer de chapelure fine, les arroser de quelques gouttes d'huile ou de beurre fondu et placer à four très chaud pour finir de cuire et pour gratiner.

Peuvent être servies telles, ou avec une cuillerée de jus de veau, de demi-glace ou de sauce tomate légère versée dans le plat à gratin.

Les farces pour tomates farcies sont généralement réalisées avec des hachis faits avec des viandes de dessertes ou de la chair à saucisse accommodés avec des champignons hachés, du riz à la pilaf, des piments doux, des oignons, des échalotes, de l'ail, etc.

Elles sont aussi farcies avec de la duxelles (champignons hachés), du risotto mélangé de foie de volaille, ou de rognons coupés en dés, etc.

Tomates grillées

Les préparer comme pour farcir, les arroser de quelques gouttes d'huile ou de beurre fondu assaisonné au préalable de sel et de poivre.

Exposer la partie ouverte sur un gril doux. Les retourner à demi cuites.

N. B. — On peut aussi griller les tomates entières, après les avoir légèrement incisées.

Tomates sautées

Enlever le pédoncule, les couper en deux parties par le travers, presser l'eau de végétation et les semences et les ranger côte à côte dans une poêle où fument quelques cuillerées d'huile mélangée de beurre. Assaisonner de sel et de poivre ; cuire à feu vif pour provoquer la réduction rapide de l'eau de végétation et un léger rissolage des tomates qu'il convient de retourner à mi-cuisson.

Pour terminer, saupoudrer d'une persillade mélangée d'une gousse d'ail râpée (à la provençale).

Ou d'oignons ciselés ou en julienne très fondus au beurre et de persil haché (à la lyonnaise).

Ou simplement de persil haché (aux fines herbes).

Soufflé de tomates

Préparer un demi-litre de purée de tomates, assaisonnée de sel et de poivre, d'une prise de sucre, et très réduite, la passer à l'étamine. L'additionner bouillante d'un demi-verre ordinaire (1 décilitre) de sauce béchamel réduite et lier, sans bouillir, avec 4 jaunes d'œufs.

Bien mélanger, vérifier l'assaisonnement et incorporer avec précaution pour éviter de les faire retomber 6 blancs d'œufs fouettés en neige très ferme.

Beurrer une timbale à soufflé, la remplir à deux centimètres du bord avec cette composition, lisser la surface et cuire à four chaud 15 minutes.

Nota. — Cette préparation doit être faite et cuite au dernier moment afin de la servir immédiatement à la sortie du four. Sinon elle retombe rapidement et perd son caractère.

Cet appareil peut être aussi utilisé pour garnir soit des tomates préparées pour farcir, soit des fonds d'artichauts cuits et étuvés au beurre. Cuire à four très chaud ensuite.

PATES ALIMENTAIRES

Nouilles fraîches

500 grammes de farine tamisée mise en couronne (fontaine) sur la table ou un marbre à pâtisserie ; au centre de la couronne mettre 12 grammes de sel broyé finement et 6 œufs entiers.

Faire absorber peu à peu la farine aux œufs afin d'obtenir une pâte très dure. Pour unifier les deux éléments, fraiser la pâte, c'est-à-dire la chasser devant soi par parcelles en les écrasant avec la paume de la main appuyée fortement sur la table.

Quand la pâte est très lisse, la réunir en boule, l'envelopper dans un linge pour l'empêcher de hâler et la laisser reposer une heure ou deux suivant la qualité de la farine afin qu'elle n'ait plus aucune élasticité.

A la suite de ce repos, diviser la pâte en morceaux de la grosseur d'un citron, les abaisser en feuilles rectangulaires de 2 millimètres d'épaisseur.

Placer ces feuilles pliées en deux sur une ficelle tendue afin qu'elles sèchent pendant une petite heure.

Les saupoudrer d'un nuage de farine et les rouler ensuite sur elles-mêmes, les détailler en lanières de 2 millimètres d'épaisseur.

Les étendre ensuite sur des plaques à pâtisserie en couches minces pour faciliter le séchage, chaque fois que les nouilles fraîches ne sont pas utilisées immédiatement.

Cuisson :

Pour 500 grammes de nouilles fraîches, faire bouillir 2 litres d'eau salée de 20 grammes de sel. Y plonger les nouilles ; quand l'ébullition reprend, retirer sur le coin du fourneau, couvrir et laisser pocher sans bouillir 12 à 15 minutes.

Égoutter bien à fond pour les accommoder ensuite. Ne jamais les rafraîchir.

Ce conseil s'applique à toutes les pâtes sèches ou fraîches, quelle qu'en soit la forme.

Macaroni à l'italienne

Après cuisson de 250 grammes de macaroni, les égoutter totalement et les mettre brûlants dans la casserole utilisée et encore chaude avec 30 grammes de beurre frais et 75 grammes de gruyère râpé, du sel et du poivre. Vanner le tout pour assurer le mélange jusqu'à liaison complète.

Dresser dans un légumier.

Macaroni au gratin

Préparer 250 grammes de macaroni à l'italienne, ajouter au moment de la liaison un demi-verre de crème bouillante.

Étendre dans un plat à gratin beurré, saupoudrer de gruyère râpé mélangé avec une pincée de chapelure blanche. Arroser d'un peu de beurre fondu (une cuillerée à café).

Faire gratiner à four chaud.

Macaroni à la napolitaine

250 grammes de macaroni à l'italienne additionnés de trois cuillerées à potage de fondue de tomates au naturel ou de purée de tomates.

Macaroni à la milanaise

Macaroni préparés d'abord à l'italienne, puis liés avec une garniture milanaise, soit pour 250 grammes de macaroni : une cuillerée à potage de julienne de truffes, deux de maigre de jambon cuit, deux de champignons, ces derniers cuits vivement dans un peu de beurre très chaud ; y réunir ensuite les truffes, puis le jambon, ajouter un petit verre de madère, réduire de moitié, compléter avec un demi-verre ordinaire de sauce demi-glace fortement tomatée.

Dresser dans un légumier.

Nota. — Les recettes ci-dessus s'appliquent également aux nouilles, lasagnes et spaghetti.

Ravioli à la niçoise

Faire au rouleau une abaisse (une feuille) rectangulaire de 2 millimètres d'épaisseur en pâte à nouilles.

Disposer dessus en ligne, séparées par des espaces réguliers de 5 centimètres, de petites fractions de farce cuite, s'il s'agit d'éléments de boucherie, volaille, etc., et accommodée si la garniture est composée de légumes (purée d'épinards) de la grosseur d'une olive.

Humecter les espaces vides avec une plume ou un pinceau trempé dans un peu d'eau.

Recouvrir le tout avec une seconde abaisse de même dimension et de même épaisseur.

Souder les deux abaisses au moyen d'une pression exercée avec les doigts ou une règle sur les intervalles humectés. Diviser ensuite avec la roulette à ravioli ou au couteau à défaut en carrés de 5 centimètres de côté.

Les plonger dans de l'eau bouillante salée à point, et les maintenir 6 minutes dans l'eau frémissante.

Égoutter les ravioli avec l'écumoire et les poser sur un linge.

Étendre dans le fond d'un plat à gratin quelques cuillerées de bon jus de veau ou autre, y ranger à plat les ravioli, les arroser légèrement du même jus et les saupoudrer de gruyère râpé mélangé avec une forte pincée de chapelure qui fixe le fromage aux éléments qui en sont saupoudrés. Arroser de quelques gouttes de beurre fondu et mettre à four chaud à gratiner. Servir ainsi.

Formule de farce pour ravioli :

Couper en dés minuscules 200 grammes de desserte de bœuf cuit en daube, mélanger avec 200 grammes d'épinards cuits à l'eau salée et tamisés, une cervelle d'agneau pochée et broyée à la fourchette, un oignon moyen ciselé et fondu sans colorer au beurre, le tout additionné dans la sauteuse utilisée pour cuire l'oignon, avec deux œufs entiers battus en omelette. Chauffer doucement en remuant le mélange, jusqu'à liaison complète, sans faire bouillir. Assaisonner de sel fin, de poivre frais et d'une pointe de muscade.

LE RIZ

L'industrie a perfectionné considérablement la présentation du riz qui, glacé, passe pour appartenir au surchoix.

C'est là une grave erreur qui donne au riz une apparence plus séduisante, qu'il paie en abandonnant au procédé ses vitamines, c'est-à-dire ses principales vertus alimentaires.

En conséquence, je conseille d'acheter du riz brut et non poli.

Avant de le mettre en traitement, le laver à l'eau fraîche et l'égoutter à fond.

Il existe trois procédés nominaux et fondamentaux pour cuire le riz : le risotto ; le riz à l'indienne ou créole ; le riz pilaf (ou pilaw).

Risotto à la piémontaise

Ciseler très fin un gros oignon, le faire blondir à peine, très doucement, au beurre dans une sauteuse. Quand il est bien fondu, ajouter 250 grammes de riz trié, bien lavé et égoutté.

Remuer le riz avec l'oignon en laissant la sauteuse sur le coin du fourneau. Lorsque l'on constate que les grains sont bien imprégnés de beurre, mouiller le riz avec une quantité de bouillon blanc ou de bon jus de veau blanc égale à deux fois son volume.

Faire bouillir, couvrir hermétiquement et cuire soit au four, soit sur le fourneau à chaleur douce.

Après cuisson à point, l'égrener soigneusement avec une fourchette en lui mélangeant 30 grammes de beurre et deux bonnes cuillerées de parmesan râpé, de gruyère à défaut.

Riz pilaf

Faire tremper le riz deux heures à l'eau froide avant de le mettre en cuisson et après l'avoir soigneusement lavé ; l'égoutter ensuite.

Procéder comme pour le risotto mais en augmentant sensiblement la quantité de beurre pour cuire l'oignon et imprégner le riz (75 grammes pour 250 grammes de riz).

Mouiller 2 fois le volume du riz avec du bouillon blanc ou du jus de veau et cuire comme le risotto à la piémontaise.

Riz à l'indienne ou créole

Le riz étant parfaitement lavé, le plonger dans une casserole d'eau bouillante salée à point. Maintenir l'ébullition 10 minutes. Égoutter sur un tamis, le laver à plusieurs eaux froides et l'égoutter à nouveau.

Le verser dans une casserole épaisse, le couvrir hermétiquement et le placer dans un four très doux ou une étuve jusqu'à cuisson complète. Les grains doivent rester bien entiers et non adhérents les uns aux autres.

Ce riz, ainsi préparé, accommodé de différentes manières, sert d'accompagnement à de nombreux mets, carry, crustacés à l'américaine, etc.

Risotto à la milanaise

Appliquer la formule de préparation du risotto. Ajouter pour 250 grammes de riz 4 cuillerées à potage de purée de tomates ou la pulpe de trois tomates fraîches mises à fondre avec l'oignon et le riz quand ce dernier est imprégné de beurre.

Après cuisson, l'additionner d'une cuillerée à potage de maigre de jambon cuit taillé en courte julienne.

Généralement cette garniture est complétée par une belle truffe et 3 têtes de gros champignons coupés en julienne et ajoutés dans le riz avant la tomate.

Riz au beurre

Cuire le riz comme le riz pilaf, sans oignon. Le mouiller avec deux fois son volume d'eau. Saler à point.

Après cuisson, l'égrener avec soin en lui incorporant du beurre frais, 100 à 125 grammes pour 250 grammes de riz ; la quantité est une question de dépense.

Riz à la Valenciennes

Ajouter à 250 grammes de riz pilaf, et après l'avoir imprégné du beurre de cuisson, une cuillerée à potage bien pleine de petits pois très frais, une de haricots verts coupés en tronçons de 3 centimètres, un cœur de laitue taillé en julienne ; faire suer pendant quelques minutes avant de mouiller. Terminer la cuisson comme pour le riz pilaf. Bien égrener en beurrant et servir.

Riz à la grecque

Éléments :

500 grammes de riz pilaf ; 1 oignon moyen ciselé ; 100 grammes de feuilles de laitue coupées en julienne ; 2 décilitres de petits pois fins et frais ; 100 grammes de poivron rouge doux d'Espagne ; 100 grammes de saucisse dite chipolata ; 100 grammes de beurre ; 1 litre 1/2 de bouillon.

Méthode :

Fondre le beurre dans une casserole à fond épais, y faire blondir l'oignon, puis raidir la saucisse divisée en petits tronçons ; ajouter le riz soigneusement lavé et égoutté, le chauffer de façon à bien l'imprégner du beurre, le remuer souvent délicatement pour éviter de briser les tronçons de saucisse, et terminer par la julienne de laitue, le piment taillé en dés et les petits pois.

Mouiller le tout, un peu plus qu'à hauteur, avec du bouillon blanc de volaille, de veau ou ordinaire. Faire bouillir et couvrir. Maintenir à douce ébullition sur le côté du fourneau.

A mesure que le riz gonfle et absorbe le liquide, remplacer ce dernier par de petites quantités de bouillon bouillant. Avoir soin de remuer la masse, mais avec beaucoup de précaution. Recommencer plusieurs fois cette opération.

La cuisson sera à point après l'absorption d'une quantité de bouillon égale à au moins trois fois le volume du riz. Durée de la cuisson : 20 minutes.

Le riz, quoique parfaitement cuit, ne s'écrasera pas, ni ne s'agglutinera, et aura l'avantage d'être parfaitement crémeux. Vérifier l'assaisonnement.

Nota. — Ce procédé de cuisson est l'un des plus recommandables et il peut être appliqué avec avantage au risotto.

Riz à l'orientale

Risotto à la milanaise, sans jambon, et condimenté au safran.

GNOCCHI

Composition faite soit d'une bouillie, soit de pâte, soit de pulpe farineuse. Petite entrée délicieuse et peu coûteuse.

Gnocchi à la romaine

La bouillie est ainsi composée : dans un demi-litre de lait en ébullition, verser en pluie 125 grammes de semoule en remuant avec une cuiller en bois.

Assaisonner de sel, de poivre et d'une pointe de muscade, cuire très doucement 20 minutes.

Hors du feu, et la semoule ne bouillant plus, mais alors qu'elle est encore très chaude, ajouter 25 grammes de beurre frais et lier avec deux jaunes d'œufs dilués avec une cuillerée à potage de lait froid. Vérifier l'assaisonnement.

Étaler cette composition en une couche d'un bon centimètre d'épaisseur sur une plaque à rebord et humectée d'eau. Quand elle est refroidie, la détailler à l'emporte-pièce de 5 centimètres de diamètre ou en petits carrés, losanges ou rectangles de 4 à 5 centimètres de côté.

Beurrer grassement un plat à gratin, le saupoudrer de gruyère ou de parmesan râpé, y ranger un lit de gnocchi, saupoudrer copieusement de fromage, arroser largement de beurre fondu et gratiner au four de chaleur douce.

Servir dans le plat utilisé et très chaud.

Gnocchi à l'ancienne

Il s'agit d'une application de la pâte à choux.

Éléments :

1/4 de litre de lait ; 50 grammes de beurre ; une prise de sel ; une pointe de muscade râpée ; 125 grammes de farine tamisée ; 100 grammes de gruyère râpé ; 3 œufs.

Méthode :

1o *La pâte.* — Réunir dans une casserole le lait, le beurre, le sel, la muscade. Mettre en ébullition ; dès que le beurre est fondu, incorporer la farine en la versant en pluie et en mélangeant avec une spatule. Dessécher la pâte obtenue sur le coin du feu en la remuant fréquemment pendant 5 minutes. Puis, hors du feu, introduire, un à un, les trois œufs pour obtenir une pâte très lisse de consistance moyenne.

2º *Les gnocchi.* — Faire bouillir de l'eau salée à 8 grammes par litre dans une grande sauteuse. Maintenir l'eau sur le coin du fourneau en ébullition faible.

D'autre part, mettre la pâte dans une poche à pâtisserie munie d'une douille moyenne unie et la presser de la main gauche au-dessus de l'eau en ébullition ; de la main droite, couper avec un couteau trempé fréquemment dans l'eau chaude la pâte à la sortie de la douille, en tronçons de 4 centimètres, ou prendre la pâte (gros comme une petite noix) avec une cuiller à café trempée chaque fois dans l'eau bouillante, et la laisser glisser dans l'eau de pochage.

Laisser prendre une franche ébullition durant une minute puis un simple frémissement de l'eau pendant 15 minutes.

Les gnocchi surnagent peu à peu, au fur et à mesure que le pochage approche de l'à-point. Le contrôler en égouttant l'un d'eux et en constatant son degré d'élasticité à la pression des doigts.

Les égoutter ensuite sur un linge. Les accommoder, soit comme les gnocchi à la romaine, soit à la parisienne, soit comme les gnocchi Belle-de-Fontenay.

Gnocchi à la parisienne

Étaler dans un plat à gratin quelques cuillerées de sauce Mornay légère. Ranger dessus un lit de gnocchi à l'ancienne et les napper copieusement de la même sauce.

Saupoudrer de gruyère râpé mélangé à une partie sur cinq de chapelure blanche.

Arroser de quelques gouttes de beurre fondu et faire gratiner à four de chaleur moyenne. Les gnocchi gonfleront du triple de leur volume initial.

Servir très chaud.

Gnocchi Belle-de-Fontenay

Éléments :

500 grammes de pulpe de pommes de terre à chair jaune, variété Belle-de-Fontenay ou similaires et printanières ; un œuf entier et un jaune ; 25 grammes de beurre ; 125 grammes de farine tamisée ; sel, poivre, muscade râpée ; 25 grammes de gruyère râpé.

Méthode :

Les pommes de terre étant lavées, les cuire au four, retirer la pulpe brûlante et la fouler au tamis fin. La réunir dans une terrine et la travailler vigoureusement avec une cuiller en bois en lui incorporant le beurre, le sel (une pincée), le poivre (une prise), et une pointe de muscade.

Vérifier l'assaisonnement quand la pulpe est devenue lisse et blanche.

Ajouter alors le jaune d'œuf, puis par petites quantités l'œuf entier battu en omelette. Terminer avec l'addition de la farine, enfin du gruyère.

La pâte doit être alors parfaitement homogène.

Formation et pochage des gnocchi. — Laisser refroidir la pulpe travaillée et accommodée ; la diviser ensuite en petites boules de 30 grammes environ ; les poser sur la table poudrée de farine, les rouler comme une brioche, puis les aplatir à l'aide d'une fourchette en y appuyant le dos à deux reprises pour dessiner un quadrillé.

Immerger les gnocchi ainsi formés dans une grande sauteuse d'eau bouillante salée normalement (8 grammes par litre). Les gnocchi doivent être à l'aise dans cette cuisson.

A la reprise de l'ébullition, retirer la sauteuse sur le coin du fourneau pour maintenir un léger frémissement, couvrir et pocher de cette manière 15 minutes. Quand, à la pression des doigts, la pulpe est devenue élastique, le pochage est à point. Égoutter sur un linge.

Finition. — Beurrer grassement un plat rond et creux à gratin ; le saupoudrer abondamment de gruyère râpé. Disposer en couronne un premier lit de gnocchi, le saupoudrer copieusement de gruyère râpé et faire un nouveau lit de gnocchi, le recouvrir également de fromage.

D'autre part, cuire dans une poêle 50 grammes de beurre à la noisette (couleur brun clair), en arroser d'un jet la couche de fromage superficielle, mettre à four chaud 7 à 8 minutes à gratiner et servir aussitôt.

Nota. — Le beurre peut être remplacé par de la sauce Mornay légère comme il est indiqué pour la recette gnocchi à la parisienne.

LES DESSERTS

LES PATES ET LEURS DÉRIVÉS

Il y a lieu de faire une distinction entre les pâtes fermentées dites levées et celles qui résultent d'un mélange, selon une méthode déterminée, de farine avec des éléments liquides ou gras.

Dans le premier groupe entrent la pâte à brioche, la pâte à baba et savarin, la pâte à kouglof, etc.

Dans le second, la pâte feuilletée (feuilletage), la pâte à galette, la pâte à foncer, les pâtes à sablé, etc.

Toutes ces pâtes peuvent être réussies dans les applications familiales; la difficulté est de bien les cuire. Le praticien doit disposer d'un four dont la chaleur ambiante est uniforme et régulière; la sole, partie inférieure du four, doit accumuler une forte température. Mieux vaut être dans l'obligation de doubler une tourtière pour protéger le dessous d'une pâtisserie, que d'être paralysé par une insuffisance de chaleur.

La poussée d'une brioche, la levée d'un feuilletage est l'œuvre de la chaleur sous-jacente.

Il faut savoir que la chaleur d'un four doit être subordonnée au volume et à la nature de la pâtisserie mise en cuisson. Par exemple, le four devra être beaucoup plus chaud pour cuire une série de petites brioches ou de petits feuilletés qu'une grosse brioche ou un gâteau aux amandes Pithiviers. Les premiers devront être saisis dans un four de bonne chaleur, alors que les seconds seront mis à température plus modérée. Ces indications, quoique importantes, ne peuvent suppléer l'expérience. Cette dernière s'acquiert assez vite chez une personne qui, prévenue, redouble d'attention.

LES PATES LEVÉES

La pâte à brioche

La triple alliance du beurre, des œufs et de la farine, effectuée dans des conditions techniques bien établies, puis soumise au phénomène de la fermentation calculée, réalise l'une des plus succulentes pâtisseries, sous réserve toutefois que les éléments qui concourent à cette suprême combinaison gourmande soient de qualité supérieure et d'une fraîcheur impeccable.

La pâte à brioche peut être plus ou moins riche en beurre. J'indique ici une formule moyenne, dans l'ordre de la finesse, qui, de plus, permet d'obtenir, sans accroître les difficultés mentionnées, d'excellents résultats.

Éléments :

500 grammes de farine dont 1/3 de gruau autant que possible ; 500 grammes de beurre fin ; 6 à 7 œufs suivant leur grosseur ; de 5 à 10 grammes de levure suivant la saison chaude, tempérée ou froide ; 10 grammes de sel ; 10 à 30 grammes de sucre suivant la couleur désirée.

Méthode :

1° Disposer en couronne sur la table ou sur le marbre à pâtisserie de la farine tamisée. Émietter au centre la levure dont la quantité sera subordonnée à la température. Pendant les journées chaudes de l'été 5 à 6 grammes suffiront pour 500 grammes de farine alors que 10 grammes seront indispensables par température nettement froide. Ce discernement a des conséquences importantes, il permet de diriger la fermentation de la pâte dont dépendent la légèreté et la saveur. Un excès de fermentation provoque un goût aigrelet, sur, désagréable, qui détruit les propriétés onctueuses et parfumées du beurre. L'insuffisance produit une pâte lourde, indigeste, dont la cuisson est rendue laborieuse faute du développement de la masse.

Sur de la levure sèche, choisie très fraîche chez le boulanger, puis émiettée au centre de la farine, verser deux cuillerées à potage d'eau ou de lait tiède, diluer d'abord la levure, puis, peu à peu, absorber la farine en augmentant progressivement l'eau ou le lait tempéré de façon à obtenir une pâte mollette quoique assez consistante pour la rouler en boule. L'inciser en croix sur la partie supérieure et la poser dans une petite terrine ou saladier. Recouvrir cette pâte d'un linge et la placer dans un endroit fortement tempéré pour activer la multiplication des ferments.

Ce levain sera bon à être utilisé quand la pâte aura doublé son volume.

2° Pendant la durée de cette opération (20 à 30 minutes environ), tamiser sur la table le reste de la farine (375 grammes), lui donner la forme d'une couronne (dite fontaine), mettre au centre le sel fondu dans deux cuillerées d'eau, et trois œufs cassés un à un dans un récipient afin d'en contrôler la fraîcheur et éventuellement de découvrir par l'odeur l'œuf indésirable dit « à la paille » qui rend une pâtisserie impropre à la consommation. D'autre part, broyer le beurre en le malaxant à la main, pour le rendre absolument malléable et lisse, le tenir sur la table en réserve. Préparer également le sucre dans un récipient et lui ajouter deux cuillerées de lait ou d'eau pour le dissoudre. Commencer alors le détrempage et le pétrissage de la farine avec les œufs.

La pâte obtenue, dure au début, absorbera, un à un, les 4 œufs réservés, puis le sucre fondu. Ces additions seront faites lentement et à mesure que la pâte sélectionnée entre le pouce et l'index, travaillée et battue, soufflée à la manière d'une omelette avec le bout des doigts, prendra de l'élasticité, c'est-à-dire de la légèreté et du corps, au point de cesser d'adhérer aux mains et à la table (le tour).

Quand le pétrissage aura atteint ce point d'agglutination, incorporer à la pâte le beurre ramolli. Cette deuxième phase de la préparation sera exécutée avec moins de vigueur et dès que l'unification du mélange sera obtenu, étendre dessus le levain, poussé à point et porté, de ce fait, au double de son volume initial.

Mélanger à nouveau la masse avec modération, en la coupant avec les doigts ; reposer la partie coupée sur l'ensemble. Renouveler cette opération de division jusqu'au mélange à peu près complet. Placer enfin la pâte dans une terrine, la saupoudrer d'un nuage de farine et la recouvrir d'un linge. La ranger dans un local tempéré.

3° La 2e période de fermentation commence. Elle sera maintenue pendant 5 à 6 heures.

Après ce temps, sur la table légèrement farinée, renverser la pâte puis l'aplatir avec les mains pour en expulser la fermentation, la replier plusieurs fois, la remettre en boule puis dans la terrine.

Cette opération s'appelle rompre la pâte, elle augmente en même temps le corps de celle-ci. Elle prélude à la 3e période de fermentation, laquelle durera également de 5 à 6 heures, soit un total de 10 à 12 heures.

C'est alors seulement que la pâte à brioche est prête à être employée, c'est-à-dire à être débitée puis moulée.

A ce point, elle peut être conservée une journée avant la cuisson, mais à la condition d'arrêter la fermentation en la réservant dans un endroit nettement froid, un réfrigérateur par exemple, sans cependant la soumettre à la congélation.

Comme ici il est question d'un usage familial, nous conseillons la cuisson immédiate.

4o La pâte à brioche fermentée méthodiquement à point, est légère et modérément élastique ; le moment est venu de la diviser, puis de la mouler en tournant chaque division sur le tour, les petites dans le creux de la main, les doigts repliés enfermant la boule de pâte sans pression et la roulant avec un mouvement de rotation dont la paume appuyée sur la table forme le pivot. La pâte ne doit pas coller à la main ni à la table de travail, laquelle a été poudrée d'un nuage imperceptible de farine.

Si la division est destinée à une grosse brioche, elle est tournée de la même manière mais en l'enfermant entre les deux mains.

La boule de pâte obtenue correctement et avec dextérité, pour éviter à la chaleur des mains de se communiquer à la pâte qui, alors, deviendrait collante, la placer dans un moule dit à brioche, évasé et cannelé.

Il est d'usage de surmonter le corps d'une brioche d'une tête. Cette tête est faite avec le quart de la pâte destinée à une brioche, roulée en boule, puis allongée en forme de poire ; enfin, elle est fixée au centre de la brioche dans laquelle elle est enfoncée de la moitié de sa longueur avec l'index et ainsi soudée.

La ou les brioches sont recouvertes d'un linge pour mettre la pâte à l'abri du hâle, puis placées dans un endroit tempéré en vue d'une dernière phase de fermentation.

5o La cuisson. — Quand la pâte ainsi moulée, puis poussée, a augmenté son volume d'un tiers, la dorer avec de l'œuf battu en omelette en prenant soin de ne pas aplatir la tête et inciser le corps de la brioche en croix, à l'aide de ciseaux trempés dans de l'eau pour favoriser le développement de la pâte.

Mettre au four de chaleur moyenne pour les grosses brioches, et assez vive pour les petites.

Temps de cuisson pour une brioche faite avec 500 grammes de pâte : 20 à 25 minutes. Pour contrôler l'à-point de cuisson, plonger sous la tête une fine aiguille à brider ou la lame mince et fine d'un couteau ; cet instrument doit être retiré absolument net de toute adhérence do pâto oi la briooho oot ouito.

Ne pas démouler la brioche de suite car elle se déforme rapidement. La démouler après refroidissement.

Brioche mousseline

Utiliser 500 grammes de pâte à brioche ordinaire prête à l'opération du moulage.

L'étendre sur le tour comme une galette épaisse ; étaler dessus 125 grammes de beurre fin soigneusement malaxé et rendu malléable ; replier à plusieurs reprises la pâte à brioche sur le beurre qui finit par s'incorporer.

Tourner alors la pâte en boule, la mettre dans un moule uni, étroit et rond, beurré et chemisé d'un papier blanc de bonne qualité que l'on fait dépasser du moule de 3 centimètres environ. Cette partie extérieure est découpée en dents de loup avec des ciseaux.

La brioche moulée est mise en fermentation comme il est expliqué pour la brioche à tête, puis badigeonnée de beurre fondu, incisée au centre de quatre coups de ciseaux en croix et placée au four de chaleur moyenne. Temps de cuisson : 25 à 30 minutes environ.

Démouler ensuite et laisser jusqu'au moment de servir le papier de protection destiné à maintenir le moelleux de cette pâtisserie supérieure.

Couronne de brioche

Le moulage est simplement supprimé. Tourner en boule 500 grammes par exemple de pâte à brioche ordinaire, aplatir la boule obtenue, transpercer le centre avec les doigts ; la saisir par le trou pratiqué et la tourner comme un écheveau ; la pâte s'allonge régulièrement jusqu'à former un trou de 8 centimètres de diamètre ; placer à ce moment la couronne de pâte sur une tourtière à pâtisserie légèrement humectée d'eau ; rectifier la forme circulaire ; recouvrir d'un linge pendant la dernière période de fermentation.

Quand la pâte se trouve augmentée d'un tiers de son volume, dorer la couronne avec de l'œuf battu en omelette, pratiquer une série de dents de loup en coupant superficiellement la pâte vers l'extérieur avec des ciseaux trempés dans l'eau et cuire à four chaud.

Pâte à brioche commune

Cette préparation est composée de : 500 grammes de farine ; 200 à 250 grammes de beurre selon la quantité que l'on désire obtenir ; 4 œufs entiers complétés avec du lait pour obtenir la consistance normale ; de 5 à 10 grammes de levure sèche, suivant la température ambiante ; 10 grammes de sel ; 10 grammes de sucre.

Pratiquer exactement selon la méthode expliquée pour la brioche ordinaire.

Cette pâte est généralement utilisée pour petits pains à sandwiches, pour certains pâtés, tels que le coulibiac (pâté de poisson à la russe), les pâtés de foie gras ou des fonçages riches.

Pâte à baba et à savarin

Cette composition est un dérivé de la pâte à brioche commune, plus mousseuse et davantage fermentée.

Méthode et éléments :

Placer dans une terrine assez grande 250 grammes de farine de gruau ou autre tamisée. La disposer en couronne et émietter au centre de 15 à 20 grammes de levure sèche selon la température estivale ou hivernale. La diluer avec un décilitre de lait ou d'eau tiède, puis peu à peu, détremper la farine en une pâte un peu mollette avec une addition suffisante de lait ou d'eau tempérée.

Nettoyer le tour de la terrine avec une corne à pâtisserie et rejeter sur la masse les parcelles de pâte réunies sur l'instrument. Tamiser sur le tout 250 grammes de farine et saupoudrer avec 10 grammes de sel broyé finement ; placer dans un endroit un peu tiède ; laisser fermenter. Quand on constate que la farine qui recouvre le levain est fortement soulevée et craquelée, ajouter trois œufs, les incorporer à la farine et au levain en pétrissant vigoureusement. Cette pâte doit prendre énormément de corps, d'élasticité, et arriver à se détacher nettement de la main sans coller ; lui faire absorber un à un, jusqu'à 5 œufs, soit 7 à 8 au total. Au fur et à mesure que la pâte s'amollit, le travail consiste à la souffler d'un mouvement rapide avec le bout des doigts.

Terminer en incorporant 25 grammes de sucre en poudre qui a pour but de faire prendre une belle couleur pendant la cuisson et 375 grammes de beurre fondu doucement en pommade comme une crème molle.

Nettoyer à la corne le tour de la terrine, recouvrir d'un linge et placer dans un endroit légèrement tempéré pour provoquer la fermentation de la masse pendant 10 heures. Pendant cette période de fermentation, rompre la pâte, c'est-à-dire la battre pour chasser les ferments et augmenter leur multiplication après un premier temps de 5 heures. A défaut de corne utiliser à cet effet une tranche coupée dans une grosse pomme de terre.

Après ce délai, rompre la pâte, c'est-à-dire la battre à nouveau pour la faire retomber et y mélanger une cuillerée de cédrat haché. Procéder ensuite au moulage.

Les moules à baba et à savarin sont identiques. Ils ont la forme d'une couronne à base arrondie.

Les beurrer soigneusement avec du beurre clarifié et, s'il s'agit du savarin, parsemer dans le fond des moules des amandes effilées, c'est-à-dire taillées en lame dans le sens de la longueur. Garnir les moules aux deux tiers, les frapper sur un linge plié afin que la pâte épouse parfaitement le moule ; laisser lever à nouveau.

Quand les moules sont presque pleins, cuire au four de chaleur moyenne.

Démouler aussitôt cuits et les réserver sur une grille à pâtisserie en l'attente de les tremper dans un sirop.

Nota. — Les proportions ci-dessus indiquées suffisent pour garnir au moins 3 moules de dimensions moyennes (diamètre d'une assiette ordinaire).

Pâte à baba

La pâte à baba se différencie de celle à savarin par la quantité moindre de beurre : 250 grammes au lieu de 375 grammes par demi-kilo de farine et la substitution de raisins de Smyrne et de Corinthe — 50 grammes de chaque — au cédrat haché.

Les raisins qui, au préalable, sont débarrassés des pédoncules en les frottant dans un linge avec une pincée de farine, puis sur un tamis à gros réseau, sont ajoutés au moment du moulage.

La préparation, le pétrissage, la fermentation, le moulage et la cuisson sont les mêmes pour les deux pâtes.

Savarin au rhum ou baba au kirsch

Préparer un sirop à 28° (voir p. 455) en faisant bouillir quelques minutes dans une casserole d'un diamètre supérieur à celui du savarin, 680 grammes de sucre mélangé à un litre d'eau.

Retirer du feu et laisser baisser la température du sirop à 80° environ. Ajouter un parfum, rhum, kirsch ou autre et y plonger une minute le savarin ou le baba.

Sortir le gâteau avec précaution, le poser sur une grille placée au-dessus d'un récipient et l'arroser avec quelques cuillerées de sirop chaud de façon à l'imbiber jusqu'au centre. Terminer par une cuillerée de rhum ou de kirsch pur.

Nota. — Les petits savarins ou babas sont moulés dans des moules de petites dimensions ayant l'aspect d'une couronne ou d'un godet traités selon les règles ci-dessus.

Savarins au rhum Maurice Bernachon

Pour 8 personnes :

Faire macérer la veille dans du vieux rhum 150 grammes de raisins de Smyrne.

Dans une terrine, mettre 250 grammes de farine de froment tamisée, 10 grammes de levure de boulanger, délayer avec très peu d'eau tempérée et 4 œufs. Pétrir la pâte, recouvrir avec 150 grammes de beurre sans mélanger et laisser reposer 2 heures pour la fermentation. Ajouter ensuite 8 grammes de sel, 20 grammes de sucre et les raisins de Smyrne. Mouler dans un moule à savarin. Laisser lever une heure, cuire 1/2 heure environ à four modéré et démouler.

Sirop à savarin :

1 litre d'eau ; 1/4 de vieux rhum. Amener à ébullition avec 500 grammes de sucre. Tremper les savarins puis, une fois égouttés sur une grille, décorer avec fruits et servir avec une sauce abricot (facultatif) ; peut se faire également avec un très bon marasquin.

Pâte à kouglof

Pâtisserie alsacienne qui semble avoir été, vers le milieu du XVIIIe siècle, l'élément d'introduction de la levure de bière sèche dans la pâtisserie, puis dans la panification française et dont l'usage était déjà fort ancien en Pologne et en Autriche avant cette époque.

La pâte à kouglof tient des pâtes à brioche et à baba par sa composition et sa consistance. La composition est celle de la pâte à baba plus riche en sucre (90 grammes) ; la préparation est celle de la pâte à brioche, mais un peu plus mollette, moins cependant que celle à savarin. Les conditions de fermentation, de moulage et de cuisson sont les mêmes. Démouler aussitôt cuit.

Le moule à kouglof est particulier, en couronne haute, avec douille, cannelé en torsade extérieurement. Le beurrer, le parsemer d'amandes hachées, ce qui n'exclut pas les raisins de Corinthe (50 grammes). Servir comme une brioche.

LES PATES FEUILLETÉES

Le feuilletage

Les pâtissiers connaissent la préparation du feuilletage depuis le XIIIe siècle, mais il semble bien que c'est au cours des XVIIIe et XIXe siècles que l'art en a été porté à la plus haute perfection.

L'énoncé en est simple, la technique assez malaisée pour quiconque est dépourvu d'expérience.

Le feuilletage jouant un rôle étendu dans l'apprêt des desserts, nous allons essayer d'enseigner la méthode avec autant de clarté que possible.

Éléments :

500 grammes ou un litre bien comble de farine riche en gluten et tamisée (mi-gruau, mi-farine ordinaire) ; 12 grammes de sel broyé finement ; 2 à 3 décilitres d'eau froide ; 500 grammes de beurre ; soit, au total, 1,400 kg environ.

Méthode :

1º Disposer la farine en couronne sur la table à pâtisserie ou, de préférence, sur le marbre. Dans la fontaine ainsi pratiquée, mettre le sel et la moitié de l'eau.

Provoquer la fonte du sel en agitant l'eau avec les doigts, puis détremper aussitôt, progressivement, la farine en ajoutant une partie ou la totalité de l'eau restante afin d'obtenir une pâte de consistance moyenne.

La quantité d'eau à employer est fonction :

1º De la qualité de la farine.

2º De la consistance du beurre qu'il faudra toujours corriger, l'hiver, par un séjour préalable dans un endroit tempéré, l'été, dans un endroit frais, puis, dans les deux cas, par un malaxage effectué dans un linge.

Ce pétrissage a pour but d'assouplir le beurre, de le rendre lisse, de le préparer à s'unifier à la pâte dite détrempe.

C'est donc, en définitive, la consistance du beurre qui est le guide à observer pour détremper la farine. Ce mélange doit être fait sans travailler la pâte ; il suffit de la rassembler en boule en évitant de lui donner trop de corps (de l'élasticité).

Les lecteurs comprendront qu'il n'est pas possible d'unir intimement au rouleau de la pâte dure et du beurre mou, ou *vice versa*. Cette faute technique sera sanctionnée par l'adhérence du beurre au rouleau, l'impossibilité de tourer correctement, puis la dissociation de la pâte et du beurre pendant la cuisson du feuilletage qui, en fait, ne serait aucunement feuilleté, mais coriace.

2º La détrempe, ni trop molle, ni trop dure, rassemblée en masse homogène, sera enveloppée dans un linge et réservée dans un endroit frais pendant 20 minutes. Ce repos lui fera perdre la trop grande élasticité qu'elle aurait pu acquérir et contribuera à la rendre en quelque sorte presque inerte.

La période de repos écoulée, poudrer la table ou le marbre de travail d'un nuage de farine et y placer la détrempe développée.

Étaler la pâte avec la paume de la main en lui donnant la forme d'une galette de 3 centimètres d'épaisseur bien égale. Mettre au centre le beurre malaxé et l'étendre en une couche carrée et uniforme sur la surface de la pâte jusqu'à 4 centimètres des bords.

Puis saisir un à un les quatre pans de pâte non beurrée qui cernent le carré de beurre et les rabattre sur ce dernier en le recouvrant entièrement. Cette pratique terminée, la galette a l'aspect d'un carré qui prend alors le nom de pâton.

3º Le tourage. — Le tourage a pour but d'unifier la pâte et le beurre en combinant le mélange en feuilles superposées.

On distingue mieux, maintenant, pourquoi il doit y avoir harmonie de circonstance entre la pâte et le beurre destinés à être associés.

Le refroidissement exagéré ou brusqué du pâton serait une autre faute car seul le beurre durcirait, grainerait et l'association des deux éléments s'avérerait impossible.

Nous supposons l'harmonie des deux éléments réalisés ; le pâton est prêt à recevoir les deux premiers tours.

Fariner d'un nuage de farine le marbre ou la table de travail et le pâton et allonger ce dernier au rouleau à pâtisserie en une bande symétrique et rectangulaire de 60 centimètres de long et d'1 centimètre 1/2 d'épaisseur.

Prendre le bord inférieur de la bande et le porter à 20 centimètres du bord opposé. Exercer une légère pression avec le rouleau sur ce premier pli ; replier sur ce dernier le troisième tiers de la bande qui en forme la partie supérieure. Souder le tout, au rouleau, légèrement.

Ce premier tour est suivi immédiatement d'un second.

Mais auparavant, le pâton sera déplacé en le faisant pivoter d'un quart de tour, lequel placera le dos des plis à droite et à gauche par rapport à l'opérateur qui allongera à nouveau la pâte et donnera, dans les mêmes conditions, le second tour. La pâte est alors mise au frais et recouverte d'un linge pour éviter le hâlage de la pâte.

Après un repos de 20 minutes, donner le troisième et le quatrième tours en prenant soin, à chaque tour, d'allonger la pâte en ayant toujours les plis à sa droite et à sa gauche, jamais en face de soi.

Enfin, à la suite d'un dernier repos de 20 minutes ou plus si la farine est de bonne qualité, les cinquième ou sixième tours seront pareillement donnés. Le feuilletage est prêt à être débité aussitôt, puis mis au four chaud sans attendre.

Il montera et acquerra d'autant plus de légèreté que les différentes opérations auront été accomplies correctement en donnant naissance à 729 feuillets, ce qui explique pourquoi le feuilletage se développe en hauteur. La sole du four devra être d'une bonne chaleur.

Demi-feuilletage

On entend généralement par demi-feuilletage, les chutes de pâte qui résultent du découpage d'un pâton à l'emporte-pièce ou au couteau. Ces rognures sont rassemblées en boule puis tourées à deux tours. La pâte pour galettes entre également dans le cadre de cette désignation.

Pâte pour galettes

La pâte pour galettes est un feuilletage pauvre. Sa préparation est exactement semblable à celle du feuilletage, seule la quantité de beurre diffère : 250 grammes au lieu de 500 grammes pour 500 grammes de farine et le nombre de tours : quatre au lieu de six.

Gâteau aux amandes dit « Pithiviers »

Prélever sur un pâton de feuilletage 500 grammes de pâte prête à être détaillée.

L'abaisser au rouleau en une feuille de 1 centimètre d'épaisseur, y poser une assiette retournée, ou un cercle à flan comme gabarit et, avec la pointe d'un couteau appliqué contre ce guide, découper un cercle. Enlever les parures, les rassembler, leur donner deux tours, et en faire un deuxième disque de même dimension mais n'ayant qu'un demi-centimètre d'épaisseur.

Placer cette seconde abaisse sur une tourtière à pâtisserie humectée d'eau, la faire adhérer au moyen d'une légère pression et la piquer avec une fourchette trois ou quatre fois. Mouiller le tour au pinceau. Étendre dessus jusqu'à 4 centimètres du bord une couche de crème d'amandes ayant 3 centimètres d'épaisseur. Ajuster par-dessus la première abaisse en la retournant. Appuyer sur le tout avec les pouces pour souder les deux disques de pâte. Chiqueter le tour du gâteau, badigeonner le dessus exclusivement avec l'œuf battu en omelette et dessiner en incisant superficiellement avec la pointe d'un couteau une fine rosace.

Cuire à four de bonne chaleur.

Quelques minutes avant de sortir le gâteau du four, le saupoudrer à la glacière d'un nuage de sucre glacé, qui prend en fondant une belle couleur doré foncé.

La spécialité de ce gâteau exquis, selon la méthode dite Pithiviers, consiste à saupoudrer l'abaisse supérieure, après achèvement du gâteau, d'une légère couche de sucre glace. Dans ce cas le badigeonnage à l'œuf battu est supprimé. En cuisant, le sucre fond, caramélise légèrement et donne un goût très agréable à cette pâtisserie.

Peut être servie tiède.

Crème d'amandes

Éléments :

500 grammes d'amandes ; 12 œufs ; 500 grammes de sucre ; 500 grammes de beurre ; une cuillerée à café de sucre vanillé ; une cuillerée à potage de rhum.

Méthode :

Pour un gâteau destiné à 8 personnes, utiliser le quart des proportions ci-dessus.

Ébouillanter les amandes deux minutes, les égoutter et enlever l'enveloppe brune en les pressant, une à une, entre le pouce et l'index. Cette opération s'appelle émonder ; l'amande est chassée devant l'opérateur par la pression des doigts entre lesquels la pellicule demeure.

Mettre les amandes dans un mortier, les piler et les broyer en pâte avec le sucre en morceaux ou cassons de préférence au sucre en poudre ; ajouter ensuite les œufs, un à un, puis le beurre à peine fondu en pommade. Rendre mousseux en faisant tournoyer le pilon dans le mortier ; rejeter de temps à autre avec une corne à pâtisserie les parcelles de pâte d'amandes qui se dispersent autour du mortier. Quand la pâte est bien blanche et crémeuse, la mettre dans une terrine puis lui mélanger le sucre vanillé et le rhum.

Elle est d'une extrême finesse et prête à être employée.

Nota. — Si l'on ne possède pas de mortier, râper les amandes ou les broyer au moyen de n'importe quel procédé. Les mettre ensuite dans une terrine avec le sucre en poudre et poursuivre avec une spatule le travail effectué au pilon dans l'exposé précédent. Cette manière de faire n'équivaut pas, à beaucoup près, à la première formule.

Petits Pithiviers

Les petits Pithiviers sont la répétition de la recette ci-dessus en petits gâteaux individuels, détaillés dans une abaisse rectangulaire de feuilletage ayant 6 millimètres d'épaisseur avec un coupe-pâte cannelé de 8 à 10 centimètres de diamètre. Les parures rassemblées et tournées servent à faire les fonds qui sont placés sur une plaque à pâtisserie, garnis d'une demi-cuillerée à potage de crème d'amandes, humectés autour et recouverts avec la première série de petites abaisses ; souder avec le côté serti d'un coupe-pâte plus petit ; dorer, rayer avec la pointe du couteau et cuire à four de bonne chaleur et saupoudrer à la glacière de sucre glace deux minutes avant de retirer du four.

Jalousies aux amandes

1º Abaisser au rouleau une première bande de pâte feuilletée sur 18 centimètres de largeur, 30 à 40 centimètres de longueur et 6 millimètres d'épaisseur.

2º Abaisser une seconde bande de mêmes dimensions, un peu plus mince, faite avec des parures de feuilletage.

3º Placer cette deuxième bande sur une plaque à pâtisserie légèrement humectée ; la piquer pour éviter les boursouflements. Mouiller les bords de la bande et étendre sur toute la longueur de la crème d'amandes sur 2 centimètres d'épaisseur et 8 centimètres de largeur. Disposer par-dessus la première feuille de pâte ; souder les bords au moyen d'une pression des doigts et rogner les deux côtés en ligne droite avec un couteau. Chiqueter les deux côtés avec la pointe d'un couteau ; dorer la surface avec l'œuf battu ou la saupoudrer avec du sucre en poudre. Tracer sur la bande avec la pointe d'un couteau, des divisions de 6 à 8 centimètres de largeur ; rayer en nervures de feuilletage chaque division et mettre au four de bonne chaleur. Si la bande a été dorée, procéder au glaçage avant la sortie du four par un saupoudrage au sucre glace.

Quand le gâteau est froid, sectionner chaque division pour le servir.

Gâteau des rois

Prélever sur un pâton de pâte mi-feuilletée ou de pâte à galette un morceau représentant 70 grammes par convive. Replier les angles sur le centre afin de former une boule ; l'aplatir, puis l'abaisser au rouleau en lui donnant 1 centimètre 1/2 d'épaisseur et une forme impeccablement ronde qui s'obtient en déplaçant le disque de pâte par un mouvement giratoire après chaque passage du rouleau.

Chiqueter l'épaisseur presque horizontalement avec la lame d'un couteau, poser la galette en la retournant sur une tourtière humectée d'eau, la dorer à l'œuf battu, la quadriller avec la pointe d'un couteau, la piquer deux ou trois fois et la cuire à four de bonne chaleur moyenne.

La fève est ajoutée dans la pâte avant de retourner l'abaisse pour la placer sur la tourtière.

PATE A FONCER ET PATE SABLÉE

Cette pâte est utilisée pour la confection des tartes, des timbales dont elle compose le fond : d'où le terme foncer des pâtés en moule, des fonds de certains entremets de pâtisserie, par exemple le Saint-Honoré, etc.

Éléments :

Pâte fine : 500 grammes de farine ou 1 litre comble ; 300 grammes de beurre ; 10 grammes de sel ; 1 œuf ; 1 cuillerée à café de sucre en poudre ; 2 ou 3 cuillerées à potage de lait.

Nota. — La proportion de liquide, œuf, lait ou eau est davantage fonction de la qualité de la farine employée que d'une règle rigoureusement mathématique. Le praticien se rend mieux compte, pendant la préparation, de la partie liquide à ajouter (souvent quelques gouttelettes parsemées sur la pâte avec le bout des doigts) pour parvenir à la mise au point de la consistance, toujours un peu ferme, recherchée.

Pâte ordinaire : Mêmes proportions excepté pour le beurre : 250 grammes au lieu de 300 grammes ; supprimer l'œuf et le remplacer par 1 décilitre d'eau.

Pâte surfine ou *sablée :* 500 grammes de farine ; 375 grammes de beurre ; 10 grammes de sel ; 15 grammes de sucre en poudre ; 2 œufs ; quelques cuillerées de lait.
Ne pas détremper trop ferme.
Pâte exquise qui convient surtout pour les tartelettes aux fruits telles les fraises.

Pâte royale ou *sablée :* 500 grammes de farine ; 500 grammes de beurre fin ; 10 grammes de sel ; 15 grammes de sucre ; 4 jaunes d'œufs ; 6 cuillerées à potage de lait ou, ce qui est mieux, de crème fraîche.
Cette pâte est d'exécution délicate. Ne pas la fraiser. Mélanger sans précipitation et rassembler en boule. Ne pas tenir trop ferme.

Méthode :

A défaut d'indications particulières données ci-dessus, ces pâtes sont préparées de la même manière.

Disposer en fontaine (couronne) sur la table ou le marbre de travail la farine tamisée ; placer au centre le sel broyé finement, le sucre en poudre, le beurre préalablement malaxé dans un linge légèrement poudré de farine, les jaunes d'œufs ou l'œuf et le lait ou la crème ou l'eau.

Faire dissoudre le sel, pétrir progressivement le beurre avec le liquide pour y amalgamer la farine ramenée d'un mouvement des mains de l'extérieur de la fontaine vers le centre ; si besoin est, ajouter en aspergeant avec les doigts de faibles quantités d'eau, la pâte ne doit pas être trop ferme ; pour finir, fraiser le tout deux fois sauf conseil contraire indiqué au paragraphe des éléments.

Fraiser une pâte, ce n'est pas la pétrir ; c'est, au contraire, employer un procédé qui permet d'unifier les éléments de composition sans faire naître le corps (l'élasticité) qu'il faut éviter car il provoquerait le retrait, la contraction de la pâte pendant la cuisson.

Voici la description du procédé dit fraisage :

L'association des éléments de composition de la pâte a été grossièrement réalisée en deux ou trois minutes au cours de la première partie de l'opération, c'est alors que commence celle du fraisage : avec la paume de la main, écraser sur la table à pâtisserie ou le marbre de petites parcelles de pâte en les chassant devant soi ; quand la masse est épuisée, rassembler ces parcelles en une boule et renouveler l'opération une seconde fois. Ce double broyage mélange intimement la farine et le beurre.

Le fraisage est déconseillé pour les pâtes riches en beurre car cette pratique userait la consistance du beurre devenu avec les œufs l'élément pivot du combiné. D'ailleurs en raison même de la grande quantité de beurre, le mélange s'opère aisément sans avoir besoin de recourir au fraisage.

PATE SUCRÉE

Éléments :

500 grammes de farine tamisée ; 250 grammes de sucre en poudre ; une pincée de sel fin ; 125 grammes à 200 grammes de beurre suivant la finesse ; 3 œufs.

Méthode :

Faire le mélange comme une pâte à foncer ordinaire. Parfumer avec une cuillerée à potage d'eau de fleur d'oranger ou autre parfum.

Pâte à petits gâteaux sucrés pour le thé

Éléments (pour une centaine de petits gâteaux) :

500 grammes de farine tamisée ; 300 grammes de beurre ; 300 grammes de sucre ; un œuf et quatre jaunes d'œufs ; une cuillerée à potage d'eau de fleur d'oranger ; 3 cuillerées à potage de crème fraîche ; une prise de sel fin.

Méthode :

Procéder comme pour une pâte sucrée, mettre en boule, envelopper la pâte dans un linge et laisser reposer au frais pendant une heure.

Pâte à petits gâteaux salés pour le thé

Éléments (pour une centaine de petits gâteaux) :

500 grammes de farine tamisée ; 8 grammes de sel ; une cuillerée à café de sucre en poudre ; 300 grammes de beurre fondu dans 2 décilitres (un verre ordinaire) de crème fraîche très chaude ou de lait à défaut.

Méthode :

Détremper selon la méthode indiquée pour le feuilletage. Laisser reposer la pâte une heure avant de la détailler.

DÉCOUPAGE, MOULAGE, PRÉPARATION ET CUISSON DE CROUTES OU DE GATEAUX EN PATE FEUILLETÉE OU DIVERSES

Croûte à vol-au-vent

Pour 6 à 8 personnes :

Abaisser, c'est-à-dire laminer au rouleau un demi-pâton de feuilletage après le sixième tour ; lui donner une épaisseur de 2 centimètres 1/2.

Placer sur cette feuille épaisse de pâte une assiette à potage retournée et, avec la pointe d'un couteau disposée en biais vers l'extérieur, tracer une circonférence en suivant le bord de l'assiette et en coupant la pâte sur toute son épaisseur. Enlever la parure de pâte, puis l'assiette et retourner l'abaisse obtenue et la mettre sur une tourtière à pâtisserie très légèrement humectée d'eau. Exercer une faible pression des doigts pour la faire adhérer.

Pratiquer tout autour de l'abaisse, avec la pointe du couteau placée verticalement, en utilisant le dos, une série d'incisions espacées de 3 centimètres. Opération dite « chiqueter » un gâteau.

Mettre sur ce disque de pâte feuilletée une assiette à dessert retournée ; suivre le bord de cette assiette avec la pointe du couteau et la cerner d'une incision de 3 millimètres de profondeur. Le disque intérieur deviendra le couvercle.

Badigeonner légèrement la surface avec de l'œuf battu en omelette à l'aide d'un pinceau à pâtisserie ou d'une plume d'oie à défaut. Prendre soin de ne pas insister sur l'incision et d'éviter de dorer le tour de l'abaisse ou d'y faire couler des bavures d'œufs en excès sur le pinceau, ce qui empêcherait le feuilletage de monter uniformément. Quadriller avec la pointe d'un couteau l'emplacement du futur couvercle et mettre à four chaud.

Il est nécessaire de disposer d'un four dont la chaleur ambiante est régulière, possédant beaucoup de fond, surtout dans la partie inférieure appelée la sole, carrelage réfractaire ou plaque de fonte, de laquelle dépend une grande part de la réussite du feuilletage qui monte sous l'action de la bonne chaleur provenant d'en dessous.

Quand le vol-au-vent est cuit et sorti du four, cerner avec la pointe d'un couteau le couvercle déjà tracé, l'enlever et évider la croûte de la mie qu'elle contient.

La croûte est prête à être servie ; la tenir au chaud et la garnir à la dernière minute.

Tourte

Ce mets ou cette pâtisserie — la tourte s'apprête dans les deux genres — appartient à la pratique ancienne.

Servie comme entrée de cuisine, la tourte est apprêtée et cuite avec sa garniture, ou à blanc comme un vol-au-vent et garnie ensuite.

Dans ce cas, prélever sur un pâton de feuilletage auquel les 6 tours viennent d'être donnés selon la méthode indiquée pour le feuilletage, un rectangle de pâte suffisant, l'allonger au rouleau et en faire une bande de 2 centimètres d'épaisseur et de longueur égale à la circonférence du gabarit choisi comme dimension de la tourte. Couper franc, à droite et à gauche au couteau, une bande sur toute la longueur en lui donnant 4 centimètres de largeur.

Rassembler les parures, leur donner deux tours, les mettre en boule, puis les abaisser sur 8 millimètres d'épaisseur ; tailler un disque avec le gabarit et le poser sur une tourtière humectée d'eau. Piquer abondamment l'abaisse obtenue avec une fourchette.

Si la tourte est cuite avec sa garniture, celle-ci est disposée en boulettes sur toute la partie centrale. La recouvrir ensuite d'une nouvelle abaisse de 5 millimètres d'épaisseur faite en parures de feuilletage. Bien humecter le tour de l'abaisse formant fond, et souder celle qui lui est superposée par une pression du pouce.

Si elle est cuite à blanc, c'est-à-dire sans garniture, mettre au centre un tampon de papier arrondi en calotte et le recouvrir de la seconde abaisse.

Dans les deux cas, mouiller légèrement au pinceau ou avec un linge le tour de cette dernière abaisse et y poser la bande de feuilletage préparée à cet effet. Souder les extrémités taillées en biais à leur point de jonction, et les denteler (chiqueter) grossièrement autour avec la pointe du couteau.

Dorer à l'œuf battu en omelette avec soin la surface exclusivement de la bande et du couvercle, et inciser sur ce dernier un quadrillage avec la pointe d'un couteau.

Cuire au four comme un vol-au-vent.

Lorsqu'une tourte est cuite à blanc, découper, alors qu'elle est encore chaude, le couvercle, le soulever et enlever le tampon de papier.

Garnir ensuite à la manière d'un vol-au-vent.

S'il s'agit d'une tourte d'entremets, la préparation est identique. La garniture sera composée d'une crème pâtissière, d'une crème frangipane, d'une crème d'amandes ou de fruits crus ou cuits, ou de marmelade de fruits.

Les tourtes d'entremets peuvent être dispensées du couvercle. Il faut alors prendre soin d'éviter le contact entre la bande et la garniture, celle-ci gênerait celle-là dans son développement en hauteur.

Cuire pendant 35 à 45 minutes, suivant la grosseur et la garniture, à four de chaleur moyenne. Cinq minutes avant de retirer du four, saupoudrer largement avec du sucre glace de préférence, pousser à bonne chaleur pour provoquer un commencement de caramélisation du sucre d'un beau blond.

On peut encore appliquer sur les fruits après cuisson une nappe légère de coulis de fruits ou de marmelade.

Bouchées

Les bouchées sont de petits vol-au-vent individuels.

Abaisser au rouleau un morceau de pâton de feuilletage de 500 grammes. Lui donner une épaisseur bien égale de 8 à 9 millimètres, puis, à l'aide d'un emporte-pièce dentelé de 8 centimètres de diamètre, tailler 20 petites galettes de 25 à 30 grammes.

Poser ces galettes en les retournant sur une plaque à pâtisserie légèrement humectée.

Les dorer à l'œuf battu en omelette sur la surface exclusivement — ne pas dorer le tour, ce qui empêcherait le feuilletage de monter — et, au moyen d'un emporte-pièce uni et ayant 3 centimètres de diamètre, trempé à chaque opération dans l'eau tiède, inciser l'emplacement du couvercle sur un millimètre de profondeur.

Quadriller ce minuscule couvercle avec la pointe d'un couteau.

Cuire à four chaud 12 à 15 minutes. Enlever les couvercles à la sortie du four et tasser légèrement la mie vers l'intérieur pour pouvoir engager la garniture.

Timbale

(Croûte pour)

Méthode :

Diviser en 2 parties 750 grammes de pâte à foncer, l'une de 500 grammes, l'autre de 250 grammes.

Les rouler l'une et l'autre en boule et abaisser la plus grosse d'abord en une galette de

20 centimètres de diamètre. Retourner l'abaisse, la fariner très légèrement, la plier en deux et ramener les deux extrémités de cette demi-lune vers le centre afin d'obtenir une véritable calotte. Celle-ci se réalise régulièrement en l'allongeant au rouleau, une fois d'un côté, une fois de l'autre ; à chaque mouvement inverse, rapprocher toujours les ailes vers le centre.

Quand l'épaisseur est partout égale à 8 millimètres, ouvrir la calotte de pâte et la glisser dans un moule à charlotte beurré avec soin.

Appuyer l'intérieur avec un petit tampon de pâte pour que la calotte adhère parfaitement aux parois et au fond du moule.

Tailler bien droit le faîte de la pâte à 1 centimètre au-dessus du bord.

Piquer le fond avec une fourchette, tapisser la pâte avec du papier fin, blanc, puis remplir avec des légumes secs jusqu'au bord du moule. Placer sur ces légumes un tampon en papier ayant la forme d'une demi-boule et la recouvrir d'une petite abaisse mince taillée dans la pâte réservée. Souder fortement cette abaisse au bord humecté de la pâte de la timbale.

Enfin, au moyen d'une pression exercée entre le pouce et l'index, donner à cette pâte proéminente la forme d'une crête. Pincer cette crête intérieurement et extérieurement avec une pince à pâtisserie ou avec les doigts.

Décorer le couvercle en disposant dessus, en forme de rosace, de minuscules abaisses très minces faites en pâte à foncer débitées avec un emporte-pièce cannelé et marquées en rayons avec le dos d'un couteau. Faire chevaucher ces minuscules abaisses à partir du bord du couvercle et les superposer en couronne jusqu'au sommet. Sur le sommet, fixer un motif en pâte de la grosseur d'une bille faite avec deux ou trois petites abaisses appliquées l'une sur l'autre, mises en boule en ramenant les bords vers le centre à la manière d'une toupie, puis fendue légèrement en croix sur le dessus.

Bien dorer à l'œuf battu et cuire à four de chaleur moyenne. Temps de cuisson : 40 minutes environ. Après cuisson, enlever le couvercle avec précaution et le réserver.

Vider les légumes secs de la timbale, dégager le papier ; dorer intérieurement à l'œuf battu en omelette et présenter au four cinq minutes pour sécher l'intérieur et lui faire prendre une jolie couleur.

Démouler ensuite, dorer l'extérieur et remettre au four quelques secondes en surveillant attentivement. Dès qu'une belle couleur est acquise, retirer et tenir en réserve pour garnir.

Petites timbales

(individuelles)

Il s'agit de répéter en petit ce qui a été exécuté en grand suivant la technique ci-dessus. Employer la même pâte à foncer, et abaisser la calotte de pâte de façon à lui donner 6 millimètres d'épaisseur. Mouler dans de petits moules à baba ou autres de mêmes dimensions.

Croûte à tarte cuite à blanc

1º Beurrer l'intérieur d'un cercle à flan de 25 cm de diamètre et le poser sur une tourtière à pâtisserie légèrement humectée d'eau.

2º Rouler en boule 250 grammes de pâte à foncer, ordinaire, fine, surfine ou royale, selon la délicatesse que l'on désire donner à la pâtisserie projetée, et l'abaisser en un disque de 30 centimètres de diamètre.

Plier l'abaisse en deux, la poser sur le cercle, le pli sur la ligne médiane, l'ouvrir et la faire descendre en l'appuyant contre la paroi afin de la faire adhérer. Rabattre la pâte en excédent et la couper en passant le rouleau dessus. Cette dernière opération provoque la formation d'un bourrelet. Saisir ce dernier des deux mains entre le pouce et l'index et former une crête de 1 centimètre de haut en faisant circuler le cercle de la main droite vers la main gauche. Pincer ensuite l'extérieur de la crête avec une pince à pâtisserie tenue de biais.

Piquer le fond du fonçage pour l'empêcher de boursoufler pendant la cuisson. Tapisser l'intérieur du flan avec du papier fin et beurré ; garnir jusqu'au bord avec des légumes secs que l'on fait resservir indéfiniment à cet usage ; cuire à four de chaleur moyenne 25 minutes environ.

Retirer du four après cuisson, enlever les légumes secs, le papier et le cercle ; dorer le tour du flan avec de l'œuf battu en omelette et présenter au four 2 ou 3 minutes pour sécher et dorer la croûte prête alors à recevoir une garniture de fruits crus ou cuits.

Croûtes pour tartelettes cuites à blanc

Les tartelettes peuvent être faites soit avec l'une des pâtes à foncer, soit avec des parures de feuilletage ou de pâte pour galettes.

Abaisser la pâte choisie en un rectangle dont l'épaisseur ne doit pas dépasser 3 millimètres ; détailler avec un emporte-pièce cannelé d'un diamètre un peu supérieur à celui des moules utilisés. Beurrer chaque moule et y poser une petite abaisse. L'enfoncer avec un tampon de pâte légèrement farinée pour qu'elle épouse la forme du moule, la piquer, y placer un rond de papier beurré, puis des légumes secs ou noyaux de cerises séchés ; cuire à four de chaleur moyenne 10 à 12 minutes ; terminer comme il est indiqué dans la recette de la croûte à tarte cuite à blanc.

Croûte pour pâtés en croûte

Les moules utilisés pour les pâtés en croûte sont généralement hauts, décorés, ronds ou ovales ; ils ont aussi la forme d'une timbale, type à pâté de foie gras.

Le fonçage est, en principe, fait en pâte à foncer ordinaire ou fine. Quelquefois en pâte à brioche.

La méthode à employer est absolument identique à celle indiquée pour le fonçage d'une timbale. La calotte de pâte ainsi préparée doit avoir un centimètre d'épaisseur. Piquer de nombreuses fois le fonçage. Garnir avec les éléments prévus et suivant les conseils donnés aux recettes ; recouvrir d'une abaisse mince de même pâte ; la souder et former une crête ; la pincer (voir le façonnage d'une timbale), puis placer sur le dessus du pâté une abaisse en parures de feuilletage tourées deux fois de 8 millimètres d'épaisseur.

Dorer la surface, la rayer en rosace ou en feuille avec la pointe d'un couteau ; pratiquer un trou central ou deux dans un moule ovale, y introduire un petit rouleau de papier beurré qui présente l'aspect d'une minuscule cheminée pour l'échappement de la vapeur et cuire à four de chaleur moyenne dans les conditions de temps stipulées à chacune des recettes.

TARTES ET FLANS DIVERS

Flan aux pommes Jérôme

Pour 6 personnes :

1° Beurrer un cercle à flan de 25 centimètres de diamètre et le placer sur une tourtière.

2° Préparer 250 grammes de pâte à foncer (voir page 390) ; la réunir en boule et en faire une abaisse ayant 1/2 centimètre d'épaisseur. Pour obtenir cette feuille de pâte bien ronde, procéder comme il est expliqué pour faire une galette. Elle devra avoir 32 centimètres de diamètre au moins.

3º Mettre l'abaisse sur le cercle, l'enfoncer peu à peu afin qu'elle épouse parfaitement l'intérieur du cercle. Pour cela il suffit de tamponner l'abaisse contre le cercle avec une petite boule de pâte légèrement farinée.

Rabattre autour du cercle la partie supérieure en excédent et la couper en passant le rouleau à pâtisserie dessus. Ce procédé provoque la formation d'un bourrelet. Saisir ce dernier des deux mains, entre le pouce et l'index, et former une crête régulière. La pincer correctement avec une pince à pâtisserie pour imiter une minuscule torsade.

Piquer avec une fourchette le fond de la pâte.

4º D'autre part, cuire 1 kilo de pommes de reinette ou grises du Canada en marmelade. Ces espèces sont fermes et parfumées.

Au préalable, les laver et les peler. Cuire les pelures à découvert avec un demi-verre d'eau pendant 15 à 20 minutes ; les égoutter à l'écumoire et retirer trois cuillerées à potage de jus ; y ajouter une cuillerée comble de sucre et cuire ce sirop 4 à 5 minutes, le débarrasser dans un bol. Dans la casserole utilisée et contenant le reste du jus, mettre les pommes (sauf la plus belle qui sera mise de côté), divisées en quartiers ; débarrasser ces derniers des pépins et de la membrane. Couvrir la casserole et cuire doucement pendant 20 à 30 minutes. Après ce temps, les pommes doivent être en marmelade ; ajouter alors 150 grammes de sucre dont une bonne cuillerée à potage aura été conservée. Poursuivre la cuisson une dizaine de minutes pour réduire le mélange légèrement liquéfié par l'addition de sucre.

Passer au tamis fin, ou écraser la marmelade avec un fouet à sauce. Faire refroidir.

5º Au moment de garnir la tarte, mélanger à la marmelade un verre à liqueur de kirsch, puis en emplir le fonçage jusqu'aux deux tiers de la hauteur du cercle ; niveler la marmelade et recouvrir le dessus avec des lames de pomme.

A cet effet, la pomme tenue en réserve sera épluchée, divisée en 4 quartiers, chacun d'eux épépiné et coupé en lames minces dans le sens de la longueur. Ces fines tranches de fruit seront disposées comme des demi-lunes, se chevauchant légèrement, en commençant contre le cercle, la couronne suivante sera inversée et couvrira en partie la précédente et ainsi de suite jusqu'au centre. Saupoudrer la surface avec le sucre en poudre réservé.

Mettre à four de chaleur moyenne.

A la sortie du four, enlever le cercle, dorer à l'œuf battu le tour du flan, le remettre au four 3 minutes, recouvrir les pommes avec les trois cuillerées de jus cuit en gelée.

Nota. — Cette tarte peut être exécutée de la même manière dans de petits moules à tartelettes.

Flans aux fruits, mirabelles, abricots, quetsches, reines-claudes

Procéder au fonçage d'un cercle à flan comme pour faire la tarte aux pommes (recette précédente).

Saupoudrer le fond du fonçage avec une cuillerée à café de sucre en poudre et garnir en couronne avec l'un des fruits ci-dessus.

Au préalable, dénoyauter les mirabelles ou ouvrir en deux parties — deux oreillons — abricots, quetsches ou reines-claudes et enlever le noyau.

Disposer les oreillons (demi-fruit) en couronne, le côté où le noyau se trouvait attaché apparent, appuyer chaque demi-fruit sur celui qui le précède et placer chaque couronne en inversant les fruits.

Cuire à four pas trop chaud, mais possédant une bonne chaleur de la sole afin de saisir le fond de la croûte pour éviter que le jus des fruits ne la détrempe.

A la sortie du four, enlever le cercle, et saupoudrer la surface de sucre glace.

Siroter, c'est-à-dire recouvrir les fruits avec de la confiture d'abricots légèrement fondue et qui reprendra en gelée.

Tarte Tatin (p. 398)

Tarte aux cerises

Même méthode que la précédente. Dénoyauter les cerises et en garnir le fond de la tarte en les serrant les unes auprès des autres.

Après cuisson, saupoudrer au sucre glace ou napper avec de la gelée de groseilles.

Tarte aux fraises

Éléments :

500 grammes de fraises; 80 grammes de gelée de groseilles; 250 grammes de pâte sucrée; kirsch.

Méthode :

1º Préparer 250 grammes de pâte sucrée (voir pâte sucrée), la réunir en boule et en faire une abaisse ronde.

2º Mettre l'abaisse sur un cercle à tarte, l'enfoncer peu à peu afin qu'elle épouse parfaitement l'intérieur du cercle. La cuire à blanc comme il est indiqué au chapitre des pâtes.

Après cuisson, laisser refroidir, enlever le cercle alors que la croûte est presque froide.

3º Quelques instants avant de servir, ranger avec goût les fraises.

Glacer la surface avec la gelée de groseilles légèrement diluée au kirsch.

Tarte à l'alsacienne

1º Foncer un cercle à flan en pâte fine ou surfine (voir page 390, formule et méthode). Former la crête et après piquage du fond, garnir le fonçage à mi-hauteur avec de la crème pâtissière.

2º Disposer en rangs serrés et en couronnes successives des tranches de pommes ou de poires coupées d'abord en quartiers, puis émincées dans le sens de la longueur. Saupoudrer avec une cuillerée de sucre en poudre et cuire à four de chaleur moyenne.

Enlever le cercle aussitôt cuit, dorer le tour de la tarte à l'œuf battu et la remettre au four 2 à 3 minutes pour terminer la cuisson.

3º Étendre sur les pommes ou poires une cuillerée à potage de gelée de pommes ou de confiture d'abricots légèrement réduite.

Tarte normande

Pratiquer comme pour la tarte à l'alsacienne, mais remplacer la crème pâtissière par de la crème frangipane additionnée d'une partie sur cinq de crème fraîche.

Après cuisson, terminer la tarte avec une couche de crème Chantilly de 2 centimètres d'épaisseur étendue sur la surface.

Décorer cette surface en traçant un motif avec la pointe d'un couteau ou avec de la crème Chantilly poussée à la poche munie d'une grosse douille cannelée.

Tarte aux cerises à la crème

Le procédé employé est presque identique au précédent. Après avoir foncé le cercle à flan avec de la pâte à foncer fine, garnir le fond d'une couche de crème pâtissière rendue légère par une addition de crème fraîche — le 1/5 environ — ou de crème anglaise (voir chapitre des crèmes, page 414) ; disposer ensuite les cerises dénoyautées et macérées avec un peu de sucre en poudre et une cuillerée à potage de kirsch ; recouvrir les cerises avec une nouvelle couche de crème pâtissière légère ou de crème anglaise.

Cuire à four de chaleur moyenne.

Peut être servie tiède.

Tarte à la crème

Verser dans un cercle à flan foncé avec de la pâte à foncer fine et non piquée, de la crème identique à celle préparée pour la crème renversée (voir page 417).

Cuire à four de chaleur moyenne. La surface doit être d'une belle couleur dorée. Veiller à ne pas laisser bouillir la crème durant la cuisson.

Tarte aux poires

(pour 8 personnes) :

Foncer un moule à tarte avec de la pâte brisée. Ranger après les avoir épluchées et émincées de jolies poires Williams, bien mûres.

Dans une terrine, préparer 1/2 litre de crème double, 4 œufs entiers, 150 grammes de sucre, une pincée de sel. Remuer le tout et recouvrir les poires. Mettre au four 1/2 heure.

Tarte aux pommes pâte brisée ou sablée

Foncer un cercle à tarte avec de la pâte brisée ou sablée, laisser reposer 2 heures. Faire avec 2 pommes une compote légèrement sucrée que vous tamiserez. Garnir avec cette compote le fond de la tarte. Éplucher 4 belles pommes (reinettes de préférence), les émincer et les ranger, ensuite les saupoudrer avec du sucre cristal le plus gros possible et mettre dessus 200 grammes de beurre découpé en petits dés. Cuire à four moyen 1/2 heure environ.

Pâte brisée :

500 grammes de farine de froment ; 350 grammes de beurre ; 15 grammes de sel ; 3 œufs entiers.

Pâte sablée :

500 grammes de farine de froment ; 300 grammes de beurre ; 200 grammes de sucre ; 10 grammes de sel ; 3 œufs entiers.

Tarte Tatin   (photo page 396)

Éléments :

1 kilo de pommes de reinette ; 250 grammes de farine ; 325 grammes de beurre ; 10 grammes de sucre en poudre ; 1 œuf ; 1 pincée de sel.

Méthode :

Prendre un grand moule à génoise, en beurrer largement le fond (100 grammes de beurre) puis poudrer de 50 grammes de sucre en poudre.

Éplucher les pommes, les essuyer dans un linge et les couper en tranches épaisses voire en quartiers. Serrer ces morceaux les uns contre les autres pour en garnir tout le moule. Semer par-dessus le reste du sucre. Ajouter 25 grammes de beurre fondu. Mettre sur le feu une vingtaine de minutes. Le sucre doit caraméliser mais rester au brun pâle.

Durant ce temps, disposer la farine en fontaine sur une planche à pâtisserie. Mettre au centre l'œuf entier, le sel et 200 grammes de beurre amolli en pommade. Mélanger. Ajouter au besoin un peu d'eau pour obtenir une pâte molle que l'on étalera le plus mince possible avec le rouleau.

Couvrir le moule de cette pâte en faisant rentrer les bords à l'intérieur. Mettre à four moyen 1/2 heure.

Retourner la tarte Tatin sur un plat de service. Laisser tiédir avant de servir.

PATE A CHOU

Cette composition est utilisée dans la cuisine comme dans la pâtisserie. Suivant qu'elle est destinée à l'une ou à l'autre, les éléments qui la composent subissent quelques modifications qui sont précisées dans chacune des recettes. Quoi qu'il en soit, le procédé de préparation est identique.

Pâte à chou fine

Éléments :

1/2 litre d'eau, soit 500 grammes ; 250 grammes de beurre ; 250 grammes de farine tamisée ; une pincée de sel ; 7 à 8 œufs ou 6 à 7 œufs et 6 cuillerées à potage de lait ou de crème fraîche ; une petite cuillerée à potage de sucre en poudre ; 1 cuillerée d'eau de fleur d'oranger.

Méthode :

Verser l'eau dans une casserole assez large et à fond épais ; ajouter le sel et le beurre divisé en parcelles ; chauffer jusqu'à l'ébullition en remuant à la spatule le mélange bouillant ; y incorporer la farine.

Maintenir à feu vif la pâte obtenue en continuant à la travailler avec la spatule ou une cuiller en bois. L'eau s'évapore peu à peu jusqu'à dessèchement presque complet qui se constate par le ruissellement du beurre.

A ce moment, retirer du feu, travailler la pâte sans arrêt et lui faire absorber les œufs un à un, puis le lait ou la crème.

La quantité d'œufs nécessaire dépend de leur poids et de l'addition ou non du lait qui, en économisant un œuf, augmente le moelleux de la pâte. Parfumer à l'eau de fleur d'oranger (une cuillerée à potage).

La pâte doit être vigoureusement malaxée à la spatule pour être lisse et acquérir de la légèreté. La consistance ne doit pas être trop molle. L'à-point s'observe en la couchant chaude encore à la poche. Elle s'affaisse un tout petit peu.

Elle est alors prête.

Pâte à chou ordinaire

Éléments :

1/2 litre d'eau ; 125 grammes de beurre ; 250 grammes de farine ; une pincée de sel ; 7 à 8 œufs ; une petite cuillerée à potage de sucre en poudre.

Méthode :

Procéder comme pour la pâte à chou fine pour l'apprêter.

Si cette pâte est destinée à des préparations culinaires, il faut supprimer le sucre et le parfum.

Pâte à beignets soufflés

1/2 litre d'eau ; 100 grammes de beurre ; une pincée de sel ; une cuillerée à potage rase de sucre en poudre ; 300 grammes de farine tamisée ; 7 à 8 œufs selon le poids ; une cuillerée à potage d'eau de fleur d'oranger.

La méthode est celle de la pâte à chou ordinaire.

Ces beignets étant cuits à la friture (huile), la proportion de beurre est pour cette raison très diminuée.

Pâte à ramequin et à gougère

Pâte à chou ordinaire, mais remplacer l'eau par du lait, supprimer le sucre et le parfum ; quand la pâte est à point, c'est-à-dire terminée, lui incorporer 100 grammes de gruyère frais râpé.

Éclairs au café ou au chocolat

Pour une douzaine d'éclairs de taille courante, préparer 400 grammes de pâte à chou. Garnir avec cette pâte une poche à pâtisserie (sorte d'entonnoir allongé en toile forte et à trame très serrée) munie d'une douille unie ayant à sa partie étroite 1 centimètre 1/2 de diamètre.

En exerçant une pression sur la poche avec la main qui la tient fermée, alors que l'autre la guide, tracer (se dit coucher) sur une plaque à pâtisserie des bâtons de 9 centimètres de longueur en les distançant les uns des autres de 5 centimètres au moins.

Pour couper la pâte, quand chaque bâton a la longueur voulue, il suffit de suspendre la pression et de relever la douille d'un petit geste brusque avec la main conductrice. Chaque éclair emploie 30 grammes de pâte environ.

Dorer avec un pinceau à pâtisserie avec de l'œuf battu et cuire à four doux. Laisser refroidir.

Les fendre ensuite sur le côté à la manière d'une tabatière et les garnir à l'intérieur avec de la crème parfumée au café ou au chocolat.

On peut employer pour garnir : de la crème frangipane, de la crème pâtissière, de la crème à Saint-Honoré, ou de la crème fouettée.

Les refermer et tremper le couvercle dans une glace ou du fondant au café ou au chocolat tiède. Les poser sur une plaque.

Quand le fondant est durci, enlever les bavures qui peuvent se produire et présenter les éclairs sur des plats à gâteaux.

Choux à la crème

Procéder comme pour les éclairs, mais au lieu de coucher la composition en bâtons, en faire des boules comme de gros macarons en les espaçant de 7 à 8 centimètres. Les dorer et cuire à four de chaleur moyenne.

Après refroidissement, découper le sommet, le retourner à l'intérieur et garnir par-dessus, en dôme de 5 à 6 centimètres, avec de la crème à Saint-Honoré ou de la crème Chantilly.

Choux grillés

Ces choux sont identiques aux choux à la crème, toutefois après les avoir dorés, les aplatir légèrement, recouvrir le faîte avec une pincée d'amandes hachées, puis, par-dessus, une pincée de sucre en poudre. Faire une légère pression sur le tout pour rendre adhérent. Cuire à four de chaleur moyenne, et, après refroidissement, servir ainsi.

Saint-Honoré

Le Saint-Honoré est une illustration de l'ancienne pâtisserie Chiboust, place du Palais-Royal, ou plus exactement située rue Saint-Honoré, d'où le nom de ce gâteau à la crème exquis, qui naquit dans cette maison d'ancienne réputation à l'époque où le Tout-Paris mondain fréquentait le Palais-Royal.

Méthode :

Abaisser un morceau de pâte à foncer fine en lui donnant, pour 6 personnes, le diamètre d'une assiette ordinaire et 1 centimètre 1/2 d'épaisseur.

Transpercer plusieurs fois avec une fourchette le disque de pâte et le cerner franc au couteau en utilisant comme guide une assiette retournée sur la pâte.

Mettre le disque de pâte sur une tourtière légèrement humectée d'eau.

Garnir une poche à pâtisserie munie d'une douille d'1 centimètre 1/2 avec de la pâte à chou fine — le volume de 3 œufs — (soit 1/4 de litre d'eau, 125 grammes de farine, 125 grammes de beurre et 3 œufs).

Tracer un cordon en pâte à chou sur l'abaisse en suivant correctement le bord et une spirale au centre.

Sur une autre tourtière, coucher trente petits choux de la grosseur d'une petite noix. Dorer et cuire à four de chaleur moyenne.

Après cuisson, poser le fond et les choux sur une grille à pâtisserie ; laisser refroidir.

Préparer d'autre part de la crème à Saint-Honoré ou, au moment de servir, de la crème Chantilly. Remplir le fond de crème en l'étalant sur une épaisseur de 4 centimètres jusqu'au cordon de pâte à chou. Puis, avec une cuiller à potage, aligner côte à côte sur la couche de crème des cuillerées de crème moulées en forme d'œuf un peu allongé. On détache la crème de la cuiller en l'appliquant avec un geste un peu brusque, ce qui provoque la formation d'une arête au sommet de la cuillerée.

Les choux minuscules sont ensuite disposés sur le cordon de pâte à chou, comme un rang de grosses perles. Au préalable, tronquer le sommet et les garnir en poire avec un point de crème poussé à la poche.

Appliquer les choux garnis sur le cordon en les soudant à la crème contenue dans le Saint-Honoré.

On peut, mais ceci est plus compliqué, tremper le sommet des petits choux dans du sucre cuit au cassé qui forme un enduit solide transparent. Un chou sur deux est immédiatement trempé dans du sucre en grains ou des amandes hachées et grillées. Avec le même sucre encore très chaud, les choux sont collés sur le cordon de pâte à chou en les intervertissant.

Si ce procédé est employé, mettre les choux en place avant de garnir le fond de crème.

Croque en bouche

(pour 10 personnes) :

Mettre dans une casserole 1/2 litre de lait, incorporer à froid 240 grammes de beurre, 10 grammes de sel, 20 grammes de sucre. Porter le tout à ébullition, ajouter 400 grammes de farine, dessécher sur le feu pendant 4 minutes environ, mouiller avec 12 œufs. La préparation ainsi obtenue, tailler à la poche, sur plaques légèrement beurrées, 60 petits choux. Cuire à four moyen 200° pendant 20 minutes environ.

Crème pour garnissage des choux :

Faire infuser dans un litre de lait une gousse de vanille Bourbon avec une pincée de sel; préparer dans une terrine 8 jaunes d'œufs très frais, délayer avec 300 grammes de sucre semoule et ajouter ensuite 80 grammes de farine de froment; remuer à l'aide d'un fouet et cuire à feu doux 5 bonnes minutes, laisser refroidir et ensuite garnir les choux.

Pour dresser le croque en bouche se munir d'un moule conique ou rond. Faire fondre à sec 300 grammes de sucre cristal couleur caramel, et décorer avec dragées et tranches d'oranges caramélisées.

COMPOSITIONS DIVERSES : GÉNOISE, MADELEINE, PLUM-CAKE, BISCUIT

Génoise ordinaire

Éléments :

500 grammes de sucre en poudre; 16 œufs; 500 grammes de farine; 200 grammes de beurre.

Nota. — Les proportions ci-dessus peuvent être modifiées; la farine limitée à 400 grammes, l'appareil sera plus léger; le beurre diminué ou supprimé, la finesse sera moins grande, le gâteau moins moelleux.

Parfumer avec sucre vanillé, liqueurs diverses ou zeste de citron ou d'orange râpé avec un morceau de sucre broyé ensuite.

Méthode :

Mettre le sucre dans un bassin en cuivre à monter les blancs (bassin sphérique); à défaut de bassin, utiliser une terrine ou un grand saladier ce qui est évidemment beaucoup moins pratique. Ajouter les œufs en les cassant un à un dans un bol et en les vérifiant avant de les joindre au sucre. Mélanger le tout avec un fouet à monter les blancs d'œufs et fouetter à la manière d'une omelette, à froid de préférence. La masse augmentera peu à peu de volume, elle blanchira, deviendra crémeuse et prendra de la consistance jusqu'à envelopper entièrement par adhérence les branches du fouet. L'à-point sera constaté à ce moment en soulevant le fouet duquel la composition s'écoulera lentement, épaisse et en formant un ruban.

Ce travail au fouet exige 30 minutes environ.

Il peut être abrégé en plaçant le bassin sur le coin du feu ou sur des cendres chaudes. Le résultat obtenu plus rapidement certes est beaucoup plus sensible et l'appareil retombe plus aisément au moment de lui incorporer la farine et le beurre.

Si l'on adopte ce deuxième procédé, il faut retirer le bassin de la chaleur quand la composition est tiède et continuer à la fouetter jusqu'à complet refroidissement.

Quelle que soit la méthode choisie, lorsque la composition forme le ruban, enlever le fouet et le remplacer par une spatule ou une cuiller en bois, puis faire tamiser la farine sur le bassin pendant que, pour assurer le mélange, la main droite soulève doucement la composition avec la spatule et que la main gauche imprime au bassin un mouvement de rotation inverse. A la suite de la farine, mettre le parfum et verser en filet le beurre fondu en pommade et décanté du petit lait ; le mélanger comme il est indiqué pour la farine.

Verser l'appareil dans des moules ronds, carrés ou ovales, unis ou décorés, beurrés avec soin sans excès avec du beurre clarifié, les fariner et bien les secouer. Garnir les moules aux deux tiers, mettre à four de chaleur moyenne, la porte légèrement entrouverte.

Après cuisson, dont l'à-point se constate à la légère résistance de la composition à la pression du doigt appliqué sans force, démouler aussitôt sur une grille à pâtisserie pour permettre le refroidissement régulier et sans condensation de buée du gâteau.

L'appareil peut être moulé dans des plaques rectangulaires à bords élevés de 3 centimètres. Après cuisson, la génoise est divisée suivant les besoins.

Génoise au chocolat

Mouler au bain-marie 8 œufs entiers avec 250 grammes de sucre semoule, y ajouter ensuite 200 grammes de froment bien tamisé, 50 grammes de cacao, 100 grammes de poudre d'amandes ; une fois le mélange fait y ajouter 150 grammes de beurre fondu. Mettre dans un moule et cuire à feu doux 35 minutes.

Se fourre avec une ganache à truffes (voir page 459).

Gâteau du Président

(d'après une recette de Maurice Bernachon)

Faire une génoise avec 4 œufs, 125 grammes de farine tamisée, 125 grammes de sucre et 100 grammes de beurre. Monter les œufs entiers avec le sucre. Une fois que cet appareil fait le ruban, ajouter la farine et ensuite le beurre fondu. Cuire à feu doux pendant 20 minutes, en ayant pris soin de mettre l'appareil à génoise dans un moule beurré et fariné. D'autre part, faire cuire pendant 10 minutes 1/2 litre de crème et 600 grammes de chocolat amer. Retirer du feu, battre avec un fouet en inox ou en osier jusqu'à complet refroidissement. Y adjoindre des bigarreaux confits et, avec cette crème au chocolat, fourrer la génoise. Il ne reste plus qu'à râper au couteau des lamelles de chocolat et à en recouvrir le gâteau.

Madeleine

Pour 48 madeleines :

500 grammes de sucre en poudre ; une cuillerée à café de sucre vanillé ; 500 grammes de farine tamisée ; 500 grammes de beurre fin ; 12 œufs.

Procéder exactement comme pour la génoise mais toujours à froid. Quand la composition forme le ruban, lui mélanger la farine d'abord, puis le beurre fondu en pommade et décanté.

Avoir soin de ne pas y verser le petit lait qui, en déposant au fond des moules pendant la cuisson, provoquerait l'adhérence de la composition aux moules et rendrait le démoulage difficile. Les gâteaux ne seraient pas nets.

Mouler, en versant avec une corne à pâtisserie ou une cuiller, un peu de composition dans des moules à madeleines (dits griffes) rassemblés par plaque de 6 à 12 et préalablement beurrés sans excès, mais avec soin avec du beurre clarifié ; fariner et secouer les moules. Cuire à four de chaleur moyenne. Démouler aussitôt cuit.

Plum-cake

Éléments :

250 grammes de beurre fin ; 8 œufs ; 250 grammes de sucre en poudre ; 250 grammes de farine tamisée ; raisins de Smyrne et de Corinthe ; écorces d'orange et de cédrat confites (60 grammes de chaque) ; 1/2 verre de rhum ; une cuillerée à café de sucre vanillé.

Méthode :

1º Choisir une terrine ou un saladier de dimensions convenables et y verser de l'eau bouillante pour la tiédir. Vider l'eau, essuyer le récipient et mettre le beurre préalablement ramolli en le pétrissant dans un linge et divisé en parcelles ; le travailler avec une cuiller en bois afin de le transformer en pommade lisse et blanche.

2º Ajouter les œufs un à un en poursuivant le travail à la cuiller. La composition augmentera de volume en fonction de celui des œufs et du beurre, mais aussi du malaxage prolongé du mélange qui deviendra léger, blanc et absolument crémeux. Compléter à ce moment avec le sucre et travailler encore quelque temps jusqu'à l'assimilation complète du sucre.

3º A ce point précis où la composition forme le ruban quand l'opérateur en soulève une partie avec la spatule, lui incorporer les raisins triés et bien nettoyés en les frottant, après les avoir légèrement farinés, sur un tamis qui laisse passer tous les pédoncules, puis les écorces d'orange et de cédrat coupées en dés menus, le rhum, le sucre vanillé et enfin la farine tamisée.

Cette addition doit être faite de telle sorte que la composition ne soit pas alourdie.

Garnir des moules spéciaux dits à cake, sorte de caisses rectangulaires ayant 12 centimètres de hauteur, sur 10 centimètres de largeur à la partie supérieure et 8 centimètres à la base, beurrés avec du beurre clarifié et chemisés avec du papier blanc beurré. On découpe le papier en lui donnant deux centimètres en hauteur de plus que celle du moule et on le façonne en dents de loup.

Prendre la composition avec la corne à pâtisserie, la déposer dans le moule. Ne pas dépasser les 2/3 de la hauteur de ce dernier. Le tapoter sur un torchon plié pour qu'il soit régulièrement garni.

Cuire à four de chaleur moyenne.

Ce biscuit étant d'origine anglaise, signalons l'usage outre-Manche d'adjoindre à la composition 2 grammes de carbonate d'ammoniac. Sous l'action de ce sel, le dessus du cake se fendille et monte en pointe.

Si on néglige cet appoint, il est nécessaire de fendre avec un couteau légèrement, dans le sens de la longueur, le dessus du cake pendant la cuisson. Ce procédé aide à son développement et maintient sa légèreté.

Démouler à la sortie du four, laisser l'enveloppement de papier, et refroidir sur grille à pâtisserie.

Avant de le servir, et pour mieux le couper en tranches de 1 centimètre d'épaisseur, le conserver un ou deux jours à rassir.

Ce biscuit est parmi les meilleurs.

Biscuit de Savoie

Éléments :

500 grammes de sucre en poudre ; 12 œufs ; 500 grammes de farine tamisée ; une cuillerée à café de sucre vanillé.

Méthode :

Mettre le sucre et les 12 jaunes d'œufs dans une terrine assez grande.

Mélanger avec une spatule et travailler vigoureusement le mélange jusqu'au moment où la composition, ayant triplé son volume, est blanche, crémeuse et glisse sur la spatule en ruban épais et consistant.

A ce moment, incorporer la farine en soulevant la masse avec la spatule ; ajouter le sucre vanillé et le quart des blancs d'œufs fouettés en neige très ferme. Mélanger bien à fond ; compléter par l'addition du reste des blancs fouettés mais avec beaucoup de ménagement cette fois pour éviter d'alourdir la composition.

Garnir les moules aux 2/3 et les tapoter sur un linge plié. Ces moules sont de forme ronde et haute, à douille et généralement décorés.

Les beurrer avec grand soin de beurre clarifié et les retourner pour les égoutter parfaitement. Les poudrer intérieurement d'un mélange en parties égales de farine ou de fécule et de sucre glace ou en poudre.

Cuire à four doux et de chaleur régulière.

La coloration du biscuit de Savoie doit être blond pâle.

Le poudrage forme une fine enveloppe friable.

Démouler après un repos de 5 minutes qui succède à la sortie du four.

Biscuits à la cuiller

Éléments :

500 grammes de sucre en poudre ; 16 œufs ; 400 grammes de farine tamisée ; une cuillerée à café de sucre vanillé.

Méthode :

Identique au biscuit de Savoie.

Introduire la composition dans une poche à pâtisserie munie d'une douille de 2 centimètres 1/2 de diamètre. Refermer la poche et répéter l'opération expliquée pour coucher les éclairs.

Tracer des bâtons de 12 centimètres de longueur sur une plaque à pâtisserie beurrée et farinée ou cirée, ou sur des feuilles de papier sulfurisé. Laisser 5 centimètres entre chaque bâton.

Tamiser sur les biscuits du sucre en poudre, laisser ainsi 2 minutes et redresser la plaque ou la feuille pour renverser l'excès de sucre. Puis, à l'aide d'un pinceau trempé dans l'eau fraîche et secoué de l'excédent d'eau, projeter des gouttelettes d'eau sur le sucre adhérent après les biscuits. Ces gouttes d'eau associées au sucre par la cuisson se transforment en autant de petites perles.

Mettre les feuilles sur des plaques et cuire à four très doux. La coloration doit être à peine sensible. Après cuisson et refroidissement, détacher les biscuits des feuilles ou des plaques et les assembler deux à deux. Les ranger ainsi dans une boîte hermétiquement close où ils se conservent extrêmement moelleux.

Biscuit manqué

Éléments :

500 grammes de sucre en poudre ; 18 jaunes d'œufs ; 12 blancs d'œufs fouettés en neige très ferme ; 400 grammes de farine ; 300 grammes de beurre ; vanille ; 3 cuillerées à potage de rhum.

Procéder comme pour la composition à biscuit de Savoie en ajoutant, à l'appareil résultant du travail du sucre et des jaunes d'œufs, la vanille, le rhum, la farine, le beurre et les blancs fouettés, dans cet ordre.

Pain de Gênes

Le pain de Gênes est l'un des meilleurs entremets de pâtisserie appartenant au groupe des biscuits. Il présente quelques difficultés de réussite parfaite que l'attention et l'expérience parviennent à surmonter même si l'opérateur n'est pas professionnel.

Pour le réaliser deux méthodes peuvent être employées selon l'outillage dont disposeront lecteurs et lectrices.

I.

Éléments :

250 grammes d'amandes émondées, c'est-à-dire débarrassées de leur enveloppe brune après un ébouillantage d'une minute, et râpées finement ; 300 grammes de sucre en poudre ; 200 grammes de beurre ; 8 œufs ; 60 grammes de farine ; une amande amère ; 2 cuillerées à café de curaçao.

Méthode :

Ramollir le beurre dans une terrine de façon à le travailler à la spatule, ajouter le sucre, mélanger en tournant vigoureusement avec la spatule pour alléger et provoquer le blanchiment de la masse ; ajouter la poudre d'amandes et, un à un, 4 œufs entiers et 4 jaunes.

L'appareil en prenant de la légèreté devient crémeux et augmente en volume. A ce moment, avec précaution, adjoindre le curaçao, la farine et les 4 blancs d'œufs battus en neige. Ce mélange s'effectue avec une spatule et en soulevant l'appareil très doucement.

II.

Éléments :

250 grammes d'amandes ; 325 grammes de sucre ; 6 œufs ; une amande amère ; 60 grammes de farine ; 125 grammes de beurre ; une cuillerée à café d'anisette.

Méthode :

Émonder les amandes après les avoir ébouillantées une minute ; les piler au mortier. Quand elles sont bien broyées en pâte, ajouter un à un les 6 œufs, puis le sucre ; travailler vigoureusement afin de rendre la composition crémeuse et légère. Lorsqu'elle est à point, y mélanger avec une spatule, et en soulevant l'appareil avec grande précaution, la farine et le beurre fondu en pommade.

Parfumer avec une cuillerée à café d'anisette.

PETITS FOURS SECS

Petits gâteaux feuilletés

Abaisser au rouleau une partie d'un pâton de feuilletage en une feuille d'un demi-centimètre d'épaisseur. Diviser cette abaisse en petits losanges, en rectangles ou en carrés de 6 à 8 centimètres de côté, en ronds, ou en ovales découpés à l'emporte-pièce cannelé.

Poser chaque petit gâteau en le retournant sur une plaque à pâtisserie humectée, dorer la surface seulement, rayer et cuire à four bien chaud pendant 12 à 14 minutes.

Avant de retirer complètement du four, saupoudrer de sucre glace ; représenter au four une minute, le temps de provoquer la fonte du sucre qui donne une saveur agréable et une belle couleur.

Palmiers

Utiliser une partie de pâton de feuilletage après le quatrième tour et lui donner, à la suite d'un repos de 15 minutes, les cinquième et sixième tours, mais au lieu de saupoudrer la table de travail de farine, la saupoudrer avec du sucre en poudre assez abondamment.

Lorsque le sixième tour est plié, allonger le morceau de pâte comme pour lui donner un tour supplémentaire en lui donnant une longueur de 40 centimètres et une épaisseur de 8 millimètres ; plier sur le centre chaque extrémité de la bande de façon que chaque bord se touche et replier, encore une fois, l'une sur l'autre, ces deux moitiés à la manière d'un porte-feuille.

Le rectangle de pâte présente alors l'aspect d'un bloc allongé ayant 10 centimètres de largeur sur 4 centimètres d'épaisseur. Détailler au couteau en tranches de 1 centimètre d'épaisseur et les placer la coupe reposant sur une plaque à pâtisserie légèrement mouillée avec un intervalle de 12 à 15 centimètres entre chacun.

Mettre à four bien chaud, surveiller attentivement la cuisson durant laquelle les gâteaux s'ouvrent en palme et le sucre qu'ils contiennent caramélise rapidement.

Palets au sucre

Débiter à l'aide d'un emporte-pièce cannelé une abaisse de pâte feuilletée ou de parures de feuilletage de 6 à 7 millimètres d'épaisseur en petites galettes.

Poudrer la table de travail abondamment de sucre en poudre et allonger au rouleau, dans ce sucre, chaque galette dont la forme deviendra ovale.

Retourner les minces galettes ainsi obtenues et les poser sur une plaque à pâtisserie légèrement mouillée afin que la surface imprégnée de sucre soit sur le dessus.

Cuire à four bien chaud avec les mêmes soins et pour les mêmes raisons que les palmiers.

Sacristains

Employer des parures de feuilletage de préférence rétablies en pâton. Abaisser sur un demi-centimètre d'épaisseur la pâte en une feuille rectangulaire, égaliser au couteau en lui donnant 15 centimètres de largeur.

La dorer, la recouvrir d'un semis d'amandes hachées et la saupoudrer abondamment de sucre en poudre. Fixer les amandes et le sucre à la pâte en exerçant dessus une légère pression avec le plat d'une lame de couteau.

Retourner cette bande en la posant sur la table saupoudrée très légèrement de sucre. Renouveler l'opération : dorer, semis d'amandes, saupoudrage au sucre et pression au couteau.

Débiter ensuite en petites bandes de 3 centimètres de largeur ; les saisir une à une, leur imprimer un double mouvement de torsade et les poser sur une plaque à pâtisserie humectée. Cuire à four bien chaud. Surveiller la cuisson en raison du sucre qui caramélise rapidement.

Nota. — Les petits gâteaux feuilletés ci-dessus peuvent être exécutés en leur donnant des dimensions très réduites afin de les servir comme petits fours.

Gâteaux sablés fins

Broyer sur la table à pâtisserie 375 grammes de beurre avec deux œufs et 500 grammes de farine mélangée à 250 grammes de sucre en poudre et 250 grammes d'amandes broyées ou râpées finement.

Pétrir très rapidement sans fraiser. Si la pâte est un peu trop ferme et cassante ajouter un œuf ou deux jaunes.

Parfumer avec une cuillerée à café de sucre vanillé ou une cuillerée à potage de rhum. Envelopper la pâte dans un linge et laisser reposer 20 minutes.

L'abaisser ensuite au rouleau en une feuille de 3 à 4 millimètres d'épaisseur et la débiter en petits carrés en utilisant la roulette cannelée. Poser chaque gâteau sur une plaque à pâtisserie, piquer avec une fourchette pour éviter les boursouflements et cuire à four bien chaud.

Ces gâteaux délicats et friables doivent être tenus d'une belle couleur blond doré.

Tenir en réserve dans une boîte fermant hermétiquement.

Langues de chat

(recette commune)

Éléments :

125 grammes de sucre; 125 grammes de farine; un œuf; un décilitre (1/2 verre) de crème légère ou de lait; une cuillerée à café de sucre vanillé.

Méthode :

1° Diluer dans un récipient le sucre, l'œuf et le lait; ajouter la farine tamisée. Bien unifier le mélange.

2° Mettre la composition dans une poche à pâtisserie munie d'une douille unie d'un demi-centimètre de diamètre à l'ouverture et tracer (coucher) des petits bâtons de 8 à 10 centimètres de longueur sur une plaque à pâtisserie légèrement beurrée ou frottée avec de la cire vierge. Laisser entre chacun un intervalle de 6 centimètres pour permettre à l'appareil de s'étaler.

3° Cuire à four de chaleur moyenne pendant 7 à 8 minutes. La coloration des langues est dorée, cernée d'un filet plus brun sur les bords.

4° Décoller les langues avant complet refroidissement de la plaque et les conserver bien sèches dans une boîte hermétiquement close pour qu'elles restent très friables.

Langues de chat

(recette fine)

Éléments :

125 grammes de beurre fin; 100 grammes de sucre dont 25 grammes de sucre glace vanillé; 100 grammes de farine tamisée; 3 œufs.

Méthode :

Chauffer une petite terrine avec de l'eau bouillante, la renverser, puis l'essuyer; y mettre le beurre divisé en parcelles, le travailler avec une spatule pour le transformer en pommade, puis ajouter le sucre, mélanger vigoureusement pour rendre la composition crémeuse et compléter avec les jaunes mis un à un. Terminer avec la farine, puis les trois blancs d'œufs fouettés en neige bien ferme. Coucher à la poche sur plaque beurrée ou cirée, cuire et conserver comme il est indiqué à la recette précédente.

Palets aux raisins

Éléments :

125 grammes de beurre; 125 grammes de sucre en poudre; 125 grammes de farine; 125 grammes de raisins de Corinthe; 3 œufs; 2 cuillerées à potage de rhum.

Méthode :

1° Trier les raisins, puis les frotter avec une prise de farine sur un tamis à gros réseau. Les mettre à macérer ensuite dans le rhum.

2° Dans une terrine chauffée légèrement, ramollir le beurre divisé en parcelles et le travailler avec une spatule pour le rendre crémeux. Lui adjoindre le sucre, travailler encore ; ajouter les œufs un à un, la farine et les raisins.

3° Garnir une poche à pâtisserie munie d'une petite douille unie avec la composition et coucher les palets sur plaque beurrée ou cirée, de la grosseur d'une noix. Les espacer de 5 centimètres pour éviter que les palets qui s'étalent pendant la cuisson ne se collent les uns aux autres.

Cuire à four de chaleur moyenne et conserver comme les langues de chat.

Tuiles aux amandes

Éléments :

125 grammes d'amandes émondées finement broyées au pilon ou séchées et râpées ; 150 grammes de sucre en poudre ; une cuillerée à café de fécule ; une cuillerée de sucre vanillé ; 2 blancs d'œufs et un jaune ; 50 grammes d'amandes effilées.

Méthode :

1° Travailler dans une terrine à l'aide d'une spatule les amandes broyées ou râpées en poudre avec la fécule, le sucre et un blanc d'œuf. Quand la composition est bien homogène et crémeuse, ajouter le jaune, puis quelques instants après le second blanc.

Cette composition doit être mollette et s'étaler légèrement ; si elle semble trop consistante, ajouter une partie d'un blanc d'œuf supplémentaire.

2° En utilisant une poche munie d'une douille unie ayant un centimètre à l'orifice ou une cuiller à café, coucher sur une plaque à pâtisserie beurrée des points de la grosseur d'une noix en les espaçant de 6 centimètres au moins. La pâte s'étale ; parsemer sur chaque petit gâteau une pincée d'amandes effilées et cuire à four très doux.

Pour donner aux tuiles une forme concave, les poser aussitôt sorties du four, alors qu'elles sont très chaudes, sur un rouleau à pâtisserie. Étant chaudes, elles sont souples et épousent le cintre du rouleau sur lequel elles refroidissent en devenant sèches et croustillantes.

Les conserver au sec dans une boîte hermétiquement close.

ENTREMETS DE PÂTISSERIE

Les entremets de pâtisserie sont, pour un très grand nombre, constitués par une combinaison de biscuit et de crème, de biscuit et de confitures, de biscuit et de fondant.

N'importe quel genre de biscuit peut servir de fond à un entremets de pâtisserie. Il est indéniable que le plus délicat est l'appareil à madeleine moulé et cuit dans des moules à gâteau manqué ou génoise.

Ces différents biscuits s'accommodent de crèmes diverses : crème au beurre quel que soit le parfum ; crème frangipane, crème pâtissière, crème Chantilly, crème à Saint-Honoré.

L'habillage d'un entremets est souvent réalisé avec du sucre en grains, des pistaches hachées, des amandes hachées ou effilées, pralinées et grillées, des granules de chocolat, etc. Les fondants utilisés sont presque toujours parfumés au café, au chocolat, au kirsch, à l'anisette, au marasquin, au rhum, etc.

Moka

Voilà un entremets qui, malgré sa date de naissance, 1857, n'a pas vieilli. Il conserve toute la fraîche jeunesse du beurre normand ou charentais alliée à l'exquise saveur des mokas.

En outre des conseils donnés relativement au biscuit à utiliser, voici une formule supplémentaire bien équilibrée, légère, préférable pour le moka et généralement pour les entremets garnis de crème au beurre.

Éléments et méthode :

500 grammes de sucre en poudre battu dans un bassin à monter les blancs d'œufs avec 16 œufs.

Placer le bassin sur des cendres chaudes ou sur le côté tiède du fourneau. Quand l'appareil forme le ruban et est consistant, ajouter 500 grammes de farine tamisée en mélangeant avec précaution au fur et à mesure avec une spatule. Parfumer avec une cuillerée de sucre vanillé, mouler et cuire à four doux. Démouler sur une grille à pâtisserie, laisser refroidir complètement avant de garnir de crème.

Dressage :

Le biscuit (fond) étant bien refroidi, le diviser horizontalement en trois parties avec un couteau à lame longue et mince. Étaler sur la partie de base une couche de crème moka de 1 centimètre d'épaisseur ; poser dessus la seconde partie, étaler une deuxième couche de crème, la surmonter de la troisième tranche de biscuit, puis enrober entièrement le tour et le dessus avec une bonne couche de crème. Ce dernier travail s'effectue en tenant le biscuit reformé et fourré sur une grille à pâtisserie d'une dimension un peu inférieure à celle du gâteau, ce qui permet de lisser correctement la crème qui enrobe le tour.

Habiller ensuite le tour en appuyant ce dernier dans du sucre en grains. Faire cette opération au-dessus d'une feuille assez grande pour recueillir le sucre qui, inévitablement, est répandu.

Décorer le dessus de l'entremets avec deux cuillerées de crème moka mise dans une petite poche à pâtisserie munie d'une douille cannelée très fine avec laquelle l'opérateur trace un décor de son imagination agrémenté de rosaces, guirlandes et menues roses qui se font avec facilité grâce à la douille cannelée à laquelle on imprime un mouvement circulaire d'un rayon très réduit.

Tenir au frais en l'attente de servir.

Chocolatine pralinée

Réaliser l'entremets moka avec de la crème au beurre parfumée au cacao ou au chocolat.

Masquer la couche extérieure de crème avec des amandes hachées, pralinées et grillées en ce qui concerne le tour et décorer le dessus avec la crème au chocolat de la même manière qu'il est conseillé pour le gâteau moka.

Gâteau mascotte

Fourrer plusieurs fois un fond rond ou carré en génoise ou autre biscuit avec de la crème moka ou de la crème au beurre et au chocolat. Pratiquer comme pour un moka mais en présentant le biscuit comme il était dans le moule, c'est-à-dire la surface la plus large dessus. Fourrer un peu plus fortement au centre, de façon à bomber légèrement le dessus. Enrober l'extérieur de crème comme le moka ; parsemer autour et dessus en abondance des amandes effilées pralinées et grillées. Saupoudrer, pour finir, avec un nuage de sucre glace vanillé.

Bûche de Noël

La bûche de Noël est un moka de forme appropriée à la tradition.

L'appareil à génoise ou à biscuit est cuit dans un moule de forme allongée et demi-cylindrique. A défaut de moule spécial, on prépare une feuille en biscuit en étalant dans un moule très plat ou sur une feuille de papier une couche d'appareil. Après cuisson et refroidissement, la feuille de papier est séparée de la feuille en biscuit et cette dernière est masquée avec une couche épaisse de 2 centimètres de crème moka ou au chocolat puis roulée.

Qu'il s'agisse de l'un ou l'autre de ces deux procédés, le fond de biscuit est fourré de crème et collé avec une couche de crème sur un socle en pâte à sablé ou gâteau similaire (pâte à foncer fine ou pâte sucrée) débordant de 3 à 4 centimètres le biscuit; puis, sur celui-ci, on trace dans le sens de la longueur des bandes de crème mise dans une poche à pâtisserie munie d'une douille plate et cannelée. Ces traits de crème imitent l'écorce rugueuse d'une bûche.

Avec un peu d'adresse, on parvient à réaliser sur la bûche le départ d'une ou deux branches coupées avec l'addition d'un morceau de biscuit taillé en biseau, puis habillé de crème. Les coupes sont masquées en crème au beurre naturel et, de place en place, on dispose un léger semis d'amandes hachées fin et verdies pour figurer de la mousse. Le décor est surtout une question de goût et d'idée. Nous pourrions indiquer bien des genres avec champignons en meringue, imitation de feuillage, etc.

411

LES CRÈMES, LES BAVAROISES,
LES CHARLOTTES, LES PUDDINGS,
LE RIZ

Crème frangipane

Choisir une casserole à fond épais d'une contenance de deux litres au moins et faire bouillir un litre de lait avec une gousse de vanille.

Pendant ce temps, mélanger dans une terrine 200 grammes de farine et 200 grammes de sucre en poudre, une prise de sel, puis délayer le mélange avec 4 œufs entiers et 6 jaunes d'œufs.

Quand le lait est encore presque bouillant, le verser petit à petit sur le mélange en remuant ce dernier avec un fouet, remettre le tout dans la casserole, puis sur le feu jusqu'à l'ébullition sans cesser de remuer. Retirer du feu et ajouter 100 grammes de beurre frais et 4 cuillerées de macarons écrasés en chapelure.

Débarrasser la crème frangipane dans la terrine et la vanner (la remuer) avec une cuiller en bois jusqu'à complet refroidissement. Cette dernière opération a pour but d'empêcher la formation d'une croûte qui, ensuite, se met en grumeaux. Elle peut être évitée moyennant le tamponnage de la surface de la crème avec un morceau de beurre.

Conserver au frais jusqu'à utilisation.

Crème pâtissière

Procéder de même manière que pour la crème frangipane en modifiant, comme suit, les quantités des éléments de composition.

Un litre de lait encore presque bouillant versé peu à peu dans un mélange formé de 500 grammes de sucre en poudre, 120 grammes de farine, une prise de sel, et 12 jaunes d'œufs.

Débarrasser après ébullition et vanner fréquemment pendant le refroidissement.

Cette crème peut être parfumée, avec de la vanille, mais aussi avec de l'essence de café, du cacao, un zeste d'orange ou de citron — le zeste est la partie extérieure et colorée de la pelure débarrassée de la partie blanche qui est amère — ; ce zeste est traité par infusion dans le lait bouillant et à couvert.

Nota. — Quand ces crèmes sont froides, rassembler dans la masse ce qui a pu adhérer à la terrine pendant l'opération des vannages ; et après chacune d'elles lisser le dessus et recouvrir d'un papier blanc beurré.

Crème Chantilly

(crème fouettée)

La crème de base est la crème du lait bien fraîche et très épaisse. La conserver sur glace ou dans le réfrigérateur pendant la saison chaude.

La mettre dans un saladier et la fouetter doucement au début avec un petit fouet à branches souples. Elle augmente peu à peu de volume jusqu'au double. Quand elle approche de ce point, accélérer le rythme du fouet et s'arrêter net lorsque la masse de la crème est devenue ferme et qu'elle tient entre les branches du fouet comme le font des blancs d'œufs montés en neige.

Prendre soin de ne pas prolonger le fouettage, car c'est à ce point que la formation du beurre commence et il suffit de deux ou trois secondes de travail supplémentaire pour la transformation complète.

Additionner avec précaution de 125 à 250 grammes de sucre en poudre par litre de crème fouettée selon l'usage à laquelle elle est destinée.

Nota. — Étant donné la rapidité avec laquelle cette crème est fouettée, nous conseillons de la monter au moment de la servir.

Crème anglaise

Cette crème est la base ou l'accompagnement de nombreux entremets froids ou chauds et de certaines glaces dites « parfaits ».

Éléments (pour un litre de crème) :

250 grammes de sucre en poudre ; 8 jaunes d'œufs ; une cuillerée à café de sucre vanillé ou une gousse de vanille infusée dans le lait ; 3/4 de litre de lait.

Méthode :

Faire bouillir le lait, puis, hors du feu, y faire infuser la vanille à couvert.

Durant ce temps, mélanger dans une terrine le sucre et les jaunes d'œufs, travailler cette composition avec une spatule afin de la rendre presque blanche, mousseuse et épaisse. Puis lui ajouter le lait par petites quantités.

Verser le tout dans la casserole utilisée et remettre à feu doux ; remuer sans arrêt avec la spatule en la passant partout sur le fond de la casserole pour empêcher la coagulation anticipée d'une partie des jaunes.

Sous l'action de la chaleur, les jaunes prennent de la consistance et provoquent l'épaississement de la crème. Dès que cette dernière commence à bien enrober la spatule, c'est-à-dire au moment où l'appareil approche du point d'ébullition, la retirer du feu et la transvaser immédiatement dans la terrine pour provoquer le refroidissement et arrêter la cuisson des jaunes, qui durciraient en particules minuscules et perdraient leur propriété liante et onctueuse.

La cuisson impeccable d'une crème exige une certaine expérience. Il est possible de pallier une insuffisance de pratique en ajoutant au lait, avant l'ébullition, une cuillerée à café rase de fécule pour un litre de crème.

Nota. — Si l'on veut accroître la finesse, le moelleux d'une crème anglaise, il suffit d'augmenter jusqu'à 20 le nombre des jaunes pour un litre de lait et d'ajouter, après refroidissement, 2 décilitres de crème fraîche et très épaisse.

Crème moka

Cette crème est en pâtisserie la suprême combinaison du sucre, des jaunes d'œufs et du beurre fin. Parmi les différentes manières de la réaliser qui toutes sont bonnes quant au résultat obtenu, les deux procédés ci-après sont conseillés, parce que plus simples pour l'exécution domestique.

I.

Éléments :

1/4 de litre d'excellent café ; 200 grammes de sucre en poudre ; 8 jaunes d'œufs ; 350 grammes de beurre extra.

Méthode :

Mélanger dans une terrine le sucre et les jaunes ; les travailler avec une spatule pour rendre le mélange blanc et crémeux, y ajouter le café chaud peu à peu ; chauffer doucement en remuant sans arrêt comme s'il s'agissait d'une crème anglaise. Dès que l'appareil épaissit, il approche du point d'ébullition et recouvre le dos de la spatule d'un enduit crémeux, il nappe ; veiller à ne pas laisser bouillir et l'enlever rapidement du feu en le transvasant dans la terrine pour diminuer l'intensité de la chaleur et arrêter la cuisson des jaunes.

Quand cette crème est à peine tiède, l'incorporer dans le beurre divisé en parcelles de la grosseur d'une demi-noix et malaxé au fouet en pâte lisse dans une terrine ; ensuite fouetter vigoureusement avec un fouet à sauce.

Sous l'action du malaxage, la crème devient lisse, crémeuse et brillante. La teinte est brun clair, sa saveur, celle très franche d'un savoureux café moka.

L'utiliser aussitôt sans la soumettre au froid qui aurait la propriété de la durcir et de la rendre impropre aux travaux auxquels elle est destinée.

II.

Préparer 1/4 de litre de crème anglaise ; alors qu'elle est encore tiède, l'incorporer, selon les indications du procédé I, à 250 grammes de beurre fin. En terminant ajouter une cuillerée d'essence de café.

Ou remplacer la crème anglaise par 3 décilitres de crème pâtissière, ce qui est beaucoup moins fin, et compléter comme ci-dessus.

Nota. — Tenir pour règle absolue que le mélange du beurre et de la crème utilisée doit contenir moitié de l'un, moitié de l'autre. L'insuffisance de beurre provoque la dissociation des deux éléments qu'il est facile de corriger.

Crème moka délice

(en souvenir du maître Urbain Dubois)

Battre au fouet, sur cendres chaudes, dans un bassin à blancs d'œufs en cuivre non étamé 3 jaunes d'œufs et une cuillerée à potage de sucre glace ; incorporer, peu à peu, un demi-verre ordinaire (1 décilitre) d'un sirop à 30° composé de sucre et de café très fort et frais.

Quand la crème obtenue nappe comme une crème anglaise, la retirer du feu doux, continuer à fouetter jusqu'au moment où la masse est juste tiède. La verser alors sur 400 grammes de beurre fin, malaxé au préalable dans une terrine.

Travailler le mélange vigoureusement au fouet.

Crème à Saint-Honoré

Éléments :

125 grammes de sucre ; 30 grammes de farine de froment, de riz ou de fécule ; 6 œufs ; 1/2 cuillerée à café de sucre vanillé ; 2 feuilles de gélatine trempées 15 minutes dans de l'eau froide, égouttées et pressées.

Méthode :

Pratiquer comme pour une crème pâtissière. Quand la crème est cuite, ajouter hors du feu la gélatine, puis, alors qu'elle est encore très chaude, les blancs d'œufs fouettés en neige bien ferme.

Ici, deux manières de pratiquer pour effectuer le mélange de la crème et des blancs :

Soit verser, peu à peu, dans les blancs fouettés la crème bouillante en l'incorporant avec précaution et à l'aide d'une spatule en soulevant la masse pour éviter de provoquer l'affaissement des blancs.

Soit en versant d'abord la crème bouillante dans une terrine assez grande et en lui mélangeant aussitôt, par petites quantités, selon le procédé ci-dessus, les blancs d'œufs battus en neige bien ferme.

Cette deuxième pratique est préférable à la première.

La crème à Saint-Honoré doit être employée aussitôt, c'est-à-dire avant que les propriétés gélatineuses qu'elle contient ne l'aient fixée à l'état demi-solide.

Crème à la purée de marrons

Préparer de la crème au beurre et lorsqu'elle est achevée lui ajouter de la purée de marrons à poids égal avec le sucre employé pour faire la crème.

La purée de marrons s'obtient en mélangeant du sirop ou un peu de lait et des débris de marrons glacés écrasés au tamis, ou des marrons frais débarrassés de leur double peau, cuits ferme et tamisés.

Cette purée doit être crémeuse et tenue un peu ferme.

Blancs d'œufs en neige

Pour transformer des blancs d'œufs en une mousse neigeuse, ferme et lisse, deux ustensiles s'imposent : le bassin demi-sphérique en cuivre non étamé ; le fouet dont les branches en fil de fer étamé sont montées sur un manche en bois. La mécanique la plus avantageusement conçue n'a pu, jusqu'à ce jour, remplacer le poignet. Exception est faite cependant pour les machines à fouetter destinées aux laboratoires, actionnées par un moteur, et dont les articulations rappellent exactement les mouvements de l'avant-bras et du poignet.

Le blanc d'œuf très frais a tendance à grainer, à se dissocier vers la fin de l'opération. On surmonte cet inconvénient au moyen de l'addition d'une prise de sel fin au début du fouettage et de quelques cuillerées de sucre en poudre — une ou deux — à la fin.

Au début, il faut fouetter — battre à la manière d'une omelette — doucement, les blancs rassemblés dans le fond du bassin tenu légèrement incliné. Au fur et à mesure que l'albumine se coagule et augmente de volume, il est nécessaire d'accélérer les battements pour finalement modifier le mouvement du fouet que l'on fait tourner vivement en l'appuyant contre le contour du bassin. La masse neigeuse devient ferme et est entièrement retenue entre les branches du fouet. Le moment est venu d'adjoindre le sucre en poudre si l'on remarque un commencement de dissociation.

Dès que la fermeté est obtenue, les blancs doivent être utilisés immédiatement.

Pour les mélanger à une composition, employer une spatule et incorporer en soulevant la masse avec précaution pour éviter l'affaissement des blancs.

Crème pour bavaroises, plombières, puddings, charlottes glacés

Préparer une crème anglaise avec, au moins, 12 jaunes par litre de lait. Ajouter 12 feuilles de gélatine, soit 24 grammes par litre de composition, préalablement trempées 15 minutes dans de l'eau froide. Faire cette addition au moment où le lait vient d'être mélangé aux jaunes.

Après cuisson, passer au chinois fin, débarrasser dans une terrine et vanner jusqu'à complet refroidissement pour éviter la formation d'une peau, puis de grumeaux.

Crème renversée

Éléments et méthode :

1 litre de lait bouilli ; 200 grammes de sucre dissous dans le lait ; 4 œufs entiers et 8 jaunes ou 8 œufs entiers.

Le rôle des blancs dans cet appareil est de coaguler la masse sous l'action de la chaleur. Celui des jaunes est de lui donner de l'onctuosité. On comprendra aisément que plus la proportion des jaunes est élevée et plus celle des blancs doit être faible, plus la crème acquiert de finesse. 4 blancs d'œufs est la quantité raisonnable minimum pour obtenir un démoulage correct.

Les crèmes renversées se parfument par infusion dans le lait s'il s'agit de vanille, zeste d'orange ou de citron, par dissolution dans le lait si le chocolat ou le cacao sont utilisés ; par addition au lait quand le parfum choisi est le café, le thé, ou d'autres liquides en ayant soin d'ôter une quantité de lait égale à celle du parfum ajouté.

Réunir dans une terrine le sucre, les œufs, travailler quelques instants avec une cuiller en bois, y verser peu à peu le lait bouillant en remuant constamment ; passer au chinois fin, enlever la mousse qui surnage et verser dans le moule choisi : moule à biscuit à douille, moule à génoise ou autres, généralement de forme basse, ou petits moules individuels.

La cuisson :

Placer le moule dans un plat à sauter ou une casserole haute selon la hauteur du moule choisi, y verser de l'eau presque bouillante jusqu'au deux tiers de la hauteur du moule et mettre à four de chaleur moyenne.

Veiller sur l'eau du bain-marie qui ne doit jamais bouillir. Dans le cas où l'ébullition serait sur le point de se manifester, l'arrêter avec une addition de quelques cuillerées d'eau tiède. L'ébullition de l'eau du bain-marie provoque une dissociation partielle de la crème qui se constate par de minuscules poches d'eau éparpillées dans la masse.

L'à-point de cuisson s'observe par la consistance au toucher, ou par un sondage fait avec une fine aiguille ou une lame mince qui sort nette, sans adhérence, si la cuisson est atteinte. Laisser refroidir dans le moule. Démouler peu avant de servir.

Crème renversée au caramel

Faire dissoudre 4 morceaux de sucre ou 2 cuillerées à potage de sucre en poudre dans 2 cuillerées d'eau. Cuire doucement au caramel, c'est-à-dire jusqu'à l'évaporation complète de l'eau et le commencement du brûlage du sucre que l'on retire du feu dès que sa couleur est devenue blond roux. Plonger alors rapidement le fond de la casserole ou du poêlon utilisé dans de l'eau froide pour arrêter le brunissage du sucre dont la saveur deviendrait amère, ou verser immédiatement le caramel dans le moule destiné à cuire la crème et l'étendre, en penchant le moule dans tous les sens, afin d'obtenir un enduit de 3 millimètres d'épaisseur.

Si l'on désire servir un sirop au caramel, en même temps que la crème, doubler la quantité de sucre et d'eau, verser la moitié du caramel dans le moule et mouiller celui restant dans la casserole avec un demi-verre d'eau ; faire dissoudre à l'état de sirop et réserver pour le service.

Préparer, d'autre part, un appareil à crème renversée ; verser la crème dans le moule où le caramel forme un enduit solide et cuire au bain-marie.

Il est préférable d'apprêter cet entremets 6 heures au moins avant de le servir. Pendant ce repos, la fraîcheur de la crème provoque la dissolution du caramel qui s'écoule en sirop d'une belle couleur au moment du démoulage.

Pots de crème

De tous les appareils à crème cuite, celui qui peut être indéniablement le plus délicat est apprêté pour les « pots de crème ». Ces crèmes, servies dans le récipient de cuisson, ne sont pas démoulées, ce qui permet de supprimer la totalité des blancs d'œufs.

Les proportions sont faciles à régler. Mettre un jaune d'œuf au moins par pot, dont la contenance moyenne est d'un décilitre. Considérons que le volume d'un jaune et du sucre correspond au quart de la contenance des pots et calculer la quantité de lait après ces indications et le nombre de pots envisagés. Connaissant la quantité de lait ou, par raffinement, de fleurette — crème fraîchement levée et encore liquide —, il est facile de déterminer celle du sucre à raison de 20 grammes par décilitre (soit 2 cuillerées à potage rases). Après le remplissage des pots, laisser reposer quelques minutes, puis enlever avec soin et à fond l'écume qui surnage.

La cuisson :

Le pochage, plus exactement au bain-marie, des pots de crème sera fait à couvert et avec beaucoup d'attention, en raison de la sensibilité extrême de l'appareil. Étant couverte, la crème restera nette sans coloration ; à la vanille, la surface sera d'un beau jaune d'or brillant ; au chocolat, de la belle coloration brune particulière au chocolat et, de plus, vernissée.

Œufs à la neige Gisou

(photo page 428)

Ce dessert familial a toujours du succès. Sa qualité incombe surtout à la fraîcheur des œufs.

Éléments :

8 œufs extra-frais ; 250 grammes de sucre en poudre ; 1/2 litre de lait ; 1 gousse de vanille Bourbon.

Méthode :

1° *La crème.* — Mettre 8 jaunes d'œufs dans une casserole avec 125 grammes de sucre en poudre. Faire le mélange à froid avec un fouet jusqu'à ce que cela fasse le ruban.

a) Incorporer un demi-litre de lait bouilli dans lequel on aura fait infuser une gousse de vanille refendue en deux pour en tirer la quintessence de l'arôme.

b) Mettre la casserole sur le feu. Remuer avec une spatule en bois. Dès que la crème épaissit, c'est-à-dire fait la nappe, retirer la casserole du feu. Éviter surtout l'ébullition. Aussitôt la passer au chinois fin dans une terrine ; la remuer jusqu'à complet refroidissement.

2° *Les œufs en neige.* — Dans un bassin spécial, en cuivre ou en inox, mettre 8 blancs d'œufs. A l'aide d'un fouet commencer à les tourner et à les fouetter doucement pour les monter en neige. Battre plus fort jusqu'à ce qu'ils soient très fermes. Ils forment alors une mousse légère qui se fixe aux branches du fouet.

Ce travail accompli, incorporer 125 grammes de sucre en poudre avec précaution ceci pour maintenir les blancs très légers.

3º *Cuisson*. — Prendre une grande casserole large et basse, l'emplir aux trois quarts d'eau. Amener le liquide à petite ébullition.

De préférence avec une cuiller en bois former avec les blancs en neige de gros flocons ressemblant à des œufs.

Les poser en surface du liquide en donnant un petit coup sec sur le bord de la casserole, puis les détacher de la cuiller.

En pocher environ une demi-douzaine à la fois. Avec une écumoire les retourner au bout d'une ou deux minutes pour les faire pocher sur toutes les parties.

Les égoutter sur un linge ou un tamis de crin placé sur un plat. Laisser refroidir.

4º *Présentation*. — Mettre la crème refroidie dans un grand plat creux. Disposer dessus les œufs en neige en les faisant se chevaucher légèrement.

On peut parsemer sur les œufs des amandes effilées ou couler un filet de sucre cuit au caramel ou même de la poudre de chocolat.

Cet excellent dessert se déguste froid mais non glacé.

Nota. — Pour fouetter avec plus de réussite les blancs en neige, on peut mettre une prise de sel ou une larme de citron.

Les sabayons

Les sabayons sont toujours utilisés comme accompagnement d'un entremets chaud ou froid.

Leur préparation et leur composition sont invariables ; le parfum qui leur est appliqué seul diffère et est en relation avec l'entremets auquel cette crème légère est destinée.

Éléments et méthode :

Pour 1 litre : 400 grammes de sucre en poudre ; 10 jaunes d'œufs ; 4 décilitres (2 verres à boire ordinaires) de vin blanc très sec et le parfum choisi.

Réunir dans une casserole le sucre et les jaunes ; fouetter le mélange comme s'il s'agissait d'une génoise. Quand la composition est presque blanche et forme le ruban autour des branches du fouet, ajouter le vin blanc, puis, tout en continuant à fouetter la masse, chauffer doucement au bain-marie jusqu'au moment où l'appareil a pris la consistance d'une crème légère et suffisamment de température pour soumettre les jaunes d'œufs à un début de cuisson, comme il est pratiqué pour une crème à l'anglaise, ce qui empêchera la masse de perdre sa légèreté et son homogénéité.

A ce moment, débarrasser dans une terrine ou une coupe et laisser refroidir en fouettant fréquemment ou verser dans un bain-marie à sauce (casserole spéciale haute) et maintenir à chaleur douce au bain-marie.

Parfumer au moment de servir avec l'un des parfums ou liqueurs ci-après : sucre vanillé, d'orange ou de citron ; 1 décilitre de rhum, kirsch, kummel, marasquin, Grand Marnier, Marie-Brizard.

Si le parfum est un vin (madère, porto, xérès, marsala, samos, champagne), supprimer le vin blanc dans la composition et le remplacer par le vin choisi.

Sucre d'orange, de mandarine ou de citron :

Opération bien sommaire et cependant d'un résultat excellent et certain qui consiste à frotter un ou plusieurs morceaux de sucre de canne sur l'écorce du fruit jusqu'au moment où toutes les faces du morceau de sucre sont recouvertes de la partie colorée râpée de l'écorce. Il ne reste plus qu'à râper avec un couteau le morceau de sucre et à recommencer l'opération tant que la quantité de sucre nécessaire ne sera pas atteinte et que le fruit présentera encore des parties colorées, les seules qui soient parfumées.

SAUCES POUR ACCOMPAGNEMENT D'ENTREMETS

Sauce crème au chocolat

Cuire doucement pendant 15 minutes, 250 grammes de chocolat ou 125 grammes de cacao avec 1/2 verre d'eau, remuer de temps à autre. Au moment de l'utiliser, ajouter, hors du feu, un verre à boire ordinaire (2 décilitres) de crème fraîche et 30 grammes de beurre frais. Fouetter vigoureusement 2 minutes.

Nota. — Si du cacao est utilisé, ajouter 125 grammes de sucre au moment de la dissolution.

Sauce aux abricots

Pour 1 litre :

7 décilitres de confiture d'abricots ; 1 verre à boire ordinaire d'eau (2 décilitres) ; 50 grammes de sucre.

Mettre le tout à dissoudre dans une casserole, faire bouillir doucement 5 minutes, écumer et passer au chinois fin en foulant à fond les quartiers de fruits. Tenir au chaud au bain-marie.

Parfumer au moment de l'utiliser avec kirsch ou marasquin et vanille.

Sauce aux fraises, parfumée au kirsch.

Sauce aux framboises, parfumée au marasquin.

Sauce aux groseilles, parfumée au kirsch.

Sauce à l'orange, parfumée au curaçao, l'additionner d'une partie sur trois de sauce abricot.

Procéder exactement comme pour la sauce aux abricots.

Sauce crème pralinée

Additionner 1 litre de crème anglaise ou de sabayon au champagne de 3 cuillerées à potage de pralin d'amandes ou de noisettes ou de pistaches finement broyées.

Sauce Montmorency

Broyer 250 grammes de cerises dites Montmorency (aigrelettes) pour en extraire le jus. Le réunir dans une terrine à 250 grammes de gelée de groseilles, faite à cru, et dissoute à demi. Ajouter le jus de 125 grammes de framboises si la gelée de groseilles n'est pas framboisée. Puis le jus de 2 oranges douces, une prise de gingembre et 60 grammes de cerises confites mi-sucre macérées dans 2 cuillerées à potage de kirsch mélangées à une d'eau et tiédies pour qu'elles gonflent bien.

Cet entremets, qui appartient à l'ancienne cuisine, demeure parmi les combinaisons gourmandes les plus exquises. Simple et de goût français, la pratique moderne semble l'oublier de plus en plus, ce qui est fort regrettable ; j'ai tenu à lui maintenir sa place dans cet ouvrage en rappelant qu'il est vraisemblablement l'ancêtre délicat des puddings, bavaroises et plombières glacés, etc.

Éléments :

250 grammes d'amandes douces, mélanger 2 amandes amères, 2 verres ordinaires (4 décilitres) de crème fraîche et légère ; 100 grammes de sucre en casson ou en morceaux ; 15 grammes de gélatine.

Méthode :

Émonder les amandes ébouillantées et rafraîchies ; les faire dégorger une heure à l'eau fraîche pour les obtenir très blanches ; les égoutter, les éponger et les broyer au mortier en les mouillant, au début, et peu à peu, avec 2 cuillerées à potage d'eau, diluer ensuite la pâte obtenue en lui ajoutant la crème fraîche par petites quantités.

Relever le tout dans un torchon et presser fortement au moyen de deux torsions inverses du torchon placé au-dessus d'un saladier.

Dissoudre à froid le sucre dans ce lait d'amandes. Ajouter 1/2 cuillerée à café de sucre vanillé, puis la gélatine préalablement trempée dans de l'eau fraîche, égouttée, pressée et fondue dans un peu de lait d'amandes tiédi.

Lait d'amandes, sucre et gélatine réunis représentent 3 décilitres 1/2 environ. Quand le mélange est sur le point de prendre en gelée, lui additionner 1 décilitre de crème épaisse et fraîche fouettée et très légèrement sucrée.

Mouler et mettre à la glace exactement comme les bavaroises. Se sert dans les mêmes conditions.

LES BAVAROISES

Les bavaroises et leurs dérivés peuvent prendre place parmi les entremets glacés et, dans l'ordonnance d'un menu, occuper celle d'une glace à la crème ou aux fruits.

Elles ont toutefois l'avantage sur les glaces de pouvoir être exécutées avec des moyens matériels domestiques limités.

Elles constituent, en outre, une variété de desserts fort appréciée.

Les bavaroises à base de crème sont faites d'après les données suivantes : 250 grammes de sucre en poudre ; 8 jaunes d'œufs ; 1/2 litre de lait bouilli et vanillé avec une gousse de vanille mise à infuser à couvert après l'ébullition ; 15 grammes de gélatine préalablement trempée dans de l'eau fraîche et pressée.

Pratiquer exactement comme s'il s'agissait d'une crème anglaise ; ajouter, à chaud, la gélatine et passer la composition au chinois fin dans une terrine vernissée ou un saladier.

Laisser refroidir en ayant soin de remuer la crème assez souvent. Quand elle est presque froide, elle commence à prendre en gelée ; à ce moment, alors qu'elle est encore très lisse et coulante, lui incorporer avec précaution 1/2 litre de crème fraîche, épaisse et fouettée, sucrée avec 2 cuillerées à potage bien pleines de sucre glace ou en poudre à défaut. Ajouter en même temps le parfum et la garniture choisis.

Les bavaroises à base de purée de fruits sont composées, par parties égales, d'une purée de fruits frais et de sirop à 30°. Pour un litre de mélange — fruits et sirop —, ajouter le jus de 3 citrons ou de 3 oranges, 30 grammes de gélatine, trempée, pressée et dissoute dans le sirop tiède et 1/2 litre de crème fouettée.

Le procédé de préparation est sensiblement le même que ci-dessus : dans le sirop de sucre refroidi et prêt à se solidifier sous l'action de la gélatine, mélanger la purée de fruits, le citron ou orange, puis la crème.

Le moulage :

Les bavaroises sont presque toujours moulées dans des moules à douilles centrales, historiés ou non. A défaut de ces moules spéciaux, on peut y substituer un moule à charlotte, un moule à savarin, un moule à génoise ou à gâteau breton. Enfin, encore plus simplement, dans une jatte en cristal ou une jolie pièce d'orfèvrerie en argent de forme creuse. Dans ce cas, le démoulage est évité, la gélatine peut être diminuée de moitié, ce qui augmente la délicatesse de l'entremets.

Si la bavaroise doit être démoulée, le moule sera, avant remplissage, huilé légèrement à l'huile d'amandes ou chemisé au sucre cuit au caramel très blond, ce qui est plus recommandable.

Quand le moule est garni avec la composition, le tapoter sur un linge plié pour qu'elle épouse la forme des détails du moule et incruster ce dernier dans de la glace pilée ou mettre au réfrigérateur à glacer 3 heures au moins.

Pour démouler, tremper le moule une seconde dans de l'eau tiède, l'essuyer et le retourner sur le plat de service.

Il est conseillé d'accompagner les bavaroises d'une assiette de petits macarons mous à la vanille et au chocolat, assortis.

Bavaroises aux liqueurs

Grand Marnier ; cointreau ; Marie-Brizard ; kirsch ; marasquin ; rhum ; fine champagne ; prunelles, etc. ; amandes ; avelines ; noix ; noisettes ; praliné ; citron ; orange.

Café ; chocolat ; porto ; marsala ; frontignan, sont réalisés avec l'appareil à base de crème.

Les bavaroises aux fleurs, entremets printaniers par excellence, sont préparées avec des violettes, pétales de roses, fleurs d'acacias, d'oranger, de sureau ou d'œillets, fraîchement cueillies ou coupées et choisies parmi les variétés très parfumées.

Le traitement est des plus simples : faire infuser à couvert, dans le sirop bouillant, préparé pour l'entremets, les fleurs choisies. Après infusion, passer le sirop au chinois fin, et poursuivre l'opération comme pour les bavaroises aux fruits.

Bavaroises aux fruits

Les plus appréciées sont aux :

Fraises ; framboises ; mûres ; ananas ; pêches ; abricots ; bananes ; cerises ; melon. Tous ces fruits à maturité parfaite pour obtenir le maximum de saveur.

Voici un exemple des plus simples :

Bavaroise nectarine

1º Enlever la peau et le noyau d'une trentaine de pêches bien mûres et très fruitées, les réunir dans un saladier à 125 grammes de sucre glace, en poudre, ou en casson de préférence. Mélanger avec soin, recouvrir d'un linge, mettre dans un endroit frais à macérer 30 minutes. Les remuer de temps à autre.

Après ce délai, renverser les fruits sur un tamis de crin, placer sur un plat et fouler pour obtenir une purée à laquelle on incorpore encore 125 grammes de sucre.

2º Faire ramollir dans de l'eau fraîche 9 feuilles de gélatine, les égoutter et les mettre à fondre dans un quart de verre d'eau tiède. Passer dans un linge sur la purée de pêches et mélanger sans arrêt jusqu'au début de la coagulation.

3º A cet instant, ajouter à la préparation un verre à liqueur de kirsch et 1 verre 1/2 (3 décilitres) de crème fraîche et fouettée. Mouler selon les indications données et glacer.

4º Pendant le glaçage, mettre à bouillir 1/2 verre de sirop léger, retirer du feu, y verser un verre à liqueur de kirsch et y jeter une trentaine de fraises ricard ou saint-joseph débarrassées du pédoncule. Vanner pour bien enrober les fruits, couvrir, laisser refroidir et mettre au froid aussitôt.

5º Dressage. — Démouler la bavaroise selon la règle sur un plat rond et plat, l'entourer à la base d'un cordon de fraises macérées au sirop. Napper le tout avec de la gelée de groseilles faite à cru, mi-prise et détendue avec quelques cuillerées du sirop de pochage des fraises. Accompagner d'un plateau de tuiles aux amandes.

Rêverie Candice et Stéphanie

1º Préparer et cuire un pain de Gênes de 25 à 30 centimètres de diamètre ; l'imbiber de marasquin. Mettre au frais.

2º Avec 1/4 de litre de crème fraîche encore liquide, 125 grammes de sucre en poudre, une cuillerée à café rase de fécule, 4 jaunes d'œufs et 5 feuilles de gélatine ramollies, faire une crème anglaise, la cuire à la nappe et la passer au chinois fin dans un saladier. La vanner jusqu'à complet refroidissement. Parfumer avec un zeste d'orange râpé avec un morceau de sucre.

3º A ce moment, la période de coagulation commence. Verser la crème dans un moule à bavaroise à douille, placer ce dernier à rafraîchir sur de la glace broyée et manœuvrer le moule pour que la crème se fixe au moule et le chemiser entièrement d'un enduit crémeux. Maintenir au froid.

4º Trier et enlever le pédoncule à 150 grammes de fraises des bois, 75 grammes de framboises et 75 grammes de mûres sauvages fraîchement cueillies sur des ronciers. Les réunir dans une terrine et saupoudrer avec 200 grammes de sucre glace. Les arroser d'un verre à liqueur de marasquin ou de kirsch. Mélanger avec une cuiller argentée, couvrir d'un linge et laisser macérer au frais 15 minutes.

Renverser ensuite sur un tamis de crin placé au-dessus d'un saladier assez grand et fouler la totalité des fruits.

Mélanger à ce coulis parfumé à plaisir :

a) 8 feuilles de gélatine ramollies et dissoutes dans 3 cuillerées de sirop de sucre léger et au moment où la coagulation est sur le point de se manifester ;

b) 1/4 de litre de crème fraîche et épaisse fouettée et sucrée comme de la crème Chantilly.

Verser cette crème de fruits dans le moule chemisé de crème anglaise et glacer pendant 3 heures au moins suivant les conseils donnés.

Le dressage :

Disposer le pain de Gênes sur un plat rond ; tremper le moule à bavaroise dans l'eau chaude une seconde, l'essuyer et le retourner sur le pain de Gênes dont le diamètre doit être supérieur de 6 centimètres à celui du moule.

A la base de la bavaroise, ranger une couronne de violettes de Parme pralinées et à la base du pain de Gênes — le plat de service sera prévu assez spacieux à cet effet —, une seconde couronne, des mûres cette fois, roulées dans du sucre fin.

Servir accompagnée d'une jatte de gelée de groseilles faite à cru et mi-prise, puis d'un plateau de petits sablés fins.

Pudding glacé du prélat

Éléments (pour 6 personnes) :

1/2 litre de lait ; 100 grammes de biscuits à la cuiller ; 100 grammes de raisins de Malaga ; 50 grammes de fruits confits divers ; 5 jaunes d'œufs ; 5 feuilles de gélatine (25 grammes) ; 1 gousse de vanille ; 1 quartier de citron ; 250 grammes de sucre ; sauce framboise ; brisures de macarons.

Méthode :

1º Mettre le lait à bouillir et y faire infuser la vanille à couvert 15 minutes. Pendant ce temps, réunir le sucre et les jaunes dans un saladier, travailler le mélange avec une cuiller en bois pour le rendre blanc et crémeux et le mouiller avec le lait. Remettre dans la casserole et chauffer doucement en remuant jusqu'à un point voisin de l'ébullition. Ne pas faire bouillir cette composition qui épaissit, devient onctueuse et nappe bien la spatule utilisée. Ajouter la gélatine préalablement trempée à l'eau froide, égouttée et pressée ; aussitôt qu'elle est dissoute passer la crème anglaise obtenue au chinois fin et la réserver dans un saladier.

2º Choisir un moule à charlotte ou un moule à douille d'1 litre 1/2 de contenance. Huiler l'intérieur avec soin au pinceau avec de l'huile d'amandes douces ou d'olives, très pure et absolument neutre.

Disposer avec goût les fruits confits coupés en quartiers ou en dés dans le fond du moule, puis, par-dessus, les biscuits divisés en 6 petits morceaux ; ensuite parsemer sur l'ensemble les raisins trempés à l'eau tiède, débarrassés de leurs pépins et épongés, enfin les macarons brisés menu ; sur le tout, une pincée de zeste de citron haché fin. Recommencer cette répartition jusqu'à épuisement des différents éléments. Verser alors la crème anglaise chaude dans le moule par petites quantités afin d'en imbiber progressivement les morceaux de biscuits et les brisures de macarons qui, en gonflant, se calent dans le moule et se trouvent dans l'impossibilité de surnager. Il est nécessaire que crème, biscuits et fruits soient également répartis dans toute la hauteur du moule.

Laisser refroidir, puis placer le moule dans une glacière ou sur glace broyée pendant 7 heures.

3º Le service. — Le démoulage s'opère facilement, cerner le pudding avec la lame d'un couteau très mince en le glissant entre l'entremets et le moule ou tremper le fond de ce dernier dans un bain d'eau chaude. Retourner sur un plat, assez grand, et recouvrir le pudding entièrement avec quelques cuillerées de la sauce framboise ci-après :

Sauce framboise :

Passer au tamis de crin 200 grammes de framboises bien mûres et soigneusement épluchées ; recueillir le jus et la pulpe dans un saladier ; éviter le contact du fer ou de l'étain qui provoque l'oxydation du jus.

Mettre dans un poêlon en cuivre non étamé 80 grammes de sucre, l'arroser de 3 cuillerées d'eau, d'une cuillerée à café de jus de citron et faire bouillir ; écumer et pousser la cuisson jusqu'au moment où une goutte de sirop posée sur une assiette s'y fixera sans couler en conservant sa forme ronde et bombée. Verser alors la pulpe de framboises dans le sirop, mélanger avec une cuiller argentée et retirer du feu aussitôt sans faire bouillir la framboise qui perdrait son parfum.

Transvaser dans un saladier ou terrine vernie et faire refroidir, puis glacer.

Quand elle est bien froide, lui incorporer une cuillerée à potage de kirsch et 1 décilitre (1/2 verre) de crème fraîche et épaisse fouettée sur glace.

Servir dans une jatte cette crème de framboise dont la couleur doit être d'un beau rouge franc.

Accompagner d'une assiette garnie de minces petits gâteaux Condé, nacrés et bien fondants. Cette formule de pudding glacé termine la série des bavaroises auxquelles elle est en réalité beaucoup plus apparentée qu'au pudding proprement dit.

Charlotte reine du Canada

Éléments :

1 kilo de pommes Canada, qui sont parmi les plus finement parfumées, ou, à défaut, une autre variété suivant la saison ; 50 grammes de beurre ; 3 cuillerées à potage de sucre ; une gousse de vanille ; le zeste d'un demi-citron ; 2 cuillerées de vin blanc sec ; un pain de mie ; 4 cuillerées à potage de confiture d'abricots.

Méthode :

1º Éplucher les pommes, les diviser en quartiers, enlever les pépins et le péricarpe, les mettre dans une casserole, les saupoudrer de sucre, diviser le beurre en parcelles, enfouir à l'intérieur des quartiers la vanille et le zeste, arroser le tout avec le vin blanc, cuire doucement en remuant de temps à autre, puis réduire à feu vif pour obtenir une marmelade très consistante ; retirer du feu, mélanger 4 cuillerées à potage de confiture d'abricots tamisée et mettre à refroidir.

2º Diviser le pain de mie en tranches de 4 millimètres d'épaisseur, et tailler dans ces tranches, une douzaine de triangles allongés de manière à en garnir hermétiquement le fond d'un moule à charlotte — tailler ces triangles de mesure, bien entendu. Les tremper, d'un côté, dans du beurre fondu, et les ranger en rosace dans le fond du moule à charlotte grassement beurré, le côté beurré en contact avec le fond du moule.

Couper dans le pain de mie, des tranches de 1 centimètre d'épaisseur, les diviser en rectangles de 4 centimètres de largeur et d'une longueur supérieure de 2 centimètres à la hauteur du moule, sauf si le moule est très haut, dans ce cas égale à sa hauteur.

Procéder comme pour le fond ; tremper chaque rectangle de pain dans du beurre fondu, et les appliquer successivement en les faisant se chevaucher de 4 millimètres sur la paroi du moule, également grassement beurrée.

Remplir le moule de marmelade débarrassée de la vanille et du zeste de citron et la recouvrir d'un rond de pain de mie de 4 millimètres d'épaisseur et trempé dans du beurre fondu, le côté beurré dessus. Ce rond de pain peut être fait en deux parties.

Mettre à four très chaud immédiatement pour assurer un rapide rissolage du pain et éviter que ce dernier ne se détrempe.

Temps de cuisson : 10 minutes.

Laisser reposer 15 minutes au moins avant de démouler et ne démouler qu'au moment de servir.

Charlotte de la Saint-Jean

Éléments :

250 grammes de biscuits à la cuiller ou de biscuits de Reims ; 125 grammes de fraises des bois mélangées à une cuillerée à potage de framboises ; 2 cuillerées à potage de sucre et autant de kirsch ; 1/4 de litre de lait, autant de crème fraîche ; 125 grammes de sucre en poudre ; 4 jaunes d'œufs ; 1/2 gousse de vanille ; 4 feuilles de gélatine ; 3 feuilles d'angélique.

Méthode :

1º Enlever le pédoncule des fruits, mettre ces derniers dans un bol, les saupoudrer avec les 2 cuillerées de sucre, les arroser avec le kirsch, mélanger avec précaution et laisser macérer 45 minutes.

2º Préparer avec le lait, le sucre, les jaunes d'œufs et la vanille, une crème anglaise.

3º Aussitôt que la crème anglaise nappe, la passer à la passoire fine dans une terrine vernissée, y ajouter la gélatine trempée préalablement 5 minutes à l'eau froide ; vanner jusqu'à complet refroidissement.

4º Pendant que la crème refroidit, parer les biscuits de façon que les côtés et les extrémités soient coupés nets ; disposer au fond du moule à charlotte choisi un rond de papier blanc, puis dessus garnir le fond du moule de biscuits coupés en forme de triangle et rangés en rosace. Revêtir la paroi du moule de biscuits parés sur les côtés et placés debout, côte à côte, bien serrés. Le côté bombé des biscuits doit être placé contre le moule afin d'être apparent après le démoulage.

5º Au moment où la crème anglaise refroidie commence à se solidifier sous l'action de la gélatine, lui incorporer la crème fraîche fouettée bien ferme et légèrement sucrée, puis les fruits.

6º Mettre cette composition dans un moule garni de biscuits, parsemer dessus une cuillerée de débris de biscuits et tenir au réfrigérateur ou dans un endroit très frais pendant 4 heures au moins.

7º Pour servir, démouler la charlotte au dernier moment sur un plat rond recouvert d'un napperon de fine lingerie, enlever le papier, et disposer sur le bord de la charlotte, comme une rangée de gros rubis, des fraises des bois et des framboises de grosseur régulière en les intercalant. Piquer au centre trois feuilles d'angélique, c'est-à-dire trois losanges allongés coupés dans un morceau d'angélique.

Charlotte de la Saint-Martin

Éléments :

Préparer :

1º Avec 125 grammes de sucre en poudre, 3 œufs, 100 grammes de farine tamisée, 50 grammes de beurre fondu, 1 cuillerée à café de sucre vanillé, une pâte à madeleine dans laquelle on ajoutera 3 macarons broyés en même temps que la farine. Cuire ce biscuit dans un moule carré à génoise beurré et fariné.

Laisser rassir au moins 2 jours.

2º Avec 175 grammes de sucre, 1 verre d'eau, un sirop en le faisant bouillir 2 minutes.

3º Avec 300 grammes de débris de marrons glacés et le tiers du sirop, une purée en laissant ramollir les marrons et en les broyant ensuite avec 30 grammes de beurre fin.

Méthode :

a) Disposer un rond de papier blanc dans le fond d'un moule à charlotte.

b) Tailler le biscuit en rectangles de 3 centimètres de largeur, 8 millimètres d'épaisseur et de longueur égale à la hauteur du moule utilisé.

Ranger ces rectangles contre la paroi du moule en les faisant se chevaucher de 3 millimètres. Le moule doit être entièrement chemisé de rectangles de biscuit.

c) Fouetter 2 verres (4 décilitres) de crème fraîche très épaisse, la sucrer légèrement comme de la crème Chantilly et la parfumer à la vanille.

Quand elle est bien ferme et doublée de volume, la partager en deux parties, l'une comprenant les trois quarts, l'autre un quart. Réserver cette dernière au frais.

d) Triturer avec une spatule la purée de marrons recueillie dans un saladier et la détendre avec le reste du sirop pour obtenir un coulis. Après l'avoir bien travaillée et lissée, lui incorporer la plus importante partie (les 3/4) de la crème Chantilly. Ce mélange doit être fait avec précaution en soulevant la masse.

e) Verser cette composition dans le moule préparé, parsemer dessus une cuillerée de débris de biscuit broyés et mettre le moule au réfrigérateur ou dans un endroit très frais pendant au moins 3 heures.

Pour servir, disposer un napperon de fine lingerie sur un plat rond et y démouler l'entremets quelques instants avant de servir.

Enlever le rond de papier et à sa place effectuer un décor avec la crème Chantilly réservée, à l'aide d'une poche à pâtisserie munie d'une grosse douille cannelée.

A la base de la charlotte, ranger un collier de beaux marrons glacés posés dans des caissettes gaufrées.

Nota. — Cette composition extra-fine doit sa solidification au beurre frais malaxé avec les marrons mis en purée.

Charlotte à la russe

La présentation extérieure de cet entremets est semblable à la charlotte de la Saint-Jean ; il suffit de s'y référer.

Un moule à charlotte de contenance courante de 12 centimètres de diamètre sur 11 de hauteur ; il faut environ 20 biscuits à la cuiller pour le foncer.

Avant de disposer les biscuits, il est sage de revêtir le fond et la paroi du moule de papier blanc, un rond au fond, une bande autour.

Les biscuits formant paroi débordent la hauteur du moule de 1 à 2 centimètres environ. Ils doivent être taillés de longueur régulière pour que la charlotte soit d'aplomb après le démoulage.

Garnir l'intérieur du moule avec la crème suivante :

Préparer une crème anglaise avec 100 grammes de sucre en poudre, 4 jaunes d'œufs, un verre de lait (2 décilitres) ou 1 décilitre de lait et 1 décilitre de crème fraîche, une gousse de vanille.

Quand la crème nappe, la retirer immédiatement du feu et lui adjoindre 3 feuilles de gélatine préalablement trempées 5 minutes à l'eau froide et pressées.

Passer la composition à la passoire fine dans une terrine vernissée aussitôt la gélatine dissoute.

Faire refroidir sur glace ou au frais en remuant constamment. Au moment où l'on constate que la composition est sur le point de se solidifier, lui incorporer avec précaution 3 décilitres de crème fouettée bien ferme sucrée avec 2 cuillerées à potage de sucre glace et 1/2 cuillerée à café de sucre vanillé.

Verser le mélange dans le moule chemisé de biscuits qui doit être rempli. Égaliser la surface avec la lame d'un couteau ou la spatule à pâtisserie, parsemer sur la crème une forte pincée de biscuits broyés et mettre à la glacière ou dans un endroit très frais pendant 2 heures au moins.

Pour servir, démouler sur un plat rond recouvert d'une fine lingerie.

Nota. — La crème ci-dessus indiquée peut être remplacée par de la crème à Saint-Honoré.

Charlotte Chantilly

Cette formule a l'avantage d'être préparée rapidement. Le procédé de fonçage du moule à charlotte est identique à la recette de la charlotte à la russe. Ce travail peut donc être fait à l'avance.

Quelques minutes avant de servir l'entremets, fouetter sur glace dans une terrine vernissée 5 décilitres de crème fraîche épaisse et en terminant lui incorporer 125 grammes de sucre glace et une cuillerée à café de sucre vanillé.

Garnir jusqu'au bord le moule chemisé de biscuits, parsemer dessus une forte pincée de biscuits broyés et démouler aussitôt sur un plat rond recouvert d'un napperon de dentelle. Servir immédiatement.

Charlotte Antonin Carême

Appliquer le procédé de la formule dite à la russe et mélanger à la crème un décilitre de purée de framboises avant d'y incorporer la crème Chantilly.

Démouler sur un plat rond argenté de dimension assez grande, et entourer la base de l'entremets d'une rangée de framboises d'égale grosseur, macérées au kirsch, égouttées sur une assiette, une à une, et saupoudrer abondamment de sucre semoule qui enrobe légèrement les fruits d'une enveloppe cristallisée.

LES PUDDINGS

Pudding soufflé Victoire

Amollir dans une terrine, jusqu'à consistance d'une pommade, 200 grammes de beurre fin, puis lui mélanger 10 jaunes d'œufs, mis et travaillés successivement un à un, compléter le mélange avec 200 grammes de sucre en poudre; poursuivre le brassage à la spatule afin d'obtenir une crème mousseuse et blanche.

A ce point, incorporer à l'appareil 3 cuillerées à potage de purée très fine de pulpe de pêches Victoria et une purée de framboises, terminer par l'addition de 6 blancs d'œufs battus en neige très ferme.

Cette addition s'effectue en découpant la masse avec la spatule et en la soulevant chaque fois. La difficulté, rapidement surmontée avec un peu d'expérience, consiste à obtenir un mélange homogène sans provoquer l'affaissement des blancs.

Beurrer grassement un moule à douille et le garnir avec cet appareil en procédant par couches. Entre chacune, parsemer quelques morceaux de biscuit à champagne trempés dans quelques cuillerées de vin de Banyuls ou de Frontignan de haute qualité.

Placer le moule bien rempli dans un bain-marie et le pocher au four pendant 25 à 30 minutes. L'à-point se constate par la légère résistance opposée à une faible pression faite avec le dos d'une cuiller ou d'un autre instrument.

Démouler sur un plat rond, garnir le centre du pudding avec des framboises crues, liées avec de la gelée de groseilles mi-prise et parfumée avec une cuillerée de kirsch, puis recouvrir l'entremets d'une nappe de sabayon chaud au banyuls ou au frontignan rehaussé d'un verre de liqueur de fine champagne.

Pudding de l'Aiglon

Dans une casserole un peu épaisse légèrement tiède, faire fondre en pommade 150 grammes de beurre frais, lui mélanger vigoureusement avec une cuiller en bois 150 grammes de sucre et une cuillerée à café de sucre vanillé, enfin 150 grammes de farine tamisée. Mouiller cette pâte bien travaillée avec 1/2 litre de lait préalablement bouilli avec une gousse de vanille (ce qui dispense du sucre vanillé) et refroidi. Ajouter une prise de sel, chauffer doucement jusqu'à ébullition, en remuant sans arrêt avec la spatule; la pâte doit être bien lisse; maintenir à bonne chaleur sans cesser de remuer jusqu'à dessèchement complet de la masse qui doit se détacher de la spatule comme une pâte à choux.

Enlever la casserole du feu, laisser atténuer la vive chaleur accumulée dans la pâte et lui incorporer, un à un, 9 jaunes d'œufs. Mélanger suivant le procédé de l'omelette soufflée 9 blancs fouettés en neige bien ferme.

Verser la composition dans un moule à soufflé ou à charlotte grassement beurré et faire pocher au bain-marie à four de chaleur moyenne pendant 30 à 35 minutes. Contrôler l'à-point de cuisson par la légère résistance de l'appareil.

Durant la cuisson, veiller à ne pas saisir au début : une croûte se formerait dessus et s'opposerait comme un écran à la pénétration de la chaleur. Protéger des coups de feu si cela est nécessaire en recouvrant avec une feuille de papier beurré.

Œufs à la neige Gisou (p. 418)

Démouler sur un plat rond et tiède, puis napper l'entremets avec une crème au chocolat chaude, mélangée par moitié avec de la crème Chantilly.

Servir d'une part dans une pièce d'argenterie le surplus de la crème au chocolat; d'autre part, un plateau de fines langues de chat.

Formule de sauce au chocolat pour entremets :

Briser en menus morceaux 1/2 livre de chocolat fin au lait, le fondre avec 2 ou 3 cuillerées d'eau. Le mettre en pâte parfaitement lisse puis additionner de 2 décilitres (1 verre) d'eau. Cuire très doucement pendant 15 minutes pour obtenir un sirop ayant la consistance d'une crème anglaise; au moment de servir, lui incorporer 1/2 verre de crème épaisse et fouettée. Parfumer assez fortement à la vanille, soit avec du sucre vanillé, soit en cuisant dans le chocolat un bâton de vanille.

Pudding Henry Clos-Jouve

Éléments (pour 8 personnes) :

1/4 de litre de lait d'amandes ; 75 grammes de tapioca ; 100 grammes de sucre en poudre ; 50 grammes de beurre fin ; 6 œufs ; une prise de sel ; un zeste de citron. Pralines rouges.

Méthode :

Le lait d'amandes : mettre à tremper pour qu'elles soient très blanches 75 grammes d'amandes douces et une amande amère fraîchement émondées. Les égoutter, les éponger et les broyer au mortier en les mouillant de temps à autre avec quelques gouttelettes d'eau afin qu'elles ne deviennent pas huileuses. Ajouter à la pâte obtenue 1/4 de litre de fleurette (crème fraîche et liquide), de lait à défaut. Recueillir le tout dans une mousseline et le presser fortement pour exprimer toute la partie liquide dans une casserole. Chauffer le lait d'amandes et y faire infuser pendant 5 minutes une cuillerée à café de zeste de citron (partie mince et exclusivement jaune de l'écorce). Retirer le zeste, faire bouillir le lait d'amandes et verser dedans le tapioca en pluie, en remuant avec une cuiller en bois. Mettre le sel. Après 3 minutes d'ébullition, retirer du feu. Le mélange forme alors une pâte très consistante, la mettre dans une terrine ou un saladier d'assez grandes dimensions.

Incorporer aussitôt, un à un, 6 jaunes d'œufs, le beurre et le sucre en travaillant vigoureusement. La pâte s'amollit, devient plus légère, absolument homogène et lisse. À ce moment, la battre avec une spatule pour augmenter sa légèreté et son homogénéité comme l'on procède pour une pâte à baba.

Au moment de cuire l'entremets, battre 6 blancs d'œufs en neige très ferme et les mélanger à la composition suivant le procédé classique recommandé pour les omelettes soufflées.

Verser aussitôt l'appareil dans un moule à charlotte, chemisé au préalable au sucre caramel cuit très blond. Le moule doit être rempli à la moitié de sa hauteur.

Mettre le moule dans un bain-marie profond afin que l'eau de pochage baigne les trois quarts au moins de la hauteur du moule. Pocher à four de chaleur moyenne pendant 45 minutes. Prendre soin de ne pas saisir et de protéger le dessus de l'entremets pendant la cuisson.

Pour servir, démouler sur un plat rond et chaud.

Verser autour quelques cuillerées de sabayon très crémeux fait avec une moitié de lait d'amandes, une moitié de champagne et additionné d'une bonne cuillerée de pralin aux amandes ou de macarons broyés. Servir le surplus du sabayon dans une jatte de cristal accompagné d'un plateau de petits macarons mous et nacrés parfumés à la vanille.

Au moment de présenter aux convives, parsemer sur le pudding une bonne pincée de pralines rouges broyées grossièrement, et en répandre 2 cuillerées à potage sur le sabayon servi dans la jatte.

En servant le premier convive, les pralines se mélangent à l'ensemble dans lequel le sucre n'a pas le temps de fondre. Il est agréable de croquer, au hasard de la dégustation, une brisure délicieusement parfumée.

Pudding Gaston Lenôtre

Éléments (pour 8 personnes) :

1/2 litre de lait ; 100 grammes de Maïzena ; 50 grammes de sucre en poudre ; 25 grammes de beurre fin ; 50 grammes de raisins de Malaga ; 50 grammes de raisins de Corinthe ; 3 œufs ; 1 cuillerée à potage de rhum ; 1/2 zeste de citron ; une prise de sel ; 6 cuillerées à potage de gelée de groseilles.

Méthode :

Faire bouillir le lait en faisant infuser le zeste de citron composé de la mince pelure jaune à l'exclusion de la partie blanche et amère.

Après refroidissement du lait, enlever le zeste, et diluer avec la Maïzena, le sucre et le sel. Ajouter le beurre divisé en parcelles, et chauffer jusqu'à l'ébullition en remuant sans arrêt avec une spatule.

Le mélange épaissit au point de former une pâte identique à de la pâte à choux. La dessécher jusqu'au point où la masse cesse d'adhérer à la casserole et à la spatule.

Retirer du feu et, après quelques minutes d'attente pour laisser atténuer la chaleur trop vive, incorporer un à un les œufs entiers à la pâte qu'il faut travailler, battre vigoureusement pour la rendre lisse et lui faire acquérir de la légèreté.

Terminer par l'addition des raisins, lavés à l'eau tiède, égouttés avec soin et parfaitement épongés, puis le rhum.

Battre encore pendant quelques minutes la composition à la manière d'une pâte à baba pour l'aérer profondément.

Beurrer grassement un moule à charlotte, le fariner et bien secouer l'excès de farine. Y verser la composition jusqu'aux deux tiers ; tapoter le moule sur sa base pour unifier la pâte à l'intérieur ; mettre dans un bain-marie profond, puis à four de chaleur moyenne en évitant les coups de feu. Temps de cuisson : 1 heure environ.

Pour servir, démouler le pudding sur un plat rond et chaud et le présenter accompagné de la sauce ci-après, préparée de 8 à 10 minutes avant le moment de servir.

Dans un poêlon en cuivre non étamé ou en inox pour éviter l'étain qui provoque l'oxydation de la groseille — les casseroles émaillées présentent un certain danger —, délayer avec un peu d'eau 100 grammes de gelée de groseilles.

Chauffer doucement sans faire bouillir, pour obtenir un mélange ayant la consistance d'un sirop ; retirer du feu, ajouter le rhum et servir dans une saucière.

Pudding mousseline de la vieille Catherine

Éléments (pour 8 personnes) :

1 verre 1/2 de lait ; 120 grammes de beurre ; 100 grammes de sucre en poudre ; 80 grammes de fécule ; 35 grammes d'amandes dont 1 amande amère ; 6 jaunes d'œufs ; 1 gousse de vanille ; une crème sabayon.

Méthode :

1º Émonder les amandes ; pour cela les jeter dans de l'eau bouillante et les égoutter après un séjour de 5 à 6 minutes, les étendre sur un linge et les prendre une à une, entre le pouce et l'index qui, par une pression, chassent l'amande de son enveloppe brune. Cette opération s'exécute des deux mains en même temps. Quand elle est terminée, laver les amandes à l'eau fraîche, les égoutter et les sécher dans un torchon.

Trier une douzaine d'amandes parmi les plus belles et les couper en lamelles minces dans le sens de la longueur. Étaler ces amandes effilées sur une tourtière.

Hacher très finement le reste des amandes et les répandre également sur une tourtière.

Mettre l'une et l'autre à l'entrée du four et surveiller les amandes qui sécheront d'abord, puis grilleront ensuite. Les remuer souvent et les retirer du four dès qu'elles sont uniformément blondes. Les réserver séparément ensuite.

2º Faire bouillir le lait, le retirer du feu, y plonger la gousse de vanille, couvrir hermétiquement et laisser infuser 20 minutes.

Pendant ce temps, ramollir le beurre en le malaxant dans le coin d'un torchon ; en prendre le volume d'une noisette pour beurrer le moule utilisé et mettre le reste, 100 grammes exactement, dans une casserole de 3 litres environ. Travailler le beurre à l'aide d'une cuiller en bois en se plaçant dans un endroit tempéré pour le transformer en pommade. Ajouter le sucre, travailler encore pour que la masse devienne blanche et crémeuse, ajouter la fécule tamisée, puis diluer le tout, petit à petit, avec le lait vanillé.

Mettre au feu, chauffer doucement en remuant sans arrêt ; la composition épaissit peu à peu jusqu'à l'ébullition. La retirer du feu et lui incorporer un à un les 6 jaunes d'œufs ; terminer par les amandes hachées et grillées. Y déposer la composition par cuillerées jusqu'aux deux tiers.

Tapoter le moule légèrement sur sa base pour répartir le pudding.

3º Placer le moule dans un bain-marie profond, couvrir la casserole d'un couvercle et mettre à four chaud. Temps de pochage : 40 minutes. Retirer le couvercle vers la fin de la cuisson.

Retirer du four, laisser reposer 5 minutes dans le bain-marie, puis démouler sur un plat rond et chaud pour servir. Avoir soin d'essuyer le moule avant cette dernière opération. Le napper avec une crème préparée selon la méthode suivante ou avec un sabayon et saupoudrer avec les amandes effilées.

La crème :

Faire bouillir 3 décilitres de lait parfumé à la vanille ; après refroidissement à demi, le verser petit à petit, en remuant, sur une composition comprenant 75 grammes de sucre, 3 jaunes d'œufs, une cuillerée rase de fécule. Chauffer doucement en remuant constamment et dès que l'ébullition est sur le point de se manifester, retirer du feu immédiatement.

Au moment d'utiliser cette crème, la parfumer avec une cuillerée à café de kirsch ou de rhum.

Pudding Ile-de-France

Verser en pluie 125 grammes de semoule de blé fine dans un liquide bouillant composé de : 1/4 de litre de lait, 1/4 de fleurette — crème fraîche encore liquide —, 75 grammes de sucre et une prise de sel. Remuer avec une cuiller en bois jusqu'à l'ébullition ; mettre une noix de beurre, un couvercle, puis cuire, à four mi-chaud, pendant une trentaine de minutes.

Au terme de la cuisson, dépoter la semoule dans une terrine sans racler la partie qui pourrait demeurer attachée. La lier avec 4 jaunes d'œufs mis un à un et 100 grammes de beurre fin divisé en parcelles. Travailler à la spatule pour lisser impeccablement le mélange ; ajouter une cuillerée à potage de pistaches hachées et incorporer 3 blancs d'œufs fouettés en neige très ferme.

Beurrer grassement un moule à douille, le garnir jusqu'aux deux tiers avec l'appareil préparé et cuire au bain-marie 20 minutes.

Démouler au moment de servir sur un plat rond et chaud, dresser au centre du pudding une macédoine de fruits cuits au sirop et liés avec quelques cuillerées de marmelade d'abricots parfumés au marasquin.

Accompagner d'une jatte de sauce sabayon additionnée, pour un quart de son volume, de marmelade d'abricots et parfumée au marasquin.

Pudding au citron ou à l'orange

Éléments :

1/2 litre de lait ; 250 grammes de beurre ; 150 grammes de sucre en poudre ; 150 grammes de farine tamisée ; 8 jaunes et 6 blancs d'œufs.

Méthode :

Réunir dans une casserole le beurre, l'amollir en pommade en le travaillant avec une cuiller en bois dans le voisinage du fourneau ; ajouter le sucre et la farine. Délayer avec le lait préalablement bouilli et tiédi. Faire bouillir en remuant, puis dessécher la pâte obtenue comme de la pâte à choux.

Retirer du feu et presque aussitôt incorporer 2 morceaux de sucre frottés sur le zeste d'un citron ou d'une orange pour en râper la surface et pour imprégner le sucre du parfum ; les jaunes, un à un, puis les blancs fouettés en neige très ferme.

Verser la composition dans un moule à charlotte ou à savarin grassement beurré et pocher au bain-marie pendant 30 à 35 minutes.

Démouler sur un plat rond et chaud ; servir accompagné d'une sauce sabayon parfumée au citron ou à l'orange et d'un plateau de tuiles aux amandes.

Pudding au porto

Appliquer la formule du pudding Ile-de-France et, avant de mélanger les blancs montés en neige, ajouter, pour la quantité indiquée, un verre à madère de porto.

Garnir à un tiers un moule à savarin beurré grassement, parsemer sur l'appareil de petits morceaux de biscuits imbibés de porto, recouvrir avec une quantité égale et pocher au bain-marie 20 minutes.

Démouler au moment de servir et napper le pudding d'une sauce sabayon au porto, parfumée avec un morceau de sucre frotté sur le zeste d'une orange et additionné de crème Chantilly à raison d'un quart de son volume. Présenter dans une jatte le complément de sauce sabayon, et, en même temps, une assiette de fins palets aux raisins.

Nota. — Le porto peut être remplacé par un vin français : frontignan, banyuls, Château-Yquem, etc.

Pudding de Noël à la française

Broyer finement 500 grammes de débris de marrons glacés et bien parfumés à la vanille avec 100 grammes de beurre fin et frais. Diluer cette pâte avec quelques cuillerées de crème fraîche jusqu'à consistance d'une panade à pâte à choux.

Relever cette purée sur un tamis fin placé au-dessus d'une terrine et fouler avec un petit pilon la totalité. Lisser ensuite à la spatule et incorporer 8 jaunes d'œufs et 6 blancs battus en neige très ferme.

Garnir jusqu'aux deux tiers un moule à charlotte bien beurré, pocher au bain-marie 30 minutes.

Démouler, pour servir, et napper le pudding de sauce au chocolat.

Accompagner d'une jatte de sauce chocolat et d'une assiette de petits macarons mous au chocolat et accouplés avec un peu de marmelade d'abricots légèrement réduite.

Pudding à la crème

Éléments :

1/2 litre d'appareil à crème renversée ; 50 grammes de raisins, moitié de Corinthe, moitié de Smyrne, lavés à l'eau tiède et macérés avec autant de fruits confits, variés et divisés en petits dés, dans un décilitre de kirsch, rhum ou Grand Marnier ; 6 biscuits à la cuiller, coupés en deux parties dans le sens de la longueur et sur l'épaisseur et imbibés de même liqueur.

Méthode :

Beurrer avec soin un moule à savarin, le décorer de motifs d'angélique et de cerises mi-sucre confites, allonger dessus les demi-biscuits, parsemer ensuite les raisins et fruits macérés et bien égouttés ; de place en place déposer une cuillerée à café de confiture d'abricots — un oreillon de préférence — et poursuivre, en alternant, jusqu'à épuisement des biscuits et des fruits.

Verser ensuite la crème préparée, mais par petites quantités à la fois, afin d'imbiber les biscuits et d'empêcher le déplacement de la garniture.

Quand le moule est plein, faire pocher au bain-marie avec toutes les précautions recommandées pour la crème renversée. Temps de cuisson : 40 minutes environ.

Laisser reposer 10 minutes avant le démoulage et servir chaud avec une sauce sabayon à la vanille, au porto ou une crème anglaise.

Pudding à l'anglaise

(plum-pudding traditionnel)

Éléments :

250 grammes de mie de pain et 125 grammes de farine ; 500 grammes de graisse de rognon de bœuf hachée ; 350 grammes de sucre roux ; 200 grammes de pommes pelées et hachées ; 500 grammes de raisins : malaga épépinés, corinthe et smyrne lavés à l'eau tiède et épongés ; 100 grammes d'écorce d'orange ; 100 de citron ; 100 de cédrat — ces fruits confits — ; 30 de gingembre ; 100 grammes d'amandes émondées et hachées ; le jus d'un quartier de citron et celui d'un quartier d'orange ; 1/2 cuillerée à café de zeste haché de chacun de ces agrumes ; une forte pincée d'épices variées et forte en cannelle et en muscade ; 2 œufs ; 1 décilitre de rhum, 1 de madère, 1 de cognac ; 10 grammes de sel ; 2 décilitres de bière.

Méthode :

Faire macérer tous les fruits, divisés en dés en ce qui concerne les écorces, dans le rhum pendant 2 heures. Réunir ensuite tous les éléments dans une terrine et les malaxer pour les unir intimement.

Garnir avec ce mélange des bols spéciaux en faïence ou graisser et fariner un torchon passé au préalable à l'eau fraîche et y grouper en boule la totalité de la composition ; refermer le torchon, rassembler la partie libre et la nouer solidement sur la masse qui s'y trouve emprisonnée et serrée. Pour 750 grammes de composition rassemblée en boule ou moulée, opérer de même si des bols spéciaux sont utilisés, mais recouvrir la composition d'un papier blanc avant l'enveloppement.

Cuire à l'eau bouillante très doucement pendant 3 heures.

Égoutter, laisser refroidir, dégager des bols ou du torchon, couper en tranches d'1 centimètre d'épaisseur, les disposer sur un plat très chaud, les maintenir quelques minutes exposées à la chaleur, les saupoudrer de sucre, et les arroser de rhum chauffé ; allumer sur table pour flamber, ou les servir accompagnées d'une crème anglaise chaude parfumée au rhum.

Servir sur assiette très chaude.

Nota. — Le pudding anglais est préparé plusieurs jours à l'avance. Il est aussi servi entier ; dans ce cas, il est réchauffé dans le bol de cuisson plongé dans de l'eau tenue presque bouillante pendant 20 minutes.

Pudding à l'allemande

Éléments :

150 grammes de pain de seigle trempé dans 1/2 litre de vin blanc de la Moselle ou du Palatinat ou de bière ; 100 grammes de cassonade ; une forte pincée de cannelle ; 2 œufs entiers et 3 jaunes ; 100 grammes de beurre fondu et 3 blancs d'œufs battus en neige.

Méthode :

Après trempage du pain dans le vin ou la bière additionné du sucre, passer le tout au tamis. Recueillir le mélange dans une terrine et lui incorporer, peu à peu, les œufs entiers, les jaunes, la cannelle, le beurre en pommade et, pour finir, les blancs battus en neige très ferme.

Beurrer un moule à kouglof, le chemiser de mie de pain rassis émiettée finement, le garnir de la composition et faire pocher 35 minutes au bain-marie.

Démouler sur un plat rond et chaud, et servir accompagné d'un sirop d'abricots, ou d'un beurre de rhum ou de cognac, dont voici la composition :

Amollir jusqu'à consistance d'une pommade épaisse 150 grammes de beurre fin, lui mélanger 3 cuillerées à potage de sucre en poudre et travailler la composition pour la rendre crémeuse ; à partir de cet instant, ajouter, goutte à goutte, un décilitre de cognac, ou de rhum.

Cette préparation exquise peut être utilisée pour tartiner des crêpes que l'on sert pliées en quatre.

Nota. — J'ai déjà parlé d'une variante française du pudding qui figure au chapitre des bavaroises, page 424, sous le titre de « Pudding glacé du prélat ».

LE RIZ

Le riz, employé dans les desserts, peut être l'élément principal ou simplement d'accompagnement.

La manière de le traiter est la même.

Utiliser du riz à beaux grains, caroline ou patna, le laver à plusieurs eaux fraîches, jusqu'au moment où le riz ne trouble plus l'eau, l'ébouillanter 2 minutes en le jetant dans une casserole d'eau en ébullition, l'égoutter, le laver à nouveau à l'eau tiède, l'égoutter à fond et le mettre en cuisson.

Éléments :

100 grammes de riz ; 60 grammes de sucre ; 4 décilitres de lait ; une prise de sel fin ; 3 jaunes d'œufs ; 20 grammes de beurre ; une gousse de vanille ; un fragment de zeste de citron ou d'orange.

Méthode :

a) Faire bouillir le lait avec la vanille et la pincée de sel, y faire tomber le riz en pluie, remuer avec une cuiller ; quand l'ébullition reprend, couvrir et mettre à four de chaleur moyenne 35 minutes. Pendant la cuisson, se garder de le remuer. Le sortir du four, laisser atténuer la chaleur trop vive, puis ajouter les jaunes dilués avec une cuillerée à potage de crème ou de lait bouilli et mélangés au beurre divisé en parcelles. L'incorporation des jaunes se fait avec une fourchette en prenant la précaution de ne pas briser les grains.

Le sucre est répandu sur le riz à la sortie du four avant la liaison. Mis dans le lait au début de la cuisson, il nuit au pochage parfait du riz.

b) Seule la pratique de la cuisson diffère de la méthode *a)*. Le riz a été ébouillanté, lavé puis égoutté comme il est prescrit ci-dessus. Le verser dans un décilitre de lait en ébullition avec une noix de beurre et une prise de sel. Remuer et poursuivre l'ébullition lentement et à couvert. Quand le lait est absorbé par le riz gonflé de liquide, ajouter un décilitre de lait bouillant et ainsi de suite jusqu'à épuisement total du lait. Remuer l'ensemble chaque fois avec précaution et à l'aide d'une fourchette.

Après cuisson, le sucrer et le lier aux jaunes d'œufs comme il est indiqué à la méthode *a)*.

Ce deuxième mode de cuisson qui permet d'obtenir un entremets beaucoup plus crémeux est préférable. Il s'inspire d'ailleurs d'une pratique italienne très en usage dans la pâtisserie familiale en Italie.

Gâteau de riz

Le riz ayant été préparé, cuit et lié comme il est indiqué dans la description précédente, lui mélanger 60 grammes de raisins, de Corinthe et de Smyrne par moitié, préalablement nettoyés en les frottant dans un linge avec une prise de farine, puis en les secouant dans une passoire à gros trous par où les pédoncules et les débris s'échappent.

Fouetter 3 blancs d'œufs en neige bien ferme et les ajouter au riz. Le parfum choisi (orange, citron ou une liqueur, kirsch, rhum, etc.) s'ajoute en même temps que les raisins.

Verser ensuite le riz dans un moule à charlotte ou à génoise foncé avec une abaisse très mince de pâte à foncer fine ou chemisé de sucre au caramel ou tout simplement beurré avec soin.

Le moule ne doit pas être garni entièrement ; laisser de 2 à 3 centimètres en haut.

Mettre à four de chaleur modérée environ 45 minutes.

Protéger le dessus du gâteau contre la chaleur trop vive soit avec le couvercle du moule, soit avec un papier beurré. Vérifier l'à-point de cuisson par un sondage effectué avec une aiguille, qui doit être nette et très chaude à la sortie du gâteau.

Retirer du four et laisser reposer une dizaine de minutes avant démoulage sur un plat rond.

Servir cet entremets plutôt tiède que très chaud ; l'accompagner d'un sirop ou d'une crème.

Gâteau de riz au caramel

Moule chemisé au caramel ; riz parfumé à la vanille et zeste de citron ; accompagné d'un sirop au caramel ou d'une crème anglaise additionnée de sirop au caramel.

Gâteau de riz au sabayon

Moule foncé de fine pâte à foncer ; riz parfumé au kirsch, accompagné d'une crème sabayon au kirsch et vanille.

Gâteau de riz à la crème

Moule beurré ; riz parfumé au marasquin et zeste de citron ou curaçao et zeste d'orange ; crème anglaise parfumée au marasquin et additionnée d'un quart de son volume de crème fouettée. Napper l'entremets démoulé et servir à part dans une jatte la crème en complément.

LES BEIGNETS, LES GAUFRES, LES CRÊPES, LES OMELETTES, LES SOUFFLÉS

LES BEIGNETS

Il convient d'ouvrir cette série d'entremets sucrés par une formule de pâte à frire.

Ou la pâte est faite sur-le-champ en vue de son emploi presque immédiat, ou elle est apprêtée à l'avance.

Dans le premier cas, il faut prendre soin de ne la travailler (pétrir) que le moins possible pour éviter de lui donner de l'élasticité ce qui aurait pour inconvénient de la rendre impénétrable et sans adhérence aux éléments qui y seraient trempés. Dans le second, le travail de la pâte a le salutaire effet de l'échauffer et de précipiter la mise en mouvement des ferments qui la rendent plus légère. Le repos qui suit brise le corps qu'elle a pu acquérir pendant le pétrissage.

Pâte à frire (pour 1 litre) :

250 grammes de farine tamisée ; une pincée de sel fin ; 2 cuillerées à potage de beurre fondu ou d'huile d'olive ; 2 œufs ; 1 verre de bière ; 1 verre d'eau ou de lait.

Mélanger dans une terrine la farine, le sel, les jaunes d'œufs ; diluer le tout petit à petit avec la bière, l'eau ou le lait, puis le beurre ou l'huile.

Laisser reposer 2 heures au moins dans un endroit tempéré pour provoquer un début de fermentation.

Au moment de l'utiliser, y ajouter les 2 blancs d'œufs montés en neige.

La pâte à frire doit avoir la consistance d'une crème légère un peu soutenue.

Nota. — Cette formule peut être utilisée pour tous les éléments de cuisine. La fermentation peut être activée par une addition imperceptible de levure ou une cuillerée de pâte à frire ayant quelques jours de préparation et en pleine fermentation.

Pâte à frire pour beignets de fruits :

Ajouter aux éléments de la formule précédente une cuillerée à café de sucre en poudre et procéder de même quant à l'apprêt.

Beignets de reinettes

1º Avec la pointe d'un couteau ou un emporte-pièce, évider le centre de pommes de reinette de belle grosseur (une par convive). Les pépins et le péricarpe qui les protège doivent être soigneusement enlevés. Les peler ensuite puis les couper en rondelles de 8 millimètres d'épaisseur.

Étaler ces disques de pomme sur un plat assez grand, ou sur plusieurs assiettes plates ; les saupoudrer de sucre en poudre sur chaque face, et les asperger abondamment de cognac, de rhum, ou de kirsch. Laisser ainsi macérer 20 minutes, recouvert avec une assiette ou un plat retourné.

2° Huit minutes avant de servir les beignets, tremper un à un les disques de pomme dans la pâte à frire, puis les plonger dans la friture fumante — à l'huile de préférence.

Les beignets doivent être immédiatement saisis afin de frire, et non de bouillir, pour éviter que la pâte à frire ne s'imprègne de friture, ce qui aurait pour résultat de les rendre désagréables au goût et indigestes.

Bien saisie, la pâte à frire se transforme en une enveloppe croustillante, protectrice et joliment dorée.

Les égoutter sur un linge, les éponger doucement, les saupoudrer de sucre glace et les relever bien à plat sur une plaque à pâtisserie. Les présenter une minute à la grillade au gaz ou à l'électricité pour caraméliser légèrement la surface saupoudrée.

Dresser ensuite sur un plat rond et chaud.

Beignets de poires

Beignets fine Williams (mois d'août).
Beignets Louise-Bonne (mois de septembre).
Beignets fondante Doyenné (mois d'octobre).
Beignets de Comice (mois d'octobre).
Beignets Beurré d'Aremberg (mois d'hiver).
Procéder exactement comme pour les pommes ; toutefois, pour faciliter l'enlèvement des pépins, peler les fruits et les diviser en rondelles, découper ensuite à l'emporte-pièce la partie centrale. Saupoudrer de sucre et faire macérer en les aspergeant avec une liqueur : marasquin, Grand Marnier, etc.

Nota. — Les poires utilisées seront toujours choisies mûres à point.

Beignets d'ananas

Un ananas de belle grosseur peut permettre de faire deux douzaines de beignets.

S'il est frais, l'éplucher, évider le centre qui est dur, et le couper en disques de 8 millimètres d'épaisseur, les étaler sur un plat, les saupoudrer de sucre en poudre, les asperger de kirsch ; laisser macérer à couvert pendant 20 minutes.

Pratiquer ensuite comme pour les beignets de pommes.

Beignets d'ananas marquisette

1° Après avoir épluché un ananas frais, le couper en deux parties dans le sens de la hauteur et diviser chaque moitié en tranches de 8 millimètres d'épaisseur. Évider le centre.

Les ranger sur un plat, les saupoudrer de sucre en poudre et les asperger de rhum. Couvrir d'un plat retourné et laisser macérer 20 minutes.

2° Pendant ce temps, préparer 3 décilitres de crème frangipane avec un verre de lait (2 décilitres), délayer avec 40 grammes de farine tamisée (4 cuillerées à potage pleines) ; 40 grammes de sucre (2 cuillerées à potage pleines) ; un œuf entier ; une gousse de vanille mise à infuser pendant que le lait est prêt à bouillir. Remuer sans arrêt jusqu'à l'ébullition avec un fouet, retirer du feu et terminer en incorporant deux noix de beurre frais (20 grammes environ) et 2 jaunes d'œufs. Vanner la crème pendant qu'elle tiédit pour empêcher la formation de grumeaux, et ajouter une cuillerée à potage de pistaches émondées, c'est-à-dire débarrassées de l'enveloppe après les avoir plongées une minute dans de l'eau bouillante et hachées.

3° Bien égoutter les tranches d'ananas, les tremper une à une dans la crème à peine tiède en ayant soin de bien les enrober et les poser sur un plat saupoudré d'un nuage de sucre glace.

Les laisser ainsi le temps nécessaire au raffermissement de la crème.

4° Quand cette dernière est bien solidifiée, procéder au dernier traitement des beignets juste 8 minutes avant de les servir.

A ce moment, détacher les tranches d'ananas en prenant soin de ne pas endommager l'enveloppe de crème et les tremper, une à une, dans de la pâte à frire légère, les plonger au fur et à mesure dans une grande friture fumante pour les saisir parfaitement.

Les égoutter, les éponger, les saupoudrer de sucre glace, les glacer et les servir dressés en turban.

Beignets de bananes

Éplucher des bananes, les diviser en deux parties dans le sens de la longueur, ranger ces dernières sur un plat, les saupoudrer de sucre en poudre et les asperger de cognac ou de fine champagne. Laisser macérer 20 minutes.

Les traiter comme les beignets de pommes en grande friture à l'huile fumante.

Terminer par le glaçage et dresser de même.

Beignets soufflés

La pâte à beignets soufflés n'est autre qu'une pâte à choux commune.

En voici la composition : 500 grammes d'eau (1/2 litre); 100 grammes de beurre; 5 grammes de sel; 10 grammes de sucre.

Réunir le tout dans une casserole, faire bouillir, ajouter, hors du feu, 300 grammes de farine tamisée. Mélanger, puis dessécher en maintenant au feu assez vif en remuant constamment avec une spatule.

L'évaporation de l'eau est accomplie quand la masse se détache d'un bloc de la casserole.

Retirer du feu, puis incorporer aussitôt, un à un, 6 à 7 œufs suivant leur grosseur. Travailler vigoureusement la pâte pendant cette dernière opération.

La pâte doit être très lisse et de consistance moyenne; parfumer au rhum ou autre alcool ou liqueur.

A l'aide d'une cuiller à potage et d'un couteau, mettre la pâte en petites noix dans la grande friture à l'huile modérément chaude.

Cette opération s'accomplit facilement : emplir largement la cuiller de pâte, puis avec la lame du couteau trempée chaque fois dans l'eau chaude, chasser la pâte en surplus, en rasant la cuiller avec le couteau. La pâte poussée se réunit en boule de la grosseur d'une noix et se détache de la lame humide pour tomber dans la friture chaude.

Augmenter, peu à peu, la chaleur de la friture à mesure que les beignets se développent pour doubler, au moins, de volume; leur faire prendre une belle couleur dorée et sécher.

Les égoutter sur un linge, les saupoudrer de sucre glace et les dresser en buisson sur une serviette pliée.

Beignets soufflés à la créole

Préparer des beignets soufflés et les fourrer, à l'aide d'une poche à pâtisserie garnie d'une douille unie ayant de 6 à 8 millimètres de diamètre à l'orifice, de crème fouettée additionnée de chocolat finement broyé et tenue sur glace avant de l'employer.

Cette opération s'effectue au moment de servir, les beignets brûlants sont ainsi servis garnis de crème glacée.

Dresser en turban, avec au centre, un monticule de même crème décorée avec une douille cannelée.

LES GAUFRES

Gaufres de grand-mère Bocuse

Éléments :

500 grammes de farine tamisée ; 3/4 de litre de crème ; 1/4 de litre de lait ; 300 grammes de beurre fondu ; 8 jaunes d'œufs ; 4 blancs d'œufs montés en neige ; 3 cuillerées à café de sucre en poudre ; 1 pincée de sel et de levure alsacienne ; 1 petit verre de rhum.

Méthode :

1° Dans un saladier ou terrine, mélanger la farine, le sel, la levure et le sucre.

2° Délayer le tout successivement avec le lait, la crème, les jaunes d'œufs et le rhum. Ceci étant fait soigneusement, incorporer le beurre fondu et les blancs d'œufs montés en neige très ferme.

3° Après l'avoir chauffé, graisser au beurre l'intérieur du gaufrier et verser une quantité de pâte sur une de ses faces, de façon à bien recouvrir les alvéoles.

4° Fermer le gaufrier, retourner l'appareil afin que la pâte se répartisse sur les deux faces du moule.

En opérant ainsi, vous obtiendrez des gaufres très croustillantes.

On peut déguster les gaufres simplement saupoudrées de sucre glace, garnies de crème Chantilly ou d'excellentes confitures ménagères.

LES CRÊPES

La tradition situe la consommation des crêpes en carême. A la vérité, ce dessert exquis occupe dans les menus une place quasi permanente, tant la variété en est grande depuis la crêpe robuste de ménage, qui n'est pas toujours celle des réjouissances, et la délicate crêpe dentelle qui forme si délicieusement l'accompagnement le mieux indiqué d'un entremets glacé.

Quelle que soit la composition de l'appareil à crêpes, ordinaire ou très fin, la méthode de préparation est toujours la même.

Méthode :

Réunir dans une terrine ou un saladier la farine, le sucre et le sel. Ajouter les œufs un à un en les incorporant à la farine qu'il est nécessaire de bien travailler pour l'obtenir parfaitement homogène et très lisse. Poursuivre le mouillement avec le lait versé et incorporé par petites quantités.

Il est indispensable de préparer cette pâte 2 heures au moins avant de l'employer et de la maintenir dans un endroit tempéré pour provoquer un début imperceptible de fermentation.

Terminer par l'addition du parfum au moment de l'emploi.

La cuisson s'effectue dans une poêle brûlante et légèrement beurrée au beurre clarifié ou à l'aide de plusieurs poêles. Les crêpes doivent être minces, légères et bien dorées sur les deux faces. La manière de les retourner — sauter — est aussi dans la tradition, elle demande plus d'habileté que d'explications.

Les saupoudrer légèrement de sucre à mesure de la confection et les dresser sur napperon.

Voici quelques variantes.

Crêpes ménagères

250 grammes de farine tamisée ; 100 grammes de sucre en poudre ; 1 pincée de sel fin ; 3 œufs ; 3 décilitres 1/2 (2 petits verres ordinaires à boire) de lait bouilli. Parfum : fleur d'oranger, rhum, kirsch, ou orgeat.

Crêpes châtelaines à la crème de marrons

250 grammes de farine tamisée ; 100 grammes de farine de châtaignes tamisée ; 100 grammes de sucre en poudre ; 6 œufs ; 1 prise de sel fin ; 7 décilitres 1/2 de lait bouilli. Parfum : orgeat et cognac.

Au fur et à mesure que les crêpes sont cuites, les tartiner avec une cuillerée de la crème suivante :

Faire une crème frangipane avec 100 grammes de sucre, 50 grammes de farine, 6 jaunes d'œufs, 4 décilitres de lait, une gousse de vanille. Dès l'ébullition, retirer du feu et incorporer 40 grammes de beurre et 125 grammes de marrons glacés — ou débris — broyés finement.

Plier les crêpes en quatre sur la crème, les dresser sur un plat long, en les faisant se chevaucher, les saupoudrer de sucre glace et les présenter au four très chaud une minute pour provoquer la fonte du sucre — le glaçage.

Crêpes à l'eau de fleur d'oranger

250 grammes de farine tamisée ; 1 prise de sel fin ; 6 œufs et 2 jaunes ; 100 grammes de sucre ; 60 grammes de beurre fondu en pommade ; 2 cuillerées à potage de crème fraîche. Parfum : cognac (2 cuillerées à potage).

Ne pas couler ces crêpes trop minces, et les cuire dans deux poêles grandes bien beurrées afin de les servir par couple sans attente.

Avant de les sauter, les piquer avec les dents d'une fourchette, l'évaporation de l'humidité est immédiate.

Quand une crêpe est cuite à point, la glisser sur un plat chaud préalablement saupoudré de fine cassonade blonde, saupoudrer la crêpe de même, l'asperger de quelques gouttes d'eau de fleur d'oranger, glisser dessus la seconde crêpe, la sucrer et l'asperger puis servir aussitôt.

Pendant que les convives s'en régalent, cuire une nouvelle série de deux crêpes.

Crêpes légères

250 grammes de farine tamisée ; 6 jaunes d'œufs ; 100 grammes de sucre et une prise de sel fin ; 1/2 verre de lait bouilli ; 10 grammes de levure.

Faire lever la pâte pendant 2 heures dans un endroit tempéré ; après cette période de fermentation, incorporer à la pâte 6 blancs battus en neige ferme et 1/2 litre de crème fouettée.

Laisser reposer ensuite 10 minutes.

Étendre 2 ou 3 cuillerées d'appareil dans une poêle — suivant la dimension de celle-ci — bien beurrée et cuire selon la méthode.

Les saupoudrer de sucre glace et les présenter au four très chaud une minute pour les glacer.

Crêpes Vatel

250 grammes de farine tamisée ; 75 grammes de sucre en poudre ; 1 prise de sel fin ; 3 œufs et 3 jaunes d'œufs ; 1 verre ordinaire (2 décilitres) de crème fraîche ; 100 grammes de beurre ; 1/2 litre de lait bouilli.

Parfumer au marasquin.

Crêpes flambées au Grand Marnier   (photo page 444)

Éléments :

1/2 litre de lait ; 4 œufs entiers et 2 jaunes ; 250 grammes de farine tamisée ; 250 grammes de beurre ; 1 cuillerée de sucre en poudre ; 2 cuillerées de sucre glace ; 10 centilitres de Grand Marnier ; 1 pincée de sel.

Méthode :

1º Dans un saladier, mettre la farine, les œufs, les jaunes, le sel et la cuiller de sucre en poudre.

Délayer l'ensemble en versant le lait petit à petit, de façon à obtenir en remuant une pâte lisse et sans grumeau ; en dernier, incorporer le beurre fondu.

2º Chauffer la poêle à crêpes ; y verser la valeur d'une bonne cuillerée de pâte. Aussitôt que la crêpe se détache, en secouant la poêle, la retourner en la faisant sauter.

Glisser les crêpes sur un plat beurré allant au feu ; saupoudrer la surface de sucre glace, colorer vivement à la salamandre.

3º Les crêpes sont servies, copieusement arrosées de Grand Marnier et flambées devant les convives.

On sert trois ou quatre pièces par personne.

Nota. — La pâte étant beurrée, il n'est nullement besoin de graisser la poêle chaque fois. Plus les crêpes seront minces, meilleures elles seront.

LES PANNEQUETS

Ce dessert constitue une variété de crêpes fourrées à l'infini quant aux compositions qui peuvent être utilisées pour les garnir.

Toutes les préparations, plus ou moins fines, de pâte à crêpes peuvent être employées pour les pannequets. En voici une qui est excellente :

250 grammes de farine de gruau tamisée délayée dans un saladier avec 8 jaunes d'œufs mis un à un ; 1/2 litre de lait ; 1 décilitre de crème fraîche ; 50 grammes de sucre ; 1 prise de sel fin ; 125 grammes de beurre fondu en pommade.

Parfumer avec 2 amandes amères broyées finement et une cuillerée à café de sucre vanillé.

Faire reposer 2 heures et, au moment de cuire les crêpes, incorporer à l'appareil 8 blancs fouettés en neige très ferme.

Faire les crêpes très minces dans de petites poêles spéciales grassement beurrées. Avoir soin d'étendre la pâte dans la poêle en une couche mince et régulière.

Après cuisson, tenir les crêpes au chaud, les unes sur les autres, en attendant la terminaison.

Pannequets soufflés

Les crêpes étant cuites très minces, mettre au centre une cuillerée à potage d'appareil à soufflé au kirsch ; plier les crêpes de façon à envelopper entièrement l'appareil et en donnant au pannequet une forme rectangulaire ou en le pliant en deux à la manière d'un chausson aux pommes.

Dresser les pannequets sur un plat rond, les saupoudrer de sucre glace et les mettre 3 minutes au four chaud, juste le temps d'obtenir le glaçage et la dilatation de la composition à soufflé.

Servir aussitôt avec, comme accompagnement, une jatte de sabayon au kirsch.

Pannequets à l'impératrice

Garnir des pannequets cuits avec une cuillerée à potage de riz poché pour entremets et chaud, additionné d'un quart de son volume de crème fouettée parfumée au marasquin, et terminer avec quelques dés menus de poire pochée au sirop et macérés dans une cuillerée de marasquin.

Plier les crêpes en chausson, les dresser sur un plat rond en couronne et en les faisant se chevaucher légèrement, les saupoudrer de sucre glace, puis les présenter une minute au four très chaud, juste le temps de glacer.

Dresser au centre, debout, appuyées les unes contre les autres, de belles moitiés de poires pochées au sirop au marasquin à raison d'une par convive et, au préalable, bien égouttées.

Napper les poires avec quelques cuillerées de sauce au chocolat dans laquelle le sirop de pochage des poires a été ajouté après réduction. Ce sirop peut tenir lieu de sucre.

Servir à part, dans une jatte, le complément de la sauce au chocolat.

Pannequets aux confitures

Toutes les confitures peuvent s'appliquer à cette formule d'entremets qui porte le nom de la confiture employée.

La confiture doit être assez consistante pour qu'elle ne se liquéfie pas en sirop dès le contact avec la chaleur. En masquer les crêpes d'un côté d'une couche de 2 à 3 millimètres et les plier comme il est indiqué pour les recettes qui précèdent.

Les dresser en couronne sur un plat, les saupoudrer de sucre glace, et les soumettre à la chaleur vive du four, juste le temps d'obtenir un rapide et beau glaçage.

On peut disposer au centre du plat un monticule de fruits de même variété que ceux des confitures utilisées, et pochés au sirop, soit entiers, soit divisés par moitié ou en gros salpicon (dés).

Dans ce cas, arroser ou lier les fruits avec un peu de sauce aux fruits indiqués, parfumée au kirsch ; servir une jatte de même sauce comme accompagnement.

Pannequets tonkinois

Préparer un salpicon de petits dés d'ananas compotés dans un sirop d'abricots, lié avec de la marmelade de pommes, réduite et parfumée au marasquin.

Garnir des crêpes à pannequets, les plier, les dresser en couronne, les saupoudrer de sucre glace et les glacer au four. Au centre des pannequets dorés et brillants, disposer une pyramide de dés d'ananas compotés dans un sirop d'abricots suffisamment réduit pour lier les fruits, parfumés au dernier moment au marasquin.

Accompagner d'une jatte de sauce abricot.

Pannequets à la crème frangipane

Les fourrer avec une cuillerée de crème frangipane, les dresser, les saupoudrer de sucre et les faire glacer à four très chaud.

Pannequets à la crème de marrons

Préparer une purée de marrons avec des débris de marrons confits, la rendre très légère et onctueuse par une addition de crème fouettée. En garnir des pannequets comme il est expliqué pour les autres recettes.

Dresser de même. Peuvent être accompagnés avantageusement avec une jatte de sabayon au marasquin.

Pannequets aux fruits

Tous les fruits (poires, pommes, ananas, bananes, pêches) pochés au sirop, coupés en dés, bien égouttés et liés avec de la crème pâtissière parfumée avec quelques gouttes de pastis, forment une garniture exquise pour les pannequets.

Les cerises débarrassées de leur noyau, pochées et liées, de même.

Les fraises et les framboises choisies petites, crues et liées semblablement sont tout aussi bien indiquées.

Les quelques recettes qui précèdent démontrent quelles ressources considérables les pannequets offrent dans la composition des desserts.

La voie est ainsi largement ouverte aux imaginations fertiles.

LES OMELETTES D'ENTREMETS

Les omelettes d'entremets comprennent trois types :
Omelette au sucre ;
Omelette aux liqueurs ;
Omelette aux confitures diverses.

Omelette au sucre

Quelle que soit l'appellation, la préparation de base est identique : 6 œufs entiers ou 4 œufs entiers et 3 jaunes pour 2 convives, battus modérément avec une prise de sel fin ;

Crêpes flambées au Grand Marnier (p. 442)

1/2 cuillerée à café de sucre en poudre et 2 cuillerées à potage de crème fraîche et fouettée — par économie cette addition peut être remplacée par 2 cuillerées de lait bouilli.

Faire l'omelette, la renverser sur un plat chaud et la saupoudrer de sucre glace.

A l'aide d'une tige de fer presque rougie au feu et appliquée brièvement sur l'omelette, tracer un quadrillage caramélisé d'un beau blond roux.

Omelette aux liqueurs

Confectionner l'omelette comme l'omelette au sucre en ayant soin de la renverser sur un plat très chaud. Après l'avoir saupoudrée de sucre glace, l'arroser d'une liqueur ou d'un alcool choisi, préalablement chauffé.

Présenter sur table aussitôt ; allumer la liqueur et en arroser l'omelette jusqu'à l'extinction du brûlot.

Les alcools ou liqueurs les mieux indiqués sont : rhum ; kirsch ; fine champagne ou cognac ; armagnac ; calvados ; mirabelle ; quetsche ; eau-de-vie de framboise ou de mûre ; Grand Marnier ; Cointreau ; anisette ; Pernod ; Izara ; chartreuse.

Omelette aux confitures diverses

Ce type d'omelette ne diffère de l'omelette au sucre que par la garniture intérieure qui lui est ajoutée avant de la rouler.

On procédera de la même façon quant au nombre d'œufs entiers et, éventuellement des jaunes, à la quantité de crème fraîche ou de lait et enfin au tour de main pour confectionner l'omelette. Toutefois, avant de la rouler, allonger au centre 3 cuillerées à potage de la confiture choisie ou de marmelade de fruits, l'une ou l'autre suffisamment consistante.

Terminer l'omelette renversée sur un plat de service en la saupoudrant de sucre glace et en la décorant au fer rouge (voir omelette au sucre).

Omelette tahitienne

Couper en petits dés 3 tranches d'ananas frais ou conservé, débarrassées du cœur filandreux et dur. Les mettre dans une petite sauteuse avec 3 cuillerées à potage de confiture d'abricots dissoute, faire bouillir, puis compoter doucement 15 minutes. Hors du feu, parfumer avec 2 cuillerées à café de marasquin. Préparer une omelette au sucre avec 6 œufs et 2 jaunes, la fourrer (garnir) avec les dés d'ananas compotés ; renverser l'omelette, la saupoudrer de sucre glace et la soumettre 2 minutes au four très chaud ou à la salamandre, juste le temps pour que le sucre fonde et se colore blond roux.

Entourer l'omelette d'un cordon de sirop d'abricots prélevé sur le restant de sirop utilisé pour confire l'ananas.

Omelette aux griottes

Peser 200 grammes de cerises griottes, enlever les queues, diviser les fruits en deux parties, l'une comprenant les trois quarts, l'autre un quart.

Cuire le quart 15 minutes dans un sirop composé de 1 décilitre d'eau et de 4 cuillerées à potage de sucre. Broyer les trois quarts avec leurs noyaux très finement et cuire le coulis obtenu avec du sucre à poids égal. Quand ce coulis aura la consistance d'une marmelade, le retirer du feu, le passer au tamis de crin, puis à l'étamine. Le rassembler dans un bol, le parfumer avec une cuillerée à café de kirsch et lui mélanger les cerises compotées, puis débarrassées de leur noyau.

Faire une omelette au sucre et la fourrer de cette délicieuse purée.

Saupoudrer l'omelette de sucre glace et la flamber au kirsch.

Omelette de la belle Aurore

Préparer 4 cuillerées à potage de crème frangipane dans laquelle les macarons auront été remplacés par une forte cuillerée à potage de pralin d'amandes et de pistaches (par moitié) broyé en pâte fine. La parfumer avec une cuillerée à café de liqueur de noyau. L'alléger avec 2 cuillerées à potage de crème fraîche et fouettée. Mélanger avec précaution les deux crèmes et en fourrer une omelette au sucre forcée en crème pour l'obtenir mousseline.

Saupoudrer de sucre légèrement et marquer au fer rouge.

Omelette Côte-d'Ivoire

Éplucher 2 belles bananes, les émincer en tranches (rouelles) de 5 millimètres d'épaisseur, les saupoudrer d'une forte pincée de sucre en poudre et les cuire vivement dans une sauteuse où chante une grosse noix de beurre.

D'autre part, piler au mortier 2 cuillerées à potage d'amandes douces fraîchement émondées et auxquelles une demi-amande amère a été mélangée ; ajouter une forte cuillerée à potage de sucre et peu à peu, 2 cuillerées de crème fraîche. Passer rapidement au tamis de crin ou laisser telle cette exquise crème d'amandes et l'utiliser pour lier les rouelles de bananes encore chaudes.

Faire une omelette au sucre selon la méthode indiquée et la fourrer avec les bananes liées.

Saupoudrer de sucre et glacer à four très chaud ou à la salamandre l'omelette une fois renversée.

Inciser le dessus de l'omelette et, par cette ouverture de 2 centimètres, couler à l'intérieur une cuillerée de crème d'amandes et verser le reste en cordon autour de l'omelette.

Omelette soufflée

L'appareil ou composition de l'omelette soufflée ainsi que la méthode de confection sont établis une fois pour toutes et servent de base invariable ou presque à la liste inépuisable des omelettes surprises.

Je conseille donc l'emploi de la recette de l'omelette soufflée à la vanille, à laquelle il suffira de se reporter lors de la préparation de toute omelette surprise.

Omelette soufflée à la vanille

Préparation (pour 2 ou 3 personnes) :

Dans une terrine ou un saladier, mettre 150 grammes de sucre en poudre et 4 jaunes d'œufs. Travailler le mélange avec une spatule pendant 15 à 20 minutes au moins, c'est-à-dire jusqu'au moment où la composition présentera un aspect consistant et crémeux de couleur jaune très clair.

Frotter toutes les faces d'un morceau de sucre sur l'écorce d'une orange ; quand il sera bien imprégné de zeste, le broyer et le joindre à la composition en même temps qu'une cuillerée à café de sucre vanillé.

D'autre part, quand l'appareil est monté au point indiqué ci-dessus, fouetter en neige bien ferme 6 blancs d'œufs et les incorporer avec précaution de la manière suivante : mettre d'abord le quart des blancs fouettés dans la composition ; rendre, par un mélange rapide, la masse très homogène et légère. Ajouter ensuite le reste des blancs en soulevant l'appareil avec la spatule tenue de la main droite alors que la gauche imprime à la terrine un mouvement de rotation inverse. Il faut surtout ne pas provoquer l'affaissement de la composition qui doit conserver la légèreté qui est précisément sa propriété.

Dressage :

Beurrer grassement un plat long, puis le saupoudrer de sucre. Dresser dessus un monticule ovale, le lisser avec une spatule à pâtisserie (ou couteau) ; pratiquer au centre, sur le sommet, une ouverture qui facilitera la pénétration de la chaleur et faire un décor soit avec la pointe d'un couteau ou avec un peu de la composition mise dans une poche à pâtisserie munie d'une grosse douille cannelée.

Cuisson :

Mettre aussitôt à four de chaleur moyenne et surveiller la cuisson pendant 20 minutes environ.

Il faut prendre soin que la coloration ne soit pas rapide ni brutale ; l'omelette, une fois cuite, doit être de couleur café au lait très clair.

Après une vingtaine de minutes de cuisson, la saupoudrer au sucre glace. Le glaçage s'effectue alors en quelques secondes. Il convient de ne plus quitter l'entremets des yeux. Le sucre fond et caramélise rapidement. Un beau vernis parfumé recouvre alors l'omelette qu'il faut servir immédiatement et que les convives doivent attendre.

Si le contraire se produisait, la déception serait grande, la moindre attente étant préjudiciable à cette friandise qui s'affaisserait, deviendrait lourde et d'un aspect peu séduisant.

Quand un tel entremets figure sur un menu, il faut minuter la durée du service pour fixer l'heure exacte de la mise en marche d'une omelette soufflée compte tenu du temps de préparation (15 à 20 minutes) ; dressage (5 minutes) ; cuisson (25 minutes).

Omelette soufflée aux liqueurs

Cet entremets dérivé du précédent se prépare dans les mêmes conditions en ajoutant à la composition (quantité indiquée), quand elle est crémeuse à souhait, 2 cuillerées à café de rhum, de kirsch, de marasquin, de curaçao, ou de framboise, etc.

Après cuisson et glaçage, verser dans la cavité pratiquée au sommet de l'omelette 4 cuillerées à potage de même liqueur ou alcool, préalablement chauffé, et allumer le brûlot en présentant l'entremets aux convives.

Omelette soufflée au Grand Marnier

Éléments (pour 2 ou 3 personnes) :

200 grammes de sucre en poudre ; 4 jaunes d'œufs ; 6 blancs d'œufs ; 1 morceau de sucre ; 1 écorce d'orange ; 1 cuillerée à café de sucre vanillé ; 1 verre à liqueur de Grand Marnier ; beurre ; sucre glace.

Préparation :

Dans un saladier, travailler le mélange (150 grammes de sucre en poudre, 4 jaunes d'œufs) avec une spatule pendant 15 à 20 minutes au moins.

Frotter toutes les faces d'un morceau de sucre sur l'écorce d'une orange. Quand il est bien imprégné, le broyer et l'ajouter au mélange précédent avec le sucre vanillé et le Grand Marnier. Mélanger intimement.

D'autre part, fouetter en neige ferme les 6 blancs d'œufs et les incorporer avec beaucoup de précaution : mettre d'abord 1/4 des blancs fouettés et, par un mélange rapide, rendre la masse très homogène et légère. Ajouter ensuite le reste des blancs en soulevant le mélange avec la spatule tenue de la main droite alors que la gauche imprime à la terrine un mouvement de rotation inverse. Le mélange ne doit surtout pas s'affaisser. Il doit conserver la légèreté qui est précisément sa propriété.

Dressage :

Beurrer grassement un plat long et le saupoudrer de sucre. Dresser dessus un monticule ovale lissé à la spatule. Pratiquer au centre une ouverture (pour la pénétration de la chaleur).

Cuisson :

Mettre aussitôt au four (chaleur moyenne) et surveiller la cuisson pendant 20 minutes environ. La coloration finale doit être café au lait très clair. Après la cuisson, saupoudrer au sucre glace qui fond et caramélise très rapidement. Servir immédiatement.

OMELETTES SURPRISES

· L'effet de surprise de ces omelettes est le contraste du froid et du chaud qui les caractérise.

Toutes respectent le même dispositif : un fond de biscuit, formant socle d'un appareil à entremets glacé, recouvert d'une composition à omelette soufflée normalement cuite et servie chaude.

Omelette norvégienne

Éléments (pour 6 à 8 personnes) :

100 grammes de sucre en poudre ; une cuillerée à café rase de sucre vanillé ; un morceau de sucre frotté sur un citron ou une orange jusqu'à ce qu'il soit imprégné totalement du zeste puis broyé finement ; 3 jaunes d'œufs et 5 blancs ; une cuillerée à potage de liqueur pour parfumer en rapport avec la glace utilisée ; 1/2 litre de glace à entremets ; une génoise cuite dans un moule ovale ou taillée de cette forme.

Méthode :

Préparer une composition à omelette soufflée avec les éléments ci-dessus.

Imbiber légèrement la génoise dont l'épaisseur ne doit pas excéder 4 centimètres avec quelques cuillerées de liqueur ou d'alcool choisis.

Démouler la glace ou la dresser à la cuiller sur toute la longueur du biscuit, et la recouvrir entièrement d'une couche épaisse de composition à omelette soufflée. Lisser avec une spatule à pâtisserie et décorer avec la même composition réservée à cet effet dans une poche munie d'une grosse douille cannelée.

La cuisson diffère un peu de celle d'une omelette soufflée ordinaire. Ici, il faut la saisir sans toutefois provoquer une coloration excessive. Saisie au four moyennement chaud, l'omelette se trouve protégée par une croûte qui se forme immédiatement et oppose un écran à la pénétration de la chaleur qui ne peut atteindre la glace.

La cuisson d'une omelette norvégienne, et de toutes celles qui en dérivent, est beaucoup moins poussée que pour une omelette soufflée. 6 à 7 minutes suffisent à la suite desquelles l'opération de glaçage est effectuée.

Pour toutes ces préparations, l'appareil à omelette soufflée demeure très crémeux puisque, pratiquement, peu cuit à l'intérieur, condition indispensable pour maintenir la glace à l'état solide.

Rappelons que ces entremets doivent être servis dès la sortie du four. Toute attente leur serait nuisible.

Il faut donc minuter avec précision le service du déjeuner ou du dîner pour fixer l'heure exacte de la mise en marche.

Omelette princesse Élisabeth

Procédé de l'omelette norvégienne ; remplacer la génoise par un pain de Gênes ; imbiber légèrement de kirsch ; dresser dessus parallèlement une glace aux fraises et une glace à la vanille ; mélanger à l'appareil à omelette soufflée parfumé au kirsch une cuillerée à potage de violettes pralinées.

A la sortie du four en piquer quelques-unes sur l'entremets.

Omelette surprise aux pêches

Appliquer la méthode de l'omelette norvégienne ; imbiber la génoise avec quelques cuillerées de liqueur de noyau ; garnir avec deux glaces, l'une en pâte à bombe parfumée au marasquin et pralinée, l'autre en glace aux pêches bien parfumée et crémée ; parfumer l'appareil à omelette soufflée au marasquin.

Après cuisson et glaçage, entourer l'omelette d'un collier de petites pêches bien régulières et mûres à point, variété Téton de Vénus, débarrassées délicatement de leur noyau sur le côté du pédoncule et de la peau, pochées dans un sirop au marasquin et tenues en réserve au réfrigérateur ou dans un endroit frais.

Il est indispensable de prévoir un plat assez grand avant le dressage de l'omelette pour que les pêches trouvent leur place entre l'entremets et la bordure intérieure du plat.

Voiler chaque pêche d'une cuillerée de gelée de groseilles traitées à cru et mi-prise.

Omelette moscovite

Employer le procédé de l'omelette norvégienne ; imbiber le biscuit de fond de quelques cuillerées de kummel ; garnir avec un appareil à parfait à la vanille, très crémé et parfumé au kummel ; incruster dans la glace quelques cerises confites mi-sucre, macérées au kummel ; recouvrir avec une composition à omelette soufflée parfumée discrètement avec un soupçon de Pernod ou liqueur anisée.

Après cuisson et glaçage, disposer autour de l'entremets, à la sortie du four, un cordon de cerises à l'eau-de-vie, bien égouttées, trempées dans du fondant blanc parfumé au kummel et mises, chacune, dans une caissette plissée à petit four. Les cerises se préparent à l'avance et sont tenues en réserve dans un endroit frais.

Omelette soufflée merveilleuse

Appliquer le procédé indiqué pour l'omelette norvégienne en employant un fond de biscuit en pâte à madeleine, additionnée d'une cuillerée à potage comble de macarons broyés finement pour 125 grammes de sucre travaillé en pâte à madeleine. Asperger le biscuit de gouttelettes de marasquin et le masquer d'une couche de 3 centimètres d'épaisseur d'appareil à bombe à la vanille, puis lui superposer une seconde couche de 6 centimètres d'épaisseur de glace aux poires teintée rose tendre, recouvrir d'une troisième couche identique à la première.

Envelopper le biscuit et la glace d'une fine composition à omelette soufflée parfumée au marasquin, décorer à la poche à pâtisserie munie d'une grosse douille cannelée et cuire à four chaud.

Après cuisson et glaçage d'un beau brillant, disposer de place en place, autour de l'omelette et à l'intérieur de la bordure — le plat aura été choisi de grandeur suffisante — 6 ou 8 poires très fondantes, bien calibrées, pelées avec goût en laissant subsister le pédoncule, débarrassées des pépins en pratiquant une cavité à la base, puis pochées convenablement dans un sirop légèrement rose et parfumé au marasquin.

Les poires auront été traitées, très à l'avance, réservées dans le sirop dans un endroit très frais et égouttées avec soin 10 minutes avant le dressage.

Pour finir, voiler chaque poire avec une cuillerée à potage de sabayon au champagne, parfumé au marasquin et additionné de crème fouettée dans la proportion d'un quart de son volume. Cette crème devra avoir la consistance d'une crème anglaise. La mise au point est obtenue avec une cuillerée ou deux de sirop de pochage des poires.

Servir à part dans une jatte en cristal le surplus du sabayon également très frais.

LES SOUFFLÉS

Il convient de distinguer deux catégories de soufflés, l'une à base de crème ou de lait lié aux jaunes d'œufs, l'autre à base de sucre cuit au cassé additionné d'une purée de fruits. Dans l'une et l'autre, des blancs d'œufs fouettés en neige très ferme complètent la composition.

Soufflés à la crème

Éléments (pour 6 personnes) :

2 décilitres (1 verre ordinaire) de lait; 50 grammes de sucre en poudre (2 cuillerées à potage bien pleines); 30 grammes de fécule ou de Maïzena ou de farine à défaut; 20 grammes de beurre fin; 4 jaunes et 5 blancs d'œufs; le parfum choisi; une gousse de vanille.

Méthode :

Mettre le lait à bouillir avec le sucre et une gousse de vanille. Après infusion de cette dernière pendant 5 minutes, l'enlever et mélanger le lait encore chaud à la fécule diluée dans un peu de lait froid, réservé à cette intention sur les 2 décilitres prévus. Remuer au fouet, chauffer doucement jusqu'à un commencement d'ébullition. Retirer du feu aussitôt; cette bouillie doit être très lisse, lui incorporer, hors du feu, les jaunes et le beurre frais, le parfum, fonction de l'intitulé, puis les blancs fouettés en neige très ferme.

Le mélange des blancs à la composition de base exige quelques soins particuliers pour éviter qu'ils ne retombent.

En les montant, alors qu'ils commencent à devenir fermes, il se produit souvent une sorte de dissociation de l'albumine ; le praticien dit : « Les blancs grainent. » C'est une expression plus imagée que technique, mais qui traduit une difficulté, une menace pour la réussite de l'entremets, à surmonter. L'on y parvient dès la première constatation par l'addition aux blancs d'une cuillerée à potage de sucre en poudre. Les œufs très frais se manifestent souvent ainsi.

Mettre le volume d'une cuillerée de blancs fouettés dans la crème de base, la mélanger bien à fond avec une spatule. Cette première addition a allégé la composition à laquelle il devient plus facile d'incorporer la totalité des blancs en deux fois. Ce mélange, déjà expliqué dans cet ouvrage, consiste à découper la masse avec la spatule en un mouvement de bas en haut, en partant du centre et dirigé vers la gauche. En même temps, l'on imprime à l'ustensile employé un mouvement de rotation dans le sens inverse. Ainsi l'unification de la masse s'opère intimement tout en maintenant les blancs dans leur volume neigeux initial.

Le moulage et la cuisson :

Les soufflés sont toujours servis dans le récipient de cuisson : timbale spéciale argentée ou en porcelaine allant au feu, de forme cylindrique et dont la hauteur ne dépasse guère 18 à 20 centimètres, le diamètre de la base est donc assez grand et permet à l'ustensile de porter parfaitement sur la sole du four.

Beurrer grassement une timbale de ce genre et saupoudrer l'intérieur de sucre glace ou en poudre.

Garnir avec l'appareil aux trois quarts au moins, lisser la surface avec un couteau, tracer avec ce dernier une rosace sur la surface lissée et mettre en cuisson.

Poser le moule, une minute, sur la plaque du fourneau pour en chauffer le fond et préparer la montée du soufflé, puis le placer à four de chaleur moyenne. Surveiller la marche de la cuisson attentivement ; faire pivoter assez souvent le moule d'un quart de tour ; cette série d'opérations doit être accomplie avec dextérité pour éviter de laisser le four ouvert. Au bout de 18 à 20 minutes, le soufflé dépasse le moule d'environ 8 à 10 centimètres et prend une belle couleur dorée foncée : c'est le moment de procéder au glaçage.

D'un geste rapide, saupoudrer la surface d'un nuage de sucre glace et repousser le moule vers la partie plus chaude du four ; 2 secondes, le sucre est fondu ; recommencer le saupoudrage successivement, 6 fois au moins.

L'on obtient alors un enduit vitrifié, transparent, et de jolie couleur dont les bavures coulent en grosses perles d'or qui rappellent les pleurs d'émail qui ornent les grès d'art.

La timbale est alors posée sur un plat garni d'un délicat napperon de dentelle fine et présentée immédiatement aux convives qui doivent attendre.

Il faut nécessairement limiter cette attente indispensable au strict minimum en ayant soin de minuter minutieusement le service.

Encore deux dernières recommandations :

1° Le praticien qui surveille la cuisson d'un soufflé ne doit pas être distrait de son bel ouvrage qui réclame toute son attention.

2° Je mets en garde lectrices et lecteurs contre la tentation de servir le soufflé dès qu'il est monté. Pour être exquis, un soufflé doit être, en surplus, cuit ; pour cela il doit être pénétré par la chaleur qui fait perdre aux blancs d'œufs leur aspect albumineux et cru que l'on rencontre trop souvent.

C'est une faute gastronomique et technique qui ne doit pas être commise.

Ces explications étant bien retenues et observées, il n'est pas possible de ne pas réussir, d'une manière absolument parfaite, les formules ci-après qui toutes reçoivent le même traitement auquel lectrices et lecteurs sont invités à se reporter.

Soufflé au citron

L'appareil à soufflé parfumé avec le zeste d'un citron râpé avec quelques morceaux de sucre, dissous ensuite dans le lait de composition et 30 grammes d'écorce de citron confite, coupée en dés minuscules et ajoutée à la composition de base avant l'incorporation des blancs.

Soufflé à l'orange

Remplacer, dans la formule du soufflé au citron, le citron par de l'orange.

Soufflé à la vanille

Formule du commentaire.

Soufflé aux pralines

Ajouter à la formule du soufflé à la vanille 2 cuillerées à potage de pralin aux amandes, ou de nougat, broyé en poudre, 6 pralines concassées grossièrement et mises dans la composition au moment d'y incorporer les blancs, puis 5 à 6 pralines dispersées sur la surface du soufflé au moment de le cuire.

Soufflé Martine

Appliquer la formule du soufflé à l'orange, garni de petits morceaux de biscuits à la cuiller ou champagne imbibés de Grand Marnier. Disposer ces morceaux de biscuits intercalés en deux couches dans la composition en garnissant le moule.

Soufflé au chocolat

La formule du commentaire, supprimer la fécule, ajouter 80 grammes (2 tablettes) de chocolat ; le briser, le fondre et le cuire 10 minutes doucement dans 2 cuillerées d'eau, mettre le lait, réduire pour obtenir un sirop épais et lier aux jaunes, hors du feu. Poursuivre l'opération selon les indications données.

Soufflé au café

Parfumer la composition de base (formule du commentaire) avec une cuillerée à potage de café frais et très fort ou une cuillerée à café d'essence de café.

Soufflé dame Blanche

Appareil (formule du commentaire). Remplacer le lait par du lait d'amandes. Ajouter dans la composition avant l'introduction des blancs 2 cuillerées à potage d'amandes hachées, grillées et légèrement pralinées.

Soufflé aux avelines

Formule du soufflé dame Blanche. Maintenir le lait d'amandes et remplacer les amandes pralinées par des avelines.

Soufflé Palmyre

Appliquer la méthode du commentaire et ajouter des morceaux de biscuits champagne ou à la cuiller imbibés au kirsch. Les introduire dans la composition, par couches, en garnissant le moule.

Soufflé Rothschild

L'appareil (formule du commentaire) additionné de 3 cuillerées de fruits confits divers coupés en petits dés et macérés au kummel. Quand le soufflé est cuit, disposer rapidement en bordure une couronne de fraises des bois ou de cerises mi-sucre.

Soufflé aux fleurs

Composition du soufflé à la vanille additionnée de 2 cuillerées à potage de fleurs pralinées et écrasées grossièrement.
Soufflé de Parme (violettes de Parme pralinées).
Soufflé « Printanier » (fleurs d'acacias pralinées).
Soufflé « France » (pétales de roses « France » pralinés).

Fin soufflé de bonne-maman

Éléments (pour 6 personnes) :

100 grammes de sucre; 1 cuillerée à café de sucre vanillé; 6 œufs; 1 décilitre de crème fouettée; 3 cuillerées à potage de noix grossièrement hachées; 1 cuillerée à café de liqueur de noyau.

Méthode :

Réunir dans un saladier le sucre et les jaunes d'œufs mis un à un, en travaillant le mélange à la spatule et à mesure que le sucre peut les absorber. Malaxer ainsi une dizaine de minutes afin que la composition blanchisse et devienne légère. A ce point, lui adjoindre les noix, la liqueur, puis la crème fouettée, enfin 5 blancs battus en neige très ferme.
Pour incorporer les blancs, observer les conseils donnés dans le commentaire.
Garnir un moule à soufflé grassement beurré et cuire selon la méthode indiquée.

Nota. — Ce soufflé ne contient pas de farine, ni de fécule : seule l'addition de crème fouettée, qui apporte ses principes gras, donne le moelleux toujours recherché. Cette composition est exquise, elle réunit la finesse à la légèreté.

Soufflés aux fruits

Cette catégorie de soufflés n'a de rapports avec les précédents que par la présentation d'une part, le sucre et les blancs d'œufs qu'ils contiennent, d'autre part.

Éléments (pour 6 personnes) :

250 grammes de sucre; 200 grammes de purée de fruits frais; 5 blancs d'œufs; kirsch, marasquin, noyau ou rhum.

Méthode :

Préparer la purée de fruits choisis en la passant au tamis de crin. La réserver dans un saladier.

Mettre le sucre dans un poêlon en cuivre non étamé, l'humecter avec 4 cuillerées à potage d'eau. Après dissolution, faire chauffer et bouillir, écumer avec soin et cuire jusqu'au cassé.

A ce moment, ajouter la purée de fruits ; éviter de faire bouillir, à moins que cette addition abaisse la cuisson du sucre au-dessous du boulé qui est recherché.

Le mélange est encore très chaud ; le verser tel, en filet, sur les blancs d'œufs fouettés en neige très ferme qu'il faut soulever à l'aide de la spatule pour unifier la composition.

La mise en moule et la cuisson sont identiques au soufflé à la crème.

Les fruits les mieux indiqués pour ces soufflés sont :

Fraises, framboises, abricots, pêches, melons, airelles, groseilles, ananas, fruits bien mûrs et à l'état cru ; pommes, poires, coings, cuits en marmelade, puis tamisés.

Il est indispensable d'ajouter quelques morceaux de sucre frottés sur le zeste d'une orange ou d'un citron pour donner à la saveur des fruits utilisés une note plus prononcée.

Il faut enfin alcooliser discrètement ces appareils au moyen de 2 cuillerées à café de kirsch, de marasquin, de noyau ou de rhum. Cette addition se fait pendant le mélange du sucre cuit et des fruits aux blancs.

Soufflé aux liqueurs et vins

Rhum, curaçao, Grand Marnier, Marie-Brizard, Cointreau, anisette, kummel, chartreuse, kirsch, crème d'abricots, crème de cacao, marsala, porto, frontignan, madère peuvent être utilisés comme parfum principal de soufflés dont le lait et la crème constituent les éléments de base ; associés à la fécule, maïzena, farine et aux œufs.

Utiliser la formule du commentaire en tenant compte de la quantité d'alcool ou de vin ajoutée. La crème de base devra être consistante selon la nature de cet appoint.

Nota. — Pour terminer cette série d'entremets, ajoutons qu'à la méthode indiquée au commentaire, on peut substituer l'emploi d'une quantité égale de crème pâtissière ou de crème frangipane. Il est encore possible de remplacer la fécule par de la farine et de faire un roux blanc rapide avec le beurre indiqué.

Ces facteurs ne modifient d'aucune manière les proportions de sucre et des œufs.

Notre préférence reste à la fécule ou à la maïzena, mieux à la formule donnée sous l'appellation « le fin soufflé de bonne-maman ».

Oranges soufflées   (photo page 460)

Éléments (pour 4 personnes) :

4 grosses oranges maltaises ; 80 grammes de sucre en poudre ; 4 œufs.

Méthode :

Couper les oranges aux deux tiers, les évider à l'aide d'une cuiller. Passer la pulpe au tamis. Dans une sauteuse, la faire réduire sur le feu. Additionner une cuillerée à soupe de zestes d'oranges finement hachés et blanchis.

Ajouter le sucre et laisser cuire quelques minutes. Laisser tiédir hors du feu et faire la liaison avec les jaunes d'œufs. Monter les blancs en neige très ferme, les incorporer à la préparation en plusieurs fois.

Avec cette composition, garnir les oranges évidées. Mettre au four moyennement chaud et cuire comme des soufflés ordinaires.

Présenter sur un plat et servir aussitôt.

LE SUCRE, LE CHOCOLAT, LES MERINGUES, LES GLACES, LES SORBETS

Notions élémentaires de la préparation des sirops et de la cuisson du sucre

Les sirops, solutions d'eau et de sucre, sont préparés à densités diverses entre 10° et 33° suivant l'utilisation à laquelle ils sont destinés. Le sirop de sucre de 32 à 33° Baumé est aseptique. A densité inférieure ou supérieure, il fermente. Il est à nouveau aseptique quand l'évaporation de l'eau qu'il contient est totale ou presque. A ce point et refroidi, il se retrouve à l'état solide ; sa composition est pure et naturelle.

La densité se pèse à l'aide d'un densimètre ou pèse-sirop. A défaut de cet instrument, il faut recourir aux moyens suivants :

1° 25 grammes de sucre dissous dans un litre d'eau produisent 1° Baumé. Cette donnée étant connue, il suffit de multiplier le nombre de degrés nécessaires par 25 grammes pour connaître le poids du sucre à dissoudre pour obtenir un litre de sirop.

Exemple : un litre de sirop à 20° contiendra 25 grammes × 20 = 500 grammes de sucre. Un litre de sirop à 32° contiendra 25 grammes × 32 = 800 grammes de sucre.

2° Le poids du sucre se trouvant calculé, il faut déterminer son volume pour connaître celui de l'eau contenue dans un litre de sirop.

Ce problème sera résolu avec la même simplicité.

Le volume d'un gramme de sucre fondu est de 0,06 centilitre, celui de 500 grammes de sucre fondu sera de 0,06 × 500 grammes = 3 décilitres ou 30 centilitres, ou celui de 800 grammes de sucre fondu : 0,06 × 800 grammes = 48 centilitres ou 4,8 décilitres.

Dans le premier problème, un litre de sirop sera composé de 3 décilitres (500 grammes) de sucre et de 7 décilitres d'eau ; dans le deuxième, un litre de sirop sera composé de 4,8 décilitres (800 grammes) de sucre et de 5 décilitres d'eau.

Ces indications permettront de préparer des sirops quels qu'en soient les degrés.

Ajoutons :

Du sirop à 18° est composé d'un litre d'eau et de   540 grammes de sucre.
Du sirop à 20° est composé d'un litre d'eau et de   750 grammes de sucre.
Du sirop à 25° est composé d'un litre d'eau et de   860 grammes de sucre.
Du sirop à 27° est composé d'un litre d'eau et de   950 grammes de sucre.
Du sirop à 29° est composé d'un litre d'eau et de 1 000 grammes de sucre.

Méthode :

Le poids et le volume du sucre étant connus ainsi que le volume de l'eau, la dissolution peut être faite à chaud ou à froid.

La méthode à chaud est plus certaine quant à la bonne conservation ; elle est d'ailleurs très simple. Réunir dans un poêlon en cuivre non étamé, ou un autre récipient allant au feu, le sucre et l'eau, faire chauffer jusqu'au moment où l'ébullition se manifeste ; retirer du feu, écumer et pour filtrer passer dans un linge tendu sur le récipient dans lequel le sirop est débarrassé.

Si le densimètre est utilisé, on remarquera que du sirop pesant 30º à l'état bouillant en pèsera 34º quand il sera totalement refroidi. Il faut retenir cette deuxième indication pour les préparations à base de sirop froid.

L'ancienne graduation en degrés Baumé a été supprimée par décret le 3 mai 1961 dans le but d'uniformiser les unités de mesures. Voici donc l'échelle de correspondance des degrés densité avec les degrés Baumé.

Degré Baumé	Densité	Degré Baumé	Densité	Degré Baumé	Densité	Degré Baumé	Densité
5	1,0359	13	1,0989	21	1,1699	29	1,2515
6	1,0434	14	1,1074	22	1,1799	30	1,2624
7	1,0509	15	1,1159	23	1,1896	31	1,2736
8	1,0587	16	1,1247	24	1,1995	32	1,2850
9	1,0665	17	1,1335	25	1,2095	33	1,2964
10	1,0745	18	1,1425	26	1,2197	34	1,3082
11	1,0825	19	1,1515	27	1,2301	35	1,3199
12	1,0907	20	1,1609	28	1,2407	36	1,3319

La cuisson du sucre

Les explications techniques qui suivent ont pour but, surtout, de faire mieux comprendre certains principes de la cuisson et de la conservation des confitures.

Elles faciliteront, au surplus, la réalisation de petits travaux de confiserie avec les moyens limités du foyer.

Cuisson du sucre :

Cette opération s'effectue dans un poêlon en cuivre non étamé.

Déposer une quantité déterminée de sucre en morceaux ou en poudre dans un poêlon, ajouter pour 500 grammes de sucre, par exemple, un bon décilitre d'eau.

Mettre sur le feu, chauffer doucement, remuer de temps à autre, quand la dissolution est totale, pousser jusqu'à l'ébullition.

Le sirop à densité élevée obtenu rejettera des impuretés, écumer avec soin. Puis l'additionner d'une bonne cuillerée à café de glucose dont le rôle est d'empêcher le sucre de grainer pendant la cuisson.

L'ébullition provoque l'évaporation de la partie liquide du sirop lequel épaissit et est très bientôt recouvert d'une nappe de petits bouillons très rapprochés les uns des autres.

La surveillance de la cuisson doit être alors plus attentive car elle évolue très rapidement.

C'est aussi le moment où les dernières impuretés sont rejetées par les bouillonnements contre la paroi du poêlon où elles s'attachent. Il faut les enlever à mesure de leur formation de la manière suivante :

Placer près du poêlon un récipient contenant de l'eau froide très propre, et d'un mouvement rapide, plonger alternativement l'index dans l'eau froide, puis dans le sirop en lavant la paroi du poêlon, puis à nouveau dans l'eau froide où le doigt se débarrasse des impuretés qu'il a recueillies.

La vitesse avec laquelle ce geste est accompli enlève tout risque de brûlure.

C'est aussi par ce moyen que l'opérateur suivra les six principales phases successives de la cuisson.

1re *Phase* : Petit filet 33°. — Se constate en trempant l'extrémité de l'index dans une goutte de sucre en cuisson versée sur une assiette ; mettre le pouce et l'index en contact, les écarter légèrement, des petits fils de sucre s'étireront sans se briser.

2e *Phase* : Grand filet 35°. — Renouveler l'opération précédente quelques secondes après, les filaments de sucre sont plus nombreux, ils s'étirent davantage sans se briser, ils sont plus résistants.

3e *Phase* : Petit boulé 39°. — L'index trempé très rapidement dans l'eau froide, puis dans le sucre en ébullition, puis à nouveau dans l'eau froide sera enrobé de sirop très épais qui, au contact du froid, prendra la consistance de la glu. Frotter le pouce et l'index l'un contre l'autre en tournant, une petite boule mollette de sucre se formera entre eux.

4e *Phase* : Grand boulé 41°. — Répéter le geste ci-dessus trois secondes plus tard, la boulette de sucre sera très consistante.

5e *Phase* : Petit cassé. — Cette fois l'index trempé dans le sucre, puis dans l'eau froide, retiendra une pellicule presque solide de sucre. Mordre cette parcelle de sucre, elle attache, elle colle aux dents.

6e *Phase* : Grand cassé. — Renouveler l'opération précédente une seconde après, la pellicule de sucre placée sous la dent se brisera comme du verre.

Au-delà de la 6e phase, le sucre commence à brûler, il devient couleur ambre clair — c'est le caramel pour les entremets —, puis roux foncé — il prend une saveur amère et a 215° de température —, puis franchement noir : additionné d'eau et dissous, il n'est plus qu'un colorant.

Les expressions techniques utilisées pour qualifier le degré de cuisson du sucre sont complétées par quelques dénominations intermédiaires qui sont, dans l'ordre : la nappe — état précédant le petit filet ; — le petit et le grand perlé, le petit et le grand soufflé, états qui lui succèdent et qui s'observent les premiers par la nature de l'ébullition, les seconds par les bulles qui s'échappent de l'écumoire en cuivre trempée dans le sucre lorsque l'on souffle à travers les trous.

Sirop de framboises au naturel

Fouler au tamis fin 1 kilo de belles framboises mûres et très saines. Faire fondre en mélangeant à la pulpe obtenue le même poids de sucre en poudre. Le sirop de framboises au naturel est utilisé pour masquer principalement les coupes glacées aux fruits.

Fondant ou glacé

Dissoudre dans un poêlon en cuivre non étamé 500 grammes de sucre en casson avec quelques cuillerées d'eau. Mettre au feu et le cuire rapidement au petit boulé. L'épurer avec soin pendant la cuisson. Le verser sur un marbre à pâtisserie dans un cadre composé de quatre règles en fer, marbre et règles légèrement huilés ; quand le sucre cuit est à demi refroidi, enlever les règles et le travailler fortement avec une spatule en rejetant le tour sur le centre ; sous cette action le sucre blanchit, durcit, puis enfin se transforme en pâte lisse, malléable et crémeuse.

Le relever dans une terrine et le recouvrir d'un linge frais en l'attente des utilisations ultérieures. Le parfum est ajouté à ce moment. Il est alors tiédi avec précaution pour le détendre, le rendre un peu coulant tout en lui conservant son brillant. La grosseur d'une noisette de glucose peut y être adjointe.

Glace

Addition à température douce de sucre glace avec un sirop parfumé et une parcelle de glucose jusqu'à consistance d'une crème mi-épaisse.

Nougat aux amandes

200 grammes de sucre et 200 grammes d'amandes émondées, hachées et séchées.

Mettre le sucre dans un bassin en cuivre non étamé, chauffer doucement en remuant le sucre sans arrêt avec une spatule.

Le sucre fond à sec à une température de 160°. Il prend immédiatement une coloration blonde. Dès qu'il est à l'état de sirop, verser dedans les amandes tenues au chaud. Hors du feu, procéder au mélange total des deux éléments et verser le tout sur une tourtière légèrement huilée. Tenir à chaleur douce pendant les travaux de moulage effectués sur un marbre huilé sous forme de petites et minces abaisses appliquées dans les moules choisis et huilés et dans lesquels le nougat se solidifie.

Démouler ensuite.

Praliné

Sucre et amandes dont un tiers de noisettes par parties égales.

Procéder comme il est indiqué pour le nougat ci-dessus, et après refroidissement, broyer le mélange au mortier ou à la broyeuse ou d'une autre manière.

Conserver la pâte obtenue dans un pot; recouvrir d'un papier huilé.

Fleurs pralinées

Violettes; fleurs d'acacia; pétales de roses et de lis.

Sucre et fleurs débarrassées du pédoncule par parties égales.

Mettre le sucre dans un poêlon en cuivre non étamé, le mouiller avec un peu d'eau et le cuire à l'état de sirop pesant 37°.

A ce moment y plonger les fleurs. Faire prendre franchement un bon bouillon et égoutter les fleurs sur une assiette; poursuivre la cuisson du sirop jusqu'au petit boulé, retirer du feu et remuer le sucre avec une spatule; peu à peu, il blanchira et grainera. Remettre les fleurs, mélanger jusqu'à l'adhérence complète. Étendre sur un plat allant à l'étuve; étuver dix heures à chaleur moyenne, puis cribler doucement pour ne recueillir que les fleurs enrobées de sucre.

Le sucre peut être teinté de couleur semblable à celle des fleurs mises en traitement.

Marrons confits

Éplucher sans les briser de beaux marrons sans cloisonnement. Les cuire doucement dans un blanc léger (mélange d'eau avec une faible quantité de farine). Les égoutter, les placer dans un pot en verre ou en grès avec une gousse de vanille et les recouvrir de sirop bouillant tout d'abord à 20°, puis, 48 heures après, on refait bouillir le sirop jusqu'à obtenir un sirop à 24° que l'on verse sur les marrons et ainsi de suite toutes les 48 heures avec des sirops à 28° et 32°. Enfin le glaçage se fait par immersion dans le sirop à 36° travaillé à la spatule pour le blanchir.

Truffes

Faire bouillir 1 litre de crème double, ajouter 1,500 kg de chocolat amer que l'on aura préalablement fait fondre au bain-marie, on obtient alors la ganache. Laisser reposer au froid une nuit. Le lendemain, toujours au bain-marie, chauffer légèrement en ajoutant 200 grammes de beurre très frais et de très bonne qualité. Détailler en parcelles à la poche, les rouler ensuite dans un très bon cacao amer.

LES MERINGUES

La composition dite meringue comprend 4 procédés de fabrication :
Meringue ordinaire.
Meringue italienne.
Meringue cuite.
Meringue suisse.
La première est une alliance à froid de 8 blancs montés en neige très ferme avec 500 grammes de sucre versé en pluie dans les blancs quand ils sont fouettés. La proportion des blancs varie de 6 à 12 pour 500 grammes de sucre suivant l'utilisation ; la dose de 8 blancs est une moyenne généralement pratiquée ; usages multiples en pâtisserie.
La seconde est un mélange de 500 grammes de sucre cuit au boulé et versé dans 6 à 8 blancs d'œufs fouettés en neige ferme ; usages pour entremets.
La troisième est la conséquence du fouettage de 8 blancs et de 500 grammes de sucre glace cette fois sur un feu très doux jusqu'à consistance d'une crème très épaisse ; usages pour petits fours, doigts de dame, rochers, etc.
La quatrième s'obtient en travaillant à la spatule dans une terrine 500 grammes de sucre glace avec 2 blancs d'œufs et quelques gouttes d'acide acétique. Quand le mélange est monté, ferme et crémeux, lui adjoindre les 4 autres blancs fouettés très fermes ; usages différents, décors glaçages pralinés ou non.

Meringues ordinaires

La composition étant prête et parfumée à la vanille, la mettre dans une poche à pâtisserie munie d'une douille de 12 millimètres ; coucher en coquilles — chou oblong ayant la grosseur et la forme d'un œuf, réglé par la pression exercée sur la poche — sur plaque à pâtisserie beurrée et farinée ; cuire à four très doux, presque une étuve un peu chaude afin de les obtenir très sèches et de couleur vieil ivoire.
Avant de les mettre en cuisson, procéder comme pour les biscuits à la cuiller en les saupoudrant de sucre en poudre mélangé pour 1 partie sur 4 à du sucre glace. Renverser l'excédent du sucre, le réserver pour un nouvel usage et asperger les coquilles de gouttelettes d'eau qui ont pour but de les perler. A la sortie du four, enfoncer légèrement l'intérieur en faisant une pression avec un œuf.
Refroidies, les coquilles en meringue se conservent sèches très longtemps si elles sont rangées dans une boîte en fer close hermétiquement.

Meringues garnies

Les meringues s'utilisent généralement accouplées par de la crème Chantilly avec laquelle elles sont garnies ou de la glace à la crème ou aux fruits. L'accouplement se réalise en laissant un espace de 3 centimètres entre les deux coquilles, lequel est garni de crème. La crème à Saint-Honoré peut être également utilisée.

Ce dessert est très délicat et offre une infinité de ressources : c'est une question d'imagination gourmande un peu fertile.

Exemples :

Bouchées exquises

Garnir, en les accouplant, deux petites coquilles en meringue avec de la crème Chantilly rosée avec quelques cuillerées de fine purée de fraises des bois additionnée d'un soupçon de marasquin.

Poser les coquilles garnies sur le côté et les voiler avec une nappe de fondant blanc au kirsch très léger, qui laisse transparaître la teinte rosée de la crème.

Dresser sur un plateau à pâtisserie recouvert d'une élégante lingerie.

Zéphirs antillais

Meringues accouplées avec une composition de bombe glacée à la vanille et parfumée au rhum. Dresser en rocher.

Servir, accompagné d'un sabayon léger au chocolat, présenté très froid dans une jatte de cristal, et d'une assiette de langues de chat.

Mousselines au marasquin

(œufs à la neige ou îles flottantes)

Préparer de la meringue ordinaire parfumée à la vanille.

Faire bouillir du lait sucré et vanillé dans une sauteuse, y déposer des meringues moulées avec une cuiller à potage et les pocher à très faible ébullition.

Après quelques minutes, retourner les meringues pour que la cuisson soit générale. Quand elles sont fermes au toucher, les égoutter sur un linge, puis les relever dans une jatte assez grande. Avec le lait de cuisson, faire une crème anglaise, liée à raison de 10 jaunes d'œufs par litre de lait.

Quand la crème a tiédi, la parfumer au marasquin et la verser sur les œufs. Servir très frais avec une assiette de petits sablés ou une brioche mousseline.

LES COMPOSITIONS GLACÉES

A. Les glaces à la crème.

B. Les glaces aux fruits.

C. Les appareils à bombe glacée.

D. Les pâtes à mousse, biscuits et parfaits.

E. Les sorbets.

Pour faire une glace, il faut accomplir quatre opérations principales successives :

1° Apprêter l'appareil ou la composition.

Oranges soufflées (p. 454)

2º Procéder au sanglage de la sorbetière.

3º Soumettre la masse à la congélation (se dit glacer) en la malaxant.

4º Mouler et sangler à nouveau.

La manière d'apprêter les compositions et les proportions des éléments constitutifs de chaque catégorie sont indiquees pour chacun d'eux.

Le sanglage de la sorbetière consiste à la placer sur son pivot dans le baquet spécialement équipé, à l'entourer de glace à rafraîchir concassée par couches entremêlées de sel marin mélangé de salpêtre ou de nitrate de potasse à raison d'1,500 kg de sel et de 150 grammes de salpêtre pour 10 kilos de glace à rafraîchir. Pilonner fortement la glace pour la tasser et abaisser son niveau aux deux tiers de la hauteur de la sorbetière. Recouvrir la glace salée avec un linge.

Le glaçage. — Suivant leur nature, les glaces sont préalablement glacées dans une sorbetière, puis moulées et glacées ou directement moulées et glacées.

Dans le premier cas, la composition préparée et refroidie est versée dans la sorbetière après que cette dernière aura été disposée pour la mise en marche.

Mue à la main, ou actionnée par un mécanisme, la sorbetière sera d'abord couverte hermétiquement pour éviter l'introduction accidentelle à l'intérieur de projections de sel pendant le sanglage.

Ouvrir la sorbetière, y verser la composition jusqu'à moitié de sa hauteur, la fermer hermétiquement avec son couvercle, et la mettre en mouvement. Le procédé primitif était simple. On peut y avoir recours aujourd'hui à défaut d'un outillage plus perfectionné et moderne.

La sorbetière proprement dite n'a guère changé depuis Procope. Elle est constituée par une boîte profonde en étain dont le fond a la forme d'une calotte, elle est close au moyen d'un couvercle hermétique ; sur ce dernier est fixée une solide poignée.

Seule la poignée a disparu des sorbetières actionnées à l'aide d'un engrenage, par une manivelle ou un moteur.

Le praticien d'autrefois, après avoir garni à moitié et fermé la sorbetière, l'enfouissait jusqu'au bord dans la glace salée, puis saisissant la poignée du couvercle à pleine main, il imprimait de vigoureux mouvements de rotation de gauche à droite qui avaient pour résultat de projeter la composition sur la paroi de la sorbetière où elle se congelait. Fréquemment, il ouvrait la sorbetière, raclait la paroi, rejetait dans la masse les parties congelées et poursuivait ainsi l'opération jusqu'à la prise de toute la composition.

Si je rappelle ce procédé, qui ne peut aboutir à un succès aussi complet qu'avec le brassage mécanique des instruments de nos jours, c'est pour prévenir lectrices et lecteurs qu'il est cependant possible de fabriquer un entremets glacé, même lorsque l'on n'a pas à sa disposition des moyens perfectionnés.

Les premiers perfectionnements apportés à la sorbetière furent le pivot de base, l'axe, l'engrenage et la manivelle. La sorbetière fut élargie, le couvercle supprimé et la houlette inventée.

Sous la poussée de l'engrenage sur l'axe, la sorbetière pivote rapidement, la composition se trouve projetée plus vivement alors que la houlette, guidée de la main gauche, racle sans arrêt la paroi et rejette la composition congelée dans la masse.

Les sorbetières dernier modèle sont munies de batteurs intérieurs et, à nouveau, d'un couvercle sous lequel un véritable malaxage s'organise.

La rotation imprimée projette la composition sur la paroi de la sorbetière, où elle congèle en couches minces aussitôt détachées par les spatules giratoires (malaxeurs) et rejetées dans la masse qui, battue sans arrêt, acquiert de la légèreté. La masse devient peu à peu consistante, lisse et homogène.

Moulage et sanglage. — La composition pourrait être servie immédiatement dans des coupes ou dressée en monticule sur une serviette pliée en utilisant une cuiller à potage trempée dans de l'eau tiède.

Généralement, elle est moulée dans des moules spéciaux décorés ou unis. La composition est introduite dans le moule qu'il faut frapper avec soin sur un torchon pour tasser la glace et éviter des cavités. Quand il est plein jusqu'au bord, couvrir avec un papier blanc d'un diamètre légèrement supérieur à celui du moule, enduire le tour intérieur du couvercle de beurre frais, le fixer sur le moule et mettre ce dernier dans un récipient, un baquet assez grand, et l'enfouir entièrement dans de la glace à rafraîchir, concassée, salée et salpêtrée comme pour le glaçage.

Laisser ainsi au moins une heure avant de servir si l'appareil est directement moulé sans glaçage préalable ; le procédé ci-dessus sera appliqué et le séjour dans la glace après le moulage, porté à 2 heures 1/2 au moins.

Pour servir. — Au dernier moment, sortir le moule de la glace salée, le laver, le tremper dans de l'eau tiède une seconde, l'essuyer, enlever le couvercle et renverser le moule sur une serviette pliée et placée sur un plat de service.

Présenter aussitôt accompagné de petits fours secs ou frais.

Nota. — L'emploi de la glace à rafraîchir appartiendra bientôt au passé, grâce à un sel artificiel, le carbo-glace, que l'on trouve de plus en plus facilement dans le commerce. La supériorité du carbo-glace sur la glace à rafraîchir salée et salpêtrée est d'éviter ces trois éléments et de ne provoquer aucune humidité. Le carbo-glace passe de l'état solide directement à l'état gazeux très lentement.

Le carbo-glace, lui-même, risque d'être rapidement relégué par la multiplication des congélateurs, produisant de basses températures (— 15°, 20° et même 30°). Une glace démoulée après un séjour calculé dans le congélateur atteint une telle dureté qu'il lui faut plusieurs heures, hors du congélateur, pour être propre à la consommation. Ce procédé constitue un progrès scientifique et pratique, mais n'ajoute rien, bien au contraire, à la haute qualité obtenue par des méthodes de travail qui pourront être considérées aujourd'hui, par d'aucuns, surannées.

1. — Glaces à la crème

Éléments (pour 8 à 10 personnes) :

3/4 de litre de lait ; 300 grammes de sucre ; 8 jaunes d'œufs ; 1 gousse de vanille.

Méthode :

1° Mettre le lait à bouillir avec la vanille ; infuser 5 minutes.

2° Pendant ce temps, réunir dans une terrine le sucre et les jaunes d'œufs, travailler le tout énergiquement à la spatule pour provoquer le blanchiment de la composition qui, peu à peu, formera le ruban autour de la spatule.

3° Verser doucement le lait sur le mélange ; après unification, le remettre dans la casserole, puis à feu modéré ; le remuer constamment avec une spatule, chauffer lentement en évitant l'ébullition et, dès que la composition épaissit comme une crème légère (la spatule est recouverte d'une nappe), la retirer aussitôt du feu et la verser dans la terrine en la passant au chinois fin.

Vanner pour accélérer le complet refroidissement.

La cuisson, en partie, de la composition est délicate à conduire et demande, à défaut d'expérience, beaucoup d'attention. Les lecteurs comprendront que l'onctuosité recherchée provient des jaunes d'œufs qui, s'ils sont trop cuits, durcissent en minuscules granules et perdent leur moelleux, leurs principes liants et gras.

Le nombre des jaunes peut être augmenté jusqu'à 16 pour un litre de lait et le sucre porté progressivement à 400 grammes pour obtenir des compositions plus fines, plus onctueuses.

Le lait peut être remplacé en partie ou en totalité par de la crème fraîchement levée dite fleurette.

Glace au café

Mêmes proportions que pour la glace à la crème. Pour parfumer, faire infuser à couvert dans le lait bouillant, 50 grammes de café récemment torréfié et broyé.

Glace au chocolat

Remplacer le café par une crème de chocolat obtenue en faisant dissoudre 250 grammes de chocolat avec un demi-verre d'eau. Abaisser de 100 grammes la quantité de sucre. Faire bouillir doucement 10 minutes. Si du cacao non sucré est utilisé, limiter ce dernier à 150 grammes et maintenir la dose de sucre.

Glace pralinée

Additionner un litre de composition de glace à la vanille avec 125 grammes de pralin, d'amandes ou de noisettes, pilé au mortier et passé au tamis.

Le pralin s'obtient au moyen d'un mélange, par moitié, de sucre et d'amandes ; le sucre est préalablement cuit au caramel, les amandes y sont ajoutées alors qu'il est brûlant, le tout refroidi est broyé ensuite au mortier.

2. — Glaces aux fruits

Glace à la groseille

Éléments :

750 grammes de groseilles rouges bien mûres et 250 grammes de blanches (soit 6 décilitres de jus environ) ; 1/2 litre de sirop à 32°, froid.

Méthode :

Extraire le jus des groseilles en les pressant fortement dans un torchon. Mélanger le sirop et le jus de fruits, lequel abaissera le sirop à 20°. Vérifier au densimètre. S'il dépasse 20°, ajouter de l'eau par toutes petites quantités en constatant le degré après chaque addition. S'il est, au contraire, faible, ajouter du sucre en vérifiant de même.

Glacer, mouler et sangler.

Glace aux fraises

Éléments :

500 grammes de fraises des bois ou variété très parfumée telles Ricard ou Saint-Joseph ; 1/2 litre de sirop à 32°, froid ; le jus d'une orange et celui d'un citron.

Méthode :

Écraser les fraises en purée tamisée au tamis de crin. Mélanger la purée de fruits et le sirop par quantité égale (1/2 litre de chaque), ajouter les jus d'orange et de citron et mettre le mélange au point sur 18° en procédant comme pour la glace à la groseille.

Glace à l'orange ou à la mandarine

Éléments :

1/2 litre d'eau ; 500 grammes de sucre ; le jus de 4 oranges ou l'équivalent de jus de mandarines ; jus d'un citron.

Méthode :

Faire dissoudre par ébullition le sucre dans l'eau, y faire infuser les zestes d'oranges et de citron et laisser refroidir. Ajouter alors le jus des oranges, ou des mandarines, et du citron, régler la densité sur 21°. Glacer, mouler et sangler.

Glace aux citrons

1re formule.

Éléments :

1 litre de lait ; 400 grammes de sucre ; 10 jaunes d'œufs ; le zeste de 3 citrons ; une gousse de vanille.

Méthode :

Procéder selon les indications données pour les compositions glacées, et la composition pour glace à la crème.

2e formule.

Voir glace à l'orange ci-dessus, et remplacer le jus de 4 oranges par celui de 4 citrons.

3. — Appareils à bombe glacée

Éléments :

1 litre de sirop à 28°, chaud, soit 32°, froid, ce qui nécessite 700 grammes de sucre dissous dans 6 décilitres d'eau ; 32 jaunes d'œufs et 1 litre 1/2 de crème fraîche.

Méthode :

Réunir le sirop et les jaunes d'œufs dans un bassin demi-sphérique en cuivre non étamé. Le placer sur un feu très doux et fouetter à la manière d'une génoise jusqu'à la cuisson partielle des jaunes, comme il est pratiqué pour une crème anglaise ou un sabayon. La composition montera et formera le ruban exactement comme l'appareil à génoise ; à ce moment, retirer le bassin du feu et continuer de fouetter la composition jusqu'à refroidissement total.

Alors, lui ajouter le parfum choisi, puis 1 litre 1/2 de crème fraîche fouettée bien ferme. Mélanger avec soin.

Moulage.

Cette composition ne se glace pas à la sorbetière et est directement moulée.

Généralement, la paroi intérieure des moules à bombe est chemisée (enduite) d'une couche mince de glace à la crème d'un parfum différent, vanille par exemple, et qui constitue un soutien à l'appareil à bombe dont la composition est beaucoup plus délicate.

Sangler ; laisser ainsi dans le rafraîchissoir, en pleine glace, pendant 2 heures et demie au moins ; démouler au moment de servir sur une serviette pliée et accompagner de petits fours secs ou frais.

4. — Les pâtes à mousse, biscuits et parfaits

La composition des mousses est de deux sortes, au sirop ou à la crème.

La confection des sirops est fort simple, même si la préparatrice ne dispose pas d'un densimètre (pèse-sirop). D'une façon générale, on peut, sans risque d'erreur, utiliser les proportions suivantes :

Pour un litre de sirop à 28° pesé chaud, ce qui donne 32° quand il est froid :

6 décilitres 1/2 d'eau et 700 grammes de sucre (= 4 décilitres), au total 10 décilitres.

Composition du sirop :

700 grammes de sucre dissous dans 6 décilitres 1/2 d'eau — faire bouillir 3 minutes et filtrer — donnent 1 litre de sirop à 28° pesé chaud et à 32° lorsqu'il est refroidi ; 1 litre de purée de fruits finement tamisés ; 2 litres de crème Chantilly bien ferme.

Cette quantité garnirait 4 moules de 1 litre et permettrait de servir 35 personnes environ.

Il est donc facile de régler des quantités moindres ou supérieures.

Mouler en moules pas trop hauts et sangler selon la méthode de 2 heures 1/2 à 3 heures.

La congélation peut être obtenue moyennant un séjour de 4 heures dans un réfrigérateur réglé à 0°.

Composition de la crème :

Avec 500 grammes de sucre en poudre, 16 jaunes d'œufs et 1/2 litre de lait, préparer une crème anglaise. Après refroidissement complet, ajouter 1/2 litre de crème fraîche, 20 grammes de gomme adragante finement broyée, 1/2 litre de purée de fruits tamisés avec minutie.

Mettre le récipient contenant la composition sur de la glace à rafraîchir broyée et fouetter ce mélange vigoureusement pour le rendre très mousseux et légèrement consistant.

Mouler, fermer avec soin et sangler ou placer au réfrigérateur comme il est dit pour la composition au sirop.

Soufflé glacé aux cerises

Préparer 1/2 litre d'appareil à mousse glacée aux cerises parfumée au marasquin.

Fixer à l'aide d'une ficelle une bande de papier blanc sur un moule à soufflé de manière qu'elle surmonte le moule de 5 centimètres.

Garnir le moule complètement, jusqu'à 1 centimètre de la partie supérieure de la bande avec l'appareil à mousse, le lisser et recouvrir entièrement le dessus de belles cerises débarrassées de la queue et du noyau, pochées et refroidies dans un sirop parfumé au marasquin. Mettre 3 heures au réfrigérateur.

Au moment de servir, enlever la bande de papier et napper très légèrement les cerises avec un coulis de framboises très rafraîchi.

Accompagner de tranches de fine brioche, cuite en couronne, coupée en tranches de 2 centimètres d'épaisseur, saupoudrées d'un nuage de sucre glace vanillé et présentées quelques secondes — le temps de faire blondir le sucre — à la salamandre.

Appareil à biscuits glacés

Se prépare et se travaille au fouet exactement comme un appareil à génoise monté à chaud et cuit en partie comme une crème anglaise ou un sabayon au bain-marie. Les proportions se règlent selon les bases suivantes : 500 grammes de sucre et 12 jaunes d'œufs. Quand l'appareil est monté et forme le ruban, retirer du bain-marie, poursuivre le battement au fouet jusqu'à refroidissement complet.

Terminer par l'addition de 250 grammes d'appareil à meringue italienne et 1 litre de crème fouettée.

La meringue italienne s'apprête avec 4 blancs d'œufs battus en neige bien ferme, dans lesquels on mélange, en versant en filet, 125 grammes de sucre cuit au boulé.

Le moulage des biscuits se fait dans des moules spéciaux, de forme carrée ou rectangulaire, munis de deux couvercles profonds. Cette disposition permet de superposer trois couches d'appareils différents en parfum et en couleur, les couvercles étant garnis comme le moule proprement dit.

Sangler ou placer dans un réfrigérateur comme on le pratique pour les mousses.

Le parfait

Le parfait est, par origine, la glace fine type au café.

La composition se prépare comme une crème anglaise dans laquelle le lait est remplacé par du sirop à 28° pesé froid. Les proportions sont, pour 1 litre de sirop, 32 jaunes d'œufs et 1 litre de crème fouettée.

Quand la crème chauffée doucement nappe, la passer au chinois dans un récipient et la fouetter jusqu'à complet refroidissement. Placer alors le récipient sur de la glace broyée et poursuivre le battement au fouet pendant 15 minutes au moins ; terminer par l'addition de la crème.

Parfumer avec de l'extrait de café.

Mouler dans un moule à bombe et sangler.

La pratique moderne a appliqué à cette composition différents parfums. Je me bornerai à conseiller l'adjonction de 3 cuillerées à potage de pralin aux amandes broyé et tamisé par litre de parfait.

Nota. — Aux données qui précèdent pourrait s'ajouter une nomenclature impressionnante des multiples combinaisons qu'elles permettent de réaliser. J'ai toujours eu le souci d'indiquer les bases essentielles de préparations exquises qui ne décevront jamais ceux ou celles qui les utiliseront, mais à la condition que la technique du travail soit toujours rigoureusement respectée. Il est aisé d'obéir à cette deuxième recommandation car, si en vérité la fabrication des glaces exige de l'attention, de la minutie, elle ne présente aucune difficulté à surmonter.

Parmi les parfums vers lesquels lectrices et lecteurs pourront orienter leur choix, je signalerai plus spécialement :

Le café, le chocolat, la vanille, le thé.

Les amandes, les noisettes, les pistaches, les noix, le pralin.

Les oranges, les mandarines, les citrons.

Les groseilles, les framboises, les fraises, les cerises, les abricots, augmentés, pour les fruits rouges, de quelques cuillerées de jus d'orange ou de citron dont l'acidité donne du relief à la saveur des fruits utilisés.

Les bananes, l'ananas, le melon.

Les violettes et les pétales de roses pralinés.

Le marasquin, la bénédictine, le Grand Marnier, le Pernod ou autres liqueurs anisées. Cointreau, Marie-Brizard, chartreuse, etc.

Le rhum, le kirsch, la framboise, l'Izara, etc.

Quant au dressage, sans parler du moulage, une glace ananas par exemple se sert dans l'écorce du fruit que l'on garnit, au moment de servir, de composition glacée surmontée du bouquet des feuilles d'ananas. Une glace aux oranges, aux mandarines, aux citrons, sera dressée dans les écorces, vidées avec précaution, et fermées avec le pédoncule portant quelques feuillages.

La plus grande fantaisie peut donc se donner libre cours dès l'instant que les règles du bon goût et l'harmonie des saveurs ne sont pas omises.

Les dénominations des glaces indiquent généralement une glace composée de plusieurs parfums et d'éléments variés chaque fois que le parfum unique n'est pas spécifiquement désigné par l'appellation.

Exemples :

AIDA. Moule chemisé avec de la glace à la framboise, garni intérieurement de glace à la vanille ; après l'avoir démoulée, la décorer à la poche avec une grosse douille cannelée de motifs en crème Chantilly.

AIGLON. Chemisé de glace ananas ; intérieur : glace à la mandarine.

AMBASSADEUR. Chemisé fortement de glace aux fraises ; garnir avec de la crème Chantilly parsemée de fraises des bois macérées dans un peu de kirsch.

ARCHIDUC. Chemisé de glace aux abricots ; garnir avec glace à la vanille additionnée de noix fraîches épluchées et pilées.

CENDRILLON. Chemisé avec glace à la pistache ; garnir avec appareil à mousse à la vanille parsemée de fruits frais ou confits macérés au marasquin.

COPPELIA. Chemisé avec glace aux cerises ; garnir avec une crème plombières parsemée de cerises confites mi-sucre.

MIREILLE. Chemisé avec glace à l'abricot ; garnir avec glace au marasquin.

NELUSKO. Chemisé avec glace à la vanille ; garnir de glace au chocolat.

VICTOIRE. Chemisé avec glace aux groseilles ; garnir avec une mousse aux framboises parsemée de fraises des bois macérées dans de l'eau-de-vie de framboises.

Cette liste pourrait être allongée par des centaines de combinaisons qui impliquent souvent des moulages et des décors différents.

5. — Les sorbets

(1 litre de composition suffit pour le service de 12 personnes)

Les sorbets forment quatre catégories assez semblables de glaces légères. On les distingue sous les appellations : granités, marquises, punchs, spooms.

Il s'agit en vérité de dérivés des compositions glacées aux liqueurs faites toutes au sirop pesé à 15° après addition de liqueurs à raison de 1 décilitre par litre de sirop à 18°.

Si le vin est employé : champagne, porto, madère, samos, sauternes tel Château-Yquem, mélanger à 1/2 litre de vin, 1/2 litre de sirop à 22° pesé froid, plus le jus de 2 citrons et d'une orange.

Les jus de fruits s'indiquent également, mais ils sont limités aux jus de groseilles, framboises, fraises, ananas, melon, cerises à raison d'une partie de jus de fruits et une de sirop à 18 ou 22° selon les fruits utilisés.

Quand la composition est prête, la glacer à la sorbetière peu de temps avant de servir en limitant sa congélation, c'est-à-dire sa consistance de telle sorte qu'elle puisse être bue. Les sorbets se servent dans de petites coupes ou verres.

Granités

Les granités ne comprennent que des préparations aux jus de fruits acides : oranges, citrons, groseilles, cerises mélangés à du sirop ramené, après addition, à 14º. En raison de sa légèreté, le glaçage provoque une granulation, d'où le nom.

Marquises

Ce sorbet est presque exclusivement préparé au jus d'ananas, au kirsch ou aux fraises mises en purée avec un sirop ramené à 17º.

Après glaçage à la sorbetière, tenir légèrement plus consistant qu'un sorbet ordinaire ; addition d'un demi-litre de crème fouettée par litre de composition.

Punchs

Glacer à la sorbetière un mélange composé d'un demi-litre de sirop, pesé froid à 22º et descendu à 17º par l'addition de champagne brut, du jus de 2 oranges et de 2 citrons.

Faire infuser un zeste (partie jaune et mince à l'exclusion de la pelure blanche) de citron et un d'orange dans le sirop. Après glaçage, incorporer 2 blancs d'œufs montés en neige ferme et mélangés à 100 grammes de sucre (meringue à l'italienne), terminer avec un décilitre de rhum ajouté en filet. Dresser en verres ou coupes comme les sorbets.

Spooms

Des quatre dérivés des sorbets, les spooms sont les plus consistants. Ils sont préparés avec un sirop à 20º pesé froid, et presque toujours avec du champagne, du muscat, ou du grand-sauternes. Leur caractère particulier est d'être légers et mousseux à l'excès. Pour obtenir cette particularité, la composition est additionnée, après glaçage à la sorbetière, d'une partie égale de meringue italienne, mélangée avec précaution. Se servent également en coupes.

L'orange à l'orange

Éléments (pour 6 personnes) :

12 belles oranges ; 2 citrons ; 1 verre de sirop de grenadine ; 250 grammes de sucre.

Méthode :

1º A l'aide d'un couteau économe, éplucher 6 oranges. Couper les zestes obtenus en fine julienne et les cuire dans 250 grammes de sucre et 2 décilitres d'eau additionnée d'un verre de sirop de grenadine. Parer à vif les 6 oranges épluchées en éliminant la peau épaisse et blanche. Détailler la pulpe en fines tranches. Les mettre dans un plat creux et verser dessus les zestes d'oranges et le sirop. Parsemer de quelques pistaches effilées.

LES ENTREMETS DE FRUITS

Compote d'abricots

Choisir 12 beaux abricots de maturité égale. Les plonger une seconde dans un bain d'eau bouillante et les éplucher aussitôt. Les diviser en deux parties et les mettre dans un sirop léger préparé à l'avance avec 150 grammes de sucre, 2 verres d'eau peu remplis (3 décilitres 1/2) et une gousse de vanille. Casser 4 noyaux, diviser les amandes en deux et les ajouter au sirop.

Mettre en ébullition doucement et faire pocher, en tenant l'ébullition à simple frémissement, 8 minutes environ. Tenir juste cuits pour éviter que les demi-abricots (oreillons) ne s'écrasent ou ne se déforment.

Conserver le sirop dans une terrine vernissée en l'attente du dressage dans un compotier ou d'un autre emploi.

Parfumer quand le sirop est tiède avec une cuillerée de kirsch ou de liqueur de noyau.

Abricots compotés au marasquin

Étendre 2 cuillerées à potage de crème fraîche épaisse dans un plat en porcelaine allant au feu. Ranger, côte à côte sur la crème, des demi-abricots épluchés selon la méthode de la compote d'abricots.

Saupoudrer abondamment les abricots de sucre glace et mettre le plat à four de chaleur modérée.

Après cuisson, arroser d'une cuillerée de marasquin et servir tiède dans le plat utilisé.

Abricots Condé

Préparer, d'une part, 10 abricots pour compote et, d'autre part, 125 grammes de riz à entremets.

Dès que le riz est cuit à point (égrené et lié), l'additionner des blancs d'œufs et le parfumer au kirsch, le verser dans un moule à bordure — moule à savarin dont le dessus est incurvé. Procéder au pochage, puis démouler sur un plat rond. Égoutter les demi-abricots tenus au chaud dans le sirop et les disposer sur le riz en les faisant se chevaucher dans la partie incurvée. Décorer les abricots avec quelques motifs d'angélique et de fruits confits ; cerise mi-sucre, cédrat, etc.

Arroser l'ensemble avec le sirop réduit à la valeur d'un verre à peine ; mélanger à 2 abricots laissés dedans avec intention, puis foulés au chinois fin. Parfumer avec 4 cuillerées de kirsch.

Nota. — Hors saison, utiliser des abricots conservés au sirop et lier le sirop réduit avec une cuillerée de marmelade d'abricots.

Abricots Bourdaloue

1º Pocher comme pour une compote 12 beaux abricots. Parfumer au noyau.

2º Préparer 1/2 litre de crème frangipane. La verser dans une fine croûte à flan en pâte sablée et cuite à blanc.

Égoutter soigneusement les demi-abricots et les ranger sur la crème frangipane. Les poudrer abondamment de macarons secs broyés ; saupoudrer légèrement de sucre glace et mettre à four chaud quelques minutes pour caraméliser le sucre et provoquer la formation d'un gratin odorant.

Servir accompagné d'une jatte de sauce abricot parfumée au kirsch et dans laquelle le sirop de pochage des fruits a été introduit après réduction.

Abricots Colbert

1º Cuire 50 grammes de semoule de blé pour entremets en la versant en pluie dans un verre de lait (2 décilitres) bouillant et sucré, parfumé à la vanille et salé d'une prise de sel.

Pocher à couvert à four de chaleur modérée pendant 30 minutes. A la sortie du four, l'égrener avec une fourchette et la lier avec 2 jaunes d'œufs et un petit œuf de beurre frais. Parfumer au kirsch ou à la liqueur de noyau.

2º Pocher 12 beaux abricots entiers pour compote tenus plutôt fermes. Les égoutter, les ouvrir à demi pour détacher le noyau et remplacer ce dernier par une quantité égale de semoule liée.

Reformer les fruits, les tremper, un à un, dans un œuf battu en omelette avec une cuillerée à potage de beurre fondu, puis les rouler dans la mie de pain émiettée en chapelure.

Les plonger dans une grande friture fumante, 8 minutes avant de servir.

Égoutter sur un linge, saupoudrer légèrement de sucre glace et dresser en buisson sur un napperon.

Accompagner d'une jatte de sauce abricot parfumée au kirsch ou au marasquin.

Abricots meringués Clairette

1º Préparer :

a) un pain de Gênes de la dimension d'une assiette à dessert. L'imbiber de liqueur de noyau ;

b) 50 grammes de riz à entremets, lié et parfumé également à la liqueur de noyau et vanillé ;

c) 12 beaux abricots entiers et en compote. Enlever les noyaux et les remplacer par une boulette d'un mélange, par moitié, de macarons broyés et de beurre frais et fin, parfumé avec quelques gouttes de liqueur de noyau.

d) 2 blancs d'œufs, réservés de la liaison du riz, montés en neige ferme et additionnés de 125 grammes de sucre en poudre et d'une pincée de sucre vanillé.

2º Placer le pain de Gênes sur un plat rond assez grand, étendre le riz dessus en une couche uniforme, disposer les 12 abricots reformés avec soin et masquer le tout avec la meringue à la manière d'une omelette norvégienne.

Quand la meringue a été bien lissée à la spatule, la décorer au cornet en ménageant dans le décor des rosaces, des roses, etc.

3º Cuire à four de chaleur moyenne, saupoudrer de sucre en poudre et sortir du four quand la meringue est de belle couleur chamois clair.

Dans les vides des rosaces, des roses, etc., couler avec un petit cornet un peu de gelée de groseilles ou d'abricots.

Cet entremets est excellent servi froid. Dans cette éventualité, veiller à la cuisson complète de la meringue ou employer de la meringue faite au sucre cuit.

Abricots flambés au Grand Marnier

Réunir 12 beaux abricots entiers pochés pour compote dans un plat en porcelaine allant au feu.

Les abricots auront été vidés de leur noyau après pochage et réservés au chaud dans le sirop tenu aussi court que possible.

Après dressage des abricots dans le plat chaud, parsemer dessus une cuillerée à potage d'amandes hachées, dans lesquelles 2 amandes d'abricots auront été mélangées, puis pralinées — saupoudrées de sucre en poudre, vanillées, et légèrement grillées à four chaud.

Verser dans le fond du plat quelques cuillerées de sirop de pochage lié légèrement avec une forte pincée de fécule.

Mettre à bouillir pour servir, puis au moment de présenter aux convives, arroser les abricots avec une cuillerée à potage de Grand Marnier par convive et flamber.

Sauce abricot :

Tamiser finement 6 abricots bien mûrs et parfumés. Mélanger cette pulpe avec un verre — 2 décilitres — de sirop, mettre le tout dans un poêlon en cuivre non étamé et cuire à la nappe comme des confitures. Parfumer avec une liqueur choisie quand la sauce est tiède ou froide.

Si elle est employée tiède, lui incorporer, hors du feu, une belle noix de beurre fin et frais.

Abricots Robert d'Ardeuil

1º Préparer avec un petit verre d'eau (à peine 2 décilitres), 125 grammes de sucre, 9 feuilles de gélatine ramollies à l'eau fraîche, une gelée non clarifiée.

2º Avec 20 abricots, très mûrs et bien fruités, tamisés, faire une purée. La recueillir dans un saladier.

Briser les noyaux, extraire les amandes, les émonder à la suite d'un ébouillantage d'une minute et les effiler en minces lamelles.

3º Réunir à la purée de fruits les amandes et le sirop gélatiné avant sa coagulation. Ajouter le jus d'une orange et celui d'un demi-citron.

Huiler un moule ayant la forme d'une calotte ou un bol, à défaut, et le garnir avec la composition au moment où celle-ci commence à prendre en gelée.

Mettre dans la glace ou au réfrigérateur pendant 3 heures avant de servir.

4º Pendant ce glaçage, pocher en plusieurs séries, 10 beaux abricots dénoyautés avec soin, pour maintenir les fruits intacts, dans un sirop composé de 175 grammes de sucre et d'un verre ordinaire d'eau.

Conduire ce pochage à très faible ébullition et maintenir les fruits juste attendris.

Les égoutter sur une assiette et mettre au froid.

Réduire le sirop de moitié.

5º Piler au mortier 50 grammes d'amandes douces avec une amère, après émondage et trempage. Les mouiller peu à peu pendant le broyage avec 1/2 verre de crème fraîche et liquide, du lait à défaut.

Relever le tout dans un torchon, en extraire le lait, au moyen d'une vigoureuse torsion. Le mélanger hors du feu au sirop, le filtrer dans un linge, le recueillir dans un bol et le mettre au froid.

6° Le dressage. — Démouler le pain d'abricots ; tremper le moule une seconde dans l'eau chaude, l'essuyer et le renverser sur un plat rond assez grand. Entourer la base avec les abricots pochés et les arroser avec le sirop au lait d'amandes. Servir le surplus du sirop dans une jatte, le tout très froid.

ANANAS

Raisonnablement, étant donné ses rares qualités digestives et son parfum, ce fruit merveilleux devrait toujours être consommé frais et cru. Il s'y prête d'ailleurs admirablement.

Ananas Condé

1° Éplucher l'ananas, le diviser en deux parties dans le sens de la longueur et enlever la partie centrale très dure ; ou le laisser entier et enlever cette partie centrale avec un emporte-pièce.

Le diviser en tranches de 1 centimètre d'épaisseur, les saupoudrer de sucre en poudre, les mettre dans un plat à macérer avec quelques cuillerées de kirsch.

2° Préparer du riz à entremets, le mouler dans un moule à génoise, le pocher, le démouler sur un plat rond et alors que le riz est très chaud, disposer en rosace sur ce gâteau les tranches d'ananas préalablement bien égouttées.

Les napper avec de la sauce abricot parfumée avec le kirsch et le jus de macération des tranches d'ananas.

Ananas meringué

Observer les dispositions des abricots meringués avec cette différence que l'ananas épluché sera coupé en tranches, puis en gros dés, mis à macérer comme l'ananas Condé et répandus en une couche sur celle de riz. Masquer de meringue ensuite, décorer et cuire.

Ananas et zéphirs normands

1° Éplucher, découper en demi-tranches après enlèvement du cœur, un ananas frais et bien mûr. Prélever 3 tranches et les diviser en dés de 1 centimètre de côté, les saupoudrer de sucre et les arroser d'un verre à liqueur de Marie-Brizard ou de cointreau. Procéder également à une semblable macération avec des demi-tranches dans deux récipients différents.

2° Préparer 50 grammes de semoule de blé comme il est indiqué pour les abricots Colbert mais liée avec 4 jaunes d'œufs et en ajoutant 2 blancs battus en neige bien ferme.

Parfumer, après liaison et avant l'addition des blancs, avec les dés d'ananas macérés à la liqueur de macération.

Vaniller légèrement.

Mouler dans un récipient grassement beurré allant au four et ayant la forme d'une demi-sphère. Pocher au bain-marie.

3º Monter 2 blancs d'œufs en meringue et coucher avec une poche à pâtisserie ou une cuiller à potage des petites meringues de la grosseur d'un œuf de poulette.

4º Cuire 2 belles pommes de reinette, épluchées, débarrassées du péricarpe et des pépins et divisées en quartiers, dans un plat à sauter avec une belle noix de beurre et une cuillerée à potage de sucre en poudre et une cuillerée à café d'eau. Étuver doucement jusqu'à écrasement complet de la pulpe. La broyer finement avec une fourchette, la vaniller et lui mélanger moitié de son volume de crème Chantilly.

5º Faire 2 décilitres (un verre ordinaire) de sauce abricot parfumée au cointreau ou Marie-Brizard.

Le dressage :

Démouler le gâteau de semoule sur un plat rond plus grand d'un tiers que le diamètre du gâteau. Disposer sur ce dôme, en rosace, et en les faisant se chevaucher les demi-tranches d'ananas.

Dans l'espace compris entre le pied de ces dernières et la bordure du plat, verser un cordon de sauce abricot de façon à marquer la tonalité or de ce fruit. Puis, autour des tranches d'ananas et à la base, une rangée de doubles meringues fourrées avec la marmelade de pommes Chantilly.

Avant de garnir les meringues, enfoncer avec précaution le dessous pour placer la marmelade entre les deux coquilles.

Séparer chaque meringue, mise en couronne, par une cerise confite mi-sucre. Réunir au sommet du dôme trois meringues et une cerise.

Napper l'ananas très légèrement de sauce abricot et servir l'excédent dans une jatte comme accompagnement. Ajouter avant cette dernière opération la liqueur de macération des tranches et le jus d'ananas dans la sauce abricot.

Ananas aux liqueurs

Procéder selon la méthode conseillée pour les ananas et zéphirs normands jusqu'à la macération du fruit divisé en tranches.

Le dresser ensuite sur un plat chaud, saupoudrer de sucre glace, saupoudrer les tranches elles-mêmes et les arroser avec la liqueur choisie et préalablement chauffée. Flamber et présenter aux convives pendant le brûlot. Bien arroser les tranches jusqu'à l'extinction naturelle de la flamme.

Ananas Paul et Raymonde

1º Choisir un bel ananas de belle couleur d'or et parfumé à souhait. Trancher le sommet en laissant adhérer aux feuilles une base d'un bon centimètre d'épaisseur.

Cerner le fruit à 2 centimètres de l'écorce avec une lame mince, sur toute sa hauteur, introduire à 3 centimètres de la tige la lame de couteau en la manœuvrant de manière à sectionner la chair de l'ananas afin de l'extraire d'un bloc de son écorce.

Cette opération terminée, diviser la pulpe en deux parties égales dans le sens de la hauteur et évider le cœur, dur.

Diviser une partie en tranches de 1 centimètre d'épaisseur et l'autre en dés de 1 centimètre de côté.

Les faire pocher séparément dans un sirop court. Après pochage, verser dans deux bols, parfumer de kirsch et réserver au froid.

2º Préparer 1/2 litre de composition à bavaroise à la crème. Parfumer au kirsch et ajouter le sirop de pochage des ananas au moment où la coagulation est sur le point de se manifester, les dés d'ananas et 4 cuillerées à potage de fraises des bois macérées au kirsch avec une cuillerée à café de sucre.

Avant que le mélange soit pris en gelée, le verser dans l'écorce d'ananas. Mettre au froid, dans la glace en neige ou au réfrigérateur pendant 3 heures.

3º La présentation. — Poser sur un plat assez grand un tampon en génoise épais de 4 centimètres et évidé au centre pour recevoir l'ananas debout et en équilibre.

Sur le sommet et au bord, ranger une couronne de fraises des bois macérées, placer dessus, en surélévation, le bouquet de feuilles.

A la base, disposer sur le plat, appuyées au biscuit et en feston, les demi-tranches d'ananas. Marquer le centre de chaque dent du feston d'une fraise des bois macérée.

Presser dans le sirop de pochage le jus d'une demi-orange sanguine, ajouter 2 cuillerées de kirsch et en arroser les tranches d'ananas. L'excès de sirop sera absorbé par la génoise qui s'en imbibera. La diviser en petits quartiers après le service de la crème bavaroise et les présenter aussitôt.

BANANES

Les bananes, pochées au sirop après épluchage, peuvent être accommodées à la Bourdaloue, Condé, meringuées; on en fait également d'excellents soufflés à la crème; dans ce but, les bananes fendues en deux sont cuites doucement au beurre dans une sauteuse, saupoudrées de sucre en poudre et mises en purée laquelle est additionnée à la crème de base.

Au lieu de cuire et présenter le soufflé de bananes dans un moule à soufflé classique, cette formule offre la ressource d'une délicieuse fantaisie, « les bananes soufflées pralinées », en prenant la précaution de ne pas détériorer l'épluchure des demi-bananes, les ranger dans leurs formes naturelles, en rosace, dans un plat rond allant au four et les garnir, à l'aide d'une poche à pâtisserie munie d'une grosse douille, d'appareil à soufflé de bananes additionné d'une cuillerée à potage de pralin aux amandes ou, à défaut, de macarons broyés. Saupoudrer légèrement avec la même poudre le dessus de chaque banane, puis par-dessus un nuage de sucre glace. Mettre à four chaud 5 minutes et servir ainsi.

CERISES

Cerises flambées

Enlever les queues et les noyaux de belles cerises et les faire pocher dans un sirop parfumé à la liqueur de noyau. Appliquer le traitement et le service des abricots flambés (page 471).

FRAISES

Fraises mignonnes glacées

1º Choisir 1 kilo de fraises des bois, les réunir dans un saladier, les saupoudrer avec 3 cuillerées à potage de sucre en poudre et une cuillerée à café de sucre vanillé, les arroser avec 1/2 verre (1 décilitre) de curaçao et autant de champagne. Mettre au froid à macérer pendant 1/2 heure, remuer les fruits de temps à autre pour qu'ils s'imprègnent parfaitement du sirop à la liqueur.

2º Préparer un litre de glace au citron pas trop fortement sanglée. Elle doit être moelleuse.

3º Broyer grossièrement 100 grammes de violettes pralinées. Tenir sur glace 2 verres de crème fleurette (crème légère et mi-coulante) sucrée avec 1 cuillerée à potage de sucre en poudre et vanillé.

Disposer de 20 fleurs d'oranger pralinées et d'une demi-cuillerée à potage d'écorce d'orange confite et coupée en dés menus.

Le dressage :

Au moment de servir, étaler régulièrement la glace au citron dans une coupe en cristal ou en argent, puis par-dessus, en une couche, les fraises égouttées et arrosées avec le sirop de macération filtré à la mousseline ; napper le tout avec la crème et, sur cette dernière, parsemer les violettes broyées, mélangées avec les dés d'orange confite.

Piquer de place en place les 20 fleurs d'oranger.

Ce dressage doit être prestement exécuté.

Fraises aux fruits d'or

Éléments :

1 ananas moyen, mûr à souhait et odorant ; 2 bananes tigrées jaune d'or ; 500 grammes de fraises très parfumées Saint-Joseph ou Héricart ; sirop ; kirsch ; 1 orange.

Méthode :

1º Éplucher l'ananas, le diviser en deux parties dans le sens de la longueur, enlever le centre dur et impropre au service ; couper sur la partie la plus épaisse de l'ananas 12 demi-tranches et diviser le reste en dés de 1 centimètre de côté.

Ranger les demi-tranches dans un plat creux, les arroser de quelques cuillerées de sirop parfumé au kirsch, mettre au froid et laisser macérer.

Recueillir les dés d'ananas dans un saladier.

2º Éplucher les bananes, les diviser en dés comme l'ananas et les réunir à ce dernier dans le saladier.

3º Laver les fraises rapidement à l'eau fraîche après avoir enlevé les pédoncules et les adjoindre aux dés d'ananas et de bananes. Saupoudrer les fruits avec 3 cuillerées à potage de sucre en poudre, les arroser avec le jus de l'orange et un verre à liqueur de kirsch. Mettre à macérer au frais en prenant soin de mélanger de temps à autre avec précaution.

4º Dresser dans un compotier en disposant les demi-tranches d'ananas en couronne vers le bord, puis au centre, en monticule, les fraises macérées. Arroser le tout avec les jus de macération mélangés et filtrés à la mousseline.

MARRONS

Mont-Blanc aux marrons

Fouler au tamis des débris de marrons glacés au-dessus d'un moule à savarin. Les marrons tombant du tamis en vermicelle sont recueillis par le moule. Achever de le remplir, sans tasser, avec les marrons tombés autour du moule.

Retourner le moule sur le plat de service et dresser à la cuiller, au centre de la bordure de marrons, un monticule de crème Chantilly parfumée à la chartreuse.

Melon royal

Utiliser 2 melons à maturité idéale et de saveur impeccable.

Avec la pulpe de l'un, débarrassée des semences et des filaments, puis foulée au tamis de crin, préparer une composition de sorbet léger (granité) parfumée au curaçao.

Sectionner le sommet de l'autre melon de façon à pratiquer un orifice assez grand pour en extraire les graines et les filaments, puis la pulpe avec une cuiller en argent, chaque partie détachée devant avoir le volume et la forme d'un petit œuf.

L'écorce du melon doit demeurer bien intacte. Pour la conserver en cet état, la mettre en l'attente dans le réfrigérateur.

Réunir les parties détachées dans un saladier, les saupoudrer abondamment de sucre glace et les arroser de même avec du curaçao (1 partie) et de la grande fine champagne (2 parties). Faire macérer au froid pendant 1 heure.

Pour servir, poser l'écorce du melon sur un socle fait de glace broyée en neige et le garnir par couches successives de composition à sorbet et de melon macéré. Placer sur le faîte la queue avec la section enlevée.

Melon de la bonne auberge

Choisir des melons de taille régulière et de grosseur convenant pour un convive, de variété dite « charentais ou sucrins d'Anjou », espèce particulièrement fruitée et qui ne provoque que rarement des déceptions à qui sait les sélectionner.

Prévoir 1 melon 1/2 par convive, 9 melons pour 6 convives par exemple.

6 melons seront évidés avec les soins décrits dans la recette du melon royal pour conserver intactes les écorces, 3 seront épluchés et la pulpe enlevée par cuillerée sera seule utilisée.

Mettre les écorces au froid, et les morceaux de pulpe à macérer dans un saladier avec un saupoudrage raisonné de sucre glace (ces variétés sont très sucrées), une bouteille de très vieux porto authentique et par melon un verre de grande fine champagne.

Couvrir hermétiquement le récipient utilisé et mettre au réfrigérateur. Temps de macération : 30 minutes.

Pour servir, remplir les écorces de melon avec la pulpe macérée et en répartissant dans les 6 écorces la totalité du vin de Porto.

Dresser sur une glace broyée en neige, replacer la queue avec la partie d'écorce sectionnée sur chaque melon et présenter sur table.

Les convives apprécieront ce mets souverain en prenant, à la cuiller, des morceaux de pulpe du fruit et un peu de la liqueur couleur bois de rose qui les baigne somptueusement.

PÊCHES

Il convient de toujours enlever la pelure des pêches en les plongeant une seconde ou deux, suivant la maturité, dans un bain d'eau bouillante pour obtenir un fruit net et velouté.

Les pocher ensuite dans un sirop, soit entières, soit divisées par moitiés.

Les préparer selon les différentes formules indiquées pour les abricots.

Pêches archiduc

1º Cuire 125 grammes de semoule, versée en pluie dans un demi-litre de lait bouillant, vanillé et condimenté d'une prise de sel fin, puis sucré avec 75 grammes de sucre.

Couvrir, et mettre à four de chaleur moyenne ; ne plus remuer pendant 30 minutes.

2º Pendant le pochage de la semoule, préparer 1/2 litre de crème pâtissière additionnée à raison d'un quart de son volume de crème Chantilly, parfumer avec un verre à liqueur de kummel.

3º Pocher dans un sirop composé de 100 grammes de sucre, de 2 décilitres d'eau (1 verre) et d'une gousse de vanille, 6 belles pêches débarrassées de la peau et du noyau et divisées en deux parties. Réserver dans un saladier avec le sirop au froid.

4º La semoule étant cuite, l'égrener avec une fourchette en lui incorporant, alors qu'elle est presque bouillante, 3 jaunes d'œufs. Mettre à refroidir dans une terrine. Avoir soin d'égrener de temps à autre pour éviter que le mélange ne devienne compact. Après refroidissement complet, incorporer à la semoule un verre à liqueur de kummel et le quart de son volume de crème Chantilly, ou les 3 blancs montés en neige très ferme et transformés en meringue italienne faite au sucre cuit.

Le dressage :

Huiler légèrement avec de l'huile d'amandes douces un moule à savarin, le garnir avec la semoule préparée, laisser reposer 15 minutes au frais ou dans un réfrigérateur et le démouler sur un plat rond après l'avoir trempé une seconde dans de l'eau chaude, puis essuyé.

Verser au centre la moitié de la crème pâtissière bien froide, ranger dessus les demi-pêches en couronne, puis détendre à consistance d'une crème coulante l'autre moitié de la crème pâtissière avec un peu de crème fraîche dite fleurette. Napper la surface de la semoule en évitant de répandre de la crème dans l'intérieur de la bordure et verser le reste dans une jatte qui est présentée avec l'entremets.

Achever le dressage en recouvrant chaque demi-pêche d'une cuillerée à café de purée de fraises ou de framboises crue légèrement sucrée et parfumée au kummel.

Parsemer sur la bordure une pincée de macarons grossièrement broyés.

Pêches du bocage

Choisir 12 belles pêches, enlever la peau après les avoir plongées une seconde dans de l'eau bouillante et dégager les noyaux en prenant soin de ne pas déformer les fruits. Opérer par le côté du pédoncule.

Les faire pocher ensuite un peu ferme dans un sirop à 30º. Ne pas laisser bouillir. Retirer du feu, déposer les fruits dans un saladier, les arroser avec un verre à liqueur de calvados, puis le sirop de pochage et mettre à la glace ou au réfrigérateur.

D'autre part, préparer une marmelade de pommes avec 6 beaux fruits à chair blanche, parfumés et fermes, cuits à l'étuvée avec 2 cuillerées à potage de sucre, 2 noix de beurre et un fragment de zeste de citron, après les avoir épluchés, débarrassés de leurs pépins et coupés en minces quartiers. Tenir cette purée très consistante et la fouler au tamis de crin. La ranger dans une terrine et la mettre au froid.

Quand elle est très froide, lui incorporer, à volume égal, une fine purée de pêches de bonne qualité et crues. Avoir soin de peler les pêches avant le tamisage.

Dresser la purée de fruits obtenue en dôme, au centre d'un compotier ; à la base, disposer en couronne les 12 pêches pochées et au préalable soigneusement égouttées.

Napper les pêches avec un coulis de fruits rouges crus, comprenant moitié fraises des bois et moitié mûres sauvages et sucré avec quelques cuillerées de sirop de pochage réduit et glacé. Servir le coulis en complément dans une jatte.

Accompagner d'un plateau de crêpes dentelles très croustillantes et fondantes.

Pêches glacées au sirop

Les fruits seront choisis très réguliers et de belle qualité ; enlever la peau sans les ébouillanter si les pêches sont mûres à point et, au fur et à mesure, les plonger dans un sirop à 35°.

Les pocher doucement en les tenant un peu fermes, puis les débarrasser dans une jatte de cristal avec le sirop dans lequel elles doivent juste baigner.

Après refroidissement, les arroser avec un verre à liqueur de kirsch, de marasquin, ou de liqueur de noyau et les placer au réfrigérateur pendant 1 heure. Servir ainsi.

Pêches Melba

(Création du maître Auguste Escoffier en l'honneur de la célèbre cantatrice en visite à Londres.)

Pocher de belles pêches ; après refroidissement, les laisser séjourner dans le sirop au réfrigérateur.

Garnir une jatte en cristal de parfait à la vanille. Poser dessus les fruits, bien égouttés et évidés de leur noyau avec précaution ; les napper avec une purée de framboises, légèrement sucrée et parfumée au kirsch.

Pêches sultane

Procéder comme pour les pêches Melba, remplacer le parfait à la vanille par de la glace aux pistaches et napper les fruits avec le sirop de pochage réduit à 35°, fortement refroidi et parfumé à l'essence de rose.

Pêches déesses

Pocher de beaux fruits débarrassés de la peau, comme pour les pêches Melba. Les laisser refroidir dans le sirop de pochage, parfumé après refroidissement avec de la liqueur Vieille Cure de Cenon.

Préparer d'autre part de la crème frangipane légère (1/2 litre pour 12 pêches) quoique assez consistante et ayant nettement le parfum des macarons.

Ranger les pêches en couronne, le côté du pédoncule en dessous, dans un compotier assez grand, dresser au centre, en dôme, la crème frangipane ; lustrer les pêches avec un voile de gelée de groseilles mi-prise et traitée à cru et piquer négligemment, comme une pluie parfumée sur la frangipane, quelques pétales de roses pralinés.

Accompagner d'une jatte en cristal de gelée de groseilles traitées à cru.

Les pêches de mon moulin

12 pêches printanières épluchées après un plongeon dans de l'eau bouillante et pochées dans un sirop à 35°. Mettre en terrine avec le sirop dans un endroit très froid. Parfumer au cherry et laisser macérer.

Faire macérer 500 grammes de fraises « quatre saisons » avec 3 cuillerées à potage de sucre en poudre et une de kirsch. Tenir au froid.

Dresser dans un compotier et en couronne les pêches égouttées, évidées de leur noyau avec précaution et garnies, à la place du noyau, d'une fraise macérée d'égale grosseur. Lier les fraises avec un verre de crème fouettée et vanillée et les monter en dôme au centre du compotier.

Arroser les pêches avec une cuillerée à café du sirop de pochage au cherry.

Pêches Astoria

Préparer 12 belles pêches comme pour Melba. Avant le dressage, les égoutter, enlever le noyau de chaque fruit sans déformer celui-ci et remplacer le noyau retiré par un volume égal de pralin d'amandes broyé au beurre fin, une partie pralin, une partie beurre.

Garnir une jatte en cristal de glace à l'orange faite exclusivement avec le suc d'orange (ne pas mettre de citron), disposer les pêches pochées et très refroidies sur la glace et napper les fruits avec du jus de cassis frais, additionné à froid de sucre glace pour obtenir une densité de 38° et légèrement parfumé au kirsch.

Répandre sur l'ensemble une pluie légère de pétales de roses pralinés.

Nota. — Le jus (suc) de cassis obtenu par pression dans un linge solide de fruits bien mûrs se mélange à froid avec du sucre glace à raison de 750 grammes de sucre pour 1 kilo de fruits en grains. Broyer un fragment de clou de girofle et l'ajouter au sirop avant de le passer au linge.

Servir bien frais accompagné d'un plateau de petits gâteaux palmiers en petits fours.

POIRES

Éplucher convenablement des poires mûres et fondantes et les pocher dans un sirop parfumé. Mêmes applications que les abricots et les pommes.

Flan de poires flambées

1° Préparer :

a) Une croûte de flan en fine pâte brisée cuite à blanc et ayant 30 à 35 centimètres de diamètre ;

b) Une marmelade de pommes de reinette (6 fruits) selon la formule de la recette des pommes exquises ; parfumer à la cannelle et mélanger une cuillerée à potage de cerneaux de noix concassés, sucrés légèrement et grillés (pralinés) ;

c) 6 poires fondantes pochées dans un sirop composé d'un demi-litre de vin rouge vieux, 250 grammes de sucre, un morceau de cannelle et un demi-zeste de citron.

2° Tous ces éléments étant tièdes, verser la marmelade dans le flan, disposer en rosace les queues réunies au centre, les poires coupées en deux et le cœur évidé avec une cuiller à légume en ayant mis à la place une praline rouge de noisette.

Arroser le tout avec un petit demi-verre de vieux marc ou de calvados préalablement chauffé — servir aussitôt, allumer le brûlot et présenter ainsi aux convives, avec, à part, le sirop de pochage réduit à la contenance d'un demi-verre et légèrement beurré.

Poires Félicia

Éléments :

3/4 de litre de composition à crème renversée vanillée et au caramel ; 1/2 litre de sirop vanillé à 35°; 6 grosses poires fondantes moyennes et 12 de la grosseur d'un œuf, choisies très régulières; 1 verre 1/2 (3 décilitres) de crème fraîche épaisse; 5 pralines rouges; un verre ordinaire de vieux vin de Bourgogne; gelée de groseilles.

Crème :

1/2 litre de lait; 4 jaunes et 2 œufs entiers; une gousse de vanille; 3 cuillerées à potage de sirop au caramel.

Préparer une composition à crème renversée, la verser dans un moule à bordure chemisé avec du sucre cuit au caramel blond foncé, et la pocher au bain-marie. Après cuisson, laisser refroidir dans le moule.

Poires :

Les peler finement et avec goût en les tournant; retirer les pépins par l'œil et les faire pocher à très faible ébullition dans un sirop comprenant 250 grammes de sucre, 1/3 de litre d'eau et une gousse de vanille.

Le sirop sera divisé en deux parties, dont l'une recevra l'appoint du vin rouge, d'une prise de cannelle broyée et de 100 grammes de sucre.

Les 6 grosses poires coupées en 4 quartiers seront pochées dans le sirop blanc, les 12 petites dans le sirop au vin de Bourgogne.

Après pochage, les fruits seront versés avec leur sirop dans deux saladiers, refroidis et mis dans un endroit très frais ou, si possible, au réfrigérateur ou dans de la glace broyée en neige.

Dressage :

Démouler la crème renversée sur un plat rond dont le diamètre est supérieur de 10 centimètres à celui du moule.

Dresser, au centre, en pyramide, les quartiers de poires bien égouttés; fouetter bien ferme la crème fraîche et la sucrer avec une cuillerée à potage de sucre en poudre et une à café de sucre vanillé, en masquer entièrement la pyramide de poires. Parsemer dessus les pralines broyées grossièrement.

Avant de procéder au démoulage et de commencer le dressage, égoutter les petites poires pochées au vin sur une grille.

Quand le moment est venu de terminer le dressage, les tremper dans de la gelée de groseilles mi-prise afin de les voiler de gelée et les poser debout en couronne autour de la crème renversée.

Servir accompagné d'un plateau de minuscules petits sablés.

Poires Rose-Marie

Éléments :

Une fine pâte à pain de Gênes au marasquin cuite dans un moule à génoise de la dimension d'une assiette à entremets; 6 belles poires fondantes : 1/2 litre de sirop à 35°; un pot de confiture de groseilles framboisées et traitées à cru; un demi-œuf de pralin, autant de beurre frais; 3 décilitres de crème Chantilly.

Méthode :

Peler les poires, les diviser en deux parties, enlever les pépins avec une cuiller à légumes, et les pocher dans le sirop. Débarrasser dans un saladier et parfumer au marasquin après refroidissement. Mettre dans un endroit froid.

Broyer finement le pralin et le malaxer avec le beurre frais. Le réserver sur une assiette.

Démouler le pain de Gênes sur un plat rond ou un compotier ; l'imbiber abondamment de kirsch, puis l'enduire d'une couche épaisse de gelée de groseilles. Remettre au réfrigérateur ou au frais 10 minutes, le temps de solidifier la gelée.

Disposer dessus, en rosace, les demi-poires égouttées en temps utile et garnies dans la cavité où se trouvaient les pépins d'une grosse noisette de pralin beurré.

Appliquer, à l'aide d'une poche à pâtisserie, garnie d'une grosse douille cannelée, une torsade de crème Chantilly immaculée à la vanille entre les demi-poires ; d'autre part, teinter en rose pâle un peu de crème Chantilly avec une légère addition de gelée de groseilles à demi dissoute, et tracer à la poche, au centre des torsades, c'est-à-dire au milieu de l'entremets, une belle rose.

Parsemer sur la bordure du plat de service un semis irrégulier de pétales de roses pralinés.

Servir avec une assiette de langues de chat.

Nota. — Les recettes indiquées pour les pêches peuvent être appliquées aux poires.

Marmelade de poires

(pour 6 personnes)

1º Diluer 500 grammes de farine tamisée avec 6 jaunes d'œufs et 3/4 de litre de lait préalablement bouilli et refroidi ; ajouter une pincée de sel fin, une cuillerée à potage de sucre en poudre, une cuillerée à café de sucre vanillé, puis, quand la pâte est lisse et coulante, lui incorporer 100 grammes de beurre frais fondu en pommade.

La composition obtenue ne doit pas être trop claire, prendre garde à la qualité de la farine et réduire, si besoin est, la quantité du lait. La laisser reposer au moins 3 heures dans une terrine mise dans un endroit tempéré, recouvrir d'un linge. Les ferments commenceront à se développer pendant ce repos et la farine perdra le corps que, en mélangeant, elle aurait pu acquérir.

2º Pendant ce temps, pocher dans un sirop à 35º, dont le mouillement est composé de 2 parties d'eau et 1 partie de vin blanc d'Anjou (coteaux du Layon), 3 belles poires fondantes à chair fine et parfumée puis épluchées. Débarrasser dans un saladier et laisser refroidir dans le sirop. Aussitôt froides, les fouler au tamis fin et recueillir la purée dans un bol. La lier avec 2 cuillerées de crème fraîche épaisse et un peu de sirop de pochage réduit au petit boulé. Remettre au froid en l'attente de l'emploi.

Faire des crêpes, les tartiner copieusement avec la purée de poires très froide, les plier en quatre, les dresser en couronne sur un plat très chaud, les arroser de cointreau, mélangé à partie égale avec de la fine champagne, puis chauffer sans bouillir et allumer le brûlot en présentant l'entremets aux convives.

Poires à la beaujolaise

Choisir six belles poires Williams ou Passe-Crassane.

Après les avoir correctement épluchées en laissant les queues intactes, les cuire dans un sirop composé ainsi :

Une bouteille de beaujolais villages ; 150 grammes de sucre ; 10 grammes de cannelle ; un clou de girofle ; 2 tranches d'oranges ; 2 tranches de citron ; 5 grammes de poivre noir (indispensable).

La cuisson est de 15 minutes environ.

Cet excellent dessert se sert froid.

Les pommes se prêtent, également à toutes les préparations conseillées pour les abricots. Cependant, quelques formules leur sont, en surplus, particulières.

Pommes bonne femme

Choisir de belles pommes de reinette, les essuyer, les évider avec la pointe d'un couteau ou un emporte-pièce de la boîte à colonnes de façon à pratiquer un trou central de 2 centimètres de diamètre allant du pédoncule à l'œil par lequel les pépins et le péricarpe se trouvent enlevés. Tracer avec la pointe d'un couteau une incision circulaire qui contourne entièrement le fruit à la moitié de sa hauteur.

Placer les fruits non épluchés sur un plat allant au four; arroser le fond du plat avec quelques cuillerées d'eau ou de vin blanc; emplir la partie évidée de sucre en poudre et placer dessus une demi-noix de beurre frais. Cuire à four de chaleur moyenne.

Pendant la cuisson, préparer autant de petits croûtons de 1 centimètre d'épaisseur qu'il y a de pommes, les frire au beurre (ou de petits biscuits en génoise, ou pain de Gênes, ou pâte à madeleine), les disposer sur le plat de service et sur chacun poser une pomme cuite.

Verser autour des croûtons le jus de cuisson et saupoudrer les puits de sucre glace ou les siroter avec de la gelée de groseilles mi-fondue et parfumée au kirsch.

Mousseline de reinettes aux noix

1° Faire fondre à l'étuvée 8 pommes de reinette moyennes, préalablement épluchées, débarrassées des pépins et du péricarpe et coupées en tranches, avec deux noix de beurre, 3 cuillerées à potage de sucre en poudre, une cuillerée à café de sucre vanillé et un fragment de zeste de citron (mince pelure jaune exclusivement) haché très fin.

2° Mettre à pocher dans un sirop composé d'1 verre 1/2 d'eau, de 125 grammes de sucre et d'une gousse de vanille, 3 autres pommes de reinette, épluchées, coupées en 8 quartiers et épépinées.

Ce pochage doit être conduit très doucement et les fruits maintenus juste attendris. En retirer 15 à ce point de cuisson et poursuivre celle des autres jusqu'à point et les égoutter; réserver le sirop.

3° Écraser à la fourchette la marmelade aussitôt cuite, et la réduire en plein feu en la remuant avec une spatule afin de provoquer l'évaporation de l'humidité de végétation et d'obtenir une véritable pâte de fruits.

A ce moment, retirer du feu.

La lier, alors qu'elle est chaude, avec un demi-verre de crème épaisse, fraîche et fouettée, 3 œufs entiers battus en omelette et 3 jaunes, deux cuillerées à potage de cerneaux de noix concassés grossièrement et pour terminer, les quartiers de pommes pochés à demi.

4° Beurrer grassement un moule à charlotte, y verser la marmelade préparée, tasser légèrement et cuire au bain-marie à four de chaleur moyenne pendant 40 minutes environ.

Vérifier l'à-point de cuisson par une légère pression du doigt. La composition doit donner l'impression d'une crème renversée.

5° Pour servir, laisser reposer une dizaine de minutes après la sortie du four, puis démouler sur un plat de service, rond et tiède.

Napper l'entremets avec une crème obtenue moyennant la réduction à 1/2 verre du sirop de pommes, dans lequel des quartiers ont été laissés à cuire complètement; passer au chinois fin le sirop et les pommes, fouler ces dernières en purée, ajouter hors du feu un œuf de beurre frais, puis un verre de crème fraîche et fouettée. Parfumer à la liqueur de noyau.

Accompagner d'une assiette de langues de chat ou autres petits gâteaux secs et délicats.

Pommes au four Martiniquaise

Il est nécessaire de choisir des pommes belles et régulières, de bonne qualité, qui ne s'écrasent ni ne se déforment à la cuisson, soit reinettes ou châtaigniers.

Les éplucher, évider le centre de la queue à l'œil avec un emporte-pièce de la boîte à colonnes ayant 2 centimètres de diamètre et les cuire au four comme il est expliqué pour les pommes bonne femme.

Après cuisson, les dresser sur un petit socle en pâte à pain de Gênes moulé dans un moule à tartelette et imbibé très légèrement de rhum ; garnir la partie évidée avec un salpicon d'ananas frais, macéré au rhum et lié avec une ou deux cuillerées de crème frangipane.

Les napper ensuite assez copieusement de crème frangipane demi-légère et parfumée au rhum ; les saupoudrer de macarons broyés ; parsemer quelques parcelles de beurre frais et faire gratiner vivement à four chaud.

Pommes à la limousine

1° Choisir 6 belles pommes châtaigniers, reinettes à défaut ; les éplucher avec goût, enlever les pépins et le péricarpe avec un tube de la boîte à colonnes et les faire pocher dans un sirop léger composé de 3 verres d'eau, 250 grammes de sucre et une gousse de vanille.

Veiller au pochage qui doit être conduit très doucement afin que les fruits demeurent de forme parfaite.

2° Pendant cette opération, écorcer, après les avoir incisés et ébouillantés 5 minutes (mis à l'eau froide), un litre de châtaignes ou de marrons. En pratiquant sur des marrons brûlants, l'écorce et la fine peau brune s'enlèvent ensemble.

Réunir les marrons dans une casserole haute, bien entassés, ajouter une prise de sel, une gousse de vanille, couvrir de lait et cuire doucement pendant 40 minutes.

Après cuisson, tamiser les marrons, recueillir la pulpe dans une sauteuse, l'additionner de 125 grammes de sucre en poudre, la faire bouillir et la mettre à consistance d'une purée légère avec quelques cuillerées de crème fraîche.

3° Émonder une poignée d'amandes, les effiler (couper en lames minces dans le sens de la longueur), les éparpiller sur une tourtière, les mélanger à une pincée de sucre en poudre, les faire griller légèrement (praliner).

4° Mélanger dans un saladier 125 grammes de sucre en poudre et 3 jaunes d'œufs. Travailler avec une cuiller en bois 15 minutes ; la composition sera devenue blanche et crémeuse ; ajouter une cuillerée à potage très pleine de farine, puis délayer doucement avec 1/2 litre de lait bouilli et chaud, compléter avec une gousse de vanille. Verser dans la casserole utilisée pour le lait et faire bouillir en fouettant sans arrêt.

Dès le premier bouillon, retirer du feu et beurrer avec un œuf de beurre frais.

5° Dressage de l'entremets. Étendre la crème de marrons ou de châtaignes sur le plat de service ; disposer dessus les 6 pommes en couronne ; napper les fruits avec la crème préparée et saupoudrer avec les amandes grillées.

Pommes exquises

1° Cuire 125 grammes de riz Caroline ou Patna pour gâteau de riz. Le mouler dans un moule à bordure à base plate ou incurvée et chemiser au sucre caramel très blond. Parfumer le riz au kirsch.

2° Fondre au beurre (gros comme un œuf) et à l'étuvée 4 ou 5 pommes de reinette, épluchées, débarrassées des pépins et du péricarpe, coupées en lames et saupoudrées de 2 cuillerées à potage de sucre en poudre. Après cuisson, les broyer en fine purée un peu consistante. Hors du feu, lui incorporer 50 grammes de beurre frais.

3° Peler 4 jolies pommes de reinette très régulières, enlever les pépins et le péricarpe et les diviser en 1/2 rouelles d'1 centimètre 1/2 d'épaisseur, les saupoudrer de sucre en poudre, les rassembler dans un saladier, les arroser d'un verre à liqueur de kirsch et laisser macérer 15 minutes au moins.

4° Fondre à demi un pot de gelée de groseilles faite à cru ou, au printemps, avec les dernières pommes et les premières fraises ; tamiser 250 grammes de ces dernières et réunir ce coulis rubis dans un bol avec 2 cuillerées de sucre en poudre et une cuillerée à potage de kirsch. Si la groseille est employée, la parfumer également au kirsch.

5° Le dressage. — Démouler sur un plat rond et chaud la couronne de riz, ranger dessus, en les faisant se chevaucher les demi-rouelles de pommes, bien égouttées, saupoudrées très légèrement de farine et dorées, rapidement, sur les deux faces, dans une poêle où chante une bonne cuillerée de beurre. Ces rouelles doivent être juste attendries, et d'une belle couleur d'or.

Dresser au centre de la couronne et en dôme la marmelade de pommes.

Napper les demi-rouelles de pommes soit avec la gelée de groseilles, soit avec le coulis de fraises.

Piquer le dôme de marmelade d'une demi-douzaine de pralines grossièrement broyées.

Pommes belle angevine

1° Choisir 6 reinettes du Mans (une par convive), beaux fruits, réguliers et jaune clair, délicatement parfumés.

Les essuyer avec soin et les ceinturer d'une incision de 1 millimètre de profondeur avec la pointe d'un couteau, juste à mi-hauteur, les évider avec un emporte-pièce de la boîte à colonnes, ou au couteau, pour enlever les pépins, les péricarpes, l'œil et le pédoncule, les poser sur un plat en porcelaine allant au four, grassement beurré et mouillé avec un demi-verre de vin d'Anjou, riche en senteur du terroir, tels les vins des coteaux du Layon.

Verser le contenu d'une cuillerée à café de sucre en poudre vanillé dans la partie évidée (6 cuillerées de sucre en poudre mélangé à une de sucre vanillé). Mettre sur chaque pomme une demi-noix de beurre frais, puis cuire au four selon le vieil usage.

Pratiquer de fréquents arrosages en renouvelant le vin d'Anjou par cuillerée à mesure de son évaporation et réduction.

Quand les pommes seront cuites, elles ne devront pas être déformées, elles auront une jolie couleur dorée surmontée d'une auréole roux tendre provoquée par la caramélisation partielle du sucre en poudre et de celui contenu naturellement dans le vin. Le vin d'Anjou presque absorbé en totalité formera un sirop court, épais et grassouillet.

Laisser refroidir, puis tenir en réserve au réfrigérateur ou dans un endroit très frais.

2° Préparer 6 petits socles en pâte à savarin cuits dans des petits moules à douille utilisés pour les petits gâteaux.

Les tremper dans un sirop à 35° parfumé au cointreau. Égoutter sur une grille à pâtisserie et ranger au frais.

3° Concasser grossièrement les cerneaux de 6 noix ; si elles sont fraîches, il est nécessaire d'enlever la mince peau qui les protège et qui est amère durant les premières semaines qui succèdent à la récolte ; les relever sur une tourtière à pâtisserie et les saupoudrer avec une cuillerée de sucre en poudre et les présenter au four chaud quelques minutes pour les praliner de couleur blonde. Mettre ensuite à refroidir.

Le dressage :

Disposer en couronne, sur un plat suffisamment spacieux, une belle pièce d'argenterie si possible, les 6 petits savarins, les imbiber à nouveau avec une cuillerée à café de cointreau pour chacun.

Poser une pomme sur chaque savarin et parsemer sur les fruits le hachis de noix praliné.

Au centre des fruits, dresser en rocher, à la cuiller, de la crème Chantilly faite avec 1/2 litre de crème fraîche épaisse et parfumée avec le suc de pomme au vin d'Anjou recueilli religieusement dans le plat de cuisson en le faisant tiédir à peine (il suffit de poser le plat une seconde sur un ustensile chaud).

La crème Chantilly peut être remplacée moins avantageusement par de la crème frangipane ou de la crème à Saint-Honoré.

PRUNEAUX

Pruneaux au vin de Bourgogne

Éléments :

1 kilo de pruneaux d'Agen ; 1 litre 1/2 de vin de Bourgogne rouge ; 1 orange et 1 citron coupés en tranches ; 20 grammes d'écorce de cannelle ; 150 grammes de sucre.

Méthode :

1° Faire gonfler les pruneaux quelques heures à l'eau froide. Les égoutter et les mettre dans une casserole. Mouiller avec le vin rouge. Ajouter le sucre, la cannelle, les tranches d'orange et de citron.

2° Porter à ébullition ; dès que celle-ci est obtenue, retirer la casserole du feu et laisser refroidir.

3° On sert les pruneaux dans une vasque ou un saladier avec leur sirop et les tranches d'agrumes.

FRUITS RAFRAICHIS OU MACÉDOINES DE FRUITS

Nettoyer, peler, dénoyauter ou épépiner, couper en petits dés ou en rondelles, ou laisser entiers des fruits divers bien mûrs et crus, lavés si nécessaire à l'eau citronnée.

Faire macérer au moins 2 heures cette macédoine avec sucre et kirsch, marasquin ou autres liqueurs, ou vins comme le champagne, dans un endroit frais. Avoir soin de les sauter de temps en temps pour que les éléments du mélange s'imprègnent parfaitement mutuellement. Dresser dans une timbale 15 minutes avant de servir et sangler dans de la glace broyée en neige. Se sert ainsi.

ENTREMETS FROIDS DIVERS AUX FRUITS

Riz à l'impératrice

Trier, laver à plusieurs eaux, jusqu'à ce qu'elle soit limpide, puis ébouillanter 5 minutes, 125 grammes de riz Caroline ou Patna. L'égoutter, le rafraîchir, l'égoutter à nouveau et le faire tomber en pluie dans 1/2 litre de lait mis en ébullition avec une gousse de vanille et une prise de sel. Ajouter une belle noix de beurre, couvrir et cuire à four doux 35 minutes sans remuer.

Le sortir du four, le saupoudrer avec 60 grammes de sucre en poudre, et le désagréger avec précaution à l'aide d'une fourchette, lui mélanger 3 cuillerées à potage de marmelade d'abricots et 125 grammes de fruits confits en mélange, coupés en dés et macérés avec 4 cuillerées à potage de kirsch, de marasquin ou de Grand Marnier.

Quand le riz est encore tiède, l'additionner de 5 décilitres de crème anglaise, tiède également, collée avec 3 feuilles de gélatine, trempées à l'eau fraîche et pressées ; après refroidissement du mélange, mais avant qu'il coagule sous l'action de la gélatine, ajouter 3 décilitres de crème fouettée et sucrée avec 2 cuillerées à potage de sucre en poudre.

Huiler légèrement, à l'huile d'amandes douces, un moule à bordure, décoré ou non, ou à biscuit avec douille centrale et le garnir avec la composition.

Enfouir le moule dans de la glace en neige ou dans une glacière pour faire prendre l'appareil sans le glacer cependant car le riz redeviendrait ferme au lieu de demeurer moelleux.

Démouler sur un plat rond et décorer la base de fruits confits. Le servir accompagné d'une sauce aux fruits : cerises, abricots, groseilles, etc., parfumée au kirsch.

Fruits divers à l'impératrice

La composition ci-dessus peut être servie seule, mais elle sert bien plus souvent d'élément de base à des fruits pochés au sirop.

Exemple :

Pêches à l'impératrice ; poires à l'impératrice ou pommes ; abricots à l'impératrice ou bananes, etc.

Les fruits sont pochés dans un sirop à 35° après avoir été pelés, évidés de leur noyau et divisés en deux parties — les abricots exceptés — puis refroidis dans le sirop de pochage parfumé à la liqueur choisie.

Le riz est moulé dans un moule à bordure et à fond plats ou incurvés ; démouler selon la méthode et garnir avec les demi-fruits, soit sur la bordure, soit autour.

Le tout est nappé d'une sauce aux fruits ou avec du sabayon.

Le riz à l'impératrice permet de réaliser une variété d'entremets froids délicieux avec des fruits soit frais soit conservés au sirop.

Diplomate aux fruits

(indiquer le fruit choisi)

Préparer :

a) Un fond en composition à madeleine cuite dans un moule à pain de Gênes ;

b) Une composition à bavaroise aux fruits moulée dans un moule à douille et d'un diamètre inférieur de 8 à 10 centimètres à celui du fond en pâte à madeleine ;

c) Des fruits pochés au sirop en rapport avec le qualificatif choisi.

Le dressage :

Tous ces éléments étant très refroidis, procéder au dressage.

Enduire le fond de madeleine de marmelade d'abricots réduite sans excès et parfumée à la liqueur de noyau. Placer ce biscuit sur le plat de service et démouler la bavaroise dessus.

Ranger en collier à la base de la bavaroise, sur le biscuit, les fruits pochés et égouttés.

Napper le tout avec une sauce aux fruits en rapport, ou un sabayon crémeux au champagne, ou une crème anglaise au vin de Porto.

TABLE ALPHABÉTIQUE DES RECETTES

A

B

C

D

E

F

G

M

N

O

P

Q

R

S

T

V - W - Z

TABLE DES ILLUSTRATIONS

TABLE DES MATIÈRES

DU MÊME AUTEUR

LA CUISINE DU MARCHÉ
un volume relié avec jaquette de 504 pages. 21,5 x 28 cm.

BOCUSE DANS VOTRE CUISINE
un volume cartonné de 352 pages. 18,5 x 27 cm.

BOCUSE À LA CARTE
un volume cartonné de 88 pages. 19 x 25 cm.

BOCUSE ET LOUIS PERRIER
LA CUISINE DU GIBIER
un volume cartonné de 320 pages. 18,5 x 27 cm.

CET OUVRAGE A ÉTÉ ACHEVÉ D'IMPRIMER
EN MARS 1987
SUR LES PRESSES DE OUEST IMPRESSIONS OBERTHUR,
A RENNES

Imprimé en France
Dépôt légal : 2ᵉ trimestre 1980 - N° d'impression 7252 - N° d'édition 15379

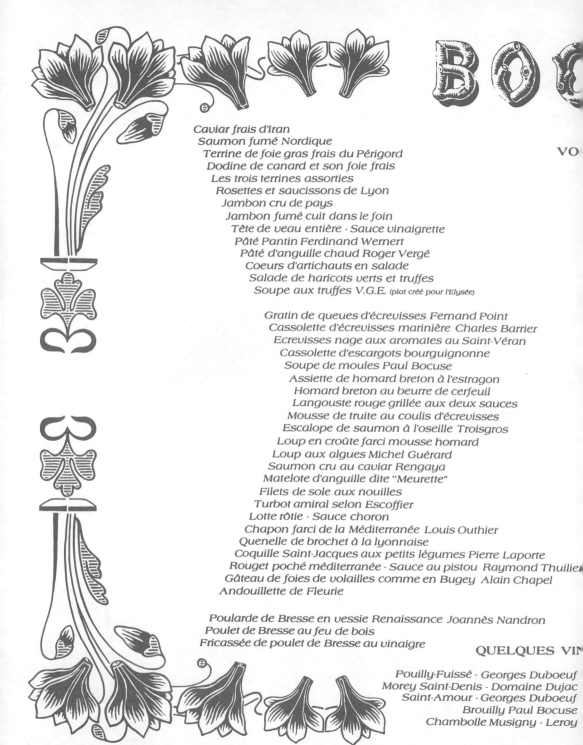

BOC

Caviar frais d'Iran
Saumon fumé Nordique
Terrine de foie gras frais du Périgord
Dodine de canard et son foie frais
Les trois terrines assorties
Rosettes et saucissons de Lyon
Jambon cru de pays
Jambon fumé cuit dans le foin
Tête de veau entière · Sauce vinaigrette
Pâté Pantin Ferdinand Wernert
Pâté d'anguille chaud Roger Vergé
Coeurs d'artichauts en salade
Salade de haricots verts et truffes
Soupe aux truffes V.G.E. (plat créé pour l'Elysée)

VO

Gratin de queues d'écrevisses Fernand Point
Cassolette d'écrevisses marinière Charles Barrier
Ecrevisses nage aux aromates au Saint-Véran
Cassolette d'escargots bourguignonne
Soupe de moules Paul Bocuse
Assiette de homard breton à l'estragon
Homard breton au beurre de cerfeuil
Langouste rouge grillée aux deux sauces
Mousse de truite au coulis d'écrevisses
Escalope de saumon à l'oseille Troisgros
Loup en croûte farci mousse homard
Loup aux algues Michel Guérard
Saumon cru au caviar Rengaya
Matelote d'anguille dite "Meurette"
Filets de sole aux nouilles
Turbot amiral selon Escoffier
Lotte rôtie · Sauce choron
Chapon farci de la Méditerranée Louis Outhier
Quenelle de brochet à la lyonnaise
Coquille Saint-Jacques aux petits légumes Pierre Laporte
Rouget poché méditerranée · Sauce au pistou Raymond Thuilier
Gâteau de foies de volailles comme en Bugey Alain Chapel
Andouillette de Fleurie

Poularde de Bresse en vessie Renaissance Joannès Nandron
Poulet de Bresse au feu de bois
Fricassée de poulet de Bresse au vinaigre

QUELQUES VIN

Pouilly-Fuissé · Georges Duboeuf
Morey Saint-Denis · Domaine Dujac
Saint-Amour · Georges Duboeuf
Brouilly Paul Bocuse
Chambolle Musigny · Leroy